DRIEËNNEGENTIGSTE JUBILEUMOMNIBUS

DRIEËNNEGENTIGSTE
JUBILEUMOMNIBUS

ANKE DE GRAAF
Een plaats om te leven

NEL VAN DER ZEE
Samen verder

HANS DE GROOT-CANTÉ
Floortje raakt de zon

LENI SARIS
De weerklank van liefde

MIEN VAN 'T SANT
Geen kinderen

Westfriesland

Eerste druk in deze uitgave 2008

NUR 343
ISBN 978 90 205 2847 3

Anke de Graaf

Een plaats om te leven

HOOFDSTUK 1

Noortje Folmer herinnerde zich later nog heel goed wat ze voelde, toen ze voor de allereerste keer voor het grote, hoge huis aan het begin van de deftige Admiralenkade stond.

Ze was zenuwachtig, bang en verdrietig. Er waren gedachten in haar hoofd, die ze niet kon verdringen. In de eerste plaats dacht ze aan Frans; als hij wist dat ze hier stond, als hij wist dat ze zo wanhopig was en zocht naar een uitweg. Onderdak en geld om van te leven moest ze hebben, maar waar vond ze dat?

Ze dacht ook aan haar ouders. Als die nog leefden, zouden ze zeggen: „Kind, kom bij ons", en ze zouden samen een oplossing vinden.

Ze dacht ook aan haar huis in de Anjelierstraat. Als het hier wat zou worden, dan moest ze uit het huis in de Anjelierstraat, waar zoveel herinneringen waren die ze niet kon loslaten. Maar het moest.

Daar weggaan betekende haar vrijheid opgeven, maar ze kon er niet blijven. Ze had geen geld. Ze had geen keus.

De heldere stem van het kind naast haar – en Judy praatte voor haar doen toch zacht – bracht Noortje terug op de hardstenen stoep voor de grote deur met de glanzende, brede brievenbus en de dikke, koperen belknop.

„Mam, gaan we in dit mooie huis wonen?" De bruine ogen keken haar nieuwsgierig, bijna blij aan en zij lachte naar het kind. Haar stem klonk gemaakt vrolijk, toen ze zei: „Dat weet mama nog niet." Ze keek een beetje ondeugend naar het meiske, alsof ze samen een leuk plannetje bedacht hadden. „Zal ik aan de bel trekken? Dan kijken we hoe het binnen is!"

Judy knikte ernstig. Vijf jaar was ze en ze begreep van wat er ging gebeuren helemaal niets.

Noortje trok aan de bel.

De deur werd geopend door een vrouw, die ze zo op het oog even in de vijftig schatte. Ze zag er onverschillig en onverzorgd uit; ze droeg een donkerblauw, glimmend jasschort met grote, witte knopen.

„Dag, mevrouw," groette Noortje vriendelijk, „ik heb een afspraak met mevrouw Verhoeven."

De vrouw had een groot hoofd en ze knikte met dat hoofd; ze wist van de afspraak.

„Komt u binnen. Ik zal tegen mevrouw zeggen dat u er bent." Toen ze in de gang stonden – de brede voordeur was weer gesloten – wees de vrouw naar een bank met een rechte spijltjesleuning. De bank stond tegen een witgeschuurde muur.

Ze slofte de gang in.

„We gaan zitten."

Judy klom al op de bank.

„Denk alsjeblieft om je schoenen. Schop niet tegen de poten." Judy boog zich helemaal voorover om te kijken of er in het midden van de bank wel poten waren. Ze zag ze niet. Maar ze slingerde niet met haar benen, zoals ze bijna altijd deed als ze op een stoel zat. Op de bank thuis kon ze niet slingeren. Die was niet open onder de zitting. Deze bank wel. Maar ze hield haar benen stil. Het was geen lekkere bank, vond ze, veel te hard, er lag geen kussentje op.

De mevrouw die in dit huis woonde, zat vast nooit op deze bank, want dan maakte ze kussentjes en legde die op de harde zitting. Maar de mevrouw van het huis was natuurlijk altijd in de kamer en in die kamer had ze een lekkere zachte stoel. Als ze met mama in die kamer kwam, zou ze naar de stoel kijken.

Noortje keek de gang in. Het was een lange, brede gang zoals in veel oude herenhuizen. Op de grond lag een prachtige loper; warme kleuren van zacht lichtblauw, heel diep donkerblauw, mooi rood, zwart en hier en daar een streepje roze. Schitterend vond Noortje het. Als Jansje Bakker deze loper zag, zou ze zeggen: „Zoiets hoort in een paleis thuis, kind! Waar ben je terechtgekomen?"

Onder de loper, dat was aan de zijkanten te zien, lagen grote, witmarmeren tegels. Halfweg de gang stond een oude Friese klok. Rustig tikte het zware uurwerk de tijd weg.

Er hingen twee schilderijen in de gang, niet zo groot, en Noortje kon niet zien wat ze voorstelden, want ze hingen te ver weg. Ze zag alleen de brede, donkere lijsten.

Het blauwe jasschort kwam terug. Op het groffe gezicht lag nu een vriendelijke glimlach en opeens was de vrouw veel knapper.

„Komt u mee?" vroeg ze, „mevrouw wacht op u."

Judy gleed al van de bank en begon te lopen.

„Judy, hier," fluisterde Noortje dringend.

De kamer, waarin het blauwe jasschort hen binnenliet, was groot. Noortje probeerde heel voorzichtig rond te kijken, maar dat lukte niet. Ze zag alleen zware meubelen, een grote kast met dichte deuren en veel groene planten.

In een stoel met een hoge rugleuning en brede armleggers zat een vrouw die, dat schatte Noortje, zeker zes-, zevenenzeventig jaar was. Zoiets als buurtje Bekkering was ze, maar buurtje Bekkering was een sloverig vrouwtje, die altijd op sloffen liep en een schort voorhad; dit was echt een mevrouw. In een eenvoudige, maar mooie japon en met goed gekapt, grijs haar. Ze stond op, toen Noortje de kamer binnenkwam.

„Dag, mevrouw Verhoeven." Noortje stak haar hand uit, ze voelde zelf hoe ze trilde. Ze moest zich beheersen, ze moest flink zijn, maar het liefst zou ze in huilen uitbarsten en zich omdraaien, Judy bij de hand nemen en hard weghollen, terug naar huis, terug naar alles wat van haar was en van Frans.

„Dag, mevrouw Folmer."

Van het gezicht zag Noortje alleen de ogen. Het waren vriendelijke, maar wel opmerkzame grijze ogen achter heldere brillenglazen.

„En dit is Judith?" vroeg mevrouw. Ze boog zich naar het kind.

„Ik heet Judy." Het fijne gezichtje met de bruine kijkers straalde. Een mooi kind was Judy, dat was waar, het was niet omdat het Noortjes dochtertje was, iedereen die Judy zag zei het en als ze het niet zeiden dachten ze het in elk geval.

„We noemen haar Judy," legde Noortje uit, „ze is nog klein, misschien wordt het later Judith."

„Ik vind Judy erg mooi." Mevrouw Verhoeven knikte. „Ook als je groot bent, meiske."

Judy lachte naar haar, ze vond het een aardige mevrouw. En mevrouw had een zachte stoel, met een dik kussen, ze zag het. Ze gingen zitten. Noortje in een stoel als waar mevrouw in zat, ook met een hoge rugleuning, en Judy in een leuk stoeltje met dikke, zachte gebloemde kussens. Haar voeten konden niet op de grond, maar dat hinderde niet. Ze zat lekker.

Mevrouw Verhoeven begon te praten. Ze had een rustige, beschaafde stem.

„Ik heb op uw brief geantwoord, maar eigenlijk meer uit beleefdheid, omdat ik vond dat u zo'n aardige brief schreef." Ze glimlachte naar Noortje. „Ik denk dat de betrekking hier niets voor u zal zijn." Ze keek in de richting van Judy, Noortje knikte. Ze begreep het. Mevrouw wilde waar het kind bij was, niet zeggen dat dit huis niet geschikt was voor een kind om er te wonen. Nee, het was anders, het huis was wel geschikt, maar de mensen niet. Die wilden geen kind om zich heen.

„Wij wonen hier samen, mijn zoon en ik. Het werk van mijn zoon eist concentratie en rust. Hij is verbonden aan een laboratorium waar men onderzoekingen verricht op het gebied van de voortplanting van bloemen en planten en onderzoekingen doet naar hun ziekteverschijnselen. Hij brengt kruisingen tot stand en bestudeert de afwijkingen. Mijn zoon experimenteert met het kweken van bloemzaden. Als hij thuis is, is hij meestal in zijn werkkamer aan de andere kant van de gang en dan moet hij rust hebben."

„Ik begrijp het." Noortje knikte. Ze begreep niets van de toestanden die de zoon uithaalde. Prutsen met bloemen, waar is dat voor nodig? Laat groeien en bloeien! Ze begreep wel dat het hier niets werd voor haar. Ze hoopte er zo op. Wat moest ze nu, ze zocht al zo lang naar een ander onderdak…

„Tot nu toe kon ik het werk in huis regelen. Annie, u hebt haar net gezien, is een fijne hulp. En als er echt grote schoonmaak wordt gehouden, ja, dat doen we af en toe" – mevrouw Verhoeven lachte even – „kunnen we meer hulp krijgen. Maar ik word ouder en ik kan het niet meer aan. Ik had gedacht aan een rustige vrouw van omstreeks veertig jaar, die haar gangetje gaat, maar wel alles op orde houdt."

„Ik heb op uw advertentie geschreven, omdat daarin stond dat er woonruimte is," zei Noortje. Zachtjes voegde ze eraantoe: „En dat zoek ik voor Judy en mij, dat moet ik hebben."

Mevrouw Verhoeven knikte. „Dat is er ook. Het is een groot huis, dat hebt u wel gezien. De bovenverdieping gebruiken we eigenlijk niet. Alleen als wegzetruimte. Ik heb mijn slaapkamer achter deze kamer. Ik heb moeite met trappenlopen en het is niet nodig dat ik boven slaap, want de kamer achter is een fijne kamer. Heerlijk rustig en met een prachtig uitzicht op de tuin. Mijn zoon heeft zijn slaapkamer ook beneden, achter zijn werkkamer. De kamers boven worden door ons dus niet gebruikt. Het lijkt me prettig nog iemand in huis te hebben. Mijn zoon is vaak weg, naar besprekingen of een congres, en dan ben ik alleen."

Noortje knikte.

Er viel een korte stilte. Mevrouw Verhoeven keek naar de jonge vrouw tegenover haar. Noortje Folmer had een smal gezicht met grote, sprekende ogen en dat sprekende vertelde nu dat ze wanhopig was, bijna aan het eind van haar kunnen. De mond met de smalle lippen trilde. Ze had donker haar, een beetje krullend, met een pony op het voorhoofd. Dat gaf haar iets aparts en tegelijk kinderlijks.

Mevrouw Verhoeven voelde medelijden met haar. Ze zat als een brokje ellende in de stoel. De smalle schouders voorover, de handen ineengevouwen in haar schoot.

„Zoekt u woonruimte?" vroeg ze, meer om iets te zeggen dan dat ze dit hoefde te vragen, want het vrouwtje had al gezegd dat ze ernaar zocht.

Noortje dacht: ik vertel alles,

Ze kon niet verklaren waarom ze het deed, het was gewoon omdat ze zich moest uiten, ze zat te vol. Ze deed het uit wanhoop, omdat ze al zoveel teleurstellingen had gehad en hierop hoopte: bij een oudere dame wonen in een groot huis, dat was geborgen zijn en veilig, dat had ze gedacht. Nu ze hier zat, wist ze dat deze vrouw haar een gevoel van geborgen zijn gaf en het huis veiligheid betekende.

Eigenlijk begreep ze dat niet, want het huis was zo groot, en mooi en overdadig ingericht. Dat was ze niet gewend. In haar huis in de Anjelierstraat was de gang net groot genoeg om er met zijn tweetjes in te staan en haar woonkamer kon ronddraaien in deze kamer! Maar dit huis met zijn tikkende klok in de gang gaf haar rust, ja, echt het gevoel van veiligheid. En de vrouw tegenover haar deed haar aan tante Bets denken en tante Bets was altijd lief. Die hielp als ze kon. Zoiets moest deze vrouw ook zijn.

„Twee jaar geleden is mijn man bij een auto-ongeluk om het leven gekomen," begon ze te vertellen. „Dat was vreselijk. Ik hield zoveel van hem. We hadden geen geld en geen spulletjes, want we zijn eind 1945 getrouwd, net na de oorlog. In de oorlog was Frans ondergedoken, hij verdiende geen cent. We waren allang blij dat hij nog leefde, toen de bevrijding kwam. En ik kon in de oorlog ook niet werken en sparen. We begonnen zonder geld, zonder spulletjes, maar dat was helemaal niet erg, want we waren blij dat we weer vrij buiten konden lopen. De angst was weg en we hadden geen honger meer. We woonden in bij de ouders van Frans, want – dat weet u ook wel – een huis kreeg je als jong stel niet toegewezen in de stad. We zaten met geleende stoelen en een tafel op een slaapkamer, maar we waren erg gelukkig. In 1946 is Judy geboren. We waren ontzettend blij met haar, ook al hadden we eigenlijk geen ruimte om een wieg neer te zetten en lag ze in de luiers die ik van een buurvrouw kreeg. Frans' ouders waren ook gek met het kind. Na een paar jaar werd alles veel beter. Frans had een goede baan – hij was auto-monteur – en we kregen een huis. In de bloemenbuurt. Ik weet niet of u die wijk kent. Het zijn huizen van ver vóór de oorlog, klein en niet goed gebouwd, maar we waren er de koning te rijk mee. We spaarden om nieuwe dingen voor het huis te kunnen kopen. Ik ben erg zuinig, ik heb nooit geld gehad om uit te geven. We begonnen er net een beetje bovenop te krabbelen, toen dat vreselijke ongeluk kwam. Frans was op slag dood. En ik" – Noortje zuchtte – „ik weet van die tijd alleen dat ik dacht dat ik gek werd, alles was voor mij voorbij." Ze keek mevrouw Verhoeven recht aan. „Maar langzaam kwam ik toch in het leven terug. En toen had ik geen geld, helemaal geen inkomen meer. Ik heb van alles aangepakt om met Judy in ons huis te kunnen blijven. In winkels gestaan, maar dan moet je ook op zaterdag werken en een ander wil niet elke zaterdag op je kind passen. Door de week gaat het beter, dan zijn de mannen de hele dag naar hun werk. Ik heb als serveerster in een restaurant gewerkt en op een atelier gezeten om peignoirs te naaien. Het eerste jaar kon ik Judy meestal naar mijn zus brengen, als ik naar mijn werk ging. Meer familie heb ik niet. Mijn ouders zijn overleden. Mijn zus en haar man emigreerden naar Australië. Ik heb het nog bijna een jaar kunnen volhouden met buren, die Judy naar de kleuterschool brachten en haar weer ophaalden. Bij hen mocht ze blijven, tot ik thuiskwam, maar dat was niet vol te houden. Het werd steeds moeilijker. Ik ben ten einde raad naar de bijstand gegaan. Het was heus een aardige man die me op het gemeentehuis te woord stond, maar hij kon weinig voor me doen. Hij kan me korte tijd twintig gulden in de week geven, maar dan mag ik er absoluut niets bijverdienen. Wat doe ik met twintig gulden? De huisdeur is al zeven gulden. Wat moet ik beginnen met dertien gulden? De kachel moet branden, ik moet eten en drinken kopen en koken en wassen, enfin, u weet het wel. Het kan zo niet meer. Ik moet ons huis opgeven en met Judy wat anders zoeken. Maar het is erg moeilijk." Ze keek mevrouw Verhoeven aan. Moe en verdrietig was ze, ze voelde dat bewust. „Ik heb een paar maal geschreven op een advertentie waarin een huishoudster werd gevraagd. Ze vroegen of ik wilde komen en ik ging erheen. Het waren allemaal oudere mannen zonder vrouw. Ze woonden alleen of hadden grote kinderen. Ze keken naar me alsof ze me de eerste avond dat ik zou komen, al in hun bed wilden hebben. Ik durfde er niet heen te gaan." Mevrouw Verhoeven schudde langzaam haar hoofd.

„Kind toch," zei ze bewogen. Ze had medelijden met dit jonge ding. Hoe oud zou ze zijn, negenentwintig, dertig misschien en dan al zo door het leven gegrepen worden! Ze verloor de man van wie ze hield, met wie ze de zorgen van een trouwdag zo kort na de oorlog had overwonnen. Alles was in één klap weg: haar liefde, haar geluk en haar toekomst. En toen ze ontwaakte uit die vreselijke zwarte droom van verdriet, kwamen de nuchtere feiten van het dagelijkse leven er nog bij. Geen geld voor eten voor zichzelf en haar kind, geen geld om de huishuur te betalen en wat ze vertelde over de mannen die een huishoudster zochten... mijn hemel, wat moest dit kind nou? Renate Verhoeven had nooit armoede gekend, ze wist niet wat het was zonder geld te zitten. Ze las er weleens over in boeken, maar dat waren verhalen. Wat dit jonge ding vertelde, was gewoon vreselijk en zielig. Wie kwam haar helpen? Ouders had ze niet. Geen verzekering keerde iets uit, want daar konden ze vroeger de premie natuurlijk niet voor betalen. Och, och, wat een triest geval. Maar haar hier in huis nemen met een kind van vijf jaar… Menno kon geen drukte verdragen! Als Annie in de keuken zong, werd hij al nijdig. Hij was moeilijk, als het niet ging zoals hij het wilde.

„Ik zou je graag willen helpen." Ze boog zich wat voorover. „Het werk hier is niet zwaar, ik weet zeker dat je dat aankunt, maar het is om mijn zoon. Hij heeft veel aan zijn hoofd, hij is erg knap en verdiept in zijn werk. Rust en stilte heeft hij nodig, als hij studeert of iets onderzoekt. En of dat kan met zo'n jong ding in huis… Ze keek naar Judy, die als een zoet poppetje in de stoel zat. De handjes lagen op de leuning.

„Als Judy boven is…" zei Noortje aarzelend, terwijl ze een beetje hoop voelde. „Ze hoeft niet beneden te zijn. En ze is erg gehoorzaam."

Mevrouw Verhoeven glimlachte. „Weet je," zei ze, „Ik zal er met mijn zoon over praten."

Ze lachte even. Ze wist zelf niet wat ze met de situatie aan moest. Dit vrouwtje wilde ze graag helpen en ze geloofde ook dat het een goede hulp zou zijn. Dat kleine ding van vijf jaar was ook leuk. Maar hoe moest ze het tegen Menno zeggen…?

„Ik zal thee voor ons inschenken. Annie bracht het binnen vóór jullie kwamen, maar ik ben het helemaal vergeten. Het zal wel een beetje oud zijn geworden in de tussentijd." Ze keek naar Judy. „Wat ben jij lief! Lust je ook thee?"

Judy knikte verlegen. Ze keek eventjes naar mama. Ze begreep van het gesprek van zopas niets, maar ze voelde de spanning die in de kamer hing. En ze voelde dat deze mevrouw mama en haar aardig vond, anders lachte de mevrouw niet zo naar haar… Noortje dronk het theekopje leeg. Ze wilde zo gauw mogelijk weg, het werd niets hier, deze baan kreeg ze niet. Wat mevrouw Verhoeven zei: „Ik zal erover praten", was hetzelfde als „U hoort nog van ons" en dan na een week een briefje in de bus: „Zeer tot onze spijt…"

Toen ze opstond en Judy aan een armpje uit de stoel hees, zei mevrouw Verhoeven: „Ik praat met mijn zoon. Maar of daar vandaag of morgen gelegenheid voor zal zijn, weet ik niet, want hij heeft het erg druk."

Wat mal, dacht Noortje, u ziet hem vanavond toch en voor u is het belangrijk wie er in huis komt als hulp-huishoudster, daar

14

moet hij over praten met zijn moeder! Dat is belangrijker dan een bloempje ontdekken, dat een beetje bleker rood is dan het bloempje dat ernaast staat.

„Maar in elk geval zal ik het doen. Kan ik je bellen?" vroeg mevrouw Verhoeven.

„Nee, ik heb geen telefoon" – Noortje grijnsde – „te duur. Maar ik kom graag langs om te horen hoe het is afgelopen. Zegt u maar wanneer."

„Het is nu dinsdag, zullen we zaterdagmiddag afspreken?"

Buiten nam Noortje het warme handje van Judy in haar hand. Het kind huppelde uitgelaten naast haar over het trottoir, blij na het lange stilzitten weer in beweging te zijn.

Noortjes gedachten waren nog in het huis. De kamers boven waren hoogstwaarschijnlijk net zo groot als de kamers beneden, het zou heerlijk zijn daar te wonen. Haar huis in de Anjelierstraat was vochtig en er kwam weinig zon in, omdat de straat smal was en de huizen aan de overkant hoog. En achter het huis was de muur van een groot pakhuis – ze had daar niet meer dan een tegelplaatsje – en zon kwam er nooit, want het was op het noorden. Deze kamers hadden grote ramen en mevrouw zei dat er een tuin achter was, toen ze het over haar slaapkamer had, „met prachtig uitzicht op de tuin". Het moest een flinke tuin zijn, misschien met bomen en bloemen. Als Judy daar kon spelen… En zij er in de zon kon zitten, als het werk af was…

Maar het zou niets worden, dat had ze al bekeken met dat „ik zal erover praten".

's Avonds, toen ze Judy naar bed had gebracht, ging ze in de lage stoel bij de kachel zitten en fantaseerde over het huis aan de Admiralenkade. Eigenlijk moest ze naaien vanavond, ze werkte thuis voor een confectieatelier, geruite rokken dit keer: zijnaden dichtstikken, banden opzetten en de onderzomen doen. Er lag een hele stapel op een stoel. Maar ze had er vanavond geen zin in. Misschien kwam het, omdat ze met mevrouw Verhoeven over Frans had gepraat. Ze keek naar zijn foto op het dressoir. Een jong, lachend gezicht, donkere ogen, krullend haar, gave, witte tanden. Een knappe vent was Frans. En lief.

In een enkel uur was alles kapotgescheurd en op één dag veranderde haar hele leven. Politiemannen op de stoep. Gré en Kees in huis – vreemde mensen – vragen – woorden die als steun bedoeld waren, maar die ze niet verstond – alleen kunnen denken aan dat ene vreselijke: Frans is dood... Frans is dood... Ze wist nu nog hoe het toen in haar hoofd hamerde. Ze vertelde over hem aan mevrouw Verhoeven. En over alles wat erna kwam. Dat was in een paar woorden te zeggen: verdriet om Frans, verlangen naar zijn liefde en zorgen om geld. Dat verdriet zou mevrouw Verhoeven kunnen aanvoelen, ze was zelf getrouwd geweest en haar man was waarschijnlijk dood – over een meneer Verhoeven hoorde ze niets – maar van dat geld zou ze niets begrijpen. Zo iemand zat nooit zonder geld. Die wist niet wat het was om in het begin van de week nog vijf gulden in je portemonnee te hebben en niet te weten hoe je de rest van de dagen door moest tot er weer wat gevangen werd, als de man van het atelier de rokken terughaalde en een voorschotje gaf.

Het enige blijde in haar leven was Judy met haar stralende snoetje. Het kind voelde niets van de zorgen. Toen zij vertelde dat papa dood was en nooit meer bij hen terug zou komen, begreep Judy dat niet. Maar zeggen dat papa op reis was, wilde ze niet, want op reis gaan betekende eenmaal terugkomen en Judy zou nooit kunnen begrijpen waarom papa niet bij haar terug was gekomen. Judy begreep niets van de dood, maar het was de waarheid en langzaam zou ze weten dat de dood iets van je afneemt en het nooit teruggeeft.

Het was een stille avond, zoals bijna alle avonden voor haar stil waren. Ze had er over het algemeen niet zoveel moeite mee, omdat ze 's avonds nog veel moest doen. Afwassen, eten voor de volgende dag klaarmaken, opruimen, strijken en wassen, want als ze overdag in een winkel stond, had ze daar geen tijd voor. De laatste weken naaide ze tot laat in de nacht, één uur, half-twee soms. Dan ging ze naar bed en ze sliep gauw, omdat ze moe was. Deze avond was anders. Ze had de gordijnen dichtgetrokken, alsof ze haar wereldje wilde afsluiten. Ze zat in de lage stoel, een beetje achterovergeleund en keek om zich heen. Als je het goed bekeek, was het van niet veel waarde wat hier stond, tenminste als je het vergeleek met wat in de kamer van mevrouw Verhoeven stond. Maar daar moest ze het natuurlijk niet mee vergelijken, dat was het verhaal van vroeger, van prins en bedelknaap. Ze grijnsde erom, maar wat hier was was van haar en het betekende veel voor haar. De tafel en de stoelen hadden Frans en zij nieuw gekocht, in een winkel aan de Langestraat. Ze wist het nog goed, want ze kregen het tafelkleed er voor half geld bij! Het dressoir kwam uit het huis van haar ouders, dat hadden ze meegenomen toen vader en moeder kort na elkaar waren overleden. Het was een mooi dressoir, er zat geen vlek op. Het theemeubeltje kregen ze van tante Bets, die zei dat het te vol werd in haar kamertje. „Neem maar mee, kind!" Het serviesje dat erbovenop stond, kreeg ze met haar verjaardag van tante Bets, vorig jaar. Een snoezig servies was het, wit met zachtroze bloemetjes. Alles bij elkaar had het, in geld uitgedrukt, niet veel waarde, maar voor haar betekende het alles. Het was van haar, het hoorde bij haar. Het was een gezellige kamer, er brandden een paar schemerlampen. Je kunt beter één grote lamp laten branden dan drie kleintjes, zei buurman, dan heb je meer licht en het is voordeliger, maar vanavond dacht ze daar niet aan.

Ze had een vreemd gevoel over zich, ze voelde zich triest en toch ook stil gelukkig met alle fijne herinneringen. Ze kon aan Frans denken, zijn stem bijna horen en zijn gezicht voor zich zien, zijn lach, hij kon zo schaterend lachen.

Veel mensen waren alleen zoals zij, dat wist ze, en veel van hen hadden niet zoveel fijne herinneringen in hun hart. Als ze daaraan dacht, voelde ze zich toch gelukkig.

Ze schonk voor zichzelf een kopje koffie in.

Als ze met Judy bij mevrouw Verhoeven kon wonen, had ze onderdak. Vorige week zei buurvrouw Jaspers: „Wat moet je beginnen, als vandaag of morgen het werken voor atelier Asseveld over is?"

„Ik weet het niet," antwoordde ze toen, ze durfde er niet aan te denken wat ze dan moest doen.

„Doe Judy voor een poosje in een tehuis, dat is misschien de enige oplossing. Dan hoef jij alleen maar voor jezelf te zorgen," zei buurvrouw Jaspers.

Als ze bij mevrouw Verhoeven kon komen, hadden ze ook te eten. En wat ze verdiende... daarover was niet eens gesproken.

Maar als ze geld kreeg, kon ze daarvan stof kopen op de markt om nieuwe kleren te maken voor zichzelf en Judy. Ook moest het kind nieuwe schoenen hebben, van die ze nu aan had waren de neuzen alweer bijna door.

De volgende dagen leefde ze in een roes. Echt zeker wist ze nog niet dat het niet doorging aan de Admiralenkade. Een klein beetje hoop was er nog en ze kon fantaseren... Ze zouden daarboven gezellig wonen en veilig was het er ook. Vorige week bonsde die dronken vent van Swinters tegen het raam, toen hij uit de kroeg kwam. Hij kon er niet in, de deur was op slot. Dat deed ze elke avond zodra ze thuis was, maar hij kon een ruit inslaan. Als hij binnen wilde komen, kwam hij binnen. „Maak je niet ongerust," zei haar buurman, „ik houd het in de gaten," maar Klaas en Miep waren vaak een avondje weg.

Die zaterdagmiddag trok ze haar donkerblauwe, dunne regenjas aan en knoopte een glanzend, rood-wit gestreept sjaaltje om haar hals. Ze had vanmorgen haar haren gewassen en er een paar grote rollers in gedraaid. Haar haar zat leuk nu, een beetje bol om haar hoofd. Ze trok Judy het helrode manteltje aan, dat ze gemaakt had uit een mantel van Toos Lageveen. Een prachtige jas was het nog, maar Toos zei dat ze er schoon genoeg van had. Ze voelde zich net een lichtbaken, als ze over straat liep. Noortje was er blij mee. Het was een heel werk, want als je echt voor haar ging naaien, waren er toch flinke lappen nodig. In haar schone jurkje – stel je voor dat mevrouw Verhoeven haar toch weer binnen vroeg – en met glimmend gepoetste schoenen zag ze er netjes uit.

Ze fietste naar de Admiralenkade, zette het karretje tegen de muur, tilde Judy uit het bakje en stapte op de stoep.

„Gaan we weer naar die mevrouw?" vroeg Judy.

Noortje knikte.

„Gaan we er nou wonen?"

„Dat weet mama nog niet."

„Nog niet? Wanneer weet je het dan?"

„Straks misschien."

Noortje belde aan. Toen de deur openging, schrok ze vreselijk, want op de stoep stond een man. Een lange, smalle, niet meer zo jonge man met een strak gezicht en donkerblond, al wat dunnend haar. Hij keek haar recht aan met grijze ogen. Dit was de zoon natuurlijk. De man van de bloemetjes. Je kon zo wel zien dat het een moeilijke vent was, bah, wat een zuurpruim! „Ik... ik ben Noortje Folmer," hakkelde ze zenuwachtig. Deze man wilde geen drukte in huis en nou kwam zij met Judy – en die sprong ook nog van de stoep en hup weer naar boven. Ze greep het kind bij de hand, het kon niet ongelukkiger treffen, nu werd het zeker niets, wat jammer. „Ik zou vanmiddag even bij mevrouw Verhoeven komen."

„Komt u binnen." Hij deed de deur wijder open.

Ze stapte binnen. Judy nam met haar kleine voetjes een grote stap over de drempel. Ze tilde haar hoofdje op en keek Menno Verhoeven met grote, donkere ogen een beetje angstig aan. Een andere angst dan die welke hij had gezien in de ogen van haar moeder. Zijn moeder had over haar verteld.

„Je gelooft niet, Menno, dat zulke toestanden bestaan. Een jonge vrouw die geen geld heeft om eten voor haar kind te kopen en dat in deze tijd, het is nodig dat daarvoor voorzieningen worden getroffen..." Hij luisterde en dacht: ik weet niet wat het is geen geld te hebben. Maar hij zei: „We kunnen al het leed in de wereld niet keren en alle daklozen niet in huis opnemen. En u weet dat ik rust nodig heb." Maar aan de andere kant was hij bang voor de plannen van zijn moeder. Toen ze zei dat ze het huishouden niet meer aankon, begreep hij dat. Zevenenzeventig was ze en ze liep moeilijk. Toen ze praatte over hulp in huis nemen, knikte hij, dat vond hij goed. Het interesseerde hem niet. „Neem er een flinke werkster bij," raadde hij aan. Maar ze begon over iemand intern. „We hebben boven ruimte genoeg. Ik denk aan een vrouw van omstreeks veertig, een rustige, beschaafde vrouw." Toen dacht hij: dat moet niet. Zo'n oude meid, wie weet wat ze in haar hoofd haalde! Hij vertrouwde zijn moeder ook niet helemaal. Vroeger wilde ze hem steeds aan een of ander meisje koppelen. Jenny van Harke, och, het was een leuk ding, maar het deed hem niets. En Wietske en Loes, brrr, wat een chicanes om erdoorheen te zeilen, zonder ruzie. Als het nou weer begon met een vrouw in huis...

„Je bent onredelijk, Menno," was zijn moeder heftig uitgevallen. „Als je dit vrouwtje had gezien en als je er eens over ging denken: geen geld, helemaal geen geld om huishuur te betalen en licht en gas en eten en dan met een kind van vijf jaar om voor te zorgen!"

„Hoe oud is dat trieste geval?"

„Achtentwintig."

Dat gaf geen last. Hij kon bijna haar vader zijn.

„U moet zelf beslissen. Het is tenslotte ook uw huis. Maar ik heb stilte nodig om te werken. Dat weet u."

Dit was ze dus. Nou, de armoede straalde er inderdaad af.

„Mijn moeder verwacht u." Hij liep voor hen uit de gang in, langs de klok, die tikte.

Heerlijk dat die dikke loper er lag, anders zouden Judy's schoenen klikklakken over de tegels. En dat zou de zoon van mevrouw Verhoeven ergeren, dacht Noortje.

„Gaat u binnen." Hij hield de deur van de kamer open. Noortje schoof langs hem heen, Judy was vrijmoediger. Toen ze binnenkwam, lachte ze vrolijk en kirde: „Daar ben ik weer!" Ze keek stralend naar mevrouw Verhoeven. „Ik heb mijn nieuwe jas aan, die heeft mama gemaakt." Ze ging met haar buik vooruit staan.

„Dag, meiske, het is een mooi manteltje, zo helder rood!"

„Van de jas van tante Toos, hè mam?"

„Ja, tante Toos voelde zich een rood verkeerslicht in deze jas. Ze zei dat alle auto's voor haar stopten, ze wilde hem niet meer aan." Over het strakke gezicht van Menno Verhoeven gleed een glimlach. Hij deed een paar passen achteruit, stapte de gang in en trok de deur achter zich dicht.

„Ga zitten, Noortje. En neem jij dat stoeltje weer, Judy?"

„Ik til je erin," zei Noortje gehaast. „Toe, pas op je schoenen…"

Stel je voor dat ze met de schoensmeerneuzen langs de gebloemde bekleding wreef!

„We hebben erover gesproken, mijn zoon en ik. Je hebt hem gezien." Ze keek Noortje aan, natuurlijk had ze hem gezien.

„Vandaag is Annie er niet, op zaterdagmiddag hè, dus deed Menno de deur open. We hebben erover gepraat, ik heb hem verteld hoe moeilijk je ervoor zit, en we hebben besloten dat we het moeten proberen."

„Proberen…" Noortje keek haar verschrikt aan. „Hoe bedoelt u dat? Een proeftijd? Dat is erg moeilijk. Als ik hier niet kan blijven, moet ik terug naar de Anjelierstraat en dus moet ik dat huis blijven huren in die tijd en dat kost geld."

„Dat hoeft niet. Menno en ik hebben huizen in de stad. Als het niet gaat met de kleine meid in huis, zorgen we ervoor dat jij in een van die huizen kunt wonen. De huishuur is er niet zo hoog."

„Oh," was het enige wat Noortje kon uitbrengen, „dus u wilt dat Judy en ik hier komen?"

„Ja. We moeten samen een weg zoeken, zó, dat Menno zo min mogelijk last heeft van het kind. En we kunnen er heus wel wat aan doen dat ze niet veel beneden rondholt, als Menno thuis is. We hebben een poort in de tuin, die komt uit in de straat hierachter. Als ik vroeger om een boodschap ging, ging ik altijd door de poort en Menno gebruikte als jongen de voordeur nooit. De deur van de keuken komt in de tuin uit, dat is dus gemakkelijk. De trap is achter in de gang, dicht bij de keuken."

Noortje knikte. Ze kon niet echt naar mevrouw Verhoeven luisteren. De poort en de tuin, dat was niet belangrijk. Ze mocht hier werken en wonen! Ze hoefde geen angst meer te hebben voor de huisbaas! En het kwam niet zover als buurvrouw Jaspers gezegd had: „Je zult Judy tijdelijk in een tehuis moeten doen." Goede God, als ze daaraan dacht, brak het klamme zweet haar uit, Judy in een tehuis bij vreemden... ze zouden heus goed voor haar zijn, daaraan twijfelde ze niet, maar Judy hoorde bij haar. „Als je geen geld hebt," zei Trien Jaspers, „dan moet je wat."

„Kind, je zegt niets!"

„Nee." Ze hoorde hoe hees haar stem klonk. „Ik ben hier zo blij mee, ik wist niet meer wat ik moest doen: als het werk voor Asseveld op is, dan had ik niets! Mijn buurvrouw zei dat ik Judy in een weeshuis moest brengen." Ze zweeg even. „En nu dit! Ik beloof u dat ik erg mijn best zal doen. Ik ben zo'n groot huis niet gewend en u zult anders eten dan wij." Ze lachte opeens.

„Mammie," klonk Judy's stem, „gaan we nou hier wonen?"

„Ja, lieverd." Ze juichte bijna en zich weer naar mevrouw Verhoeven draaiend zei ze: „Ik zal erop letten dat u en meneer zo weinig mogelijk last van haar hebben."

„Als meneer weg is, geeft het niet. Ik heb geen last van het kind."

Achter mevrouw Verhoeven liep Noortje later de brede trap op om naar de kamers te kijken. Ook op de trap lag een prachtige, brede, zachte loper. Noortjes platte zwarte schoenen zakten er lekker in weg. Op de bovengang – zelfs in gedachten durfde ze dit geen overloop te noemen, zoals het stukje vloer boven aan de trap in haar huisje – brandden twee schemerlampen. Glanzend koperen voetstukken en matwitte bollen waarin rozenmotieven waren geslepen. Het idee dat Judy op deze gang zou hollen, gaf haar kippenvel.

„Ik zal je de kamers laten zien, dan moet je zelf maar beslissen welke je het liefst hebt. Er zijn er zes, drie aan elke kant van de gang. En dan de badkamer natuurlijk."

Noortje knikte, ja, de badkamer natuurlijk. Mevrouw Verhoeven liep voor haar uit, Noortje volgde als in een droom. In zo'n huis was ze nog nooit geweest! Het leek wel een verhaal, maar het was echt. Mevrouw Verhoeven maakte de deur van een kamer open en een brede lichtbaan kwam hun tegemoet. Noortje knipperde even met haar ogen.

„Deze kamer is aan de voorkant, aan de kade. Het is een gezellige kamer, je hebt er een leuk uitzicht over het Albertplein, kijk maar."

Noortje liep door het grote, bijna vierkante vertrek, dat helemaal leeg was. Op de vloer lag heel lichtbeige vloerbedekking, de muren waren behangen met zachtgroen, fijn gestreept behang. Noortje keek naar de grote ramen, waardoor de namiddagzon naar binnen scheen en die het vertrek vulde als met licht, leven, blijdschap en vrolijkheid. Wat een zalige kamer!

Judy holde meteen naar een van de vensters. „De bus, mam, ik zie de bus! En een man met een hond in het park daar. Oh, die hond poept! Mag dat? Hebt u een hond?"

„Nee, we hebben geen hond."

„Net goed, want ik ben een beetje bang voor honden. Kazan van buurman Jan bijt soms, hè, mam? Hij heeft nou een mand voor zijn mond, voor zijn bek, nou kan hij niet meer bijten."

Mevrouw Verhoeven glimlachte.

„Wat een fijne kamer," zuchtte Noortje.

„Vroeger had mijn man hier zijn werkkamer. Ik zat vaak bij hem."

Noortje knikte alleen. Ze wist niet wat ze moest zeggen.

„De kamer aan de andere kant van de gang heeft hetzelfde uitzicht."

Mevrouw Verhoeven liep in de richting van de deur. „Maar die
kamer is boven Menno's werkkamer, het is beter dat je die niet
neemt. De tussenkamer heeft een raam opzij, zoals de zitkamer
beneden dus, kijk maar."

Ze deed de deur open. Er stond een grote eikenhouten tafel in
en vier stoelen. Op de grond waren tegen de ene zijmuur boeken
opgestapeld. Tegen de andere zijmuur stond een lege kast.

„Die paar dingen kunnen we eruit halen als je deze kamer wilt,
als slaapkamer voor Judy bijvoorbeeld. En dan de achterkamer.
Daar is 's morgens veel zon. En er is een balkon."

Een droom was het! Een groot, licht vertrek met openslaande
deuren naar een breed balkon en beneden was de tuin. Het leek
net een schilderij: een oude, dikke eikenboom, een grasveld en
bloemperken.

„Wat een heerlijk huis," zei ze zacht, „en wat is dit een heerlijke
kamer." Het was een droom. Als ze hier woonde, zou ze zich een
prinses voelen, die in de zomer de deuren naar het balkon open-
duwde om de zonnewarmte binnen te laten komen. Ze zou er
staan in een lange, dunne nachtjapon en de voilegordijnen wiegden zacht in de zoele morgenwind. Een droom was het en ze
was nu al bang eruit wakker te worden.

„Je moet er maar over denken, Noortje. Het maakt mij niet uit
welke kamers je wilt en hoeveel, ze staan toch leeg. Als je de
voorkamer maar niet kiest, die kunnen we gebruiken als
wegzetruimte. Want je zult graag je eigen spulletjes meenemen,
denk ik."

Ze zullen nietig lijken in die hoge kamers, dacht ze, maar ze nam
alles mee: de tafel, de stoelen, het dressoir en het theemeubeltje van tante Bets. En haar bed en Judy's bedje. Alles uit de kasten moest ze in dozen pakken, die ze kon krijgen bij de kruide-
nier op de hoek. Ook Judy's speelgoed, de poppenwagen en Lijs
en de kleertjes.

„We gaan naar beneden. Een kopje koffie drinken en verder praten. Je hoeft niet direct te beslissen over de kamers. Ga jij alvast
maar de trap af, Judy, ik kan niet zo vlug."

Mevrouw Verhoeven ging naar de keuken om koffie te halen. Ze kwam even later de kamer binnen met een gezellige koffiepot, die ze op een koperen lichtje plaatste.

Ze praatte over het loon en vroeg of Noortje daarmee akkoord ging. Ja, ze was blij met het geld en ze hoefde er geen huur van te betalen, geen stroom, geen gas en geen kolen!

's Avonds wipte ze binnen bij buurvrouw Jaspers. Buurman was niet thuis, dat wist ze, die ging op zaterdagavond altijd een borreltje drinken in het café op de gracht.

„Ik heb die baan!" jubelde ze in het kleine keukentje waar het rook naar drogend wasgoed.

Trien Jaspers stond bij de keukenkast. „Die baan bij mevrouw Verhoeven op de Admiralenkade? Wat moet je in dat grote huis doen, kind? Wacht even, mijn theewater kookt, ik giet het in de pot en dan gaan we naar binnen. Op de Admiralenkade, daar legt het geldschip elke maand aan, zei mijn vader vroeger, maar als ik kom trekken ze de loopplank in! En kijk Juudje nou, nog de zondagse jurk aan!"

In de kamer begon Noortje te vertellen over het grote huis. „Ik krijg boven een eigen kamer, buur, en het hele huis is centraal verwarmd! Ik draai aan de knop en het wordt lekker warm! Geen asla meer legen, geen kolen scheppen in het schuurtje!"

„Meid toch!"

„En een prachtig uitzicht over de kade en het Albertplein! En allebei een slaapkamer, Juud en ik. De mijne met balkon en uitzicht op de tuin. En boven hebben we een badkamer, alleen voor ons! Met een ligbad, zó groot dat Judy er wel in verdrinken kan! Een wc en een wastafel zitten er ook in."

Trien Jaspers schudde haar hoofd. „Kind toch, wat een weelde! Voor jou is het heerlijk. Maar je zult er wel hard voor moeten werken."

„Dat kan me niet schelen. Ik werk nu ook hard en het is nog armoe lijden. Daar eten we mee uit de pot, in de keuken, met Annie, een vrouw die er bijna elke dag is. Het kan niet beroerder dan dat het er op het ogenblik voor mij uitzag."

„Daar heb je gelijk in. Ik hoorde vanmorgen van Jopie dat Asseveld bijna door zijn werk heen is. Volgende week nog, had die man gezegd, en dan is het een paar weken rust."

„Nou, zie je, waar moet ik dan van leven?"

„Wanneer ga je?"

„Over veertien dagen – 1 februari – begin ik."

„Dus jullie gaan hier weg." Trien Jaspers knikte met haar hoofd, ze zou Noortje Folmer missen. Een aardig ding was het, netjes, met zulke buren had je geen drukte en ze kenden elkaar goed. Toen Frans en Noor hier kwamen wonen, woonden zij er al. Jan en zij zaten al tien jaar in de Anjelier. Ze hadden het hele drama van Frans meegemaakt, mensen nog toe, wat een toestand, zo'n jonge vent en zo'n pittige knul. „En dat we niets voor Noor kunnen doen," zei Jan later vaak, „dat kind zit zo in de kommer." Zo noemde Jan dat, het was een uitdrukking van zijn moeder. „Maar we hebben geen tientje om bij te springen."

En nu ging Noortje weg. Met Judy. „Poef" noemde Frans haar vroeger vaak, ze zeiden die naam nog weleens. Poef ging weg. Ook zo'n lekker ding. Altijd blij en vrolijk. Och, als een kind gewend is een dubbele boterham met suiker te eten, denkt het er niet bij na dat bij de rijken vruchtengelei op tafel staat, dat weet zo'n kind niet eens.

Ze praatten nog een hele tijd – „Als je je kachel wegdoet, Noor, dan willen wij die wel overnemen" – tot Noortje op de klok keek en zag hoe laat het was.

„Judy, kom, je moet naar bed! Kijk eens naar de klok!"

Die avond laat naaide ze zomen in rokken en dacht aan het huis aan de Admiralenkade. Ze zag zichzelf in de keuken staan – ze was er even binnen geweest, een ruime keuken met veel kasten, een lange eettafel en stoelen met biezen zittingen, een aanrecht onder het raam – ze zag zichzelf bezig in de kamers van mevrouw en ze zag zich boven. 's Avonds zat ze voor het raam en Judy speelde op de vloer…

Alleen voor die zoon – Menno heette hij, dat wist ze nu – was ze bang. Zijn ogen waren hard en grijs, ze had het zelf gezien.

HOOFDSTUK 2

Noortje wist nu wie Annie was. Ze heette Annie Stellinga en ze was vijfenvijftig jaar. Met haar man woonde ze dicht bij de Admiralenkade. Ze hadden drie kinderen, twee jongens en een meisje. Een van de jongens, Theo, was al getrouwd en de dochter ook.

Annie vertelde dit allemaal, toen ze de morgen van Noortjes eerste werkdag samen koffiedronken in de keuken. Het was nog vroeg, even negen uur, maar Annie zei dat ze koffie moest drinken vóór ze goed op gang kwam. „En jij hebt de kleine meid naar school gebracht, je bent al weg geweest, dan lust je ook wel een koppie. Na de koffie gaan we meteen van start en kunnen een lekker tijdje doorgaan tot halftwaalf."

Noortje was glimlachend aan de grote tafel geschoven.

„Mijn man is ziek" – Annie opende een trommeltje waarin biskwietjes lagen, ze hield het Noortje voor – „maar hij heeft niet een bepaalde ziekte. Dan weet je waar je aan toe bent. Dat kan natuurlijk verschrikkelijk zijn, zo bedoel ik het niet. Wat er precies met Toon aan de hand is, weet hij zelf niet en ik niet en de dokters weten het ook niet. Het is begonnen toen ze het bedrijfje dat hij met zijn broer samen had, moesten sluiten. Dat was in de oorlog. Geen schande dus, want hoeveel bedrijven moesten toen niet stoppen, bijna allemaal toch? Maar Toon kon het niet verwerken. De hele oorlog heeft hem trouwens een knauw gegeven. En als je Toon vóór die tijd gekend had, och" – Annie schudde haar hoofd – „het was zo'n flinke knappe vent en sterk, Toon kon alles. Maar het is net of hij versukkelt, vandaag pijn in zijn rug en morgen pijn in zijn maag en chagrijnig en mopperig. Elk jaar met oudejaar denk ik: het is weer minder met hem dan vorig jaar. En wat het is: Joost mag het weten! Het is voor hem het allerergste, dat zeg ik zo vaak, hij voelt de narigheid in hem en de pijn, maar voor degene die er elke dag bij moet zijn, is het ook geen lolletje. Hij is lastig en erg mopperig en eigenlijk ben ik de enige bij wie hij zich kan uiten. Ik begrijp het wel en ik laat hem praten en morren, maar ik denk vaak: als we elke dag de hele dag bij elkaar moeten zijn, maken we elkaar gek. Hij kan zich goed redden, hoor, hij knutselt en prutst wat en hij zet koffie en zo.

Ik ben erg blij dat ik hier ben. Wil je nog koffie? Alleen suiker, hè? Voor het geld natuurlijk, want van wat we van de ondersteuning krijgen, gaan we net niet dood, maar meer is het ook niet. En Toon heeft af en toe wat extra's nodig. Ik verdien hier goed.

26

En mevrouw is een best mens. Als het 's morgens met Toon niet zo goed is – het schiet weleens in zijn been, weet je wel, dan kan hij amper uit bed komen – dan ruim ik hier de ergste rommel op, doe de afwas en dan ga ik weer naar huis. Dat vindt mevrouw goed. Dan kom ik 's middags terug. Tot nu toe was het zo, dat mevrouw zich kon redden als ik de hele dag niet meer kwam. Dat gebeurt af en toe. Mijn dochter zegt: 'Moe, het zijn streken van pa, hij wil je gewoon thuis hebben.' En dat geloof ik. Maar ik doe net of ik het niet in de gaten heb. Hij moet zich niet tekortgedaan voelen. Maar hij weet ook dat ik voor het geld moet werken. Na een paar dagen is het dan weer over, is hij helemaal opgeknapt. En uitgerust moet je denken, want ik houd hem in bed. Dat zei ik vroeger ook altijd tegen mijn kinderen: 'Zieke mensen moeten in bed.' Tot nu toe kon mevrouw zich best redden, als ik de hele dag niet kwam. Ze kan lekker koken en zoog de kamers en de gang, als dat nodig was. Maar sinds mevrouw last heeft van haar benen, wordt het moeilijker. En het is een groot huis. Alleen de werkkamer van meneer al, als je die goed wilt doen ben je een hele dag zoet."

Noortje leunde genoeglijk op de tafel, luisterde, knikte, roerde in het koffiekopje en dronk een paar slokken. Ze hield van vrouwen zoals Annie Stellinga. Zulke typen woonden bij haar in de Anjelierstraat ook. Vrouwen, bij wie je je meteen thuis voelde, die vertelden wat hun dwars zat en blij waren, als je alleen maar luisterde. En Annie was blij met haar. „Als er nou wat is thuis, dat kan toch, kan ik met een gerust hart wegblijven. Dan is mevrouw niet alleen."

Noortje woonde nu in het grote huis. Vorige week reed een kleine bestelwagen haar spulletjes van de Anjelierstraat naar de kade. De twee mannen die erbij waren, brachten alles keurig naar boven. Mevrouw Verhoeven betaalde de rekening, dat had de baas gezegd, en ze dachten dat er wel een leuke fooi aan zou zitten, als ze het correct deden.

Noortje zette alles neer zoals zij dacht dat het het beste kon staan. Judy had het ook druk. Ze sjouwde in haar kamer met de poppenwieg en de poppen, legde haar kleertjes op een plank in de kast en stapelde de spellendozen in het kleine kastje, dat onder de vensterbank was gezet.

Af en toe kwam ze de voorkamer binnen en dan vroeg ze eigenwijs: „Moet ik je helpen?"

„Nee, ik red het wel," zei Noortje, „moet ik jou helpen?"

„Nee, hoor, ik schiet al lekker op." En dan ging ze weer. Ze liep op haar sokjes en had een oud jurkje aan.

Noortje was het hele weekend bezig alles zo neer te zetten tot ze het gezellig vond. Deze kamer was veel groter dan de kamer in de Anjelier. Daar vulde het dressoir de hele zijwand, er kon nog net een naaimandje in het hoekje staan. Hier was het of er een grote lucifersdoos tegen de muur geschoven was! Lekker ruim, daar hield ze van. Ze zette het lichte bankstel voor de ramen, de schemerlamp die ze van Gré en Kees kregen toen ze trouwden, in de hoek. Van de week zou ze hem op een avond aandoen en dan liep ze naar het plein om te kijken hoe het stond. Ze zou er als zomaar een vrouw lopen, naar boven kijken en denken: verlichte vensters in dat grote huis, wat zal het gezellig zijn om daar te zitten! Wat een geluksvogel die daar mag wonen! Nou, zo voelde ze zich ook.

De rommel in Judy's kamer werd dat weekend alleen maar groter, er was een legpuzzel omgevallen en Judy kon hem niet alleen maken. Noortje liet het kind lekker haar gang gaan.

In de achterkamer stond haar simpele bed. Gewoon bruin gebeitst hout, een iets verhoogd hoofdeinde. Als ze zich een prinses droomde in deze balkonkamer, moest er eigenlijk een hemelbed staan met zachtroze, tulen gordijnen en brede stroken kant erlangs. Op het bed lag dan een donzig roomwit sprei met een bloemmotief van wit satijn. Maar haar eigen bed was haar veel liever. Het was echt van haar. En nu het in een nieuwe omgeving stond, maakte het zich los van de herinneringen. In de Anjelierstraat wist ze nog hoe Frans voor het smalle raam kon staan om te kijken wat voor weer het was. „Als het regent kom ik terug in bed, nee, niet midden in ons vrijersplekje gaan liggen…"

Hier waren die herinneringen niet.

Daarom was het wel fijn weg te zijn uit de Anjelierstraat.

„Als jij nou in de voorkamer begint," zei Annie na de koffie. „Daar zit mevrouw vaak. Vanmiddag komt mevrouw Van Slooten Fopma, dat is een vriendin, een deftige vriendin. Je weet wel, met bontjas en een puntmond-lachje. De kamer moet netjes zijn, de schuifdeuren gaan open. Afstoffen en zuigen. En neem het koper maar mee naar de keuken, dan poetsen we dat even. En je moet niet denken, Noortje, dat ik de baas over je wil spelen, dat is het niet. Maar ik weet precies wat er gebeuren moet en jij moet dat leren."

„Ik denk helemaal niet dat je de baas over me wilt spelen."

Annie lachte. „En als er iets is dat je niet zint, doe je je mond maar open. Ik houd niet van geknies. Vreet je je vanbinnen op, dan krijg je een maagkwaal, neem dat van mij aan."

Noortje deed de voorkamer. Er stonden prachtige, zware meubelen en veel dingen die afgestoft moesten worden, maar tegen halftwaalf was ze klaar.

„Ik haal eerst Judy uit school" – ze deed haar schortje af – „ze weet de weg nog niet."

„En ze moet de Frederiksstraat oversteken, daar is het hartstikke druk, daar is het kind nog te klein voor. Ga maar gauw. Ik dek de tafel. Meneer komt even na twaalven vandaag."

Toen ze thuiskwam, loodste Noortje Judy door de tuin de keuken binnen.

„Hier blijven, hoor," zei ze, maar het kind had er geen behoefte aan ergens anders heen te gaan, want het was gezellig in de keuken. En mama had speelgoed van boven meegenomen, dat lag in de la van de grote keukenkast. Dat was nou haar la. Ze huppelde de keuken rond. De grote tafel stond gedekt, één helft ervan was voor mama en voor haar. Er lagen lekkere dingen bij, zoals plakken worst, ham en kaas. Ook stonden er potjes waar wat in zat, en er was hagelslag.

„We eten 's avonds warm," vertelde Annie, „want meneer komt meestal 's middags niet thuis. Ik ga nu een poosje naar Toon, je redt het wel, hè? Mevrouw belt pas, als meneer weg is. Maar als ze niet gebeld heeft en je moet Judy wegbrengen, doe je dat maar gerust. Dan ruim je gewoon later af. Als meneer weg is, rust mevrouw in haar slaapkamer."

Die middag kwam mevrouw Van Slooten Fopma, een aardige, oude dame, die Noortje met een lieve, nieuwsgierige glimlach van kop tot teen opnam. Noortje bracht de thee binnen en de schaal met koekjes en bonbons. Later zorgde ze voor koffie.

Annie kwam terug, ze vertelde over Toon en lapte in de tussentijd de keukenramen.
Noortje streek een paar overhemden, tafellakens en zakdoeken
en schilde aardappelen voor het avondeten.
Daarna ging ze Judy uit school halen. Die schoof meteen aan
tafel met kleurpotloden en tekenpapier. Noortje dacht hoe goed
het leven nu voor hen was.
Ze at met Judy – Annie was naar huis gegaan – en ging vervol-
gens in de huiskamer afruimen. Meneer was op zijn werkkamer.
„Die man zie je bijna nooit, maar hij is ook allergisch voor personeel," had Annie lachend verteld. „Hij is bang dat hij pukkeltjes krijgt, als hij een dienstbode ziet."
Maar Noortje zag hem toch de volgende avond. Ze had de borden, schalen en het bestek op een groot blad gezet en zou er de
kamer mee uitlopen, toen ze een deur op de gang hoorde open-
gaan. Direct daarop kwam meneer de kamer binnen. „Er stond
nog een glas op mijn bureau. Alsjeblieft, Nora."
Ze keek hem even verbaasd aan. Niemand noemde haar Nora.
„Menno, „riep zijn moeder lachend, „ze heet Noortje!"
„Ze heet Nora."
Ze zag zijn strakke gezicht en opeens werd ze een beetje baldadig. Bang was ze op dat moment niet voor hem. „Ja, officieel
wel. Nora Annabel. Dat Annabel was een grapje van mijn vader
op het stadhuis. En nu heet ik zo."
Ze had intussen het blad teruggezet op de tafel, want het was
zwaar. Ze pakte het glas dat hij nog steeds in zijn hand had, van
hem aan. „Dank u wel, meneer." Ze deed de deur open, nam het
blad op en liep de gang in. Ze hoorde dat meneer de deur achter
haar sloot. Ze gniffelde, omdat ze wist welke ontzette gezichten
mevrouw en meneer nu hadden: Annabel, een grapje van mijn
vader... die arme vader...
„Wat is meneer eigenlijk voor een man?" vroeg ze een paar
dagen later aan Annie.
„Kind, dat weet ik niet. Ik werk hier al heel lang, want toen Toon
met zijn broer die fietsenhandel had, was het ook geen goudmijn. Ik ken meneer veertien, vijftien jaar, maar hij is me nog
even vreemd als op de dag dat ik hem voor het eerst zag.
Mevrouw praat met mij nooit over hem zoals wij met elkaar pra-

ten. Ik kan tegen jou zeggen: Toon is een schat en ik zou hem niet graag missen, schei uit alsjeblieft, maar af en toe zou je hem in een hoek schoppen, zo'n treiterkop. Zulke dingen zegt mevrouw niet. Ze praat altijd met ontzag over hem. Ik geloof dat ze een beetje bang voor hem is. Het is niet echt haar zoon, weet je wel, zoals Martin en Theo mijn jongens zijn, ze is niet echt eigen met hem. Meneer is erg knap, van hersens dan. Verder is het eigenlijk een griezel. Of het werk wat hij doet nodig is, weet ik niet. Maar Toon zegt dat het zijn nut heeft, dat onderzoek van plantenziektes. Als ze er niet op letten, gaan alle planten dood en dat is natuurlijk ook niet goed. Het zou wel veel werk schelen in huis," zei Annie lachend. „Hier trouwens ook, al die planten in de kamer! Toon is er een keer binnen geweest, sinds die tijd noemen we thuis de tussenkamer, de 'groene salon'." Ze lachte en ging dan ernstig verder: „Soms denk ik dat mevrouw veel liever een gewone zoon had gehad. Eentje die een meisje zocht, trouwde en af en toe met een stelletje kleinkinderen kwam aanzetten. Auto voor de stoep, deur open en hollen door de gang! Maar dat zat er vroeger al niet in met meneer Menno. Toen ik hier kwam, was er een werkster en die vertelde het. Nooit meisjes over de vloer, mevrouw vertelde nooit dat haar zoon verkering had. Nee, wat het is, weet ik niet. Hij is te veel bezig met zijn werk of te verlegen, dat kan met zulke types. Of hij zocht een meisje met geld en zo'n meisje wilde hem niet, maar Toon zegt dat het allemaal smoesjes zijn. Die man voelt gewoon niets voor vrouwen. Ja, zulke mannen zijn er, hè? Nou ja, je moet maar denken: dan heeft hij er ook geen strubbelingen mee. Want je zult een man hebben, die zich altijd opsluit in zijn werkkamer. Waar moet je met hem over praten, wat heeft hij te vertellen? Over het begin van de wie-weet-wat-het-is-ziekte op het blad van een begonia! Of zij de symptomen ook ziet op de planten in de vensterbank."

„Zo'n vrouw neemt geen planten voor het raam," zei Noortje lachend, „want als hij thuiskomt, duikt hij steeds met zijn neus in de cactussen."

„Chinese vazen, dat is beter," zuchtte Annie, „nou, die kan hij bij zijn moeder weghalen, die heeft er genoeg. Om nog even serieus op meneer terug te komen, zijn vader was ook zo'n ernstige man. Maar die had mevrouw en mevrouw zorgde voor het tegenwicht. Als de jonge meneer een vrouw had die hem 's avonds meesleepte naar feestavondjes – gut, ik zie hem al zitten met dat uitgestreken gezicht – of een concert, dat is beter, dan kon hij zich niet in zijn werkkamer opsluiten."

Noortje knikte.

Veel last had ze niet van meneer, hij was de hele dag weg en als hij thuis was, was hij in zijn kamers. 's Avonds was zij boven, op haar eigen kamer, heerlijk had ze het daar.

Ze was een beetje bang voor meneer. Toen ze een paar weken in het huis werkte, zei Annie dat zij nou meneers werkkamer moest doen en zijn zitkamer, die daarachter was.

„Je moet alles afstoffen, maar je mag niets op een andere plaats leggen. Je neemt een stapeltje papieren van de tafel, kijk zo" Annie deed het voor – „je stoft eronder en je legt het weer neer. Hij kan een kabaal maken, als er maar eventjes wat verschoven is. Ook die bakjes en kistjes op de grond, daar moet je heel voorzichtig omheen zuigen. En denk erom dat de blaaskant van de stofzuiger er niet op gericht is. Heremetijd, dat heb ik een keer gehad, ja, weet ik veel! Alle plantjes – stekkies zijn het eigenlijk, ik zeg weleens 'couveusetakjes' – hadden kougevat in die stoffige wind. Een hele drukte met meneer, dat ik daar niet om dacht. Toen hij het zei, vond ik ook dat het stom was. Maar hoe gaat dat, je trekt de stofzuiger achter je aan en je denkt er niet over waar hij tegenaan blaast. Maar jij bent gewaarschuwd. En als er ergens een glas staat met water, moet je dat water niet in de wasbak kieperen en het glas omspoelen, want het kan bijzonder water zijn. Met kiemen." Ze keek Noortje ernstig aan.

Tot nu toe had Noortje geen opmerkingen van meneer gehoord en ze deed zijn kamers met veel zorg.

De boeken die in zijn zitkamer op de tafel lagen, liet ze liggen. Moeilijke titels waren het, zo te zien niets aan, het zou wel over planten en bloemen gaan, dat moest toch ook vervelen op den duur. Maar misschien had meneer stiekem in een kast een stapeltje spannende romannetjes verborgen, en als hij 's avonds zogenaamd zat te studeren, las hij daar lekker in. Noortje durfde dat tegen niemand te zeggen, maar ze verdacht hem er wel van. Niemand wil toch van 's morgens vroeg tot 's avonds laat bezig zijn met stekkies en bloemblaadjes!

Haar leven was nu heerlijk. Geldgebrek had ze niet, ze woonde zalig boven, veilig ook. Judy tierde, zo noemde Annie dat: een kind dat lacht, zingt en speelt, zo'n kind tiert. En meneer Menno had geen last van haar. Eén keer had Noortje haar uit de gang moeten halen. Dat was op een zondagmorgen. Noortje zette koffie – in een diepe kast in de kamer was een keukenhoekje gemaakt, zodat ze niet voor alles naar beneden hoefde te gaan. Die ochtend, gebogen over het filterpotje, hoorde ze Judy's stem van ver weg. Waar was ze? Ze liep naar de trap en hoorde Judy, die in de gang over de brede loper liep, kennelijk met pop Lizelotje in haar armen. „Dit is een straat in die mooie stad" – Judy had een heldere stem, het klonk zo luid – „zie je hoe mooi de stenen zijn, lekker zacht en warm aan je voeten en hier is de grote toren. Als die bim-bam zegt..."

Op dat moment had Noortje haar bereikt en werd de deur van meneers kamer geopend. Een ogenblik ontmoetten hun ogen elkaar. Noortjes donkere ogen angstig, in de ogen van Menno Verhoeven was een vreemde blik. Ze zag er niet echt boosheid in, maar koud en hard waren ze wel. Hij zei niets. Hij ging de kamer weer binnen en trok de deur achter zich dicht.

Het koude voorjaar ging over in een fijne, warme zomer.

Noortje had het witte tuinameublement uit de achterschuur gehaald, lekker afgesopt, gedroogd en op het grasveld gezet.

Op een junimiddag zaten ze er met hun tweetjes, mevrouw Verhoeven en zij. Judy, die vrij was van school omdat het woensdag was, speelde met haar poppen in het gras. Ze had een klein theeserviesje en kliederde heerlijk met water en suiker.

„Ze kleeft straks van onder tot boven," zei mevrouw Verhoeven, terwijl ze met een glimlach naar het kind keek.

„Dan dompel ik haar onder in het bad." Noortje deed zorgeloos. Ze zaten onder de grote bladerkroon van de eikenboom.

„Heerlijk is het buiten." Mevrouw genoot. „Ik kom te weinig buiten. Alleen in de tuin zitten doe ik niet. Maar met jou en het kleine meisje is het fijn. Wat kan ze lief spelen, hè? En zo'n rijke fantasie! Ik luister af en toe naar haar, het is echt boeiend wat ze zegt. Ik kan me niet herinneren dat Menno zo speelde."

33

„Jongens zijn anders," zei Noortje. Ze kon zich meneer ook niet voorstellen, kruipend achter een zandautootje, als ze dat strakke gezicht zag; hij was vast nooit een echte kleine jongen geweest. „Dat weet ik niet. Mijn vriendin heeft twee jongens. Toen ze klein waren, speelden ze uren met auto's en treinen. Ik dacht dat het kwam, omdat ze samen waren en Menno alleen, maar dat was het natuurlijk niet. Menno is altijd ernstig geweest."

Noortje knikte. Wat moest ze nou zeggen?

„Zijn vader was ook ernstig, maar toch anders."

„Hij had u."

Mevrouw Verhoeven draaide haar hoofd naar haar toe.

„Ja toch?" ging Noortje verder, „een man kan ernstig zijn en erg met zijn werk bezig, maar als hij thuiskomt bij zijn vrouw moet hij het loslaten, want dan is alles anders. Vooral als er kinderen zijn. Dan is 'thuis' een andere wereld. Dat heeft meneer niet. Meneer komt thuis, pakt de krant, praat even met u, dineert en gaat naar zijn werkkamer. Weer hetzelfde. Wat is dat nou, zie ik een schimmeltje op dat blad?" Ze riep het ontdaan.

Mevrouw Verhoeven lachte.

„Als meneer een vrouw had die zei: „Gooi in de vuilnisbak, jongen, dat is niks meer, ik koop zaterdag op het plein een nieuw plantje," dan was het voorbij. Maar er is niemand die dat zegt en meneer blijft staren naar dat schimmeltje."

„Zo gaat het niet, Noortje," zei mevrouw.

„Dat weet ik wel, maar bij wijze van spreken dan. Meneer verdiept zich er veel te veel in."

„Hij is er bezeten van. Maar het is zo, Noortje, dat als je je in deze materie verdiept, je steeds meer ontdekt hoe boeiend het is en hoe nuttig het is dat dit werk wordt gedaan. Stil eens, hoor ik de bel?"

„Ja, de bel!" Noortje sprong overeind, wipte haar blote voeten in haar slippers en holde door de lange gang naar de voordeur. Ze trok hem open. Op de stoep stond een jongeman. Op dat moment dacht ze er natuurlijk niet over na, maar later op haar kamer, 's avonds, vroeg ze zich af hoe oud hij zou zijn. Even in de dertig, schatte ze. Ze zag dat eerste moment wel dat hij een sympathiek gezicht had, een beetje bol, met blauwe ogen die naar haar lachten; hij had een grote mond met brede tanden en dik, warrig donkerblond haar.

„Wat een verrassing!" jubelde hij, „zo'n schoonheid in het huis van mijn tante!"

Noortje trok de schouderbandjes van haar zonnejurk recht. Ze keek hem verbaasd aan. Van mijn tante…

„U kent me niet, hè? Ik ben Paul Brandenberg, een neef van mevrouw Verhoeven. Is tante thuis?"

Een beetje beduusd had Noortje een stap teruggedaan. Ze was niet gauw uit het veld geslagen, maar deze forse jongeman overdonderde haar.

„Ja, mevrouw is thuis. Ze zit in de tuin."

Hij stapte binnen. „Dat is goed. Frisse buitenlucht en vooral met dit weer. Wat een zalige dag, hè? Om in bikini aan het strand te liggen. Kun je geen vrije dag nemen?"

Als ik nou zeg, dacht ze: ik ben het bellenmeisje niet, ik ben de verloofde van meneer Verhoeven, slaat hij van verbazing tegen de muur; maar ze zei het niet en ze glimlachte naar hem. „Helaas niet. Ik ga u voor naar de tuin."

Paul Brandenberg keek naar het tengere figuurtje dat voor hem uit stapte. Hoe kwam dit meisje nou in het huis van tante Renate? En had Menno haar al gezien? Waarschijnlijk niet. Menno zag zoiets niet.

„Dag tante!" jubelde hij op de drempel van de gangdeur naar de tuin.

„Hé, dag Paul, kom verder. We zitten fijn buiten." Hij liep over het gazon naar haar toe.

Noortje glipte de keuken in en keek naar hem door de gordijnen. Hij boog zich naar mevrouw Verhoeven en praatte met haar, richtte zich dan weer op, kennelijk om een stoel uit te zoeken. Noortje schoof vlug weg van het gordijn. Ze ging niet meer naar buiten. Mevrouw had bezoek, daar hoorde zij niet bij. Het was wel jammer dat die zwieber kwam, want het zat zalig onder de boom. Ze zou koffiezetten en alvast wat klaarmaken voor het avondeten.

Ze gluurde weer door het raam. Hij zat naast zijn tante. Ze praatten genoeglijk samen. Een leuke vent was het. Heel anders dan meneer Menno. Het was vast geen echte neef; of het was een neef van mevrouws kant en Menno leek op de familie van zijn vader.

Toen ze met de koffie op een blaadje onder de boom kwam, vroeg mevrouw: „Kom je niet meer buiten zitten?"

„Nee, mevrouw, u hebt nu bezoek." Ze voelde zich als een toneelspeelster uit een ouderwets stuk, ze moest er vanbinnen om grinniken.

„Voor mij hoef je je niet in de keuken te verstoppen," zei Paul. De grote mond trok in een grimas, de ogen lachten.

„Ik moet wat klaarmaken voor het diner."

„Kookt ze lekker, tante?"

„Ja, heerlijk." Zijn tante lachte. Maar ze nodigde hem niet uit om eens te komen proeven. Ze wist dat Menno Paul Brandenberg niet mocht.

Noortje ging terug naar de keuken. Judy kwam binnen, ze zag er warm uit, maar ze vermaakte zich heerlijk. Ze kwam water halen voor het theepotje.

„Mevrouw en meneer drinken ook thee van mij," vertelde ze trots.

„Doe dat maar niet, speel jij maar met Lizelotje en je beer. Mevrouw en meneer moeten met elkaar praten."

„Nee, hoor, want meneer praat met mij. Hij vroeg hoe ik heet. Ik zei: Judy. Dat vond hij een mooie naam."

Ze liep voorzichtig met het volle potje naar de keukendeur. Na een poosje kwam ze weer binnen.

„Wil je komen, mevrouw vraagt het."

„Meneer Brandenberg gaat weg, loop je even met hem mee, Noortje?"

In de gang zei hij: „Noortje, wat een leuke naam."

„Officieel Nora."

„Nee, hoor, Noortje is veel leuker. Mijn tante heeft me over je verteld." Hij bleef staan en keek haar recht en ernstig aan. „Ik weet niet meer wat ik zei, toen ik binnenkwam. Ik was zo verrast, meestal komt Annie aan de deur en nu jij, jong en mooi, maar geloof me, heus waar, ik wilde op geen enkele manier onaardig zijn."

„Dat was u ook niet. Ik overwoog te zeggen dat ik niet het bellenmeisje was, maar de verloofde van meneer Menno." Ze sloeg zedig haar ogen neer.

Zijn lach daverde door de gang. „Dat is een goeie, ha, ha. Als Menno het wist, stond je vanavond nog op de kade."

„Ja, daar ben ik ook bang voor. Maar u zegt niets."

„Ik zie hem nooit."

Ze waren bij de voordeur. Noortje trok hem open. „Dag," zei hij vriendelijk, „tot ziens."

„Dag, meneer Brandenberg." Ze sloot de deur achter hem. Ze schoof met kleine danspasjes over de mooie loper terug naar de achterdeur. Waarom ze blij was, wist ze niet, heus niet omdat Paul Brandenberg deed alsof hij haar aardig vond. Ze wist veel te goed dat dit een jongen was uit de 'hogere kringen', zoals buurvrouw Jaspers de mensen noemde, die meer geld hadden dan haar Jan en zijn kameraden; een jongen uit die kringen die zich even vermaakte met de dienstbode van zijn tante. En toch voelde ze zich blij. Alleen om zijn aandacht. Zijn ogen, hij liet merken dat hij haar leuk vond om te zien. Ze bleef staan voor de grote klok, het glas van het slingerhuis kon ze als spiegel gebruiken. Ze zag zichzelf. Slank was ze, ja, in de Anjeliertijd was er geen geld om gebak of andere lekkere dingen te kopen. Deze jurk stond haar ook goed. Ze trok even aan de rok en zwierde hem rond. Ze werd lekker bruin. Ze schudde het donkere haar heen en weer en lachte naar zichzelf. Ze was weer blij met het leven en er was een man die liet merken dat ze er best mocht zijn.

Ze zou voor vanavond een heel lekker toetje maken. Mevrouw had er na een middag buiten trek in en Judy ook. Of meneer Menno het lekker vond, zou ze nooit horen.

Ze schoof de keuken in.

„Gistermiddag was hier een neef van mevrouw," vertelde ze de volgende morgen aan Annie.

„Paul Brandenberg zeker." Annie zette de strijkbout op het rekje en verlegde het overhemd op de plank. „Nou neef, het is een verre neef, het is een zoon van een nicht van mevrouw. Maar het is een aardige vent. Hij zoekt mevrouw geregeld op."

„Is hij getrouwd? Komt hij nooit met mevrouw Brandenberg?"

„Nee. Hij is verloofd geweest met een knap, heel blond ding, maar toen de datum van het huwelijk was vastgesteld, is het uit geraakt. Hoe het precies in elkaar zat, weet ik niet, mevrouw vertelt over zoiets nooit veel. Ze vond dat ik moest weten dat de verloving van meneer Paul verbroken was, anders zou ik in mijn onschuld misschien vragen wanneer de grote dag daar was. Zo te horen had Paul het uitgemaakt. Waarom, dat weet ik niet. Mijn Toon zei dat dat meisje de dochter was van een rijke zakenman. Veel geld en wij zeggen: geld is geld, maar dat is in rijke kringen niet zo. Het moet belegen geld zijn, dan is het pas goed. Kapitaal van vader op zoon, erfenissen, waardepapieren, antiek en bezit in huizen, dat jaren en jaren in de familie zit, dat is het ware, dan tel je echt mee." Annie knikte ernstig boven de strijkplank. „Een gewiekste zakenjongen die in een paar jaar een fortuin uit de zakken van kleine kopers stampt, dat is geen echte rijknek, ook al is zijn banksaldo misschien groter dan die van de erfgenaam. Maar ik wou dat ik de centen van de vader van Tosca had. Zo heette ze: Tosca. Ze kwam weleens met Paul mee. Een lange, blonde was het. Dunne benen en hoge hakken en de neus in de wind, je kent dat wel.

Meneer Menno was al in zijn kamer verdwenen als de bel ging. Misschien rook hij dat zij op de stoep stond. Ze gebruikte een zwaar parfum. Mevrouw zei een keer dat ze er een beetje hoofdpijn van kreeg en dat geloof ik graag."

„Maar die Paul lijkt me geen jongen om zoveel waarde aan geld te hechten."

„Nou, waarde aan geld hechten, dat is het niet. Hij weet gewoon niet beter of hij heeft het, het is in de familie. En zo'n jongen wordt van klein kind af opgevoed in het besef dat zijn familie en hij dus ook, meer zijn dan de rest van de mensheid. Daar barst het van, gewone mensen, arbeiders en sappelaars die tellen niet in de wereld, het gaat om de rijkdom en de mannen die daaruit voortkomen. Die hebben gestudeerd. Omdat er geld is om naar een universiteit te gaan. Die mensen hebben het voor het zeggen en daar is Paul Brandenberg er een van. En Tosca was een leuk meisje om mee te flirten en zolang meneer Paul er alleen mee vrijde en er plezier mee had, was er niks aan de hand, maar toen er over trouwen werd gepraat, werd het een ander verhaal. Tosca past niet in de familie." Annie nam de bout weer op. „Ik weet niet of het zo is gegaan, maar Toon zegt het en misschien heeft hij gelijk. In zulke dingen heeft Toon vaak gelijk. Die heeft kijk op rijke mensen," zei Annie, vrolijk lachend. „Waar hij het vandaan heeft, mag Joost weten, de kijk erop heeft hij, maar de centen niet!"

Noortje dacht niet meer over Paul Brandenberg. Een week later kwam hij weer. En opnieuw voelde Noortje zich tot hem aange-trokken. Het was gewoon het type dat haar goed lag, het klikte tussen hen. Niets bijzonders natuurlijk, maar elkaar toch wel mogen. Hij maakte leuke, vlotte opmerkingen en zij reageerde daar speels en jolig op en dan lachten ze samen.

Hij kwam bijna elke week even bij zijn tante aanwippen. Het betekende echt waar niets, maar Noortje vond het toch leuk als hij kwam.

Het prachtige zomerweer bleef aanhouden. Het waren van die warme, zonnige dagen waarnaar je kunt verlangen op een regenachtige herfstdag of een gure, koude wintermorgen.

„We maken ons over het werk niet druk," besliste Annie. De zon scheen 's morgens al gezellig de keuken binnen. „We doen het zogezegd met de Franse slag: alleen stof afnemen en zuigen. Het zou idioot zijn nu te gaan wrijven en boenen! Dat doen we als het regent, want reken er maar niet op dat we dit weer houden tot oktober! Alleen meneers kamer moet serieus gedaan wor-den, anders breekt er binnenshuis een donderbui los." Ze hikte boven de afwaskom, want ze vond het leuk.

's Morgens deden ze dus samen het werk. Tegen twaalf uur ging Annie naar huis.

Noortje zorgde dan voor de lunch van mevrouw. Ze dekte de tafel in de tussenkamer zo gezellig mogelijk; een paar bloemen uit de tuin in een kristallen vaasje stond feestelijk. Ze zorgde voor een fris hapje in deze warme dagen.

Gewoonlijk at Noortje met Judy in de keuken, lekker met het kind samen aan de grote tafel, maar nu het mooi weer was, smeerde ze voor ieder een paar boterhammen – die van Judy sneed ze in partjes – twee glazen melk erbij, alles op een blad en ermee naar buiten, naar het zalige zitje onder de eikenboom. „Nickpicken" noemde Judy het. Ze kon het woord maar niet goed uit haar mondje krijgen, maar ze vond buiten eten met mama prachtig.

Noortje was blij en gelukkig, als ze naar het kleine ding keek.

Judy zag er goed uit. Haar toetje was ronder geworden, dat kwam door het lekkere eten dat ze nu kreeg. De donkere ogen lachten bijna altijd. Alleen als Noortje haar maande heel stil te doen, 's avonds, wanneer ze na het eten naar boven ging – „Denk aan meneer, die moet moeilijke sommen maken!" – dan keken de ogen een beetje bang, maar dat was gauw over, want boven, op hun terrein, mocht ze door de gang dartelen.

Aan het kind was te zien dat ze zich blij voelde, gezond ook en tevreden met haar leventje. Noortje voelde zich precies zo. Ze dacht er weleens over na wat ze nu het heerlijkst vond van haar leven in dit huis en dan dacht ze dat het was dat ze nu geen geldzorgen meer had. Ze hoefde niet haar portemonnee om te keren en alle dubbeltjes en kwartjes te tellen om te kijken of er een stukje kaas gekocht kon worden. Judy was zo gek op lekkere, jonge kaas. En ze hoefde niet meer te denken aan de guldens voor de huishuur, die in het potje op de bovenste kastplank moesten zitten. Geen geldzorgen hebben was zalig, maar ook het gevoel van veiligheid in dit huis waardeerde ze zo. Het maakte haar rustig. Hier hoefde ze niet bang te zijn dat 's avonds laat een dronken vent op de voordeur bonsde. Ze wist ook nog goed dat ze vaak heel stil in bed lag te luisteren of ze vreemde geluiden hoorde. Want er waren mannen die wisten dat zij als jonge vrouw alleen in bed lag... Hier bonsde 's avonds niemand op de deur. Zo'n vent zou trouwens meteen nuchter zijn, als meneer Menno de deur opentrok. Toen ze daaraan dacht, grijnsde ze. Meneer Menno in pyjama! „Of je een spook ziet," zou Annie zeggen, als ze het haar vertelde.

Maar zulke dingen zei ze niet tegen Annie. Zo dacht ze alleen. Als mevrouw Verhoeven haar middagslaapje uit had, kwam ze ook naar de tuin. Ze vond het fijn dat Noortje in huis was. Eigenlijk wist ze, nadat de advertentie om hulp in huis in de krant had gestaan en zij Noortjes brief had gekregen, dat er iets in die brief was, dat haar niet losliet. Ze las hem driemaal over en ze zei tegen zichzelf dat dit niet kon. Een jonge vrouw met een kind, dat was onmogelijk, dat wilde Menno niet en het was onverenigbaar met zijn werk en studie, daar had hij gelijk in, maar er was iets in de brief dat haar bleef bezighouden. Het was niet dat Noortje smeekte om hulp, niet met woorden, maar uit elke zin sprak het tussen de woorden door, het zat in die kleine, open plekjes; de wanhoop en het hopen op dit, bijna als een laatste kans. Ze schreef terug of het vrouwtje wilde komen. Uit beleefdheid en omdat ze niet wilde dat Noortje Folmer elke morgen naar de gang liep om te kijken of de post antwoord bracht, dat ook, maar vooral omdat ze de vrouw achter deze brief wilde zien. En toen ze Noortje zag, het smalle gezicht met de grote, bijna angstige ogen, het kind naast haar, wist ze dat er iets tussen hen was, gewoon een band, elkaar graag mogen, ook al ken je elkaar niet.

Ze praatte er met Menno over. De eerste keer maakte hij er niet veel woorden aan vuil. „Hier kan geen kind in huis." Hij dacht dat het daarmee afgehandeld was, zo ging het meestal, Menno's uitspraak was bepalend. Maar deze keer berustte zijn moeder niet.

„Het is ook mijn huis, Menno," zei ze flink, „en ik moet zorgen dat alles schoongemaakt wordt en dat er eten op tafel komt en ga zo maar door."

„Maar wat moeten we met een kind in huis?" riep hij. „Dat holt, draaft en schreeuwt en dan kan ik niet werken."

„Zo'n kind slaapt 's avonds."

„Niet als het tien jaar is. Ik moet er niet aan denken, lawaai in huis. Het kan niet."

Maar ze bleef volhouden en uiteindelijk werd het na een van de weinige ruzies tussen hen beslist: Noortje Folmer kwam als hulp in de huishouding. Tegen de zin van Menno Verhoeven.

En nu was ze hier en Renate Verhoeven had er geen spijt van. Noortje droeg een sfeer van rust en een wonderlijke sfeer van blijdschap met zich mee. Haar ogen lieten zien hoe gelukkig ze zich voelde en ze had fijne attenties, ze dekte met zorg en er waren kleine extraatjes. De laatste weken dronken ze vaak 's middags samen thee. In het begin bleef Noortje in de keuken bij Annie, maar toen Noortje wist hoe het werk gedaan moest worden, ging Annie om twaalf uur naar huis. Renate Verhoeven zei op een middag: „Blijf een kopje thee bij me drinken, dat is gezelliger. Anders zit ik hier alleen en jij in de keuken." In die uurtjes waren ze dichter tot elkaar gekomen. Noortje vertelde en voor Renate ging een wereld open, waarvan ze heel weinig wist.

Geen geld hebben, wat was dat? Ze kende het alleen uit boeken en dat waren van die in-trieste, overdreven verhalen.

Deze jonge vrouw vertelde de waarheid. Ze vertelde niet met wrok, soms zelfs zo humoristisch, dat ze er allebei om lachten. Ze vertelde met zachte stem. Over haar leven met Frans en het grote verdriet, toen hij verongelukte. „Toen dacht ik dat ik nooit meer zou kunnen lachen, dat ik altijd zou blijven huilen. En als het dan niet van buiten was, met tranen, dan toch wel vanbinnen. In mijn hart. Het was of alles voorbij was, mijn hele leven. Maar ik moest verder, omdat ik Judy had. Frans zou niet willen dat ik bleef huilen, dat is voor een kind niet goed. Ik wilde sterk zijn. Judy had het al moeilijk, ze miste haar papa zo. Frans en zij samen, dat was een fijn stel. Hij was trots op haar, op de hele wereld was geen knapper en verstandiger kind dan zijn dochter!"

Noortje vertelde over het huis in de Anjelierstraat, over de armoede, het rekenen, de zorgen en narigheid met oppas. De buren wilden wel helpen, maar het valt niet mee elke dag weer een kind van een ander over de vloer te hebben, dat begreep ze wel, maar ze kon niet anders. Er moest geld op tafel komen. Noortje praatte rustig en openlijk. Het deed haar goed met iemand te kunnen praten. Ze deed het zonder zweem van haat tegen de mensen die wel geld hadden en mevrouw Verhoeven hoorde daar toe. Ze zei niet, zoals Annie vaak wrang opmerkte, „ons soort mensen kan dat niet doen", nee, Noortje vertelde. Ze filosofeerden samen over het leven, hoe je verdriet kunt verwerken, in elk geval het moet proberen en dat je moed moet vinden om verder te gaan. Toen Paul Brandenberg weer geweest was, vertelde mevrouw Verhoeven over hem.

„We praten weleens over geld, Noortje. Ik kan me voorstellen dat een kind, dat in zijn jeugd veel armoede heeft meegemaakt, maar één groot verlangen heeft en dat is later veel geld verdienen. Rijk zijn, erbij horen. Je leest zoiets in boeken en er zijn ook films over, maar wij hebben het van nabij meegemaakt. Het is de vader van Tosca Merendaal. Hij komt uit een arm Fries gezin. Vader ploeterde bij een boer en moeder liep met een mand brood en koek langs de deuren te venten. Harmen had een goed stel hersens, maar leren was er niet bij. Toen hij twaalf was, kwam hij van school om te werken. Hij had toen al een vast doel voor ogen en dat was uit de armoede vandaan zien te komen. Hoeveel inspanning het ook kostte, hij wilde een ander leven. Hij ploeterde en spaarde, enfin, je kent zo'n verhaal wel. Hij redde het. Hij werkte op een sigarenfabriek en algauw wist hij hoe dat ging. Hij begon in een schuur voor zichzelf, breidde uit, kon er een mannetje bij nemen, huurde een grotere werkplaats en zo ging het door. Harmen Merendaal werd een flinke zakenman. Hij trouwde een leuke vrouw, kreeg drie kinderen, één zoon en twee dochters. Een van die dochters heet Tosca. Ze leerde goed, kreeg dansles en muziekles, ze zag er leuk uit, kleedde zich modieus, enfin, echt een meisje uit de gegoede stand.

Toen ontmoette ze Paul Brandenberg. Paul is de zoon van een nicht van mij. Ik weet bijna zeker dat Harmen Merendaal meer geld op zijn bankrekeningen heeft staan dan de man van mijn nicht, maar dat is een familie die al jaren en jaren geld en bezittingen heeft. Een heel groot huis, een kasteeltje eigenlijk met een prachtige tuin in Stelvoorde, echt een droom van een huis. En ze hebben een buitenhuis in Frankrijk. Maar ik weet hoeveel zorgen er zijn om alles te laten draaien. Paul kwam met Tosca thuis. En wat denk je: ze deugde niet. Er zat wel geld, maar de familie was niet echt deftig. Mijn nicht heeft me dat zelf verteld. Een nieuwe rijke noemde Pauls vader de vader van Tosca. Er is veel gestookt en gepraat en tegen Paul aangekletst, vergeef me het woord, totdat het uiteindelijk tot een breuk is gekomen tussen Tosca en hem. Misschien was het ondanks dat uitgeraakt, dat weet niemand, maar mijn nicht en vooral haar man hebben er in elk geval behoorlijk aan meegewerkt. Ik wil zeggen: dan doet zo'n man zijn best boven de armoede van vroeger uit te komen, maar geluk heeft het zijn kind niet gebracht. Of misschien na de affaire met Paul. Ik weet niet hoe het nu met haar is. Misschien heeft ze iemand ontmoet, die van haar houdt en die de centen van pa toch weet te waarderen. Want het is geld precies zoals het geld van Marius Brandenberg geld is."

Ze praatten er nog een poosje over. Mevrouw Verhoeven leunend in de hoge stoel, Noortje, de lange benen gestrekt, een beetje onderuit gezakt in het lage gebloemde stoeltje.

En nu lag ze onder de grote eikenboom. Haar gezicht in de schaduw, haar benen in de zon, want die konden nog bruiner.

Ze soesde een beetje weg tot ze geluid hoorde in de gang, dat was mevrouw. Ze sprong niet meteen overeind, dat hoefde niet, ze richtte zich op.

„Lig je te bakken, is het niet te warm in de zon?" Mevrouw kwam over het terras en het gazon naar haar toe.

„Ik lig niet met mijn hoofd in de zon." Noortje krabbelde overeind.

„Dat is waar. Nou, ik zit liever op een stoel." Mevrouw Verhoeven lachte. „Ik geloof dat ik niet meer overeind zou komen, als ik languit in het gras ging liggen!"

„Ik ga thee zetten. Hebt u nog geslapen?"

„Eventjes misschien. Maar ik rust toch. En het was heerlijk koel in mijn slaapkamer."

Noortje liep naar de keuken, op blote voeten, en kwam even later terug met het blad waarop ze de theemuts, de kopjes en alles wat nodig was meedroeg. Ze babbelden over het weer, de vakantietijd die voor de deur stond, maar dat je als het zomerweer bleef aanhouden, geen beter plekje kon vinden dan hier onder de eikenboom.

Noortje zat nu op een stoel, haar voeten steunend op het randje van een andere stoel.

„Als je met Judy een weekje weg wilt, kan dat," zei Renate Verhoeven. „Ik heb een vriendin die in een heerlijk huis woont in Katwijk. Aan de boulevard. Vanuit haar kamer zie je de zee. Ik vertelde haar over jou en ze zei dat je bij haar kunt logeren, als je dat wilt. Ze zou het zelfs prettig vinden, want ze houdt erg van mensen om zich heen. Hier kunnen we het regelen; Annie wil wel langer komen."

„Het zou heerlijk voor Judy zijn. Ze is nog nooit aan het strand geweest, zo'n zandbak, ze zou haar ogen uitkijken."

Noortjes ogen glansden. „Zand, zon en zee, dat is voor een kind toch..." Opeens zweeg ze omdat ze, net als mevrouw Verhoeven, voetstappen hoorde in het huis. Ze keken elkaar aan. Wie kon dat nu zijn?

De deur ging open en meneer Menno stond in de opening. Later zou Noortje zich herinneren hoe bang ze was en ze zag nog het gezicht van mevrouw voor zich: de kleur trok weg uit haar wangen. Ze veerde een beetje overeind, alsof ze wilde vluchten. „Jij al thuis, Menno?"

Noortje wipte haar voeten vlug van de stoel, trok de rok van de zonnejurk over haar knieën en schoof haar haren naar achteren. „Dat ziet u." Het klonk effen.

Noortje keek naar hem; als een ijspegel, dacht ze, hoe kan een mens zo strak en effen zijn.

„Ik ga met je mee naar binnen, want je wilt niet buiten…"

Het hoofd schudde „nee".

Mevrouw Verhoeven stond op.

„Ik breng thee in uw kamer." Noortje gleed van de stoel. „Of hebt u liever koffie?" vroeg ze, hem aankijkend. Even zag ze een andere blik in de grijze ogen.

„Graag," zei hij.

Noortje zuchtte. Als je zo moet leven, zonder lach, zonder plezier, zonder vrienden, zonder liefde. Maar Annie zei: „Meid, zo is het niet, die studieboeken zijn meneers ziel en de plantjes zijn zijn zaligheid."

Ze bracht de koffie binnen. Menno zat op een rechte stoel aan de tafel tegenover zijn moeder.

„Als je nog wat in de zon wilt zitten, Noortje, kun je dat gerust doen, dat weet je wel." Mevrouw Verhoeven glimlachte naar haar.

Noortje zette het zware blad voorzichtig op het kastje. „Het is gauw tijd om Judy te halen, mevrouw."

„Dat is zo, je ziet maar."

„Judy zal nog wel in de tuin willen spelen en het is zonde om met dit weer binnen te zitten. Vindt u ook niet, meneer Verhoeven?" Hoe ze de moed had om zoiets te zeggen, begreep ze later zelf niet. Annie noch zij zeiden ooit iets tegen hem; alleen als hij hun iets vroeg, antwoordden ze. Eigenlijk dacht ze er helemaal niet bij na. Ze zette de kopjes naast elkaar op het zilveren blaadje, oortjes naar rechts, lepeltjes op de schoteltjes. Ze zei het gedachteloos. Ze verwachtte geen antwoord, maar ze hoorde Menno's stem: „Het is prachtig weer, inderdaad."

Ze draaide zich om en keek hem aan. Zijn mond was strak en in zijn ogen was geen glimlach.

45

„Meneer zit nooit buiten." Mevrouw Verhoeven voelde zich verplicht iets te zeggen.

Noortje voelde zich een beetje baldadig. „Wat jammer, want het is zo fijn in de zon! Je wordt er vanbinnen en vanbuiten warm van. Het is gezond en je wordt mooi bruin," zei ze lachend. Ze strekte haar armen uit en keek naar haar benen, maar Menno Verhoeven keek niet met haar mee. Stel je voor! Noortje nam het lege blad in haar handen en liep naar de deur.

„Ik ga even naar het schooltje, mevrouw."

„Goed, kind," zei mevrouw Verhoeven.

Noortje lachte stilletjes om dat „kind". Zou meneer Menno het gehoord hebben? Hij vond het vast niet goed dat zijn moeder zo familiair omsprong met de dienstbode.

Het blad zette ze op haar vlakke hand. Ze voelde zich gewoon eventjes jolig, wipte op haar tenen door de gang en zwierde de keuken binnen. Toen ze op de ruige mat stond, hoorde ze een lichte lach. Ze keek om. Het was Martin, de oudste zoon van Annie en Toon. Ze kende hem natuurlijk, hij kwam af en toe naar het huis om iets tegen zijn moeder te zeggen en Noortje was ook een paar maal bij Annie thuis geweest. Eerst om kennis te maken met de familie – „Je moet kommen, anders weet je niet over wie ik praat, als ik het over Toon heb!" – daarna nog eens op een zaterdagavond en toen Annie jarig was. Martin Stellinga was een aardige jongen. Om te zien heel gewoon. Normale lengte, blond, een beetje naar rozig neigend haar, blauwe ogen, een rechte neus en een mond waarom vaak een ingehouden lach was, een beetje alsof hij binnenpretjes had. Hij was beleefd, vriendelijk en hulpvaardig. Dat vond Noortje tenminste. Ze mocht Martin graag.

„Het is een beste jongen, onze Martin," zei Annie, toen ze een beschrijving gaf van haar kinderen, „maar hij is te stil. Van wie hij dat heeft, mag Joost weten. Ik praat de hele dag en Toon heeft ook altijd zijn woordje klaar."

„Misschien komt het daardoor," merkte Noortje op. „Toen hij klein was, kletsten jullie allebei en kleine Martientje kwam niet aan het woord. Hij dacht: ik zeg maar niets."

„Dat zal het wezen," stemde Annie in. „Misschien kunnen we het nog veranderen. Een mens is nooit te oud om te leren. Ik zal tegen Toon zeggen dat we meer onze monden dicht moeten houden. Eerst tot tien, nou, zeg maar tot twintig tellen in gedachten. Kijken of Martin dan van wal steekt."

Ze lachte.

Martin Stellinga had een goede baan. Hij was verkoopleider in een groot warenhuis.

„Het is jammer dat hij zo weinig vertelt," zuchtte Annie kort geleden nog. „Want geloof maar dat hij wat kan vertellen! Strubbelingen tussen de verkoopsters onderling, dat gaat allemaal niet zo geruisloos, denk dat maar niet. En dan diefstallen en herrie met klanten. We zouden heel wat kunnen horen! Maar Martin zegt niets. Wel over andere dingen uit het bedrijf, over de omzet en dat je zo moeilijk kunt zeggen of een artikel wel of niet verkocht zal worden. Nou ja, daarover praat hij met Toon, dat interesseert mij niet."

Annie vond het ook vreemd dat hij als oudste van hun drie kinderen nog thuis was. „Maar ja, zo is het in het leven, het gaat vaak anders dan je denkt. Zoals Theo en Rietje, het zat er direct in dat die met elkaar gingen. Die waren altijd samen. Van de schoolbanken af. Toen Theo twaalf was, zei hij dat hij later met Rietje Bakker ging trouwen. En dat heeft hij gedaan. Martin had nooit echt een vriendinnetje op school. En Tineke en Bob, dat was ook zo voor elkaar. Ze zagen elkaar, allebei verliefd en binnen een jaar getrouwd. Ik zeg weleens tegen Martin: je moet de goeie tegenkomen. Maar dat is tot nu toe niet gebeurd. Och, de wereld is ook zo groot en er zijn zoveel mensen" – Annie grijnsde – „het is wel toeval dat je elkaar net ziet! Martin wordt in het najaar dertig. Nog even en het is een ouwe vrijgezel!"

Nu stond Martin in de keuken. Hij lachte naar Noortje, die het blad op haar vingertoppen liet ronddraaien.

„Dag Martin," zei ze, voor hem langs lopend. „Ik heb tegen meneer gezegd dat in de zon zitten heerlijk is en dat je er vanbinnen en vanbuiten van doorwarmt."

Ze straalde.

„Moedig van je! Wat zei hij? Dat hij niet vanbinnen en vanbuiten warm wil zijn? Nou, ik wil dat wel! En weet je wat ik ook wil? Koffie!"

„Het staat op het lichtje, je ziet het. Maar ik heb geen tijd om in

te schenken, ik moet Juudje uit school halen. Ik ben zo terug."
„Ik wacht even."
Toen ze een kwartier later terugkwam, zat Martin op een stoel bij de keukentafel en las in de krant.
„Dag Martin," begroette Judy hem blij, „kijk eens wat ik gemaakt heb op school?" Ze wapperde met een vel papier. Er stonden gekleurde strepen en rondjes op.
„Wat is het?" vroeg Martin.
„Het is niks," lichtte Judy toe, „maar het is mooi. Mooie kleuren, zegt juffie."
Haar vingertje gleed over een blauw rondje en daarna over een geel rondje. Nou, echte rondjes waren het niet, maar iedereen kon zien dat het rondjes moesten zijn, dus vond Judy haar werk geslaagd.
„Je kunt gezichtjes in de rondjes tekenen," zei Martin. „Zal ik het op een ander stukje papier voordoen? Heb je potloden?"
Judy had haar la al opengetrokken. Martin tekende op de vaalwitte bovenrand van de krant. Een rondje, twee stipjes erin, dat waren de ogen; een streepje voor de neus en een gebogen lijntje, dat was de mond. Een boog naar beneden, dat werd een niet zo vriendelijk snoetje; een boogje met de uiteinden omhoog: het snoetje lachte. Judy vond het leuk en begon van alle rondjes op haar tekening gezichtjes te maken.
Noortje kwam met de koffiekopjes naar de tafel. Martin vouwde de krant dicht en legde hem weg.
„Ik heb een vrije dag genomen." Hij roerde langzaam in het koffiekopje. Nu moest hij iets zeggen, waardoor de sfeer tussen hen anders werd, niet langer het onpersoonlijke van nu: elkaar kennen en vriendelijk tegen elkaar zijn. Voor Noortje was het gewoon dit te doen, ze dacht er niet over na. Ze kende hem, hij was Martin van Annie, een aardige jongen. Jammer dat zijn moeder er nou niet was, maar over een kwartiertje was ze thuis. Als hij daar straks kwam, zag hij haar en kon hij zeggen wat hij wilde zeggen.
Voor hem was dit niet een gewoon gesprek. Voor hem was Noortje ook niet het dienstmeisje dat net als zijn moeder bij mevrouw Verhoeven werkte. Voor hem was ze een jonge aantrekkelijke vrouw met een goed, mooi figuurtje – hij keek naar

haar, als hij wist dat niemand het zag. Niet dat hij zich ervoor schaamde, maar als zijn moeder het in de gaten kreeg... hij moest er niet aan denken! Elf Noortje mocht het ook niet weten. Hij wilde dat het tussen hem en haar anders zou worden, maar het moest worden opgebouwd. Dat zou hij doen. Langzaam. Hij had liefde en geduld.

Mooie ogen had Noortje. Hij kon er stilletjes naar kijken. Grote, bruine ogen waarin levenswijsheid was. Ze hadden geglansd van liefde, gestraald van geluk, ze waren gevuld geweest met bittere tranen, ze hadden machteloosheid en wanhoop in zich bewaard. Noortje Folmer was anders dan de meisjes en jonge vrouwen die hij kende en door zijn werk kende hij er heel wat. Ze waren vaak overdreven, vond hij, ze waren zichzelf niet en dat haatte hij. Ze wilden vlot zijn, ze lachten aanstellerig. Ze wilden bij hem, omdat hij de chef was, in de gunst komen, maar het stootte hem juist af. Hij wist uit ervaring hoe kattig meisjes kunnen zijn, hij maakte het in de winkel vaak mee. Scherp en hatelijk en kletsend over elkaar. Vroeger dacht hij dat alle meisjes leuk en lief waren, maar hoe ouder hij werd, hoe meer hij vond dat dat niet waar was. Noortje was anders. Zachter, wijzer, hij zou bijna zeggen: door het leven gelouterd. Ze had een groot geluk in haar handen gehouden, maar het was in één enkele dag stukgevallen. Daarna kwam het verdriet, maar door de tranen heen bleef ze weten dat zo'n groot geluk kan bestaan en dat zij het beleefd had. Eigenlijk was Noortje een optimistische vrouw en ze had gevoel voor humor. De laatste jaren was er in haar leven niet veel geweest om te lachen, maar in kleine dingen kwam het terug. Ze kon de humor zien, ook in dit huis. „Meneer Menno, wilt u slagroom in uw koffie en een zalige soes?" Ze praatte met een piepstemmetje en liep dan op haar tenen met het blad in de hand door de keuken. Zijn moeder lag in een kronkel over de tafel. Noortje veerde terug op haar platte voeten, trok een strak gezicht: „Nee..."

„Zet hier maar neer," zei ze dan als de echte Noortje, „ik lust hem graag!"

Enkele weken geleden was, heel onverwachts, het eerste fijne gesprek tussen hen geweest. Het begon als een onnozel babbeltje over het weer en ham als broodbeleg, het eindigde met een zin van Noortje die hij niet vergat. „Ik heb veel zorgen gehad, Martin, maar ik heb het allemaal echt beleefd, ook het geluk daarvoor. Ik geloof dat er veel levens voorbijgaan zonder dat de mensen die het leefden, echt geluk hebben gekend."

Hij had nog nooit zo fijn met een vrouw gepraat. Hij bleef eraan denken. Die hele avond. Hij zei er niets over tegen zijn ouders, natuurlijk niet. Dit waren woorden tussen Noortje en hem en hij bewaarde ze diep vanbinnen. Hij wist dat het waar was wat ze zei: er zijn veel mensen die sterven zonder het echte geluk ooit gekend te hebben… Hij? Hij werd in het najaar dertig. Hij wist niet wat verdriet was, zoals zij het wist…

Vanaf dat moment zag hij Noortje anders.

Ze mocht hem wel, dat voelde hij, want anders praatte ze niet zo met hem, maar meer dan een aardige jongen was hij niet voor haar.

Ze dacht niet aan een andere man op de manier van: ik vind hem aardig en ik voel me tot hem aangetrokken, dat was er niet. Als ze aan een man in haar leven dacht, was het Frans en alle herinneringen aan hem koesterde ze en werden steeds dieper en warmer in haar gedachten. Het zou goed zijn, meende Martin, dat ze een man ontmoette, die die gedachten doorkruiste en ze, al was het maar een klein beetje, heel voorzichtig wat losser maakte. Hij bedoelde niet dat ze trouwplannen moest hebben, dat was weer het andere uiterste, maar denken aan een andere man en met hem praten, dat was goed voor haar. Hij geloofde niet dat het goed was dat het verleden zó dichtbij bleef, dat het het „nu" verdrong en de toekomst in de weg kon staan. Het waren moeilijke dingen en moeilijke gedachten, dat vond hij zelf ook, maar hij dacht dat hij gelijk had.

Als hij met Noortje samen was, praatte ze vaak over Frans. Over alles wat ze samen deden, hun zorgen, hun blijheid, hun geluk. Het leefde in haar, het was alsof het geluk van toen nog haar echte leven was, alsof wat ze nu deed gebeurde omdat het moest: routinehandelingen; het was niet waardevol en het ging voorbij. Als ze alleen was, leefde ze verder met dat van vroeger. En het werd steeds mooier en volmaakter.

Martin was er bang voor.

Het zou kunnen gaan zoals met tante Mientje, die na de dood

van oom Koos min of meer in een droomwereld leefde, waarin hij nog vertoefde. Tante Mientje was veel ouder dan Noortje en ze waren veel langer samen geweest, oom Koos en zij, maar toch was Martin er bang voor.

Niet dat je het aan Noortje zag, ze was vrolijk en blij, ze lachte en maakte grapjes, maar hij wist wat ze 's avonds dacht als ze alleen boven zat. Als Judy sliep, trok ze de stoel voor het raam en keek naar buiten. „Dan denk ik hoe wonderlijk het leven kan zijn, Martin. Als Frans wist dat ik in dit grote huis woon, wel als dienstbode, dat weet ik, maar ik woon er toch, en dat ik geen geldzorgen meer heb, dat ik me veilig voel... Ik geloof soms dat hij het weet. Het is alsof ik het in gedachten aan hem vertel..."

Martin luisterde en knikte, hij begreep het. Als je zo van iemand hebt gehouden en je nu eenzaam voelt, hij begreep het, maar het was niet goed.

Hij wist dat hij van Noortje hield.

Hij vroeg zich meteen af of dat kon. Hij kon wel van haar houden, maar zou zij ooit van hem kunnen houden. Hij had, om het raar uit te drukken, een vreemde concurrent. Een man die haar liefde had gehad, haar heel prille, volle liefde en die liefde koesterde ze nog voor hem, ook al was hij niet meer in het leven om het aan te nemen.

Zou hij Noortjes hart ooit kunnen veroveren?

Hij wist dat hij niet anders wilde dan met Noortje en Judy leven en hij geloofde dat hij haar liefde kon winnen. Maar het moest langzaam gaan. Het was een doel om voor te vechten.

Martin Stellinga was bedachtzaam, heel anders dan zijn ouders, die impulsief en met de dag leefden. Martin overwoog, bouwde op, werkte naar een doel toe en die avond, na hun gesprek in de keuken, over het zoeken van het echte geluk, wist hij dat hij niet anders kon doen dan Noortjes liefde proberen te winnen.

De eerste stap wilde hij vanmiddag zetten. Hij wilde haar vragen vanavond ergens met hem heen te gaan. Dat was moeilijk. Ze kon niet weg, omdat Judy er was. Maar ze konden op haar kamer praten.

„Ik heb een vrije dag genomen," zei hij, „ik ben vanmorgen vroeg opgestaan en ik ben een heel eind gaan lopen."

Noortje knikte. Ze keek glimlachend naar hem, een fijne jongen was Martin.

Ze praatte de laatste tijd nogal eens met hem en hij begreep haar. Hij begreep haar beter dan zij hem begreep, dacht ze. Goed peilen kon ze hem niet. Hij was onrustig, maar dat was te verklaren. Annie vertelde dat hij dertig jaar werd, het werd tijd dat hij een meisje ontmoette waarvan hij hield en zij van hem, dan trouwen – hij verdiende immers goed – en een gezin opbouwen.

Dat was de onrust in Martin. Als het zo uitkwam, zou ze het hem zeggen. Of toch maar niet. Je kunt wel tegen een man zeggen: het wordt tijd dat je gaat trouwen, maar hij moet dan wel een vrouw tegenkomen, van wie hij kan houden. Zonder liefde gaat het niet. En als Martin ernaar verlangde de juiste vrouw tegen te komen en hij zag haar, maar niet, wat moest zij dan zeggen? Ze kon beter haar mond houden.

Ze dacht erover na. Martin Stellinga… ze wist zeker dat zij nooit van hem kon houden. Hij was heel anders dan Frans, veel stiller, veel emotioneler en depressiever. Maar misschien kwam dat door zijn leven van nu, dat kon natuurlijk.

Nu zei ze: „Zalig, hè, 's morgens vroeg in de zomer buiten zijn. Ik heb dat vroeger een paar maal meegemaakt als kind. Toen logeerden we bij een familielid van mijn vader op de boerderij, in Friesland. Hoe de familie precies in elkaar zat, weet ik niet, want erg nauw was de band niet, maar als mijn zus en ik op de fiets naar Friesland gingen, sliepen we daar bij die familie. Ze hadden een grote boerderij. Het was er zalig. 's Morgens hoorde je de koeien loeien, daar werd ik wakker van en in een sloot in de buurt kwaakten kikkers. We stonden heel vroeg op, want dan konden we de zon zien opkomen, ja, dat heb ik een paar maal meegemaakt. Later nooit meer."

„Het was fijn. Ik doe vandaag alleen waar ik zin in heb. Ik heb gegeten in de stad, duur en exclusief" – hij lachte – „en nu ben ik hier, ook omdat ik dat prettig vind."

„Maar je moeder is er niet."

„Ik kom niet voor mijn moeder."

Ze keek hem aan.

„Ik kom voor jou, ik wil met jou praten."

„Met mij praten?" Het maakte haar een beetje in de war. Waarover wilde Martin met haar praten?
„Ik vind je een aardig meisje."
Ze draaide zich om. „Ik ben geen meisje, dat weet je. Ik was
getrouwd en ik heb een kind."
„Een schat van een kind."
Noortje glimlachte. „Nog koffie?" vroeg ze. Ze nam de suikerpot
in haar hand.
„Ik zou vanavond met jou willen praten. Gewoon ergens heen
gaan, rustig zitten in een leuke zaal, gedempt licht, zachte muziek, een glas wijn. En samen praten. Ik zeg niet veel. Op de
zaak natuurlijk wel, daar is zoveel wat behandeld moet worden,
maar dat bedoel ik niet. Ik bedoel samen praten. Over belangrijke dingen in het leven. Niet geld verdienen en een carrière
opbouwen, maar andere dingen, de echte waarde. Daarover kan
ik met niemand praten. Mijn moeder denkt er nooit over en ze
begrijpt me niet en mijn vader nog minder. Die denkt alleen aan
zijn ziekte. Met jou kan ik praten."
„Maar ik kan niet naar een zaal met zachte muziek en roze sche-
merlampjes." Ze hield de koffiepot boven zijn kopje en keek
naar het straaltje dat uit het tuitje liep. „Ik moet bij Judy blijven.
Anders leek het me wel leuk, een avondje uit. Ik zou meneer
kunnen vragen of hij een oogje in het zeil wil houden. Ik zou heimelijk hopen dat Judy begon te brullen, omdat ze zo akelig
droomde." Noortje lachte vrolijk. „Judy droomt altijd van die
zotte dingen: dat er een kip eitjes heeft gelegd in haar bed en
nou weet ze niet waar ze moet slapen! Ik zie hem al met het
kind!"
„Nee, dat kan niet."
„Jammer."
„Maar we kunnen toch samen praten. Als ik hier kom."
Ze keek hem recht aan.
„Op mijn kamer bedoel je?"
„Of mag je geen bezoek ontvangen?"
„Natuurlijk wel, stel je voor, ik ben vrij. En als je een avondje
wilt komen…" Opeens lokte het haar aan, een avondje babbelen. Natuurlijk wilde Martin over zichzelf praten, hoe hij zich
voelde… eenzaam, verlangend naar liefde, maar het meisje van

zijn dromen ontmoette hij niet. Eigenlijk had Martin niemand met wie hij kon praten. Zijn moeder was te nuchter. „Je moet geen volmaakte vrouw zoeken, jongen. Als ze maar een paar goede handen aan haar lijf heeft en niet dondert met geld en niet naar andere mannen kijkt, dan schiet je al lekker in de goeie richting." Dat was nou niet bepaald Martins toekomstbeeld! Met zijn vader zoiets bepraten was onmogelijk. Die zou zeggen: „Ik had vroeger ook van die idealen en je ziet wat ervan terecht is gekomen, ha, ha, maar ik ben er best tevreden mee!" En met zijn broer en zus ging dat ook niet. Daarom dacht hij misschien aan haar.

„Je moet niet vroeg komen. Ik moet eerst klaar zijn met mijn werk en Judy moet in bad en in bed."

Toen hij weg was, dacht ze erover na. Ze vond het toch leuk, een avondje met Martin samen.

Ze zou de kamer schemerig verlichten, zachte muziek zoeken op de radio, een intiem zitje maken, de bank een beetje dichter bij de stoel schuiven… Ze lachte er stilletjes om!

„Kent u Martin Stellinga?" vroeg ze aan mevrouw, toen ze de koffiekopjes en de koekschaal van de tafel in de zitkamer nam en op het blad zette.

Mevrouw Verhoeven keek haar aan. „Alleen van gezicht. Het is een aardige jongen om te zien. Maar verder weet ik alleen over hem wat Annie vertelde. En Annie en ik praatten niet veel samen."

„Ik denk dat hij een beetje moeilijkheden heeft. Hij komt vanavond bij me om te praten."

„Daar hoef je mij geen toestemming voor te vragen, Noortje."

„Nee, maar als u iemand naar boven hoort stommelen, kunt u denken dat ik 'mannen ontvang'."

Ze lachten er allebei hartelijk om.

„Nee, kind, dat denk ik niet. En als je iets anders wilt drinken dan koffie of thee, je weet dat er in de kelder genoeg staat."

„Graag, mevrouw."

Toen ze zich omdraaide om de kamer uit te gaan, ging de deur open en meneer kwam binnen.

„Nora, wie heeft er op de krant getekend?"

Hij stond recht en met opgeheven gezicht naast de servieskast.

„Op de krant getekend?" vroeg ze, „Dat weet ik niet, meneer. Misschien de krantenjongen, toen hij op de hoek lang moest wachten tot de verkeersagent 'stop' omklapte."

„Nee. Het is hier in huis gebeurd."

„Judy misschien, maar ik denk er altijd om dat ze…"

„Een kind van vijf kan zoiets niet tekenen."

„Is het zo beschamend?" vroeg ze.

Even vertrok de strakke mond. „In het geheel niet. Maar ik wil weten wie het gedaan heeft."

„Ik heb geen flauw idee. Maar als u me zegt hoe het eruitziet, daagt het me misschien."

„Het zijn gezichten."

„Oh, nou weet ik het! Judy kwam met een tekening uit school, allemaal rondjes, en toen zei Martin – die was op zoek naar zijn moeder, maar ze was er niet meer – dat ze gezichten in die rondjes kon tekenen. Hij deed het voor op de krant."

„Heb je ze gezien?"

„Nee." Ze keek hem vragend aan. „Hoezo, zijn ze leuk?"

„In het geheel niet," bitste meneer Menno.

Hij draaide zich om en liep de kamer uit.

„Was Martin vanmiddag in de keuken?"

„Ja, mevrouw. Hij zocht zijn moeder." Ze zweeg even, dan zei ze, want ze voelde dat ze mevrouw uitleg moest geven: „Ja, ik denk echt dat Martin moeilijkheden heeft met zichzelf. Het is een stille jongen. Hij praat moeilijk. Als hem iets dwarszit, gaat hij daarmee niet naar zijn ouders."

Renate Verhoeven knikte. Ze begreep dat.

„Hij wil met jou praten?"

„Omdat hij geen ander heeft om mee te praten."

Mevrouw Verhoeven knikte. Vriendelijk zei ze: „Neem er niet te veel zorgen bij, Noortje, je hebt genoeg aan jezelf."

„Ik luister alleen naar hem. Helpen kan ik toch niet."

Martin kwam tegen negen uur. Hij had een vreemd gevoel van binnen, toen hij de brede trap opliep. Zenuwachtig, nee, dat was hij niet. Maar dit huis was een huis waar hij al jaren binnenkwam, doch vrijwel nooit verder dan de keuken. Het was een huis waar hij altijd met ontzag naar keek. Als kleine jongen vond hij het erg groot en deftig. Vergeleken bij hun keukentje, waar tussen het aanrecht en de kast net ruimte genoeg was voor moeder om zich om te draaien, was de keuken van dit huis de keuken van een kasteel.

Boven was hij nooit geweest. Zijn moeder vertelde dat er wel zes grote kamers waren. Dan was er nog een knots van een badkamer met een kuip waar je languit in kon liggen, maar dat ding werd niet gebruikt, want beneden was ook een badkamer. „Die kamers boven staan leeg," zei zijn moeder toen.

„Dat is toch eigenlijk zonde in deze tijd van woningnood, maar wie kan er inwonen bij een man als meneer Verhoeven? Slaande ruzie zou het worden, oorlog gewoon." Maar zonde was het. Dat zei zijn moeder toen. En nu liep hij de trap op en zou een van die kamers zien. Nu woonde er iemand. De vrouw van wie hij hield. Met die gevoelens ging hij naar boven.

Hij liep over de brede gangloper, tikte aan de deur van de voorkamer rechts. „Joe…" hoorde hij Noortjes stem. Ze trok de deur open. Wat zag ze er schattig uit! Ze droeg een heel dun, lichtblauw jurkje, dat haar erg slank maakte. Haar haren hingen losjes en glanzend om haar hoofd, haar ogen straalden.

„Kom binnen en ga zitten."

„Ik moet eerst rondkijken. Een gezellige kamer, zeg!"

„Ja, hè, en moet je eens kijken wat een heerlijk uitzicht ik heb! Eigenlijk ben ik nooit alleen, als ik boven ben. Als ik naar buiten kijk, zie ik altijd mensen. Ik denk weleens: de wereld is dichtbij. Ze lachte naar hem. „Mevrouw zit vaak in de tussenkamer, dat begrijp ik niet. Ze vindt het heerlijk, want ze kijkt graag naar de tuin. Maar wat ziet ze? Een vogeltje dat van de ene tak op de andere springt, maar lang kan ze daar niet naar kijken, want dan is die fluiter weer weg. En ze ziet de kat van de buren die achter dat vogeltje aanrent. Als ik haar was, zou ik veel vaker in de voorkamer zitten. Gezellig, altijd is er wat te zien."

„Misschien komt het, omdat ze wat ouder wordt."

„Dat zal het zijn. Ze vindt het gedender van auto's langs de kade niet prettig. Wat dat betreft zit ik hier beter, boven hoor je het geluid niet zo. Maar dat zeg ik niet, stel je voor dat ze deze kamer wil hebben!" Noortje lachte. „Ga nou zitten. Ik heb meneer en mevrouw al koffie gebracht, daar hoef ik niet meer heen. Vind je het niet romantisch? Een beetje zoals jij het wilde:

weinig licht, fluistermuziek, wijn op kamertemperatuur en glazen waar het licht in flonkert. En geen ober op de achtergrond die stilletjes staat te wachten tot we ophoepelen en die dan met de rekening komt. En niemand aan het tafeltje naast ons, die ons gesprek kan afluisteren." Ze stond naast de bank. „Ik heb nog een klein wit schortje in de kast, zo'n ding droeg ik toen ik als dienster werkte in 'De Rode Leeuw'. Zal ik dat voordoen?"

„Nee, want je bent het dienstertje niet. Je bent het meisje dat met mij mee is."

„Dat is waar. Nou, dan schenk ik maar gewoon koffie in, zoals we dat gewend zijn. Suiker en melk, niet te veel, geen kop zeepsop." Ze praatten over het huis, over Judy en het schooltje, over Martins werk. Tot Noortje vroeg – ze leunde wat voorover in haar stoel en keek hem aan: „Waarom wil je met me praten, is er iets?"

„Nee, hoezo'!"

„Ik dacht het."

„Nee, er zit me niets dwars. Maar ik vind het fijn om met jou te babbelen. De keren dat we samen praatten, waren het heel andere gesprekken dan die ik met mijn ouders heb. Of met de mensen op de zaak. Thuis is het oppervlakkig geleuter over wat zullen we eten en weet je dat buurman een nieuwe fiets heeft gekocht. Op mijn werk is het vaak een klachtenregen over iets dat niet op tijd geleverd is óf herrie over bevoorrading; wie moet de appelmoes aanvullen? Maar met jou praat ik anders."

Ze glimlachte fijntjes. Als je dat vindt, dacht ze, als je meer dan een oppervlakkig gesprek van me wilt, zal ik je zeggen wat ik denk.

„Ik geloof dat er wel iets is dat je bezighoudt, Martin."

„En dat is?"

„Je verlangt dat er in je leven iets gaat gebeuren. En dan is dat natuurlijk niet iets naars, daar verlangt niemand naar. Ik denk dat ieder jong mens dat heeft. Het begint als je veertien, vijftien bent. Je denkt er niet bij na, maar het 'woord' toekomst houdt zoveel in. Ik weet nog dat het mij, toen ik zo oud was, vreselijk intrigeerde wanneer ik aan later dacht. Er waren ontzettend veel mogelijkheden. 'Later' lag toen meer in een wolk van gelukzalig verwachten dan nu, want het was oorlog en alles wat na die oorlog kwam was goed en mooi en veel beter dan de tijd die we hadden. Maar buiten dat om was ik nieuwsgierig naar mijn 'later'. Ik fantaseerde dat er een jongen zou komen die razend verliefd op mij werd. Hij wist werkelijk van gekkigheid niet wat hij moest doen om mij te veroveren. Hij wachtte overal op me, stuurde me prachtige bloemen, rozen, weet je wel, waar ik dan, zoals je dat op ansichtkaarten ziet, met gesloten ogen mijn gezicht in verborg. Hij schreef gedichten; als hij mij niet zou krijgen, zou hij bij wijze van spreken zelfmoord plegen. Want zonder mij had het leven voor hem geen waarde."

Haar stem klonk triest, haar ogen lachten. „Zalige fantasieën waren het. Ik vroeg me natuurlijk af hoe hij eruit zou zien. Nou, dat kun je wel raden: groot en stoer, donker haar, mooie ogen, een wilskrachtige kin, noem maar op. Gewoon volmaakt."

„Misschien dromen jongens zulke dromen minder dan meisjes. Ik had ze in elk geval niet."

„Droomde je er dan van treinbestuurder te worden of piloot of dokter?"

„Nee, ook niet. Ik was een heel simpel, tevreden jongetje."

„Jongetje… En later, toen je achttien, twintig was? Dacht je toen nooit aan een meisje en trouwen en dolgelukkig zijn?"

„Echt er ver in de toekomst over denken niet. Wel een meisje aardig vinden, met haar willen wandelen en praten en met haar uitgaan en haar zoenen, maar echt een grote vlam was het nooit. Misschien was het omdat ik niet ontzettend veel van zo'n meisje hield." Hij keek Noortje aan. „Ik heb nooit gedacht: als ik met dit meisje trouw, zweef ik de zevende hemel binnen."

„Maar de laatste jaren, Martin, je wilt toch niet bij je ouders blijven en als zij er niet meer zijn als een oude vrijgezel in hun huisje wonen?"

„Als ik dat niet wil en daarom een vrouw zoek en ga trouwen, is dat heel wat anders dan wat jij bedoelt. Maar dat zou ik nooit doen. Ik denk er wel aan dat het heerlijk moet zijn iemand bij je te hebben, van wie je erg veel houdt en die ook van jou houdt, iemand met wie je het goed en gezellig hebt, iemand die aanvoelt wat je denkt en wilt en met wie je kunt praten…" En ik weet zeker dat het tussen ons kan, zou hij willen zeggen, jij en Judy en ik, wij samen. Maar hij mocht het niet zeggen. Wat tussen hen was, was te pril. Ze zou schrikken als hij zich uitsprak, ze was er nog niet aan toe, het moest groeien. Als hij nu praatte, maakte hij het kapot. Het was te vroeg. Een beetje baldadig zei hij: „Soms geloof ik dat het kan bestaan, dat echte geluk, maar vaak ben ik er bang voor. Een meisje droomt over de jongen die ze eens tegen zal komen: een volmaakte liefde, een stralende trouwdag, poppen van kinderen. Een toekomst in zonnestralen. En wat heeft ze na tien jaar? Een nukkige man, die 's avonds met zijn voeten op tafel zit, zorgen om geld, een jengelig kind en elke dag afwassen en eten koken. Ik zie het om me heen. Mijn ouders leven genoeglijk, maar echt geluk is het niet. Bij mijn broer en zus is het ook niet elke dag vreugde in de gloria. Soms, Noortje…" Zijn stem werd zachter en warmer. Noortje hoorde het en ze voelde de verandering, ze luisterde, ze begreep deze jongen, ze kende hem. Hij was een beetje als Frans, gevoelig en nadenkend. „Noortje, soms verlang ik heftig naar liefde, ik weet zeker dat ik ontzettend veel van iemand kan houden. En het hoeft geen volmaakte vrouw te zijn. Ik ben ook niet volmaakt. Elkaar accepteren, ook met de minder leuke eigenschappen, want die heeft iedereen. Mijn moeder ergert zich aan mijn vader, omdat hij vaak driftig is. Dan is hij onredelijk en onuitstaanbaar, echt waar. Toen hij jong was, had hij dat al. Het is meestal niet tegen mijn moeder gericht. Hij kan zich opwinden over politiek, over het onrecht in de wereld en noem maar op. Hij gaat dan vreselijk tekeer. Als je hem niet kent, zou je er bang van worden. Moeder vindt het erg en ik geloof dat ze hem op zulke momenten haat. En toch houdt ze van hem, ondanks zijn driftbuien." Martin zweeg even, dan zei hij: „Ik denk er toch vaak over: liefde, gelukkig zijn, nooit meer alleen, iemand met wie je kunt praten, aan wie je alles kunt vertellen. Wat je heel diep vanbinnen pijn doet en waarnaar je stilletjes verlangt."

Noortje knikte. „En het bestaat, Martin, ik weet dat het kan bestaan. Je moet niet zeggen dat er voor Frans en mij geen tijd was om te weten of de sleur kwam. Frans en ik zouden steeds nieuwe dingen hebben om aan te denken, nieuwe plannen, nieuwe wegen."

Toen ze de deur opentrok, stond Paul Brandenberg op de stoep. Zijn hele gezicht lachte naar haar. De grote mond in een brede grijns, de ogen met ondeugende lichtjes als was hij een jongen van tien, die wat in zijn schild voerde.

„Dag, Noortje," jubelde hij.

„Dag, meneer Brandenberg. U bent te vroeg om mevrouw te bezoeken. Mevrouw rust tot ruim halfdrie," zei ze formeel.

Hij stapte over de drempel, ze week terug. Met zijn wijsvinger op zijn mond fluisterde hij: „Het is opzet, Noortje, een boos plan. Ik wil wachten tot tante ontwaakt. Bij jou in de wachtkamer-keuken. We gaan naast elkaar op een stoel zitten. En dan vertellen we elkaar onze zorgen. Jij eerst aan mij. Als ik je helpen kan" – hij sloot de zware voordeur heel voorzichtig – „als ik je kan helpen met goede raad en wijze woorden en echt begrip, wil ik dat graag doen."

Hij liep op zijn tenen de gang in. Noortje vond het leuk, zoiets in het huis van meneer Menno, hij moest zijn neef eens zien: hij liep als een man op leeftijd die koorddanser wil worden en zijn eerste les krijgt. Ze sloop, ook op haar tenen, achter hem aan.

„Noortje, als het kan, zal ik je helpen."

„Als het maar geen geld kost," grinnikte ze zachtjes.

Hij draaide zich abrupt om, ze duikelde bijna tegen hem aan. „Je begrijpt me als geen ander," riep hij gesmoord.

In de keuken schoof Paul op een stoel aan de tafel.

„Wat een heerlijke keuken is dit, hè; het is trouwens helemaal een fijn huis."

„Ja, het is een fijn huis. Groot en ruim, warm water overal en twee badkamers, pure weelde, zou mijn vroegere buurvrouw uit de Anjelierstraat zeggen. Maar jij woont ook in een mooi huis, heeft je tante me verteld."

„Een prachtig huis. Zoiets heet 'een buiten'." Hij knikte naar haar, in zijn ogen waren nog de pretlichtjes. „Het is een mooi huis en ik houd ervan, maar eigenlijk zijn mijn ouders er de slaven van. Het geeft ook veel ongemak, een groot huis. Voor mijn moeder bijvoorbeeld dat er altijd twee werksters om haar heen zijn."

„Werksters zijn vreselijke mensen," viel Noortje direct in. Ze begreep deze Paul Brandenberg goed, ze genoot hiervan. „Je hebt ze nodig, maar anders schopte je ze zo de poort uit."

„Precies," stemde Paul in, „en mijn vader rekent zich suf om te kijken of alle rekeningen die via de grote brievenbus in huis vallen, betaald kunnen worden. En hij moet geregeld het hele huis inspecteren op onderhoudswerkzaamheden. En dan de tuin nog. Als je zo'n grote tuin goed wilt onderhouden, moet je een tuinman in dienst nemen."

„Ik wil wel tuinvrouw bij je ouders worden. Ik houd van tuinieren."

„Durf je mollen te vangen?"

„Nee. En ik zou het niet doen ook, het zijn zulke lieve, zachte beestjes."

„In onze tuin loop je over de mollen. Ze dragen je als het ware op hun ruggetjes. Mijn vader eist dat de tuinman ze doodt."

„Wat een wreed mens is je vader."

„Ja. Hij zegt dat de mollen in hun eigen tuin bij hun eigen huis gangen mogen graven. Hij graaft ook niet in hun tuin. En daarin heeft de oude heer gelijk. Hij doet dat inderdaad niet."

Noortje grijnsde. „Ga je later in dat huis wonen?" vroeg ze.

„Ik vrees dat het moet. Ik heb de lieve Heer om drie flinke broers gesmeekt, alle drie doortastend, intelligent en hangend aan familietraditie, maar helaas zijn ze niet gekomen. Misschien was het te veel gevraagd. Eén was eigenlijk voldoende geweest. Maar dat bedenk ik nu pas" – hij zuchtte – „ik ben de enige Brandenberg, na mijn vader. Ik kan niet zeggen dat het me aanlokt in het huis te wonen." Hij was serieus nu. Ze zag het aan zijn ogen, ze waren staalblauw. Zijn handen speelden met een lucifersdoosje dat op de tafel lag.

„Ik moet er niet aan denken. Begrijp me goed, het is een heerlijk huis. Groot en mooi en vrij en het is al zo lang in onze familie, het is echt een bezit. Iemand die in een huurhuis in een rijtje in de stad woont, kan uit zo'n huis gaan, omdat hij een grotere woning wil. Maar uit 'De Brandenberg' gaat onze familie niet gauw. Soms ben ik bang dat het eens zover zal komen, omdat het moet, omdat het niet vol te houden is. Er is veel geld nodig om alles draaiende te houden. En zoveel geld bezitten we niet.

Ik weet dat mijn vader er vaak over piekert. Het is nu nog niet aan de orde, maar als de belastingen steeds hoger worden en de kosten blijven stijgen, hoeveel moet je daar tegenover stellen…"

Noortje knikte. Ze had geen idee wat het bewonen van zo'n groot huis kostte, hoe groot het was wist ze trouwens ook niet, maar het zou wel een bedrag met veel nullen zijn.

„Vind je het niet zonde om zoveel geld te besteden aan een huis? Je kunt er zoveel andere leuke dingen mee doen."

Paul lachte. „Dat zeg je, omdat je niet weet wat het betekent in zo'n huis te wonen. Ik heb het niet zo erg als mijn ouders, ik ben zorgelozer en vrijer, geen echte Brandenberg zegt mijn vader weleens, maar ik begrijp het van hen. Als mijn vader in de hal staat – die hal is tweemaal zo groot als deze keuken – en hij kijkt naar de zware voordeur met de koperen knoppen, de gladde tegels in mozaïekvorm op de vloer, de koperen lamp aan het plafond, de trap met het houtsnijwerk, dan is mijn vader gelukkig. Ik denk dat hij een uur in de hal kan staan gelukkig te zijn."

„Nou, dat kost in elk geval niks," stelde Noortje vast, „maar zo'n huis moet schoongehouden worden; dat doen die twee lastpakken van werksters, hè?"

„Dora en Agnes, twee vrouwen uit het dorp. Zij trekken zich het lot van onze meubelen en vloeren aan. Het kost veel."

„Ik ben blij dat ik niet op zo'n landgoed woon. Ik zou er trouwens niet gelukkig zijn. Veel te groot en te deftig. Wil je thee?"

„Graag! Ben je hier gelukkig?"

„Ja."

„En mijn neef…"

„Die zie ik bijna niet."

„Prijs je gelukkig. Het is een vreselijke vent." Noortje zei niets.

„Ach, een vreselijke vent is hij misschien ook niet. Eigenlijk benadeelt Menno niemand. Hij wil alleen volkomen alleen gelaten worden. Hij leidt zijn eigen leven en daar is hij gelukkig mee."

„Nou dan, niet mee bemoeien," meende Noortje, „als iemand zijn ziel en zaligheid vindt in plantjes en stekkies, laat gaan! Toon zegt dat het nuttig werk is. Als het werk dat meneer doet, niet gedaan zou worden, gingen op den duur veel bomen en planten dood."

Paul Brandenberg lachte. „Nou, laat Menno dan maar ploeteren. Ik doe liever wat anders. Met vakantie gaan bijvoorbeeld."

Noortje leunde tegen het aanrecht. „Toen ik klein was, ben ik een paar maal met mijn ouders en mijn zus met vakantie geweest. Een week, langer niet. Op de fiets naar een oom en tante, die een boerderij hadden. Heerlijk. Daarna ben ik nooit meer zomaar een paar dagen weg geweest. Om te luieren, niets te doen, alleen maar plezier te maken. Eerst de oorlog en na de oorlog hadden we geen geld. Mevrouw zei van de week dat ik met Judy een weekje uit mag, als ik dat wil. Mevrouw heeft een vriendin die aan de kust woont. In Katwijk geloof ik. Het zou zalig zijn! Met Judy naar het strand, lekker in de golven spelen, het kind zou niet weten wat haar overkwam!"

„Dat moet je beslist doen! Als het doorgaat, Noortje, breng ik jullie met de auto naar Katwijk."

„Maar er is verder niet over gepraat. Mevrouw zei het zo."

„Dan vraag je er toch naar? Of mevrouw het echt meende."

„Dat kan ik doen. Ik kan goed met mevrouw opschieten."

„Tante Renate is een lieve vrouw. Eigenlijk is ze liever geworden sinds oom Henri dood is. Oom Henri was een erg moeilijke man. Hij was heel geleerd, het verstand heeft Menno van hem geërfd. Menno heeft veel meer van zijn vader mee gekregen. Zijn vader leefde ook volledig zijn eigen leven. Hij wist van zichzelf dat hij knap was, ontwikkeld en dat hij dingen deed, die belangrijk waren voor de samenleving. Hij liet zich door niets en niemand tegenhouden. Ook niet door een vrouw, zelfs niet door zijn eigen vrouw. Zij had de taak hem te verzorgen, zodat hij zijn werk kon doen."

„Ze deelde zelfs niet in zijn glorie," begreep Noortje.

„Nee. Daarvoor was haar inbreng te gering, want als je het terugbracht, was het alleen het bestieren van het huishouden, het personeel deed het werk." Paul zweeg even en keek ernstig.

„Menno werd opgevoed in het besef dat veel weten, veel studeren en onderzoeken vreselijk belangrijk is. Menno is tien jaar ouder dan ik, dat is als je jong bent een heel verschil. Ik heb nooit met Menno gespeeld. Ik heb hem nooit zien spelen. Wij kwamen hier vroeger wel, de familie is erg klein, wat we aan verwanten hebben houden we bij elkaar, maar ik zag Menno weinig. Hij was altijd op zijn kamer. Dat was boven. De kamer met uitzicht op de tuin. Daar leidde niets van buiten hem af, als hij zat te studeren."

Noortje knikte.

„Is de thee al klaar?" vroeg Paul Brandenberg lachend.

„Oh, ja. Ik luister zo naar je! Weet je, ik weet niets van deftige families."

Paul Brandenberg stond op van zijn stoel en liep op haar toe. „Ik zal je eens wat zeggen, Noortje, en dat moet je goed onthouden. Het is niet belangrijk of je ouders rijk zijn of niet. Soms is het gemakkelijk als ze geld hebben, maar in de meeste gevallen heb je er als kind niets aan. Pas als je ouders gestorven zijn, erf je het geld en meteen alle verantwoordelijkheid en alle zorgen die zij hadden. Meestal is het lastig rijke ouders te hebben. En te moeten leven met tradities die je eigenlijk diep in je hart aan je laars lapt. Het is belangrijk en vreselijk fijn, als je in je leven jezelf kunt zijn. Helemaal jezelf. En dat je kunt doen wat je zelf graag wilt. En dat niet mogen doen wat je zelf graag wilt hangt niet alleen van geld af. Menno Verhoeven heeft nooit mogen doen wat hij wilde. Zijn vader was zeer dominerend en zijn moeder keek tegen die vader op, alsof hij alle kennis en wijsheid van de hele wereld in zich verzameld had. Menno had helemaal geen leuke jeugd! Ik mag hem niet, ik denk trouwens dat niemand hem mag. Zijn moeder, die wel, maar toch ook niet op een fijne, warme manier van 'jongen, kom bij me, ik houd van je'. Menno is koel, hard en nuchter.

Eigenlijk moeten we medelijden met hem hebben. Maar hij weet niet wat hij mist en dat is voor hem gelukkig. Hij denkt niet over een andere manier van leven. Zoals hij leeft, is voor hem het leven alleen mogelijk. Zijn vader zette hem op die weg en zijn moeder liet hem niet in dwarsweggetjes gluren. Bij wijze van spreken. Heb je al thee ingeschonken?"

„Nee. Je gesprek boeit me zo," zei ze zedig.

„Dat doet me genoegen." Opeens lachte hij vrolijk. „Ik geloof dat wij elkaar ontzettend goed aanvoelen, Noortje! Weet je, ik houd van vrolijkheid, blijheid, de humor zien in het leven, kunnen lachen. En jij ook. Maar hier in huis is niet veel om te lachen voor je."

„Ik heb het tot nu toe niet gemist. Met Annie kan ik lachen en met mevrouw praat ik fijn."

Paul Brandenberg knikte. „Ja. Soms heb ik het gevoel dat de dood van oom Henri een last van tante Renate heeft afgenomen. Vroeger was ze gejaagd, bang iets fout te doen, nu is ze rustiger." Noortje schonk thee in gebloemde, wijde kopjes. Speciale theekopjes waren dit. Ze vond het prettig om met Paul Brandenberg te praten. Ze vond hem aardig. Hij hield van vrolijkheid, maar hij kon ook ernstig zijn. Zoals nu het gesprek over mevrouw Verhoeven en haar zoon. Het is van dag tot dag opgebouwd, dacht ze, Menno Verhoeven is gemaakt tot wat hij is, door zijn ouders, door het leven. Als ze Judy steeds voorhield dat ze moest leren, dat alleen veel weten belangrijk is, dat je niet moet spelen, dat is zonde van de tijd, dat doen alleen domme kinderen, als ze zo deed vormde ze het kind tot een stil, in zichzelf gekeerd mens. Zo was het met Menno Verhoeven gegaan. Meneer Menno Verhoeven. Ze voelde medelijden met hem.

„Mevrouw", begon ze in de namiddag, toen ze mevrouw Verhoeven de koffie bracht, „U zei vorige week dat ik, als ik dat graag wilde, een paar dagen met Judy uit kon gaan." Ze stond naast de tafel, ze voelde zich als een bedremmeld kostschoolmeisje uit een film, zo stond ze met het blad in haar hand te draaien.

„Ja, kind, dat zei ik en dat kan ook. Mijn vriendin, dat is mevrouw Van Herlingen, heeft een leuk huis in Katwijk, aan de boulevard. Ver voor de oorlog kochten zij en haar man daar een woning. Meneer Van Herlingen was kapitein op een koopvaardijschip. Veel van huis dus en mijn vriendin vond het heerlijk dicht bij de zee, waar hij op voer, te wonen. Ze zei weleens dat ze het gevoel had hem dichter bij zich te hebben, als ze de zee zag. Vlak voor de oorlog is meneer Van Herlingen van de vaart gekomen. Ze vonden het allebei zalig om in Katwijk te wonen. 's Avonds liepen ze vaak langs het strand en als het slecht weer was, echt stormde op zee, was Hans van Herlingen buiten, op de boulevard of beneden, aan het strand.

In de oorlog hebben ze het erg moeilijk gehad. Hun huis werd op last van de Duitsers afgebroken. Alle huizen langs de strandweg werden met de grond gelijkgemaakt. Dat was voor de Van Herlingens natuurlijk vreselijk. En voor alle andere mensen die het trof. Een hele strook van zeker honderd, honderdvijftig meter werd gewoon gesloopt. Het witte kerkje mocht blijven staan, maar de toren is er afgebroken. Je zult dat zien als je in Katwijk bent. Ze zijn pas met de restauratie begonnen. De vuurtoren bleef ook staan en een pension, want daar zaten de Duitsers in. Constance en haar man evacueerden naar Leiden, waar ze familie hadden. Zodra er na de bevrijding materiaal was om te bouwen, gaven ze opdracht om het huis te herstellen. Een paar maanden voor het klaar was, overleed Hans. Dat was heel triest. Constance woont er nu met Janet. Eigenlijk is dat de huishoudster, maar mevrouw Van Herlingen en Janet kunnen zó goed met elkaar opschieten, dat je beter van twee vriendinnen kunt spreken." Mevrouw Verhoeven zweeg even en keek Noortje aan.

„Mevrouw Van Herlingen is hier onlangs geweest, op een zondagmiddag, dat weet je nog wel, ze kwam met haar schoondochter. Ze vroeg toen of ik goede hulp had en ik roemde jou." Mevrouw Verhoeven lachte. „Ik vertelde over je en over Judy en toen zei ze dat je bij haar kunt logeren, als je er een of twee weken uit wilt. Mevrouw Van Herlingen denkt dat Janet het erg leuk zal vinden, als jullie komen, want het is een gezellige afleiding in hun toch wat saaie leventje. Ik heb verteld dat Judy zo'n kleine schat is."

„Ik zou het erg graag willen, mevrouw."

„Dan maken we er werk van. Je zegt maar wanneer het jou het beste uitkomt."

„Hebben meneer en u vakantieplannen?"

„Nee, meneer gaat nooit met vakantie. Hij besteedt zijn vrije dagen van het laboratorium aan conferenties en onderzoekingsprojecten in het buitenland, maar echt vakantie, luieren in de zon, zwemmen" – ze lachte even – „ik zie het mijn zoon niet doen." Nee, dacht Noortje, meneer Menno met witte benen in een zwembroek, dat kon ze zich niet voorstellen. „En ik blijf ook liever thuis," ging mevrouw verder, „het is hier goed."

„Ik vertelde het vanmiddag aan meneer Brandenberg. Hij kwam voordat u was opgestaan, omdat ik er zo'n zin in heb, praatte ik er met hem over. Hij bood aan mij en Judy, als het doorgaat natuurlijk, naar Katwijk te brengen."

Mevrouw Verhoeven hief haar gezicht op en keek Noortje recht aan. „Dat is erg aardig van meneer Brandenberg."

„Dat vind ik ook." Noortjes stem klonk een beetje onverschillig. Mevrouw moest niet denken dat ze zich op een ritje met meneer Brandenberg verheugde, dat was het helemaal niet. „Maar zonder meneer Brandenberg komen we evengoed in Katwijk, er gaan treinen en bussen."

„Dat is waar, maar goed, de reis erheen is iets dat besproken kan worden. Ik zal mevrouw Van Herlingen bellen."

„Heel graag, mevrouw." Noortje keek mevrouw aan en lachte naar haar. „Dan ga ik naar de keuken, het eten staat op. En Judy is bezig een poppenkamer te maken van vouwkarton. Stoeltjes moeten erin en een tafel, maar het wordt een beetje een wankel ameublement. Ik zal moeten helpen."

„Als het niet lukt, stuur je haar maar naar mij toe. Ik weet alles nog van knippen en plakken."

„Dat doet ze vast, want ze is wat graag bij u."

Toen ze na het eten bij het aanrecht stond, hoorde ze een kort klopje op de keukendeur. Wie kon dat nou zijn? Mevrouw kwam altijd zo binnen en als het Annie was of Martin, die kwamen door de buitendeur.

„Joe…" riep ze en ze draaide zich om.

In de deuropening stond meneer Menno. Ze liet van schrik haar handen in het hete zeepsop glijden, maar trok ze vlug terug en droogde ze af aan de handdoek.

Menno Verhoeven keek naar de tafel. „Judy hier?"

„Nee. Ze is naar boven gegaan met alle spulletjes die mevrouw voor haar maakte."

Hij deed een paar passen de keuken in.

„Ik heb gehoord, Nora, dat je een paar dagen, hoeveel dagen doet er niet toe, met het kind naar Katwijk wilt gaan, naar mevrouw Van Herlingen. Dat vind ik goed, je hebt recht op vakantie." Noortje had hem nog nooit zoveel woorden achter elkaar horen zeggen. „Moeder vertelde ook dat mijn neef, het is een verre achterneef, Paul Brandenberg hier vanmiddag is geweest."

„Ja. Hij kwam om een uur of twee en ik zei hem dat mevrouw nog rustte. Ik kon hem niet terugsturen, ik kan toch moeilijk zeggen 'slenter maar langs de kade', het is immers familie van mevrouw en van u. Daarom liet ik hem binnen."

„Hier in de keuken."

„Ja. Als ik meneer op de bank in de gang laat zitten, heeft hij het gevoel dat hij bij de tandarts zit te wachten."

Even vertrok de mond van Menno Verhoeven.

„Je vertelde hem dat je misschien naar Katwijk gaat en meneer Brandenberg bood aan jou en het kind daarheen te brengen." Ze knikte.

„Daar heb ik bezwaar tegen."

„Oh," zei ze alleen.

„Je kent de verhouding niet tussen de heer Brandenberg en mij."

„Mevrouw is geloof ik wel op hem gesteld," durfde ze te zeggen.

Hij keek haar aan. „Ja, mijn moeder mag hem wel. Hij is vriendelijk en vrolijk, dat moet ik toegeven."

Ze knikte.

„Maar ik wil niet dat hij jou en het kind naar Katwijk brengt. Als jullie weggebracht moeten worden, omdat het wat de bagage betreft te lastig is om met de trein en de bus te gaan, breng ik jullie."

Noortje leunde tegen het aanrecht.

„Als... als dat kan... graag, meneer," hakkelde ze.

„Dat was wat ik wilde zeggen." Hij liet de stoel los, stapte door de keuken naar de deur, trok hem open en verdween.

Noortje was nog niet van de schrik bekomen. Wat zou er zijn tussen Menno Verhoeven en Paul Brandenberg? Wellicht alleen een in hun jeugd opgebouwde haat. Paul Brandenberg vond de oudere jongen maar een stijve hark en wie weet roemden zijn ouders neef Menno, omdat die zo ijverig studeerde en op school de allerbeste was. Menno mocht Paul niet, omdat hij het een kinderachtig ventje vond, vol zogenaamd lollige dingen waarvan hij niets begreep. Menno moest als kind al gevoeld hebben dat zijn moeder Paul graag mocht. Een stille jaloezie, dat zat ertussen. De volgende middag zei mevrouw Verhoeven, toen ze buiten thee dronken: „Ik heb mevrouw Van Herlingen opgebeld, Noortje, en het is goed dat jullie komen. Janet zal voor jou de grote logeerkamer in orde maken en voor Judy de kleine achterkamer. Ze vroeg me of Judy in een kinderbedje slaapt. Een

kinderbedje heeft ze niet meer, haar kleinkinderen zijn al groot. Maar ik zei dat Judy in een groot bed kan slapen."
Noortje knikte.
„Ze vroeg me wanneer je komt. Maar dat moeten we met Annie bepraten. Misschien kan dat morgenochtend. Ik geloof niet dat Annie en haar man plannen hebben om weg te gaan. Als ik zo naar Annie luister, heeft haar man altijd wel iets waardoor hij het huis moeilijk uit kan gaan."
Annie zei de volgende morgen: „Meid, wat hartstikke leuk! Die mevrouw Van Herlingen is een aardig mens. Ik ken haar wel, ze komt af en toe met haar schoondochter. Haar man, de man van mevrouw Van Herlingen dus, was bij de grote vaart. Kapitein of zo. Daarom hebben ze destijds dat huis in Katwijk gekocht. Als hij thuis was, wou hij nog de zee zien. Dat snap je eigenlijk niet. Je zou zeggen dat zo'n man wel wat anders wil zien dan golven en schuimkoppen, als hij aan de wal is. Nou eens niet iets om zich heen dat deint en springt! Ik zou een leuk huis in de bossen kopen, dat is wat anders, naar eekhoorntjes kijken en mooie vogeltjes horen zingen, maar nee, Jan de zeeman wilde water. Die man is alweer een paar jaar dood. Maar mevrouw woont er prachtig. Dat heeft ze me zelf verteld. En dat jij er nou heen gaat, ik vind het erg lief van mevrouw om dat te organiseren. En je bent lekker onder dak, Janet zorgt voor alles. Jij komt thuis van het strand, je frist je op, zo heet dat, en je schuift aan tafel! En wat mij betreft kun je gaan, wanneer je wilt. Toon wil toch niet weg. Een daggie misschien, maar dat doen we wel voor of na jouw vakantie. Wat zal Judy genieten! Lekker in het zand spelen en in de zee ploeteren, maar houd haar in de gaten, Noor, de Noordzee is gevaarlijk. Het is te hopen dat je mooi weer treft. Maar als je er een week bent en het hoost elke dag pijpenstelen, blijf je er gewoon. Wachten op de zon. Ik red het hier wel."
Noortje vertelde niet dat meneer Menno hen misschien naar Katwijk zou brengen. Waarom ze dat niet vertelde, begreep ze zelf niet. Annie – en zij zou meedoen – zou er onbedaarlijk om lachen. „Meneer Menno als jouw particuliere chauffeur, ik zie het al. Nou, hij zal als een standbeeld achter het stuur zitten en hij zegt geen woord. Jij als mevrouw achterin, mijn hemel, waarom doet hij dat?"

Dan moest ze vertellen dat Paul Brandenberg had aangeboden haar te brengen en dat meneer dat niet wilde. Misschien wist Annie iets van de verhouding tussen de beide mannen. En eigenlijk wilde ze daar wat van weten, maar toch zei ze niets. Waarom niet, dat kon ze zelf niet verklaren.

„Hoe is het met de vakantieplannen?" vroeg Paul Brandenberg een paar dagen later. Hij kwam weer vroeg in de middag, normale werkuren had hij zeker niet. Ze wist trouwens niet wat hij deed voor de kost. „Je moet niet te lang wachten, nu zitten we nog in een zomergolf. Als die weg is, krijgen we regen en wind."

„We gaan volgende week," zei ze. Nu moest ze zeggen dat meneer Menno hen weg ging brengen. Dat vond hij diep in zijn hart natuurlijk fijn, het scheelde hem een ritje, maar hij zou het niet laten merken, daarvoor was hij te charmant. Maar het was erg aardig van hem om aan te bieden haar te helpen. Een vrouw alleen met een kind en bagage en dan twee keer overstappen op drukke perrons en in Leiden de bus naar Katwijk zoeken, dat was een heel gedoe.

„Kind, wat vlot! Maar je hebt gelijk, je moet het nu benutten. En ik breng jullie! Noortje, daar maken we een plezierig ritje van. Ik…"

„Nee, meneer," viel ze hem in de rede.

„Je hebt me weken geleden beloofd dat je geen meneer meer tegen me zult zeggen!"

Ze grijnsde. „Maar ik ben het dienstmeisje van uw tante, mevrouw Verhoeven, en u bent de toekomstige heer van huize „Brandenberg'."

„Ha, ha! Hoor nou zo'n moderne jonge vrouw! Die heeft in de oorlog gezien hoeveel waarde geld heeft! Kind, dat is niet belangrijk meer! We gaan nu met elkaar om als mensen. Als je geld hebt is dat gemakkelijk, als je het niet hebt…"

„Moet je het zien te krijgen," vulde Noortje aan.

Paul Brandenberg lachte. „Nee, maar serieus, Noortje, hoe wil je dan naar Katwijk gaan? Het is een hele reis met een koffer vol badpakken en strandjurken en handdoeken en een tas met zandschepjes. Bovendien moet je een hand vrij hebben om Judy vast te houden."

„Meneer Menno brengt ons."

„Oh, maar natuurlijk!" Zijn ogen sloten zich even tot smalle spleetjes. „Tante Renate heeft hem medegedeeld dat jij naar Constance van Herlingen gaat en ze heeft hem meteen gezegd dat hij jullie moet brengen. Gedraag je menselijk, Menno, zal ze gezegd hebben. Nou ja, jij komt er in elk geval zonder veel gesjouw, maar ik had me een klein beetje op dat reisje verheugd."

„Is het heus, Paul?" vroeg ze ondeugend.

„Zeg dat nog eens: is het heus, Paul?"

„Is het heus, Paul?" Haar ogen lachten naar hem.

Ziezo, ze had gezegd dat meneer haar bracht en hij was niet boos. „Ja, echt waar, Noortje. Ik mag je erg graag." Hij was een beetje dichterbij gekomen, ze stond bij de keukentafel. Ze lachte. Ze vond het leuk dat hij dit zei. Ze geloofde het niet of eigenlijk was geloven het juiste woord niet, ze dacht er niet over na. Ze vond Paul Brandenberg een aardige jongen, ze hield van zijn leuke opmerkingen en vrolijkheid, maar verder ging het niet. Ook al zou ze weleens gedacht hebben aan een andere man na Frans – en buurvrouw Jaspers zei dat meer dan eens: „Kind, je bent zo jong, je komt in je leven nog een man tegen, van wie je kunt houden," als ze daarover zou denken, was het toch een jongen uit haar eigen milieu. Mevrouw Verhoevens zoon en ook deze Paul Brandenberg vielen daarbuiten.

Zo denken, het eigenlijk meer als vastgesteld en waar voelen, kwam voort uit haar opvoeding. Haar moeder leerde haar dat er verschillende mensen zijn, heel veel verschillende mensen en ook verschillende groepen. En de groep die buiten jouw groep valt, daar hoor je niet bij. Zoals mensen die in cafés en kroegen kwamen, dat was 'ander volk' en mensen die dingen meenamen die niet van hen waren, dieven en inbrekers en oplichters, al ging het soms om kleine bedragen, maar het was niet goed en met dat soort mensen bemoeiden vader en moeder zich niet. Bij hen in de straat woonde vroeger een familie Pieters. „Kijk," zei moeder, „dat zijn nou nette oplichters. Ze kopen iets, laten we zeggen nieuwe stoelen. De winkelier brengt ze, maar vrouw Pieters betaalt niet direct. Als die stoelen in huis staan, is er steeds wat mee. Ze vinden dat de zittingen gauw doorzakken of het hout wordt dof. Noem maar op, allemaal smoesjes en uitvluchten om niet te betalen." Dat vond moeder oplichters. En met de familie Pieters bemoeide ze zich niet.

Zo waren ook de mensen met veel geld een categorie apart. In haar jeugdjaren kende Noortje Folmer zulke mensen niet, want in de Appelstraat woonden ze niet, maar ze wist dat ze bestonden. Net zoals koningen en prinsessen.

Later, toen ze ging werken, ontmoette ze mensen met geld. Meneer Vreken, de eigenaar van restaurant 'De logge olifant' had geld, maar een echte heer was hij niet. Af en toe verdween hij met Hillie, het kamermeisje, in zijn privé-kantoor en iedereen wist wat er dan gebeurde. Alleen mevrouw Vreken niet. Misschien wist ze het ook wel. Ze had een bontmantel en een eigen auto. Henk, een van de obers, zei: „Over die vent van haar maakt ze zich niet druk en ze gunt Hillie het pleziertje, ha, ha!"

Meneer Verhagen, de eigenaar van de lampenkappenfabriek waar ze later werkte, was wel een heer. Als die door de afdeling liep, waren ze allemaal druk bezig. En hij had geen gemene streken. Alleen meer geld dan zij. „Als wij vijfentwintig gulden vangen voor ons werk," wist de voorman, „verdient hij aan de verkoop van elke lampenkap behoorlijk en nog eens vijfentwintig gulden aan ons loon."

Maar Noortje dacht er nooit echt over na, ze was er niet opstandig onder, het was gewoon zo. Vader zei vroeger: „Als je voor een dubbeltje geboren bent, dan word je nooit een kwartje." Maar zij vond dat je als dubbeltje ook heel gelukkig kon worden en blij kon zijn. Dubbeltjes onder elkaar hadden het erg gezellig. Voor haar gevoel bleven de kwartjes bij elkaar in een potje en de guldens en rijkdaalders, daar dacht ze helemaal niet aan.

Meneer Brandenberg hoorde bij de rijksdaalders. Dus leuk om mee te praten, je hoefde ze niet te mijden, ze deden je niets, maar het was gewoon een mens uit een andere groep. En nu zei hij dat hij haar graag mocht.

„Ik vind jou ook leuk."

„Als ik je dan niet naar Katwijk kan brengen, Noortje, omdat mijn tante in haar bezorgdheid voor jou direct aan het vervoer heeft gedacht, kunnen we dan niet een andere ontmoeting organiseren dan alleen hier in de keuken?"

„Hoe bedoel je dat?" vroeg ze. Ze wist zelf dat het onnozel klonk.

„Gansje, lief gansje, je snapt toch wel dat ik niet elke keer om twee uur uit mijn werk breek om bij jou in de keuken op mijn tante te wachten, als ik het niet prettig vind met jou te praten?"
„Vind je dat zo prettig?"
„Ja. Weet je, Noortje, ik heb altijd ernstige mensen om me heen. Thuis mijn vader en moeder, het zijn beste mensen, maar ik geloof dat ze elkaar nooit stoeiend met de bloemengieter achterna hebben gezeten en als ze dat ooit wel gedaan hebben, schamen ze zich daar nu diep voor. Op mijn kantoor zijn alleen maar uitgestreken gezichten, brr, als ik daar binnenkom, beklemt het me vaak, al die uitgestreken tronies. En mijn klanten – ik zit in het bankwezen – mijn klanten zijn alleen maar zorgelijke snoeten boven cijferlijsten. En ze hebben maar één gedachte, als ik kom: hoe kunnen we van hem geld loskrijgen. Ik heb vrienden, die alleen maar denken aan opklimmen in de maatschappij, carrière maken, de top bereiken. Desnoods schop je iemand van de bovenste sport en als hij naar beneden duikelt, kijk je niet eens. Een mens moet hard zijn en je kunt ook niet naar beneden kijken, want je moet je met twee handen stevig vasthouden voor het geval een ander jou een por wil geven. Zo gaat dat. En dan kom ik hier, bij mijn tante, en wat zie ik: een lief vrouwtje dat heerlijk lacht om de dingen waar ik ook om kan lachen."
„Wat mensen al niet tot elkaar brengt." Noortje schudde haar hoofd. „Nou, tot elkaar, dat is het niet, maar we lachen in dezelfde richting. Ik als dienstertje en jij als bankman."
„Begint ze weer!" Paul hief zijn handen op. „Nee, jij als mooie jonge vrouw, want dat ben je, Noortje, en ik als jongeman, die dat vrouwtje aardig vindt. En nu sla ik spijkers met koppen: wanneer gaan we samen uit?"
„Na mijn vakantie misschien." Waarom klopte haar hart nu zo wild, het was toch onzin. Natuurlijk ging ze niet op stap met Paul Brandenberg, hij was geen jongen voor haar, geen partij zou buurvrouw Jaspers zeggen, maar leuk was hij wel. En knap ook. „Dat duurt nog zo lang."
„Welnee. De dagen vliegen om. En ga nu naar je tante, ze is in de zitkamer. Ik wil niet dat mevrouw denkt dat ik mannen ontvang als zij slaapt."

„Schurkje," zei Paul lachend. „Maar je hebt gelijk, ik wil ook niet dat tante boos wordt op jou. Tot ziens! Als het kan, kom ik nog voor je naar Katwijk gaat. Mocht het me niet lukken, dan wens ik je nu alvast een fijne, gezellige vakantie, Eleonora, heet je zo?"

„Nee, gewoon Nora."

„Nou, een fijne vakantie dan, Noortje. Denk nog eens aan me!"

„Bij elke zandkorrel die ik zie en elke aanrollende golf."

„Dan ben ik in Katwijk nooit uit je gedachten!" Hij deed de deur open, lachte naar haar, stapte de gang in en trok de deur achter zich dicht.

Ze zette het blad met de mooie kopjes op het geblokte tafelkleed. Leuke jongen, Paul Brandenberg. En wat hij zei was waar, ze pasten een beetje bij elkaar. Ze hadden dezelfde humor. Waar zij om lachten, daar zou Menno Verhoeven zijn neus voor ophalen. Zou hij trouwens weleens lachen? En Martin? Martin lachte ook niet gauw, maar hij was toch heel anders dan meneer Menno. Over meneer Menno kon je eigenlijk niet denken. Dat was een stijve hark. Een man, die als kind vol was gegoten met de ernst van het leven en met geleerdheid en daar nou compleet verzadigd door was. Als ze dit tegen Paul zei, zou hij goedkeurend zeggen:

„Hoe kan ik hem zo volledig beschrijven!"

Ze pakte de waterketel en hield hem onder de kraan.

Thee zetten voor mevrouw. En voor Paul en voor zichzelf. Volgende week om deze tijd was ze in Katwijk. Ze kon zich er geen voorstelling van maken hoe het daar zou zijn, maar ze nam gewoon aan dat het zalig zou worden. Als het mooi weer was, ging ze elke dag met Judy naar het strand. Ze had voor zichzelf een badpak gekocht. Ze kon zich de jaren niet herinneren dat ze zo'n ding had. Zwemmen deden Frans en zij nooit, ze kon het niet eens, en in deze stad was geen zwembad. Er was ook geen water in de buurt waarin je een duik kon nemen. Of je moest van de kade springen. Voor Judy kocht ze drie goedkope badpakjes. En een zonnehoedje. Een wit linnen ding met een brede rand. Het kind was er verrukt van. Toen ze uit de stad terugkwamen, liep ze het eerste uur met dat ding op. En ze holde er direct mee naar mevrouw Verhoeven, die moest de hoed zien!

„Voor op het strand," hoorde Noortje haar zeggen. „Als de zon op mijn hoofd pikt, word ik misschien ziek."

Zalig, met vakantie gaan...

Ze nam zich voor ervan te genieten. Alle verdrietige dingen uit haar gedachten te bannen. Niet denken: Frans heeft in zijn leven nooit zo'n vakantie gehad... Voor Frans was het leven veel te vlug voorbij, maar als zij er nu over tobde hielp het hem niet, ze maakte alleen zichzelf verdrietig. Ze moest alleen vooruitkijken, alle lieve herinneringen bleven toch in haar hart bewaard.

Ze wilde genieten van deze weken en alle aandacht geven aan Judy. Die was nu al dol van vreugde. Ze wist niet wat de zee was – veel water – en wat het strand was: een heel, heel grote zand-bak! Ze zou veel tijd voor het kind hebben. Natuurlijk hielp ze Janet 's morgens, ze zorgde voor haar eigen wasgoed en zo, maar verder zou ze het rustig hebben. Hè, ze verlangde ernaar. Ze telde de dagen bijna. Als een kind dat op reis gaat. En zo voelde ze zich ook. Alleen de rit erheen, dat was niet zo leuk. Meneer Menno bracht haar. Het zou gaan, zoals Annie zou zeg-gen: hij met zijn rechte rug achter het stuur en jij met Juudje achterin. Eigenlijk had ze geen last van hem. En toch zag ze er een beetje tegenop. Er was altijd een gespannen sfeer om meneer, net alsof er elk ogenblik iets kon gebeuren. Er gebeur-de natuurlijk niets. Wat zou er moeten gebeuren... die man deed niets! Het was gewoon de beklemming van zijn stilte. Ze voelde zich niet op haar gemak bij hem. Maar Annie en Toon ook niet. Paul Brandenberg evenmin, dat zei meneer Menno zelf: „Je kent de verhouding tussen meneer Brandenberg en mij niet." Nee, inderdaad, maar goed en hartelijk was hij in elk geval niet! Ze moest dat ritje naar Katwijk op de koop toe nemen. Een manier om er te komen. Als ze met de trein ging, was het een hele soesa. En ze wist niets van reizen met de trein. Ze zou in de ver-keerde stappen en in Maastricht terechtkomen. Of in elke trein wat laten liggen. Zonder koffer en handtas in Leiden voor het stationsgebouw staan.

„Heb je alles voor elkaar, Noortje?" vroeg mevrouw de volgende dinsdag.

Ze ging op dinsdag weg. 's Maandags had ze de hele was wegge-werkt en gestreken.

„Ja, mevrouw."

„Meneer komt om negen uur thuis."

Judy danste door de gang. Ze droeg Poppelies in haar armen.

„We gaan heel ver, een grote reis, hè mam!"

„Ja, pop, stil een beetje. Ik krijg hoofdpijn van je."

„En dan kunnen jullie niet weg," waarschuwde Annie, „mama in bed en jij nog op een holletje naar school."

Maar daar lachte Judy om. „Nee, hoor, we gaan lekker weg. Met vakantie."

Wat dat woord precies inhield, wist ze niet, maar ze begreep dat het leuk was en fijn en heerlijk, dat zei mama allemaal.

Enkele minuten voor negen uur draaide Menno Verhoeven met zijn sleutels de grote voordeur open. Annie had de koffers in de gang gezet, vlak bij de deur, maar Noortje trok ze een beetje terug. Als meneer de deur opendoet, dacht ze, duikelt hij eroverheen, languit de gang in.

„Goedemorgen. Alles klaar voor de reis?"

„Ja, meneer. Maar wilt u niet eerst een kopje koffie drinken? De koffie is klaar."

Hij knikte. „Goed, Nora."

Ze tripte over de lange loper naar de keuken. Ze keek naar haar nieuwe zomerschoentjes. Lichtblauw met een wit bandje. Schattig waren ze.

Judy was, zodra ze meneer Menno zag, naar de keuken gehold.

Na een halfuurtje was meneer reisvaardig.

De koffers werden in de bagageruimte geladen, Judy op de achterbank gezet, nogmaals „tot ziens" roepen en „prettige vakantie". Mevrouw stond op het bordes. „Pas je op Judy, kind, de Noordzee is gevaarlijk." Toen reden ze weg.

Noortje zat achter meneers rug, Judy naast haar, haar benen wiebelend op de rand van de achterbank.

„Nou gaan we echt, hè, mama?"

„Ja, nou gaan we echt."

„Met vakantie."

„Met vakantie. Wij samen met vakantie."

„En Lies ook."

„Ja, Poppelies ook. Stel je voor dat we die thuis lieten!"

„Mevrouw zou op haar passen."

„Dat is zo. Je had Lies wel bij mevrouw kunnen laten."
„Nee, hoor, Lies moet mee." Ze klemde de pop onder haar arm.
De grote, glazen ogen staarden verbaasd naar de bekleding van
de bank.
De wagen gleed over de weg. Het was een prachtige auto.
Vanbuiten heel donkerbruin, de bekleding beige, zacht en wol-
lig. Menno Verhoeven stuurde met vaste hand. Hij zei geen enkel
woord, maar het viel niet op, omdat Judy genoeglijk babbelde
en Noortje haar steeds antwoord gaf om geen stilte te laten val-
len. „Heeft die mevrouw een bed voor Lies?"
„Dat weet ik niet. Maar ze kan bij jou in bed slapen. En als dat
niet gaat, mag ze in mijn bed."
„Dat wil Lies niet. Als jij schopt…"
„Ik schop nooit."
„Lies wil zelf een bed."
„Dan maken we er één."
„Waarvan?"
„We gooien alle rommel uit de koffer. Dat is een mooi bed."
„Ja. Maar niet de klep dichtdoen."
„Nee, ben jij gek, dan stikt Lies!" riep Noortje gesmoord.
Even bewoog het hoofd van Menno Verhoeven. Om zoveel kin-
derlijk verstand, dacht Noortje. Maar laat hem maar denken,
zijn gedachten interesseerden haar helemaal niet.
Ze leunde lekker lui in de kussens. Zalig was zo'n ritje! Ze keek
door het raampje naar buiten. Voor rijke mensen waren toch
genoegens weggelegd, waaraan een arm mens niet eens dacht.
Na bijna twee uur reed Menno Verhoeven een smallere weg op
en even later zag Noortje het bordje: Katwijk.
„Nu zijn we er gauw. Oh, kijk, Juudje, de zee!" juichte ze.
Het kind kroop over haar heen naar het raampje aan haar kant.
„De zee! De zee! Wat een grote zee! Gaan we daarin? Ik durf
niet!"
„En dit is het strand, zie je het zand? En de mensen? Kijk, die
kinderen daar bouwen dicht bij het water een grote berg!"
Menno Verhoeven was langzamer gaan rijden zodat ze het
strandgebeuren beter konden zien.
Nog even, dan zwenkte hij van de rechterweghelft naar de
linkerbaan en remde de wagen af.

„Hier is het," zei hij.

Hij stapte uit en deed het portier aan de trottoirkant open. „Kom maar," zei hij tegen Judy. In haar enthousiasme vergat ze even dat hij „meneer" was, want ze dook in zijn armen en liet zich door hem op het trottoir zetten.

Noortje was aan de andere kant uitgestapt. Ze liep om de wagen heen en keek naar het huis. Het was een niet zo groot, maar zo te zien heel gezellige woning. Beneden een hoog, breed venster, waarachter bloeiende planten stonden en boven twee ramen, ietsje geopend; dunne, witte gordijnen waaiden zacht heen en weer in de morgenwind.

De deur was inmiddels opengegaan en een vrij lange, slanke vrouw stapte naar buiten. Ze had een vriendelijk gezicht. Noortje zag het oprecht blijde in haar lachende ogen.

„Dag allemaal," jubelde ze, „dag Menno, wat aardig van je Noortje en het kleintje te komen brengen! Dag Noortje, welkom in Katwijk, dag hummel, dag Judy, kom jij bij tante Connie logeren?"

„Ja," zei ze eigenwijs, „we blijven lang en mama heeft wat voor u gekocht. Een gedootje." Dat was een van de weinige woorden die ze niet goed kon zeggen.

„Zo?" Constance van Herlingen keek haar verwonderd aan. „Wat zal ik daar blij mee zijn."

„U weet niet wat het is. Een boek. Een dik boek."

Menno Verhoeven glimlachte even. Hij droeg de koffers naar binnen.

„Kom gauw." Connie van Herlingen nam Noortje vertrouwelijk bij de arm. „Kom binnen, dan kun je kennismaken met Janet. We wachten al op jullie. De koffie is klaar."

„Ik ga meteen terug," stelde Menno Verhoeven vast.

„Ben je mal, nee, hoor, direct weer zo'n hele rit maken! Je drinkt eerst koffie met ons."

Ze sloot resoluut de deur. Noortje moest even lachen om het gezicht van meneer, strak en stuurs was het, maar hij liep mee naar de kamer.

„Dit is Janet, onze gasten Noortje en Judy."

„Dag, mevrouw."

„Alsjeblieft geen mevrouw! Ik ben nog nooit door iemand

mevrouw genoemd. Ja, in een winkel of bij de dokter, maar iedereen die me kent noemt me Janet en dat wil ik ook graag."
Noortje voelde zich hier nu al op haar gemak. Mevrouw Verhoeven was lief, maar dit was heel anders, veel gewoner. Maar hier was ook geen man als meneer die een stempel op het huis drukte. Judy vertelde opgewonden over alles wat ze had meegenomen. De pop, een nieuwe pyjama, bijna blote schoenen en een hoed voor de zon. En mama...
„Ja, stil maar," zei Noortje lachend. Anders ging Judy nog enthousiast haar hele garderobe uitstallen. Figuurlijk dan.
Menno Verhoeven zat in een diepe stoel voor het raam, dronk de koffie, keek de kamer rond en zei geen woord.
Toen hij voor de tweede maal het kopje had leeggedronken, stond hij op.
„Ik ga."
„Ja, jongen, je moet nog werken ook vandaag."
„Inderdaad."
Mevrouw Van Herlingen stond op om hem naar de deur te brengen en in een impuls stond Noortje ook op. In de gang bleef hij staan en keerde zich naar haar toe. Ze stonden heel dicht bij elkaar. Ze keek in zijn grijze ogen. En daar was weer die vreemde glans, die ze er eerder in had gezien. Wat het was, wist ze niet; misschien liet het een heel klein beetje zien dat diep in hem verborgen gedachten waren, die niemand kende.
„Ik vind het erg fijn dat u ons hier naartoe hebt gebracht," zei ze. Ze raakte heel even – het ging per ongeluk – zijn arm aan.
„Ik hoop dat je een prettige vakantie hebt, Nora." Toen liep hij naar de deur en trok hem open.
„Constance, tot ziens."
„Tot kijk, Menno, en doe de groeten aan je moeder."
„Ik zal het doen."
Hij stapte in de auto, de twee vrouwen bleven in de deuropening staan. Hij startte de wagen, stak nog even zijn hand op en reed zonder naar hen te kijken weg.
Mevrouw Van Herlingen sloot de deur.
In de kamer babbelde Judy met Janet.
„Ik zal je de kamer laten zien."
„Graag, mevrouw."

„Alsjeblieft geen mevrouw, Noortje. Zeg maar tante Connie, zo noemen mijn neven en nichten me."

„Graag. Maar ik zal er wel moeite mee hebben."

„Ik ben geduldig. Ga je mee?"

De kamer was een plaatje. Allereerst natuurlijk het uitzicht, wijd en ver over het strand en de zee.

„Oh, wat mooi," zuchtte Noortje, „wat prachtig! Mag ik hier een paar dagen logeren, mevrouw, tante Connie? Wat zalig!"

„Ja, het is een fijne kamer. En kijken naar de zee verveelt nooit. De zee is steeds weer anders."

De kamer was gezellig ingericht. Een breed, wit bed met een zachtroze sprei, aan elke kant van het bed een schemerlampje met een roze kapje, een grote witte kast tegen de brede zijwand, een wastafel met een ovale spiegel, zachte, heel lichte vloerbe-dekking en dikke, mooi blauwe sluitgordijnen.

„Wat een zalige kamer!" zuchtte Noortje nog eens. „Ik voel me gewoon een prinses uit een sprookje… ik droom. Als ik maar niet wakker word."

„Nee, kind, je wordt niet wakker," zei mevrouw Van Herlingen glimlachend. „Het is een fijne kamer. Jammer is dat hij bijna altijd leegstaat. Daarom zei ik tegen Renate" – ze lachte even ondeugend – „tegen jouw mevrouw zei ik, toen ze praatte over jou en Judy en dat een vakantie voor jullie prettig zou zijn, dat jullie hier konden komen. Janet en ik vinden het gezellig. We zijn twee wat oudere dames, maar we voelen ons goed en we houden van wat leven in de brouwerij. We vinden het in ons huis vaak te stil. De kinderen komen wel, ik heb twee zoons, allebei getrouwd, maar ze hebben het zo druk! En logeren, dat is ouder-wets. Dat deed men vroeger. Dan ging je naar je ouders logeren. Nu komen ze een dagje bij je kijken en in de vakantietijd trek-ken ze naar het buitenland. Ik gun het ze van harte, maar ik heb ze zo graag bij me. Kind, hang je jurken maar in de kast. En kijk, kom even mee, dan laat ik je Judy's kamertje zien, dat is aan de achterkant van het huis. Dat is prettig voor haar. 's Avonds is het rustiger, want nu, in de zomer, rijden er veel auto's over de bou-levard."

Noortje voelde zich blij, heerlijk was het hier. Bij mevrouw Verhoeven was het ook fijn, maar het huis aan de kade was veel groter en somberder dan dit. Hier was alles licht en van buiten klonken geluiden door, roepende kinderen en het gezang van de zee.

Die middag ging ze voor het eerst met Judy naar het strand. Een klein stukje lopen langs het trottoir, de rijweg oversteken en bij de strandafgang naar beneden.

Ze liep met het kind aan de ene hand en een tas aan de andere hand over het droge, warme zand. Ze spreidde de grote badlakens uit, die ze van Janet had meegekregen – „Die liggen hier al jaren in de kast, neem gerust mee!" – en ging erop zitten.

Alles was zo heerlijk! Alleen het kijken naar Judy al! Ze speelde in het zand, het stevige lijfje – ze moest nog wel bijkleuren, ze was wat witjes, tante Connie waarschuwde nog: „Denk erom dat ze niet verbrandt!" – de blote beentjes en de handjes, die ijverig met schepjes en vormpjes bezig waren.

Noortje genoot van alles om zich heen. De mensen, languit op handdoeken of lopend langs de waterlijn, de kinderen, de geluiden, lachen, roepen, het was een en al leven en een blij, ontspannen leven.

Het geruis van de golven, de warmte van de zon, het zout op haar lippen. Heerlijk was het!

Ze liet zich languit op de handdoek glijden, ze wilde liggen en luisteren, niet echt denken, gewoon soezen in de zon, de stralen voelen op haar huid, de wind strelend langs haar blote rug, als een liefkozende hand. Ze was gelukkig en tevreden en alle mensen om haar heen waren aardig en goed. Ze zuchtte. Hoe heel anders was het leven nu dan een jaar geleden. Toen dacht ze dat haar leven alleen verdriet was en tranen, ze zag geen uitweg en geen toekomst. Het enige blijde was Judy. Maar het kind gaf ook zorgen, eten en onderdak moest er zijn en tijd om je met het kind te kunnen bemoeien. Dan bij die buurvrouw en dan bij die, dat was niet goed. Noortje wist het, maar kon niet anders.

En nu dit. Zalig!

En Paul Brandenberg, nee, aan hem moest ze niet denken. Hij zei dat hij haar aardig vond. Nou ja, daar bedoelde hij natuurlijk niets mee. Ze moest het opvatten als een attentie van een heer aan een keukenmeisje. Nee, zo was het niet. Het was niet eerlijk

Paul daarvan te beschuldigen. Paul deed helemaal niet uit de hoogte tegen haar.

Misschien was het wel zo – ze droomde even weg – dat Paul haar diep in zijn hart aardig vond, maar hij wist dat de afstand te groot was. Met dat meisje van die rijke vader was het niets geworden, omdat het geen echte oude deftige familie was. Wat moest hij dan met haar beginnen?

Ze ging rechtop zitten en lachte er zelf om. „Vader en moeder, ik ken een vrouw, die ik erg aardig vind. We lachen om dezelfde dingen.”

„Zo, jongen, dat is al een mooi begin,” zou die vader goedkeurend mompelen.

„Ja, maar ze is straatarm, ze is weduwe en heeft een kind.”

Hopelijk stonden in de salon van huize „Brandenberg” stevige stoelen, zodat pa en ma in hun ontzetting tegen de gobelinruggen konden wegzakken.

Nee, Paul Brandenberg en zij, dat zou nooit kunnen. Ook al was ze – dat moest ze zichzelf bekennen – een beetje verliefd op hem, al hield ze van de lach in zijn ogen en van zijn heerlijke opmerkingen: Paul Brandenberg en zij, als twee mensenkinderen konden ze bij elkaar horen... maar er was te veel omheen dat in de weg stond.

Ze moest zichzelf pantseren, haar hart geen kans geven op hol te slaan en weg te dromen. Ze moest niet aan hem denken, niet fantaseren hoe het zou zijn als hij haar in zijn armen nam, als hij haar kuste en niet weten hoe blij het leven zou zijn met een man als Paul, die bij wijze van spreken elke kleine kwinkslag omzette in een vrolijke vlam. Tussen hen zou liefde kunnen zijn en veel humor en blijheid, maar ze moest al die gedachten uitbannen als wilde fantasie, er niet in geloven, want het kon niet bestaan.

De volgende avond – na weer een dag zalig zonnen, in het water spelen, ballen met Judy en volop genieten – waren Constance van Herlingen en zij samen thuis.

„Op woensdagavond gaat Janet altijd naar haar zuster. Die woont in Rijnsburg, vlakbij dus.”

Ze zaten in de kamer, het was een prachtige zomeravond.

Judy sliep als een roos na een heerlijk bad.

„Overal zit zand, mam."
„We poedelen je helemaal schoon. Eerst je haren, stilzitten en niet krijsen, want ik heb tegen tante Connie en Janet gezegd dat je al zo groot bent dat je niet meer huilt bij het wassen van je haar." Het ging goed.

En nu zat Noortje lekker lui in een gemakkelijke, zachte stoel. Ze voelde zich een beetje sloom na de hele dag zonnen en buiten zijn, maar het was een fijne loomheid.

„Het bevalt je wel, hè, bij Renate Verhoeven?" begon Constance van Herlingen het gesprek.

„Ja, het is erg prettig. Als u weet hoe mijn leven voor die tijd was, zou u dat kunnen begrijpen. Maar ik denk" – ze keek mevrouw recht aan – „dat u niet weet hoe het leven is zonder geld. Soms geen kwartje om een half brood te kopen. Ik had het erg moeilijk en er was niemand die me kon helpen. Mijn enige zus zit in Australië en daar hoor ik nooit iets van. De buren die ik toen had, waren beste mensen, maar ze zaten in hetzelfde schuitje als ik: ze hadden ook geen centen. Armoede troef. Nu heb ik nog geen geld" – ze lachte vrolijk – „maar ik woon fijn, ik heb een grote, gezellige kamer en ik hoef in de winter niet heel voorzichtig met de kolenkit te werken, omdat ik als de kolen op zijn geen geld heb om nieuwe te laten komen. Hier is het hele huis warm. In ons huis in de Anjelierstraat was de keuken 's winters een ijskelder en de slaapkamertjes ook. Dat waren kleine vertrekjes onder het schuine dak. Als je 's nachts erg droomde en overeind schoot van angst, was je meteen klaar wakker door de dreun op je kop. Niet van de man die je achternazat, maar van de harde planken. Dan is zo'n schuine kant een opluchting! Nu hebben Judy en ik allebei een fijne, droge slaapkamer. En we hebben een bad, dat is zo'n zalige weelde! Ik ben er nog niet aan gewend. Als ik erin zit, voel ik me een prinses. Wat het eten betreft: ik moest altijd rekenen en tellen om ook aan het eind van de week nog wat op tafel te kunnen zetten. Vlees aten we erg weinig en als ik een lekker toetje maakte, hadden we het gevoel dat we bruiloft vierden. Nu eten we elke dag lekker. En er is nog iets waar ik erg blij mee ben: ik heb tijd voor Judy. Dat is heerlijk."

„Ja, dat is het zeker. En niet alleen heerlijk, ook nodig. Kinderen

hebben aandacht nodig. En…" Constance van Herlingen aarzelde even, maar dan vroeg ze toch: „En Menno?"
„Meneer Menno? Die zie ik weinig. Hij is altijd aan het werk."
„Dat is waar."
„Eigenlijk begrijp ik niet goed dat mevrouw Verhoeven zo'n zoon heeft. Mevrouw is heel anders."
Constance knikte.
„Ik denk er weleens over," praatte Noortje verder, „misschien komt dat omdat ik zelf een kind heb. Dan denk ik: hoe zal Judy later zijn… maar zoals meneer is" – ze lachte opeens – „zo zal mevrouw het zich toch niet voorgesteld hebben, toen hij een klein jongetje was! U hebt twee zoons…"
„Ja, Bram en Eduard. Wij hadden een heerlijk gezin. Mijn man was vaak weg. Hij voer, dat weet je, maar als hij thuis was waren dat weken van gezelligheid en dolle pret met de jongens. Maar ook als hij weg was, leefden we een genoeglijk leventje. Misschien komt het omdat ik jonger was toen ik trouwde en jonger was toen ik de kinderen kreeg dan Renate. En mijn man was een heel ander type dan Henri Verhoeven."
Noortje zei niets, ze knikte alleen. Ze hoopte dat tante Connie – ze moest er nog aan wennen dat te zeggen – verder vertelde.
„Ik ken Renate Verhoeven al heel lang. Haar ouders en mijn ouders waren bevriend. Toen ging het niet zoals tegenwoordig – je ontmoet nu je vrienden en bekenden bijna elk weekend – nee, mijn ouders en haar ouders zagen elkaar af en toe. Als de Reyendaals kwamen, namen ze hun dochtertje mee. Renate was een lief kind."
Noortje luisterde. Ze wist hoe mevrouw er vroeger had uitgezien. Een beetje dik, bedeesd kind met lang haar, dat krulde, fletse blauwe ogen en ze droeg stijve kleren.
„Het was een hecht gezinnetje, altijd met elkaar. Haar ouders waren erg gelukkig samen. Ze hadden geen behoefte aan mensen om zich heen. Ze zaten het liefst samen thuis."
Noortje knikte. Ze zag een ouderwetse, volle kamer, een man die bij het haardvuur een boek las, een vrouw die handwerkte en het meisje Renate dat verdiept was in haar spel. Zou het een beetje kloppen met de werkelijkheid, vroeg ze zich af.
„Daardoor was Renate als kind een beetje teruggetrokken. Ze

had een heerlijke jeugd, begrijp me goed, met veel aandacht en liefde van haar ouders, maar eigenlijk met te weinig kinderen van haar eigen leeftijd om zich heen. Toen ze ouder werd, ging ze ook niet zoals mijn zus en ik naar feestjes en fuiven, ze hield er niet van, zei ze. Ze was dat uitgelaten, een beetje overdreven vrolijke gedoe niet gewend. Zoveel mensen om zich heen ook niet. Maar op die manier maakte ze geen kennis met jongens, tenminste niet spontaan, speels, zoals dat gaat met jongelui. Mijn zus leerde haar man op de tennisbaan kennen en ik ontmoette Hans bij een zeilwedstrijd. Zijn eerste woorden tegen mij waren een scheldkanonnade, omdat ik zó enthousiast op de steiger stond te gillen voor het startsein van de race, dat ik in het water plonsde. In plaats van vlot te kunnen wegschieten moest Hans mij op het droge werken." Constance van Herlingen lachte vrolijk. „De wedstrijd was voor hem een verloren zaak, maar tussen ons was het meteen goed.

Renate ging nooit naar een dansavond, niet naar de tennisbaan en niet naar het hockeyveld. Ze ontmoette Henri Verhoeven, toen ze bijna dertig was. Ik weet zeker dat ze bang was dat ze nooit een man tegen zou komen, die haar ten huwelijk vroeg. Zo ging dat toen in onze kringen. Een jongeman moest je ten huwelijk vragen. Nou ja, zo officieel ging het natuurlijk in de praktijk niet, je wilde het allebei graag als het goed was, maar er moest wel een jongen zijn met wie je trouwplannen kon maken. En zo'n jongen was er in het leven van Renate niet. Maar ze wilde niet ongetrouwd blijven. Toen ze Henri Verhoeven ontmoette, was het voor allebei een beetje een kwestie van, als we nog wat willen, moeten we deze kans pakken'. Dat klinkt onaardig, maar het was de waarheid. Henri woonde niet zo comfortabel bij een oude, krengerige dame en Renate woonde bij haar ouders. Ze had het er goed, maar het was nou niet bepaald de toekomst waarvan ze droomde. In die tijd gingen meisjes nog niet alleen de wereld in. Renate trouwde dus met Henri en het was geen slecht huwelijk. Dat kwam voornamelijk, omdat Renate goedig was, berustend. Nou kon ze ook niet tegen Henri op, dat was gewoon een dictator. Hij stelde de wetten in huis en eiste dat die stipt nageleefd werden. Henri had een heel goede baan in de top van het bankwezen, zijn vader zat daar ook in. Die praatte altijd over effecten en winstgevende beleggingen en coupons knippen."

Noortje knikte, ze wist niets van winstgevende beleggingen; coupons knippen, dat was anders, een lapje van de markt, maar dat bedoelde de oude heer Verhoeven waarschijnlijk niet.

„Henri had economie gestudeerd, maar daar was het eigenlijk geen man voor. Ik heb ook nooit geloofd dat hij werkelijk iets deed op die bank, want Henri's belangstelling ging een heel andere richting uit. Henri was geïnteresseerd in sterrenkunde en daar verdiepte hij zich ontzaglijk in. Hij werd er, toen hij wat ouder werd, een beetje vreemd door. Hij las en bestudeerde alles wat grote geesten voor hem gedacht en opgeschreven hadden, maar hij geloofde niet onvoorwaardelijk dat wat zij op papier hadden gezet, de waarheid was. Henri had een heel eigen en aparte kijk op de hemellichamen en de stelsels van het heelal."

Noortje bleef onbewogen kijken en knikte af en toe, maar ze vroeg zich wel af wat zo'n man bezielde. Zij verdiepte zich nooit in het heelal, nou, verdiepen, ze lachte er stilletjes om, dat kon je ook beter niet doen. Kwam je nooit meer boven! Maar ze wist dat de zon heerlijke warmte gaf, de maan romantisch kon schijnen en de sterren vreselijk ver weg waren en daar leefde ze gelukkig mee. Maar meneer Henri Verhoeven dacht er kennelijk anders over. „Henri was ervan overtuigd dat alles in het heelal een veel ingrijpender invloed op de aarde en de mensen heeft dan wordt gedacht. De geleerden volgen de banen van maan en sterren als iets interessants waarvan ze meer willen weten, maar meer waarden kennen ze er niet aan toe. Volgens Henri was het nodig dat de mensheid zo vlug mogelijk meer wist van de invloeden van buitenaf op onze aardbol en op onze levens. En omdat hij ervan overtuigd was dat het moest gebeuren, beheerste het zijn leven. Hij werkte mee aan het laten verschijnen van boeken en tijdschriften over sterren en planeten. Hans en ik gingen een enkele maal bij hen op visite en dan kregen we langdurige uiteenzettingen waarvan we weinig begrepen.

Toen Menno werd geboren, waren ze allebei gelukkig met hem. Dat is te begrijpen, jij en ik zijn ook blij met onze kinderen. Toen hij klein was, was het een leuk kereltje. Hij was een beetje dik, dat was zijn moeder als meisje ook, maar hij kon lachen en gezellig babbelen. Naarmate hij ouder werd, werd hij steeds ernstiger. Zijn vader hield nauwlettend in het oog of hij al geschikt was voor zijn verhalen. Nou, verhalen, als hij me dat hoorde zeggen, zou hij zich in zijn graf omdraaien. Hans zei eens: 'af en toe richt Henri zijn kijker waarmee hij naar de sterren aan het firmament tuurt, op zijn ster in de huiskamer, dwars door de lichtkring van de lamp heen, en dan beziet hij of Menno al rijp is voor zijn theorie'.

Toen de jongen ouder werd, vond zijn vader hem daar natuurlijk rijp voor. Renate was de vrouw die de dankbare taak had voor de man, die de mensheid zoveel wijsheid schonk, te mogen zorgen. En voor de zoon die een geleerde zou worden."

Noortje leunde achterover in de stoel. Ze zag de jongen voor zich, hij had geen broer of zusje om mee te spelen of lekker mee te kibbelen en te ravotten. Hij luisterde naar wat zijn vader vertelde over alles in dat oneindig grote heelal; misschien was hij vaak bang geweest voor de verborgen krachten, wie weet...

„Het is heel vreemd dat Menno zijn vader niet volgde. Misschien was het een reactie, maar Menno keerde zich juist tegen al het grote van buitenaf en boog zich over de kleine wonderen op deze aarde. De planten en bloemen in de tuin. Ik weet nog heel goed dat hij eens tegen me zei: 'Dat is een onbegrijpelijk wonder, tante Constance. Een zaadje dat een plantje wordt, een knop waaruit een bloem groeit, elk voorjaar opnieuw. Een wereld vol wonderen.' Hij was erdoor geboeid. Voor Henri was het een grote teleurstelling dat Menno een andere studierichting koos dan sterrenkunde, maar Renate zei dat Menno gelukkig was in zijn richting. En dat geloof ik. Menno is in zichzelf gekeerd en stil, maar dat hij ongelukkig is, geloof ik niet."

's Avonds dacht Noortje erover na. Ze lag languit in het bed, alleen een laken en een dunne deken over zich heen getrokken. Het raam stond open op een smalle kier, ze hoorde het ruisen van de golven, dat eindeloos doorging, en ze zag in gedachten Menno Verhoeven.

Nu ze wist hoe hij was opgegroeid in dat grote huis aan de Admiralenkade, begreep ze hem een beetje.

HOOFDSTUK 4

De volgende avond zat Noortje in de voorkamer met tante Connie en Janet. Tante Connie had een haakwerkje in haar handen, maar eigenlijk was het te warm en te zoel in huis voor zo'n wollig priegelwerk.

Een van de zijramen van de erker stond wijd open, het was een prachtige zomerse avond.

„Maar er zit verandering in de lucht," zei Janet beslist. Ze stond voor het middenraam en knikte naar een buurman die voorbijliep. „Vanmiddag waren er ver weg op zee donkere plekken in het water en ik hoor het aan de wind."

„Echt waar?" vroeg Noortje ongelovig, „kunt u dat horen?"

„Ja zeker," zei Janet tegen Noortje, „mijn vader was visserman hier in Katwijk, de 'Jannetje Akke' was van hem. Zijn broers voeren bij hem op de schuit en neem van mij aan dat die visserlui zonder de berichten van 'De Bilt' heel goed wisten wat voor weer er op komst was. Ik fietste als kind vaak naar Scheveningen, daar brachten ze de vis binnen, hè, ik ging dan naar de haven, ik hield van de bedrijvigheid aan de wal en ik ging er ook vaak heen, als ze uitvoeren. Ik vond het, toen ik een jaar of tien, elf was, zielig als mijn vader de zee op moest gaan zonder dat er iemand was, die hem nazwaaide. Moeder ging ook wel mee. En ze stond dikwijls met andere vissersvrouwen uit Katwijk aan de waterkant. Tegen het duin op was een soort afdak gemaakt, een overkoepeling, daar stonden ze beschut. 'De gemeentegrot' noemden de mensen dat ding. De zee is groot en kan rijkdom geven, maar de zee is ook gemeen en gevaarlijk. Ik heb er genoeg van gezien. Van mijn vader en van de andere visserlui natuurlijk ook leerde ik veel over het weer. Ze zeiden niet tegen mij: moet je opletten... Nee, ik hoorde ze zeggen: de Noordooster trekt aan... en dan wist ik wat ze bedoelden. En ik zeg je dat er nou verandering in de lucht zit. Wil je nog thee? Jij nog, Connie?"

„Vindt u het goed dat ik een stukje ga lopen?" vroeg Noortje toen de theekopjes leeg waren. „Als het waar is wat Janet zegt, doen we morgenavond 'Mens erger je niet' met een kletterende regenbui tegen de ramen!"

„Kind, ga gerust een stukje lopen, als je daar zin in hebt. Het is gezellig op de boulevard. Aan het strand trouwens ook. Daar blijven met dit weer wandelaars, zelfs als het al helemaal donker is. En Janet en ik zijn thuis om op Judy te passen. Ik geloof trouwens niet dat daar veel op te passen is, ze is helemaal uitgeteld na een hele dag zon en zee. Ik keek even om het hoekje van de deur naar haar, toen ik boven was om mijn patroontje te halen. Het is een plaatje zoals ze ligt te slapen. Roze wangetjes, rood mondje, handje op de deken. Het is een schat van een kind."

Noortje trok haar korte, lichte jasje – speciaal voor deze vakantie gekocht – aan en liep de deur uit.

Op het trottoir wandelden veel mensen. Lekker langzaam slenteren. Jongelui, hand in hand of de armen losjes om elkaar heen; heerlijk om zo onbezorgd jong te zijn en te kunnen genieten. Ook zag ze al wat oudere mensen met een vestje aan vanwege de zeewind. Een man wandelde met een prachtige, zwarte hond, die wild aan zijn riem trok.

De avond was heerlijk! Zo was het leven goed.

Noortje liep langzaam, de handen losjes in de zakken van het jasje.

Deze avond zou ze nooit vergeten. Ze voelde zich gelukkig! Deze dagen aan zee gaven haar het gevoel dat ze een nieuw leven was begonnen.

Er was een blijheid in haar, die ze in lange tijd niet had gevoeld. Er was in de afgelopen jaren te weinig gewoest om blij mee te zijn en teveel om verdriet en zorgen over te hebben.

Haar enige geluk was Judy, maar als ze dacht hoe ze met het kind verder moest, voelde ze zich vaak moedeloos en uitgeput. Maar dat was nu voorbij.

Ze had moed en energie, ze zág het leven weer, het lachte naar haar en zij kon weer lachen. Ze wist dat er veel fijne, mooie en lieve dingen waren. Ook voor haar.

Ze glimlachte in stilte om haar eigen gedachten, maar ze wist dat ze waarheid bevatten.

Ze liep naar de strandafgang en tripte over de houten traptreden omlaag. Het zand gleed in haar platte schoentjes. Dat hinderde niet. Als ze straks naar boven ging, zou ze op de bank gaan zitten, die aan de boulevard stond, haar schoenen uittrekken en ze legen. En thuis waste ze haar voeten. En als er wat zand op de gangmat lag, maakten tante Connie en Janet zich daar niet druk om. „Toen de jongens klein waren, knarste alles hier."

Noortje liep tot vlak bij de waterlijn. Het was opkomend water, steeds verder rolde het, met een klein schuimlaagje, over het zand. De zee kroop naderbij als een groot dier, dat zijn machtige poten uitstrekte en dan terugweek.

De wind was zoel, streek bijna aaiend, strelend langs haar gezicht. Ze las eens een gedicht waarin werd gezegd dat de zee een lied zong, samen met de wind, en ze begreep dat toen niet, want ze kon er zich geen voorstelling van maken. Nu wist ze wat de dichter bedoelde. Hij moest het gemaakt hebben op een avond als deze, toen hij ook alleen langs het strand liep, alleen met alles om zich heen en alleen om zijn gevoelens te weten en zijn gedachten. Niet door stemmen en vragen van mensen afgeleid.

Wat zong de zee voor haar? Ze wist geen woorden, maar het was een lied dat haar blij maakte.

Ze liep verder, veel verder, een eind van de strandopgang. Er waren niet veel mensen meer. Voor haar uit liepen een jongen en een meisje, dicht naast elkaar. Ze keek er met een glimlach naar. Jullie vinden het gewoon, dacht ze, maar je weet niet hoe gelukkig je bent om zo te kunnen leven, zo onbezorgd jong te kunnen zijn. Niet zoals Frans en zij en alle jonge mensen in oorlogstijd. Angst en onzekerheid, om acht uur binnen, zitten bij een klein kaarsvlammetje en luisteren naar de overtrekkende bommenwerpers.

Even verder op het strand, dichter naar de duinen, liep de man met de zwarte hond die ze op de boulevard had gezien. De hond was nu los van de riem, de man gooide een stuk hout ver weg, de hond holde er met grote sprongen naartoe en bracht het stuk hout terug naar zijn baas. Hij stond er hijgend naar te kijken. Noortje glimlachte erom. Heerlijk was het leven en deze dagen waren een belevenis.

Ze liep verder, licht en soepel over het bijna natte zand, haar haren dansend in de avondwind, haar ogen genietend van alles wat ze zag. Het rozerode licht van de zon die naar de horizon zakte, de twinkeling van duizenden lichtjes op het water. Opeens had ze het gevoel dat er iemand achter haar liep. Ze werd er niet bang van, het was iemand die net als zij genoot van deze avond.

Misschien iemand die net zoveel dromen in zijn hoofd had als zij, iemand die ook dacht dat na dit het leven nooit meer echt triest en verdrietig kon zijn; denken aan dit stille geluk zou alles verzachten. Misschien hoorde die man ook zoveel woorden in het lied van de wind, maar kon hij het net als zij niet verstaan en maakte hij er zijn eigen lied op.

Ze liep nog verder. Ze hoorde de voetstappen achter zich niet, het zand was zacht, maar ze wist dat er iemand liep. Dicht bij haar. Ze zag vaag een schaduw. Schuin achter.

Opeens hoorde ze een stem naast zich, een zachte stem, een stem die zo praatte om haar niet aan het schrikken te maken. „Nora…"

Ze draaide zich met een ruk om en keek Menno Verhoeven met grote ogen angstig aan. „Meneer… Is er iets? Met mevrouw? Zoekt u me?"

Er gleed een glimlach over zijn gezicht. „Nee, Nora, er is niets." Toen realiseerde ze zich hoe onmogelijk het was dat meneer hier was, op het strand op deze avond.

Ze voelde haar hart bonzen en ze kon geen woord uitbrengen. „Het is stil zonder jullie in huis" – hij moest gevoeld hebben dat ze gewoon sprakeloos was – „en moeder vraagt zich af hoe je het hier hebt."

„Het is hier zalig!" zei ze en opeens vond ze het niet vreemd dat hij naast haar stond. Het paste in alles wat er de laatste dagen met haar gebeurde, het leven was een droom en in dromen kan alles. „Ik moest naar Den Haag vanmiddag en opeens besloot ik langs Katwijk terug te rijden."

„Wat is het hier mooi, hè?" Ze stonden stil en keken over het water naar de snel dalende zon. Nog even en hij zou in een licht-grijze avondwolk wegzakken.

„Ja, erg mooi."

„Bent u bij mevrouw Van Herlingen geweest?"

„Nee. En daar ga ik ook niet heen. Ik dacht, ik loop even langs het strand, het is zo'n prachtige avond en toen zag ik jou."

„Janet zegt dat er ander weer komt. Ze hoort het aan de wind en ze ziet het aan de zee."

„Janet woont haar hele leven al in Katwijk. Ze weet er veel van."
Noortje begon langzaam te lopen in de richting van de strandopgang, maar die was nog ver weg.
„Nora, ben je bang voor me?" vroeg hij opeens. „Nee, bang niet."
Dit naast elkaar lopen in de snel vallende schemering had iets mysterieus, iets vreemds en onwerkelijks. Eigenlijk was het niet voor te stellen dat ze met meneer Verhoeven langs het strand liep, maar ze kon er nu niet over denken.
„Je weet dat ik jou en Judy liever niet in ons huis had." Hij keek niet naar haar, hij keek recht voor zich uit.
„Omdat een kind u kan storen bij uw studie, niet om Judy persoonlijk."
„Geloof je niet dat het gelach en het gepraat van een kind me kan afleiden van mijn onderzoekingen?"
„Ja. Maar Judy is niet beneden, als u thuis bent."
Opeens werd ze bang. Kwam hij toch naar hier met een boodschap, wilde hij haar zeggen dat Judy en zij... Geschrokken bleef ze staan. Hij stond twee passen verder stil.
„Wat is er?"
„Komt u me zeggen dat we weg moeten?"
Hij zag de grote, angstige ogen. Mijn hemel, kind, dacht hij, zou dat zo verschrikkelijk voor je zijn?
„Nee, Nora, beslist niet. Ik heb geen last van Judy."
„Gelukkig." Ze lachte verlegen, ze begon weer te lopen. „Ik zou niet weten wat ik moest beginnen."
Hij zei daar niets op.
Ze liepen zwijgend naast elkaar.
„Ik kan niet begrijpen dat u de hele dag op het laboratorium bezig bent met uw werk en er dan thuis mee door kunt gaan tot laat in de avond."
Nu bleef hij het eerst staan. Noortje stond ook stil.
„Wat denk je dan dat ik doe?" vroeg hij verbaasd.
„Oh, dat u op de bank wat ligt te soezen of een spannend speurdersverhaal leest," zei ze luchtig.
Opeens schaterde Menno Verhoeven. Noortje had hem nog nooit horen lachen. Ze schrok ervan. Ze keek van opzij naar hem.
„Mocht ik dat niet zeggen?"

„Waarom niet? Als je het denkt…"

„Och, denkt…" Ze begon weer te lopen en hij liep mee. Als er mensen waren die naar hen keken, zouden die mensen vinden dat ze een vreemde manier van strandwandelen hadden. „Maar ik heb me er weleens over verbaasd dat u elke avond studeert. Dat van een detective lezen zei ik zomaar." Opeens lachte ze. „Ik dacht eerst aan een leuk romannetje, maar dat durfde ik niet te zeggen."

Hij keek glimlachend van opzij naar haar.

„Je denkt, als alle mensen, dat ik een robot ben. Ik weet het. En ik begrijp het. Als ik mezelf in de spiegel zie, geloof ik het ook van mezelf. En als ik me op het laboratorium achter de instrumenten zie staan. En mezelf door de gangen zie lopen. En mezelf hoor praten. Met die harde stem en zo weinig mogelijk woorden." Noortje wist niet wat ze nu moest zeggen.

„Ben je bang voor me?" vroeg hij weer.

„Nee."

„Hoe denk je, over me?"

„Oh, ik denk niet over u. Of toch, soms wel. Hoe u zo streng en stijf kunt zijn. Neemt u me niet kwalijk dat ik dit zeg. U vraagt er zelf naar."

„Ik neem je niets kwalijk. En je hebt gelijk. Hoe wordt een mens streng en stijf?" Menno Verhoeven zuchtte, maar hij glimlachte ook. „Een mens wordt gevormd en gemaakt. Door zijn opvoeding, zijn omgeving, zijn opleiding, zijn interesse en zijn eigen gedachten."

„Maar het gaat geleidelijk," ging Noortje daarop verder. Ze dacht aan alles wat mevrouw Van Herlingen haar vertelde. „Het begon bij u misschien al, toen u nog een kind was. U had er zelf geen erg in."

„Zo is het. Je groeit en groeit en alles in je groeit mee. Mijn vader stelde me mijn studie voor als het enige belangrijke in het leven. Ik geloofde dat. Ik kon niet anders dan hem geloven. Hij was mijn vader en een vader weet alles en een vader wil het beste voor zijn kind. En mijn vader was een grootse vader, dat voelde ik, omdat hij me steunde in mijn studierichting, terwijl het bij lange na niet de richting was die hij voor me wilde. Ik vond hem een geweldig goede vader."

Nu lachte Menno Verhoeven cynisch.

Noortje zweeg. Ze wist niet wat ze moest zeggen.

Ze begreep hem op haar simpele, rustige manier en met een groot, gevoelig hart. Ze had medelijden met hem. Veel van zijn levensjaren waren voorbijgegaan zonder dat hij echt gelukkig was. De warmte van de liefde raakte hem niet aan. Alleen de liefde van zijn moeder, maar die durfde ze hem, toen hij ouder werd, niet onbevangen te geven. Daarvoor was de afstand, ook al woonden ze in hetzelfde huis en aten ze aan dezelfde tafel, te groot geworden.

Hij zou het echte geluk nu niet meer tegenkomen, dacht Noortje, daarvoor was hij te oud. En veranderen kon hij niet meer.

Ze keek van opzij naar hem. Hij droeg een donker pak en een wit overhemd, dat oplichtte in het halfduister. Hij liep een beetje voorover, misschien omdat het voor hem moeilijk lopen was op het strand, hij was dat niet gewend. Misschien ook omdat hij zich moe voelde na dit gesprek. Of omdat hij er spijt van had. Hij moest impulsief gehandeld hebben. Misschien door de zomerwarmte of het zien van de mensen aan het strand. Hij hoorde daar niet bij, maar hij wilde er graag bij horen. Hij was eenzaam en anders en dat wist hij. Dat maakte hem verdrietig. En toen zag hij haar. De enige mens tussen al die mensen die hij kende en die hem kende. Maar hij vroeg tweemaal: ben je bang voor me?

Ze liepen zwijgend tot de strandopgang.

Dicht bij de trap bleef hij staan. „Nora, beloof dat je tegen niemand zegt dat ik hier was. Het is een geheim tussen ons."

Ze knikte. Het zou anders zalig zijn om het verder te vertellen. Aan Annie. Wat zou ze lachen! „Je liegt het! Meneer Menno met jou langs het strand, even lopen, even praten, een soort hinkstap-sprong dus!" En als zijn moeder het wist, zou er een warme glimlach om haar mond spelen. „Noortje, Menno aan zee..." En vanavond tante Connie: „Kind," zou ze zeggen, „wat weten we van de verlangens diep in hem?" en ze zou haar hoofd schudden. Iets zeggen over 'stil verdriet, dat misschien niet nodig was geweest'.

„Ik zeg niets." Ze hief haar gezicht naar hem op. Hij zag de grote,

donkere ogen en even de lach erin. „Dat had ik nooit kunnen denken, u en ik een geheim."
Hij glimlachte nu ook.
„Dag, Nora."
Opeens verdween hij.
Ze keek hem na, toen hij de trap opliep. Ze bleef staan. Hij wilde niet samen met haar op de boulevard zijn. Dat hoefde ook niet. Hij keek niet meer om. Dat verwachtte ze ook niet.
Vijf minuten later pas liep ze langzaam naar boven.
Toen ze thuiskwam, zei tante Connie: „Kind, wat bleef je lang weg! Ik werd een beetje ongerust, maar Janet zei dat er zoveel mensen op het strand zijn. Er kan niets met je gebeuren! En je loopt toch niet zover dat je helemaal alleen bent, hè?"
„Nee. Maar het was zo zalig aan het water! Het is voor het eerst van mijn leven dat ik aan zee ben, deze dagen, ik kan er gewoon niet genoeg van krijgen."
Tante Connie knikte. „Ik begrijp het wel. Het hindert ook niet. Maar het wordt donker en dan zo'n knappe, jonge vrouw aan het strand… Maar goed, je bent er en de koffie is klaar."
„Ik ruik het."
„Als je morgen hoort dat het regent," zei tante Connie die avond vóór ze naar boven gingen – het was inmiddels halftwaalf – „blijf je maar lekker in bed, kind! En het zal wel regenen, Janet heeft het immers voorspeld. En als het regent, hoor je het, want als het weer omslaat, krijgen we een westenwind en die staat op de voorkant van het huis. Dus ook rikketik tegen de ramen van jouw kamer. Blijf er dan maar lekker in! Uitslapen. Je hebt vakantie. En maak je om Judy geen zorgen, want wij vinden het leuk met die kleine prul bezig te zijn. Janet kocht vorige week een groot pak chocoladevlokken, de meeste kinderen vinden dat lekker op hun boterham. Vanmiddag vroeg Judy wat er nou met die doos gebeurde, als die doos nog niet leeg was, vóór zij wegging. Janet zei: 'Dan laten we hem staan tot je weer komt.' Toen zei dat kleine ding: 'We kunnen hem beter leegmaken… als hij omvalt in de kast…' Je weet dus hoe genoeglijk we aan tafel zitten, als jij lekker blijft slapen."
Noortje werd wakker van het getik op de ruiten. Janet had toch gelijk. Het was eigenlijk onvoorstelbaar dat het weer zo gauw

kon veranderen, in één nacht. Gisteravond was het zo mooi en nu was het gewoon noodweer. Janet had het over een opstekende wind, een voorloper van een depressie en een lagedrukgebied, allemaal narigheid aan de horizon.

Noortje kroop diep onder de dekens. Lekker warm was ze. Ze hoorde de regen, maar ook de wind en de golven. Gisteren geloofde ze dat ze samen een lied zongen, romantisch en dromerig, en het was of de melodie over een blijde wereld vertelde en een toekomst van alleen zonnewarmte en zomerwind. Nu gromden en bulderden ze samen. Alsof ze woedend waren. Een beetje onheilspellend klonk het ook en het was zo dichtbij; eigenlijk om een beetje bang van te worden. Maar ze was niet bang.

Even kijken...

Ze gleed uit bed en liep naar het raam. Ze trok de gordijnen een stukje vaneen.

De zee was heel donker, het water was grijs, zwart bijna. Gisteren fantaseerde ze dat de zee een groot, goedaardig dier was, dat langzaam het strand opkroop en speels en plagerig een uitval deed naar haar blote benen, zodat ze af en toe opzij moest springen om hem te ontwijken. Nu was de zee een groot monster, een kwaad beest en dat was hij ook echt. Deze zee kon schepen in nood brengen en zeelui de wanhoop nabij brengen, zelfs de dood, en deze zee kon dijken doorbreken en in zijn boze kracht alles meesleuren.

Aan zulke nare dingen moest ze niet denken. Brr, ze kreeg het er gewoon koud van.

Gauw weer in bed. Stil blijven liggen op hetzelfde plekje, zei moeder vroeger, dan ben je zo warm.

Hoe laat zou het zijn? Het was nog stil in huis. Ze keek op het wekkertje. Halfacht, lekker vroeg.

Ze sliep niet meer. Ze luisterde naar de regen en de golven. Ze had ze gezien. Gisteravond ook. Toen was de zee rustig, deinend en speels, de zon koesterend en warm, de wind als een liefkozing. En wat er gisteravond gebeurd was... Het was nu alsof het een droom geweest was. Maar het was geen droom. Ze wist dat ze met Menno Verhoeven had gepraat. De avond ervoor had tante Connie gezegd dat ze dacht dat hij gelukkig was. Nou, dat was een té geladen woord, gelukkig, maar ze meende dat hij tevreden was met zijn leven. Zijn werk interesseerde hem, hij vond er voldoening in, het nam hem helemaal in beslag. Zulke dingen zei tante Connie. Het kwam erop neer dat ze dacht dat hij altijd met zijn werk bezig was. En dat kan een mens gelukkig maken. Voor Menno Verhoeven zou het dan een levensdoel zijn. Ze wist nu dat het niet waar was.

Hij dacht over zijn leven en hij wist dat hij veel miste. Hij wist ook hoe het was ontstaan en gegroeid. Zou hij in stilte verwijten koesteren tegen zijn moeder? Ze hield hem niet weg van de invloed van zijn vader. Wist hij dat ze dat niet kon? Toch wel, Menno kende zijn vader.

Ze draaide zich op haar andere zij. Ze keek de slaapkamer in. Het sombere buitenlicht viel geheel gedempt binnen. Ze zag het niet. Het was zielig. Want zijn leven was leeg, dat wist hij nu. Hij zei het niet tegen haar, maar ze voelde dat hij dat bedoelde. Hij kon misschien niet omschrijven wat hij miste. Dat wist hij zelf niet. Want hij had het nooit echt gekend. Hij kon zichzelf niet meer veranderen. Hij was veel te lang de man die hij nu was. Stug, teruggetrokken, zwijgzaam. Als hij het in drie woorden afkon, zei hij er geen vier. Alleen gisteravond.

Zou er iemand zijn, die hem graag mocht? Misschien op zijn werk. Daar waardeerden ze hem in elk geval om wat hij deed. En hij zou daar toch wel minder stug zijn dan thuis, hij was er de hele dag, dat kun je toch niet volhouden! Hij misschien wel. Hij hield niet vol, hij was gewoon zo. Annie zei dat er nooit iemand van zijn werk bij hem kwam. Ook niet als hij jarig was. Noortje deed haar ogen even dicht. Ze was niet moe, ze had de hele nacht geslapen, maar het was of de hele nacht door, ook in haar slaap, het praten met Menno Verhoeven haar niet had losgelaten. Of ze er steeds aan dacht.

„Nora, het is een geheim tussen ons."

Ze begreep niet waarom hij met haar praatte. Met het dienstmeisje van zijn moeder. Maar er was niemand anders, met wie hij kon praten. Zijn moeder dan? Dat zou niets uithalen. Haar alleen zelfverwijt geven. En ze was al oud, ze kon niets meer veranderen in haar leven. Nee, praten met zijn moeder, dat kon hij niet doen. Ze soesde een beetje weg. Ze moest er maar niet te veel over denken. Tenslotte kon zij hem niet helpen. Ze was eventjes een steunpunt je voor hem geweest. Een praat-paaltje. Hij moest praten, omdat de gedachten in hem barstten. Ze dommelde in. Pas tegen tien uur werd ze wakker door de geluiden in huis. Judy riep wat en ze hoorde tante Connie zeggen: „Stil, puk, mama slaapt nog." En ze rook koffie. Ze rekte zich uit, gooide de dekens van zich af en stapte uit bed.

In de middag regende het niet meer, maar de lucht was nog diepgrijs en grauw, de zee dreigend.

De wind was wat afgenomen, maar woei nog hard.

Tegen vier uur ging Noortje de deur uit. Lange broek aan, stevige schoenen, een warm jack van tante Connie en een leuk, vlot wollen mutsje op haar hoofd. Ze wilde een eindje langs het strand lopen, lekker tegen de wind in, bij het volgende strandpad omhoog en dan ging ze bij de vishandelaar in het dorp een paar gebakken visjes kopen voor bij de avondboterham. Judy wilde niet met haar mee, die zat aan de grote tafel in de achterkamer met tante Connie. Ze kleurden allebei met overgave poppetjes en bootjes in een groot kleurboek.

Noortje liep terug langs de boulevard. Als gisteravond Paul Brandenberg was gekomen? Ze voelde dat haar wangen begonnen te gloeien. Hoe zou het zijn om met Paul Brandenberg langs het strand te lopen? Dat moest heerlijk zijn!

Met haar deed hij dat natuurlijk niet. Ze was te arm. Maar als ze een meisje met geld was, een rijk, pril, onbedorven meisje. Echt rijk, zoals mevrouw Verhoeven vertelde. Een dochter uit een oude, zeer welgestelde familie. Opa Dankers met een familiebezit in Brabant! Ze grijnsde. Moeder vertelde weleens over het turfstekershutje van opa en grootmoe in de Peel. Mijn hemel, wat een armoede! Haar vader had het kasteeltje geërfd en ook het familiebedrijf... Wat zou zij ervan maken? Een rijwielfabriek? Merk „Trap je dood"! Als ze dan Paul Brandenberg ontmoette... Verliefd en gelukkig zou ze met hem zijn.

Ze tornde tegen de wind op. Maar ze was geen rijk meisje. En ze zou het op dit moment niet willen zijn ook. Ze bewaarde de fijne herinneringen aan het leven met Frans diep in haar hart en ze had Judy; dat was een rijkdom die vader Brandenberg niet kon schatten.

Ze was tevreden. Ze stapte stevig door, handen in de zakken, het boodschappennetje met het pakje vis deinde mee.

Paul was een jongen om mee langs het strand te lopen. Hand in hand, blote voeten in het water, ergens gaan zitten op het warme zand, lekker babbelen. Paul zou de grappige dingen zien van de mensen om hen heen: een man die worstelde met het opzetten van zijn ligstoel, een vrouw die moedig de zee in wilde, maar als het water boven haar knieën kwam het liefst rillend terug zou gaan. Maar je bent voor je plezier aan zee, doorzetten dus!

Ze moest niet denken aan Paul. Ze vond hem aardig en hij was ook aardig, maar het kon gewoon niet tussen hen.

En als het nou echt liefde was?

Kom nou, ze wist hoe het tussen Tosca en hem was gegaan. Hij had van Tosca gehouden, hij was een hele tijd met haar geweest, maar het was niet doorgegaan, omdat ze van afkomst niet goed genoeg was.

Dan was het ook geen echte, grote liefde geweest, stelde ze vast. Ze knikte met haar hoofd. Zou hij dat voor haar kunnen voelen? Natuurlijk niet. Hij kende haar amper. Hij vond haar leuk, omdat ze op dezelfde golflengte humor hadden, verder was er niets. Ze mocht wel over hem fantaseren. Dat kon geen kwaad. Niemand wist het. Ze zou het Paul ook nooit laten merken. Gewoon speels en vrolijk blijven.

Na veertien heerlijke dagen – de zomer kwam na drie dagen terug – kwam Menno Verhoeven hen weer halen.

Hij belde erover op. „Meneer Menno komt morgen na vijf uur," meldde tante Connie, toen ze de hoorn had neergelegd. „Een mooie tijd, dan kunnen we eerst nog lekker koffiedrinken."

„Ik vind het jammer dat het voorbij is." Noortje strekte haar blote, bruine benen. „We hebben het hier zalig gehad! Ik ben u dankbaar voor deze weken. Ik zou u een groot cadeau willen geven, u allebei, maar ik kan het niet kopen, want ik heb geen geld. Maar ik zou het graag willen."

„Kind, wij vonden het ook heerlijk. We vinden het jammer dat jullie weggaan. Het was gezellig en vrolijk in huis. En we hebben fijn samen gepraat."

Noortje knikte. Tante Connie doelde op de gesprekken die ze 's avonds voerden. Over het leven, over zorgen, verdriet, kinderen krijgen en die kinderen kunnen loslaten als ze hun eigen leven ingaan, over een taak hebben, opstandig zijn en leren berusten. Het waren fijne gesprekken.

„Ik mag het kleurboek meenemen, hè, tante?" Judy stond met het grote boek onder haar arm gekneld – ze kon het maar net vasthouden – bij de stoel van Constance van Herlingen. „Ik laat alles wat we gemaakt hebben, aan mevrouw zien."

„Ja, neem jij het boek maar mee. Mevrouw Verhoeven zal het prachtig vinden." Judy knikte. Daarvan was ze overtuigd. Iedereen vond wat zij gemaakt hadden prachtig.

Noortje keek met een glimlach naar het kind. Judy zag er heerlijk uit. Ze was lekker bruin, vooral het smalle nekje, grappig was dat. Ze droeg een wit jurkje, kleine sokjes en witte, linnen schoentjes. Die waren niet duur en Judy wilde ze zo graag hebben. „Alle kinderen die naar het strand gaan, hebben zulke schoenen, mam!"

Even na vijf uur gleed de donkere wagen voor de deur. „Daar is meneer," deed Janet een beetje gejaagd. Ja, dacht Noortje, nou doet hij niets en hij zegt niets en toch voelt Janet zich gespannen. „Zou meneer nog koffie willen drinken?"

„Dat vragen we, als hij binnen is," antwoordde Constance van Herlingen.

„Goedemiddag." Recht en keurig stond Menno Verhoeven in de kamer. Niets in zijn houding of zijn blik wees erop dat er ook maar een klein beetje was veranderd tussen hen.

„Dag, meneer Verhoeven," groette Noortje hem vriendelijk.

„Dag, meneer," zei Judy. Meer niet. Ze wist dat meneer op geen enkele manier last van haar mocht hebben. „Niks tegen hem zeggen en niet voor zijn benen lopen," zei mama altijd. Eigenlijk, wilde ze hem het kleurboek laten zien. Er stonden ook bloemetjes in. Die had ze rood en geel gemaakt. Dat zou hij toch wel mooi vinden.

„Wil je nog koffie, Menno?"

„Als je het hebt, graag."

Drie kwartier later reden ze weg. De koffer lag in de bagageruimte naast een grote tas, een zak vol schelpen, nieuwe zandvormpjes in een net en een paar kleurige laarsjes, die Judy van Janet had gekregen.

Constance van Herlingen gaf Noortje een stevige zoen op beide wangen. Menno Verhoeven stond er onbewogen bij. Noortje voelde dat hij toekeek.

„Dag, kind, dag, Noortje, als je nog eens wilt komen, kom dan maar, want wij hebben fijne dagen gehad."

„Ik ook, tante Connie, het was heerlijk."

Nog even knuffelden ze Judy.

„Ik stuur een ansichtkaart," beloofde de jongedame vóór ze parmantig in de auto stapte – als een prinsesje, dacht Noortje, dat gewend is in limousines te stappen, zo fier en rustig – „voor jullie allebei eentje."

„Ik krijg de mooiste, hè?" plaagde Janet.

„Ik zoek twee heel mooie."

Ze stond nu achter het portier. Ze had het raampje omlaaggedraaid. Ze zwaaide enthousiast. „Dag, dag, tantes! Past u op de grote schep? Niet in de regen zetten, dan gaat-ie roetsen!"

„We zetten hem de hele winter achter de kachel!"

Menno bracht de auto langzaam op gang. Noortje en Judy bleven zwaaien, tot ze tante Connie en Janet niet meer konden zien. „Doe jij het raampje dicht, Nora? Denk om haar vingertjes."

Ze glimlachte erom, maar dat kon hij niet zien.

Judy leunde lui in de zachte kussens. „Fijn was het, hè mammie, maar bij mevrouw is het ook fijn. Onder de grote boom. Dan ga ik weer met mijn theeserviesje spelen."

„Ja, schat, daar is het ook fijn."

Ze zwegen alledrie. Judy stak haar duim in haar mond. Dat deed ze alleen, als ze moe en voldaan was. Ze hing tegen Noortje aan. Zou meneer wat willen zeggen, vroeg Noortje zich af. Ze keek naar buiten, naar het landschap waar ze langszoefden. Nederland op een zomernamiddag, veel groen, bomen en weilanden, koeien en schapen, fraaie boerderijen en sloten met riet aan de oevers. Hij wilde wel wat zeggen, maar hij wist niet wat. Hij wilde laten voelen dat hij het praten met haar van de vorige week prettig had gevonden. Dat liet hij merken, toen hij vroeg of zij het raampje wilde dichtdoen. Tot voor hun gesprek zou hij dat niet gevraagd hebben. Dan dacht hij: ze weet dat het raampje dicht moet en ze doet het dicht. Als het kind haar vingers

101

ertussen kreeg, zou hij het horen. Hij voelde het niet. „Hij is zo hard als een spijker," zei Annie eens, „als je vlak voor hem op de deurmat je been breekt en gilt van pijn, vraagt hij: 'Hoe laat wordt de soep opgediend'?"

Of zou hij spijt hebben van zijn praten van toen?

Het kon haar niet schelen. Ze legde haar arm om Judy heen, het kind sliep. Het zou voor hem eigenlijk jammer zijn. Niet dat hij wat had aan dat praten met haar, maar toch… Ze moest zichzelf bekennen dat ze het prettig vond dat hij met haar praatte.

Toen ze vlak bij hun stad waren, zei Menno Verhoeven: „Je mag niet denken dat ik ons gesprek vergeten ben, Nora."

Ze knikte, maar dat kon hij niet zien. Hij keek voor zich op de weg.

„Ik vond het erg prettig," zei hij.

„Ja, meneer."

„Ik wil graag nog eens met je praten."

„Goed, meneer," zei ze gedwee.

„Je kunt 's avonds niet weg…"

„Nee." Opeens lachte ze. „Annie wil wel op Judy passen, maar ik kan niet zeggen: 'Kom vanavond, ik ga met meneer een terrasje pikken'."

Menno Verhoeven grijnsde.

„Misschien kun je iets anders verzinnen?"

„Ik mag niet jokken."

„Een leugentje om bestwil."

„Dat zou kunnen. Ik kan zeggen dat ik graag een poosje naar mijn oude buurvrouw in de Anjelierstraat wil gaan."

„Je hebt vlug iets bedacht."

Ze voelde zich een beetje rood worden. „Ik wil graag naar haar toe. Daarom denk ik er direct aan."

„Mijn opmerking was niet aardig. Neem me niet kwalijk."

Ze reden de stad in.

„Volgende woensdag?" vroeg hij.

„Als Annie kan komen."

„Wacht op me bij het Overhofplein, dicht bij de bushalte. Om acht uur?"

„Goed."

Hij stopte voor het huis, stapte uit en maakte de deur open. Toen opende hij het achterportier. Nu de auto stilstond, was Judy wakker geworden. Ze keek met slaperige ogen rond, het mondje een beetje open, ze leunde nog tegen Noortje.

„Kom maar." Menno Verhoeven boog zich over de achterbank. „Ik til je uit de auto. Ik zet je in de gang op de bank, misschien slapen je beentjes nog."

„Ik ben helemaal wakker." Maar ze liet zich toch door hem in de gang tillen. Noortje stapte uit.

„Daar zijn de vakantiegangers terug!" Mevrouw Verhoeven liep door de lange gang naar hen toe. "O schatje, wat zie je er heerlijk uit! En jij ook, Noortje, zo lekker bruin. Hebben jullie het fijn gehad?"

„Heerlijk, mevrouw. Ik moet u vooral de groeten doen van mevrouw Van Herlingen en van Janet. Het waren zalige weken."

„En je hebt het getroffen met het weer. Een paar dagen wat regen en een bewolkte lucht. En wind, maar dat is aan het strand ook mooi, hè? Ben je nog aan de wandel geweest?"

„Oh, ja! Lekker was het, ik heb een heel stuk in de storm gelopen."

Menno Verhoeven bracht de koffer naar boven. En de tas. Hij zette ze neer bij de deur van haar kamer. Hij kwam de trap af, liep langs hen heen naar de voordeur, ging naar buiten en trok de deur dicht.

„Meneer zet de wagen in de garage," lichtte mevrouw toe.

„Ik heb wat erg moois voor u meegenomen!" jubelde Judy's hoge stem. „Ik heb het zelf gemaakt, tante Connie helpte me. Waar is het, mama?"

„In de tas. Ik zal het zo voor je halen. De tas staat boven. Meneer heeft hem met de koffer voor ons naar boven gebracht. Als ik het gehaald heb, begin ik meteen aan de broodtafel. Dan kunt u met een kwartier aan tafel."

„Niet zo haastig! Ik heb laat koffiegedronken en ik vermoed dat meneer in Katwijk wat gedronken en gegeten heeft. Wat kan Janet verrukkelijk appeltaart bakken, hè?"

„Ze heeft ook koekjes gebakken. Ik moet wel gegroeid zijn in die paar weken."

„Gaan we ook nog naar tante Annie?" vroeg Judy, toen ze in de keuken een boterhammetje aten. Voor hen samen dekte Noortje deze keer de tafel niet. Ze maakte een paar sneetjes voor Judy klaar op een groot bord en zelf at ze uit het vuistje. Ze was een beetje moe, vreemd moe, niet van werken of lopen. Het was de spanning in haar en ze wist dat het kwam door Menno Verhoeven. Hij wilde weer met haar praten. Volgende week woensdag. Ze moest Annie vragen op Judy te passen. Die wilde dat wel, ze bood het zelf aan. „Als je eens ergens heen wilt, kind, zeg het gerust. Ik kom bij jou en als Toon niet alleen thuis wil blijven, komt hij mee. Dan kan hij uitkijken over het plein. Je mag Judy ook hier brengen. Er staan twee bedden leeg en ze wil wel bij ons slapen, wat jij prullepup? Oom Toon zingt je dan in slaap. Juudje, je bent moe, doe je oogjes toe… Als je indommelt en je hoort Toon, denk je dat je in de onderwereld terecht bent gekomen. Zo'n brommerige kraakstem heeft hij."

Na het eten ruimde ze vlug af in de tussenkamer.

„Ik ga nog even met Judy naar Annie," kondigde ze aan.

„Juud heeft voor haar ook een kunstwerk gemaakt."

„Nou, maar ze heeft de tekening voor mij keurig gekleurd. Nergens buiten de lijntjes. En ze zegt dat ze zelf de kleuren heeft gekozen. Dat geloof ik wel, want Constance is het type dat zo min mogelijk tegen kinderen zegt: dat moet je zo of zo doen. Dat deed ze met haar eigen jongens ook niet. Die konden zich al heel vroeg best redden."

„O, mijn prullemarie!" riep Annie, toen ze de deur opendeed. „Wat zie je er heerlijk uit! Zo'n bruin zigeunerinnesnoetje! En jij, Noor, wat ben je bruin! Je hebt toch geen kousen aan, zijn dit je eigen benen?"

„Nee," zei Martin lachend, die naast zijn moeder stond, „Noortje kan niet op eigen benen staan."

„Nou ja, je weet wel wat ik bedoel. Kom gauw binnen en vertel hoe je het had. Fijn zeker! Mevrouw heeft mij nooit aangeboden om bij mevrouw Van Herlingen te gaan logeren. Ze was zeker bang dat ons kroost de hele inventaris daar zou ruïneren! Toon, heb je al water opgezet?" .

„Wat voor water? Thee of koffie?"

„Och, vent! Wat zeg je, lieverd? Heb je wat voor me gemaakt? Dat vind ik fijn. Het was zo stil zonder jou op de kade! Af en toe zong ik van kabouter Spillebeen, maar jij was er niet om het laatste stukje te doen."

Gezellig was het bij Annie. Druk en vol en gesprekken over koetjes en kalfjes, maar erg gezellig.

„Martin miste jullie ook," zei Annie lachend, „ja, hij vroeg eergisteren wanneer jullie terugkwamen."

Noortje lachte naar hem. Ze zag zijn blauwe ogen, die een beetje verlegen, maar lief naar haar keken. Met een moeder als Annie kon je geen klein geheimpje bewaren. Zou hij het echt leuk vinden dat ze terug was? Waarom?

De volgende middag kwam Paul Brandenberg.

„Dag meisje," begroette hij haar zacht fluisterend – het moest stil zijn in huis, mevrouw rustte – „fijn dat je terug bent. Je ziet er geweldig uit, zeg. Heeft iemand daar tegen je gezegd dat je een schoonheid bent?"

„Ja, ik ben uitgeroepen tot miss windscherm! Prijs: een zandvorm en een blikken schep."

Hij lachte. „Ik ben nog van plan geweest naar je toe te gaan." Zie je, die avond toen zij dacht: als Paul was gekomen…

„Nee, dat mocht niet. Ik logeerde bij voor mij vreemden."

„Ik zou ook niet durven aanbellen! Ik bleef op je wachten, zittend op een strandpaal. Maar ik heb het niet gedaan. Als de zee opkwam vóór jij er was, waar moest ik dan heen? Maar je bent er weer."

Ze waren intussen in de keuken.

„Weet je, Noortje, dat je een bijzonder aantrekkelijk vrouwtje bent?"

„Nee, dat weet ik niet. Ik weet alleen dat ik straatarm ben."

„Dat is heel wat anders, ik praat niet over geld. Ik zeg dat je erg aantrekkelijk bent."

„Dank je voor het compliment." Ze had zich eens voorgenomen om hem op een goede dag plompverloren te vragen naar zijn verloving met Tosca Merendaal. Nu had ze de kans. Ze keek hem recht aan en zei: „Mevrouw heeft me verteld dat kort geleden je verloving is verbroken: „

„Nou, kort geleden, dat is meer dan een jaar geleden. Ja, ik was verloofd. En dat meisje had erg veel wat je denkt dat fijn is voor een man. Ze was knap, erg knap, lang en slank en benen, hmmm, Noortje, om van te dromen! Ze kon beheerst converseren, ze was nooit onbeleefd, maar ze zei wel wat haar niet aanstond. Zeer keurig. Ze had een goede opleiding gehad en ze had een vader met veel geld."

„Wat wil je nog meer..."

„We konden nooit samen lachen. Het was zo vaak: dit hoort niet en dat mag niet en wat zullen de mensen zeggen en als mijn ouders het aan de weet komen..."

Noortje luisterde. Was dit de waarheid of was wat mevrouw Verhoeven zei de waarheid?

„Wat vreselijk jammer: Kon je haar niet een beetje vrolijkheid bijbrengen?"

„Nee. Ze voelde het gewoon niet. Altijd in de plooi. Van lachen krijg je rimpels, wist je dat? En van in de zon zitten sproeten. En van de regen piekhaar. En van vrijen kun je kindertjes krijgen."

Noortje schoot in de lach.

„Dat heb ik van Tosca geleerd" – hij knikte heftig – „ik wist het niet."

Woensdagavond trok ze het nieuwe pakje aan dat ze de vorige maand kocht, toen ze haar salaris ving. Het was een lichtgrijs pakje met een plooirok en een kort, kwiek jasje. Ze droeg er een leuk bloesje bij, wit met stippen van rood en blauw. Het stond haar erg goed. Ze had lang geaarzeld voor ze het kocht. De winkeljuffrouw was er moedeloos van geworden, maar die winkeljuffrouw wist niet hoe duur haar geld was en dat ze in jaren nooit iets moois had kunnen kopen. Nu wilde ze een goede keus maken.

„Kind, wat staat je dat keurig," prees Annie. Ze was om halfacht al gekomen en had breiwerk bij zich. „Dat ouwe buurtje kan zo zien dat je nou op de Admiralenkade woont, echt een dame."

Noortje draaide rond. Als je wist naar wie ik toega, dacht ze. Eigenlijk begreep ze het zelf nog niet. Met Meneer Verhoeven...

Hij was de laatste dagen niet anders geweest dan voor de logeerpartij en hun gesprek aan het strand. Als ze thee of koffie binnenbracht, zat hij recht op zijn stoel en las in de krant. Hij knikte even als ze het kopje neerzette, dat moest dan „dank je wel" betekenen.

„Nou, ik ga. Maar ik blijf niet lang weg, hoor!"
„Doe rustig aan. Of ik nou thuis zit te breien of hier, dat maakt niks uit. En ik heb hier een veel mooier uitzicht. Misschien komt Martin straks nog even om me gezelschap te houden."
Noortje liep de trap af, door de gang en keek naar de kapstok. De hoed van meneer hing er niet. Hij was dus al weg. Hij zei tegen zijn moeder dat de vergadering waar hij heen moest om acht uur begon.
Ze bleef voor de klok staan. Ze zag zichzelf in het glas voor de heen en weer wiegende koperen slinger.
Ging hij andere avonden, als hij zei dat hij naar een bijeenkomst moest, er ook niet heen en had hij dan een afspraak met een vrouw?
Och, nee, meneer Verhoeven...
Maar nu dan, wie zag het vanavond aan hem?
Ze glimlachte. En heel vreemd was ze ook een beetje bang. Meneer Verhoeven was zo'n ondoorgrondelijke man. In griezel- verhalen was dit de man die de moorden pleegde. Niemand ver- dacht hem. En hij deed het zo geraffineerd. Hij zocht zijn slacht- offers met zorg uit. Vrouwen en meisjes zonder familie. Er werd niet direct naar hen gevraagd.
Ze liep naar de voordeur.
In de Anjelierstraat las ze veel spannende detectiveromans. Ze leende ze van buurvrouw Jaspers. Jan zei: „Dit boek moet je beslist lezen! Het is erg spannend!" Dat was inderdaad zo. Soms was ze bang na het lezen van zo'n boek. Ze was alleen in huis met Judy, maar dat maakte het juist nog erger. Stel je voor dat er een kerel binnensloop, haar vastbond en Judy wat deed! Vreselijk! Dan nam ze zich voor nooit meer zo'n misdadigers- verhaal te lezen, maar telkens weer bezweek ze, als Jan zei: „Het zit zo goed in mekaar! In het begin denk je dat..." Dan viel Trien Jaspers hem steevast in de rede: „Nee, Jan, niet verklappen!"
„Ik verklap niks. Je moet het zelf lezen."
En dat deed ze dan.
Als er in zo'n boek een ernstig man voorkwam over wie de schrijver weinig losliet voorvoelde Noortje dat zo'n stille figuur de dader moest zijn.
Zo'n type was meneer Verhoeven ook.

Als het nou waar was en zij ging vanavond met hem mee... niemand wist waar ze was. Ze zouden haar zoeken bij buurvrouw Jaspers, maar die wist van niets. Het goede mens werd misschien wel verdacht. Ach, God, de stakker!

Niemand wist waar zij was. De volmaakte moord. Alleen een alibi voor meneer. Was hij op de vergadering?

Hij kon om acht uur snel handelen met haar – Noortje schaterde om zichzelf – en dan direct naar de vergadering gaan. Zo'n vergadering begon nooit precies om acht uur. Er kwamen meer mensen te laat. Wie wist hoe laat Menno Verhoeven binnenkwam? Als er later navraag werd gedaan: ja, de heer Verhoeven was bij de aanvang van de bijeenkomst aanwezig.

Als ze wat ze nou dacht aan Paul vertelde, zou hij schateren van plezier! Mal wicht, mijn brave, onkreukbare verre neef Menno Verhoeven!

Ze liep naar het Overhofplein. Ze stond bij de bushalte, keek even van links naar rechts en zag de wagen al aankomen. Meneer Verhoeven stopte aan de trottoirband en deed vanbinnenuit het portier voor haar open.

„Mooi op tijd," zei hij, „het is even over achten."

„Ja. Annie was er om halfacht al."

„Maakt het je uit waar we heen gaan?"

„Nee."

Hij reed met flinke vaart de stad uit, over een brede buitenweg en stopte na ongeveer een kwartier voor een niet groot, zo te zien gezellig restaurant.

„Hier is het rustig. Ik ga er soms heen, als ik een vraagstuk moet oplossen, waar ik thuis niet uit kan komen."

Ze liep naast hem op de deur toe. Hij hield hem voor haar open.

„Goedenavond, mevrouw, meneer," zei de ober vriendelijk.

„Zullen we hier gaan zitten?" Hij liep naar een rustige hoek, een beetje achter in de zaal, voor het raam. Over het grote parkeerterrein, met aan de zijkanten brede groenstroken vol struiken en bloemen, zag ze de rijweg.

Ze knikte, ze liep achter hem aan.

„Ik begrijp mezelf niet, Nora," begon hij te praten, toen ze tegenover elkaar zaten. De ober was geweest om te vragen waarmee hij hun van dienst kon zijn. „Koffie graag, twee koffie."

„Ik ben jarenlang de man geweest die ik was en ik had er vrede mee. Tot mijn vader stierf en eigenlijk nog jaren daarna, omdat de gedachten aan mijn vader in ons huis en om ons heen bleven. Mijn vader is, zoals mensen die met hem werkten, zeiden, gestorven zoals hij wilde sterven. Nog volop bezig met zijn werk en zijn studie. Op de dag van zijn dood leidde hij nog een onderzoek." Menno Verhoeven zweeg even. „Ja, het was of zijn denken hem niet kon loslaten."

Noortje voelde haar hart kloppen. En ze voelde zich koud. „Mijn vader deed belangrijk werk en om dat werk en om zijn studie draaide alles in ons huis. Kwam er bezoek, dan waren dat vrijwel altijd mensen uit vaders kringen, nooit vriendinnen van moeder. Als er bezoek was, gingen de gesprekken over sterrenkunde, stralingen en meer van dat soort dingen waarvan ik als kind wel wat begreep, omdat mijn vader me erover vertelde, maar ik was te jong om het goed te overzien. Daardoor kreeg ik er een verkeerde voorstelling van. Dat veranderde natuurlijk, toen ik ouder werd.

Ik was me ervan bewust dat mijn vader heel geleerd was, dat werd me ook steeds verteld. En dat hij dingen ontdekte, die voor de mensheid van onschatbare waarde zijn.

Toen mijn vader leefde, kwamen er professoren en sterrenkundigen in ons huis. Zij geloofden in zijn theorieën en kwamen dikwijls om met hem te praten. Mijn vader was een heel bijzondere man. Toen ik een kleine jongen was" – Menno keek Noortje nu aan en ze zag dat zijn grijze ogen lichter waren dan ze had gedacht – „wist ik niet dat mijn vader een bijzondere man was. Ik was te jong om daarover te denken. Een vader was een vader en een vader wist alles, daar kon je van leren.

Ik herinner me nog heel goed dat we op een zondagmiddag samen thuis waren. Ik was een jaar of acht. Het was een sombere, regenachtige middag. We waren in de tussenkamer, ook toen werd die meestal gebruikt omdat het er stil was, niets van buitenaf beïnvloedde de sfeer. Geen vogels in de tuin en geen verkeer van de rijweg."

Noortje zag dat zijn hand sloot om het warme koffiekopje voor hem op de tafel en toen ze naar dat kopje staarde, zag ze hem in gedachten voor zich: een kleine, beetje dikke jongen in een broek, die reikte tot zijn knieën, een truitje met een kraagje. En kort geknipt, donker haar.

„Het was die middag erg rustig. 'Is er iemand in de kamer?' vroeg mijn vader.

'Ja, u en ik,' zei ik.

'En wat is er nog meer?'

'Nou, de tafel en de stoelen, dat ziet u toch, en de kast, de boeken en de planten.' Ik vond het, geloof ik, een domme vraag van mijn vader. Toen zei hij dat er heel veel om ons heen was, geluidsgolven, beelden en krachten. Hij liep naar de radio en zei: 'Dit is een ontvanger.' Het was een ding uit de beginperiode van de radio, voor de begrippen van nu maar een primitief kastje, maar het was inderdaad een ontvanger. 'Hiermee kan ik muziek opvangen en stemmen,' zei mijn vader. 'Onze oren kunnen dat niet. Wel als het door deze ontvanger wordt opgevangen en opnieuw uitgezonden. Dan horen wij het.' Het was een simpel toestel, er zat geen buitenantenne op, wel een soort boog, van koperdraad of zoiets waarmee mijn vader langzaam bewoog, tot het geluid zo scherp als mogelijk was doorkwam. We hadden die radio al een poosje en ik wist dat er geluid uit het kastje kwam, ik vond dat heel gewoon. Mijn vader zette het ding toen aan en er klonk een mannenstem in de kamer. Ergens ver weg, zei mijn vader, praat deze man door een apparaat dat uitzendt. Het geluid gaat de lucht in, het is buiten, het zweeft over bossen en weilanden, de regen lost het niet op, de wind waait het niet stuk, het blijft in de lucht. Zelfs tot in onze kamer. Ik vond dat wonderbaarlijk."

Noortje glimlachte. Ze zag het opgeheven kopje van de kleine jongen. Hij keek vol ontzag naar zijn vader. 'Als ik de radio aanzet, vang ik de stem op. Als ik de radio niet aanzet, is de stem er evengoed.' Dat zei mijn vader. Ik herinner me, Nora" – hij boog zich een beetje over tafel en keek haar recht aan – „ik herinner me hoe angstig dit me maakte. Na die middag was ik vaak bang. Als ik alleen in de kamer was en vooral 's avonds, alleen in bed, was ik bang. Want er waren stemmen om me heen, die ik niet kon horen, maar ze waren er wel en er was muziek, die ik niet kon horen, maar de melodieën waren er wel en ik dacht dat er ook gezichten en ogen waren, die naar me keken. Steeds naar me keken. Ik weet dat ik heel dikwijls diep wegkroop onder de dekens, uit angst."

„Ik kan het begrijpen, een kind van een jaar of acht."

„Naarmate ik ouder werd, vertelde mijn vader me steeds meer over alles wat hij dacht dat in de kosmos was. De aantrekkingskracht van zon en maan op onze aarde, de invloed van sterren en planeten, de waarde van de grootte van het heelal op de mensheid.

Het maakte dat ik geen echt kind was. Ons huis was ook niet fijn voor een kind. Mijn moeder was lief, maar mijn vader was een té dominerende figuur. Ik geloof achteraf dat mijn moeder vroeger in alles heeft geloofd wat mijn vader vertelde. Niemand kan zeggen dat wat hij dacht niet waar was, dat kan nog niemand zeggen, maar het is allemaal te ver van de wereld en te groots om te verklaren.

Mijn vader nam aan dat ik hem zou volgen in zijn wetenschap. Maar ik denk dat het vooral de angst in me is geweest, die me een andere richting deed kiezen. Mijn vader had het daar moeilijk mee, hij hoopte dat ik zijn werk zou voortzetten, maar hij liet me gaan. Weer hetzelfde: andere vaders zeggen: doe dat maar, daar kun je later je brood mee verdienen. Mijn vader dacht alleen aan het nut voor de mensheid, meewerken met de kracht van de schepping. Ik boog me over planten en bloemen en keek naar de bomen. Mijn vader zei meteen dat dat vreselijk belangrijk was, want bomen en planten zijn onmisbaar voor het leven op aarde en alle soorten moeten beschermd worden en bewaard. Alles wat verdwijnt in soort en ras van plant en dier, komt niet meer terug. Ik was gelukkig in mijn studie. En doordat ik een andere richting had gekozen dan mijn vader, kon ik hem een beetje ontlopen. Ik hoefde niet steeds te luisteren naar zijn verhandelingen, waarvan ik niets begreep. En die me nog steeds bang maakten. Zijn leer over de splitsing van moleculen en atomen, zijn overtuiging dat de krachten uit het heelal onze aarde als een speelbal gebruiken. Nee, dan liever planten en bloemetjes."

Hij glimlachte opeens naar Noortje.

„Wil je nog koffie? Wat fijn dat je naar me luistert, Nora."

Hij verzocht de ober verse, warme koffie te brengen.

„Op een dag riep vader me bij zich en hij zei dat hij woorden had gehoord, zo praatte hij dikwijls. Hij zei niet: ik denk dit of dat, ik geloof of dacht zo, nee, mijn vader zei dat hij woorden had gehoord en dat maakte het gesprek meteen mysterieuzer. Hij geloofde niet in stemmen uit het heelal, hij wist niet waar de woorden vandaan kwamen. Woorden vormen zich in ons hoofd, in onze hersenen als we denken. Dat vinden we gewoon, maar het is een wonder en mijn vader bracht zijn woorden als een wonder. Hij zei mij die dag dat hij ervan overtuigd was dat bij de schepping kruiden op aarde waren gebracht, geneeskrachtige kruiden, die goed zijn voor alles waaraan de mensheid kon lijden. Alle ziektes genezen dus. Hij haalde een oude uitdrukking aan: 'Er is geen kruid voor gewassen', maar dat was niet juist, er is voor alles kruid gewassen. En mijn vader wist toen dat het mijn werk was te onderzoeken en te zoeken, zodat mijn taak in het leven bijna net zo belangrijk was als zijn taak.
Ik was toen misschien twintig, een beetje wereldvreemd, ik stond buiten het echte leven. Ons gezin stond buiten het echte leven van vechten voor het dagelijks brood. Dat hoefde hier niet, want er was geld genoeg. We stonden buiten plezier hebben, naar een dolle klucht kijken, een film zien, gaan dansen, dat gebeurde bij ons niet. Wij lazen een studieboek voor ontspanning.
Maar ik wist niet beter of zoals wij leefden was het goed. Ik kende geen ander leven. En als ik een ander leven zag, zoals dat van de jongens en de meisjes die bij mij in de opleiding zaten en die weleens wat vertelden over hun leven en hun ouders, zei mijn vader dat dat onnozele mensen waren, onnuttig, ze werden door de schepping niet gebruikt."
„Het was een moeilijk leven," zei Noortje. Ze voelde medelijden met hem. In haar gedachten was die vader een zonderling geweest, misschien niet gek, maar toch wel te veel vervuld van zijn eigen wijsheid. En door al dat studeren en onderzoeken was hij de greep op het gewone leven kwijtgeraakt. Hij wilde het gewone leven ook niet leven. Griezelig zo'n vader te hebben.
„Mijn vader is vijf jaar geleden gestorven, nog niet zo heel lang geleden dus. Zoals ik je al vertelde, was het net of zijn gedachten in huis bleven en doorgingen met denken. In vaders wereld

doordenkend was dat niet onmogelijk. We hadden het moeilijk, moeder en ik, we waren te veel uit elkaar gegroeid om intieme gesprekken te hebben. Maar langzaam kwamen we toch een beetje los van vader, omdat we zijn stem niet meer hoorden en geen nieuwe stellingen. Moeder ontving haar vroegere vriendin, mevrouw Van Slooten Fopma, weer en Constance van Herlingen. Haar had ze in de jaren van haar huwelijk ook niet vaak ontmoet. Met die vrouwen praatte ze over onbelangrijke, genoeglijke dingen.

Ze vertelde mij er soms van, ik vond ze natuurlijk onzinnig, we praatten vroeger nooit over zoiets. Maar het bracht ons een beetje in de richting van het gewone leven. En toen kwam jij."

Hij keek Noortje recht aan. Ze blikte verbaasd in zijn grijze ogen. „Moeder zei me dat ze een advertentie had geplaatst om hulp te krijgen in het huis. En dat er een jonge vrouw, die een dochtertje had, op had geschreven. Ik zei haar heel kort dat een jong kind in huis – die jonge vrouw deerde me niet – mij zou kunnen storen. Dat begreep ze. Ik dacht dat het daarmee van de baan was en dacht er niet meer over. Maar mijn moeder zei me dat ze die jonge vrouw toch had laten komen en dat ze met haar gepraat had." Menno Verhoeven glimlachte nu naar Noortje.

„Ze vertelde me over jullie gesprek. Die avond heb ik heel weinig gewerkt. Ik zat op mijn kamer, gebogen over een verhandeling over verdrogingsverschijnselen van het blad van de ficus en ik dacht: geen geld hebben, hoe is dat? Geen geld hebben om eten te kunnen kopen. Ik had daar nog nooit over nagedacht. Wij hebben altijd geld en eten, dat is iets dat Annie klaarmaakt en op tafel zet. Geen geld hebben om eten te kunnen kopen en huishuur te betalen, ik kon me niet voorstellen hoe dat is. En dat kan ik nog niet. Jij had een kind. Voor dat kind had je ook geen eten.

Ik maakte me een beetje een voorstelling van jou." Hij lachte opeens. „Oh, heel anders dan je nu bent! Zielig, in de put, aan het einde van je krachten. Dat was je ook, toen je bij moeder was."

„Ja, alles. Zielig, diep in de put en ik zag geen uitweg."

„Moeder zei me dat ze je toch wilde aannemen en ik zei dat het goed was. Ik geloof dat het haar vreselijk verbaasde. Maar ze was er blij mee. Ze wilde je helpen."

Noortje knikte.

„Toen zag ik je. Je was smal en armoedig, geestelijk vermoeid en bang voor me. En 's avonds dacht ik: deze vrouw weet wat het leven is. Ze weet wat liefde is, want ze heeft veel van een man gehouden. Ik weet dat niet. Ze weet wat geluk is, want ze was gelukkig met hem. Ze weet wat een wonder is, want ze heeft een kind geboren laten worden. Ze weet wat echte blijdschap is, want ze heeft dat kind in haar armen gekoesterd, het naar haar zien lachen en de eerste woordjes gehoord. Ze weet wat angst is, want ze zag de mensen die haar de tijding van het ongeluk van haar man brachten. Ze weet wat hoop is, want ze wachtte in een ziekenhuiskamertje en smeekte om redding. Ze weet wat verdriet is, afscheid nemen van iemand die je dierbaar is. En van armoede, zorgen, verantwoording. Ze weet zoveel wat ik niet weet. Ze leeft echt, ze is meer mens dan ik."

Hij zweeg. Noortje staarde naar hem, ze zag hem in een waas. Hoe kon meneer Verhoeven deze woorden zeggen. Het was of alles wat in hem leefde naar buiten kwam, alles wat hij voelde en diep verborgen had, alles wat hij opkropte en onderdrukte.

„Nu ik ouder ben, weet ik dat mijn vader een excentriek mens was. Hoe zal ik het zeggen, niet abnormaal, dat beslist niet. Maar mijn vader was een man die leefde voor en helemaal met zijn wetenschap, omdat dat zo bijzonder interessant is. Toen ik jong was, dacht ik daar nooit over na. Zoals het bij ons thuis was, was het gewoon. Op mijn vijftiende, zestiende jaar vond ik mijn vader een interessante man. Bij ons kwamen interessante mensen over de vloer. Als ik er nu over denk, geloof ik dat ik me in die tijd een beetje boven de jongens, die bij me op school zaten, voelde staan. Ze snapten niets van alle belangrijke gesprekken die bij ons thuis werden gevoerd over de catastrofe die de aarde zou treffen, als door welke oorzaak dan ook iets uit de baan raakte of een tel stilstond. Het was ook beslist niet zo, dat mijn vader in de richting van geestverschijningen ging of stemmen van mensen van andere planeten of stemmen van gestorvenen hoorde, nee, het waren zuivere studies, gebaseerd op waarnemingen en onderzoekingen. Mijn vader was een wereldvreemd mens. Heel anders dan duizenden, miljoenen mensen op aarde. In deze stad al was hij een uitzondering tussen bakkers en winkeliers, mannen die in fabrieken en op kantoren werkten, vrouwen die in winkels hielpen, op scholen lesgaven en thuis voor hun gezinnen zorgden. En mijn moeder en ik leefden met hem mee. Toen hij dood was, voelde ik me eenzaam. Verlaten. Dat is, geloof ik, het goede woord: verlaten. Hij had ons verlaten en hij nam de hele sfeer die om ons heen geweest was mee. Geen interessante bezoeken meer, geen gesprekken, niet meer het gevoel iets bijzonders te zijn. Want met zijn schimmelplantjes, stekjes en wormpjes ben ik niets bijzonders. Daar is veel over bekend.

Echt erover nadenken deed ik niet, alles sukkelde gewoon verder. En toch voelde ik me anders. Mijn moeder ook. Zij kwam een klein beetje terug in het gewone leven, ze zag weer een ver familielid en haar man, dat zijn de ouders van Paul Brandenberg. Paul kwam langs en dat vond ze gezellig. Ze kon met hem lachen, want Paul is een vrolijke jongen. Het leek wel of dat lachen met hem bevrijdend werkte voor haar. Met mijn vader viel niet veel te lachen. Hij vond het stom gedoe trouwens.

Ik veranderde alleen in gedachten. Verder kon ik niet veranderen. Ik was gewoon zo.

Toen jij in huis kwam, praatten moeder en ik meer met elkaar. Moeder vertelde over jou. Niet om over je te roddelen en niet om te laten zien hoe goed zij was geweest je te helpen. Zo is mijn moeder niet, dat weet je wel, maar het was een heel nieuwe wereld die voor ons openging. Van deze dingen – het zo moeilijk hebben omdat je geen geld hebt, zorgen met huishuur en een baan vinden en onderdak voor een kind – daar wisten we niets van. We beseften het gewoon niet.

Zo'n jong vrouwtje nog, dacht ik, dat zoveel heeft meegemaakt. Wat heb ik meegemaakt in het leven? Geen armoede, geen zorgen, alleen het verdriet van het overlijden van mijn vader, maar hij was zevenenzeventig en hij had een voor zichzelf fijn leven gehad. Ieder mens sterft. Maar als je sterft als je zevenenzeventig bent, zonder ziekbed en lijdensweg en je hebt geleefd met zoveel voldoening als hij, is er eigenlijk alleen plaats voor dankbaarheid. Zo voelen moeder en ik het ook. Ook al misten we hem erg. Moeder zei op een avond: 'Soms vraag ik me af of wij niet meer naast de aarde hebben geleefd dan erop,' en dat vond ik een typerende uitspraak. En erg waar. 'Buiten de aarde,' zei ze ook nog 'is alles interessant, maar blijdschap is er niet, geluk niet en vrolijkheid niet. Op aarde zijn verdriet, pijn en narigheid, noem maar op, maar er zijn ook veel mooie dingen. Niet alleen in de natuur. Ook in de mensen.'

Ze praatte zachtjes verder. Ik herinner het me nog goed. We zaten in de voorkamer. Er brandden een paar kleine lampen, zodat we ook iets van buiten konden zien. De lantaarns aan de overkant van de kade, de verlichte vensters van het huis van notaris Broksma, de brandende, witte bollen op het plein, de trams en auto's, de reclameborden aan de gevel van de bank en aan het pand daarnaast, de bioscoop.

Moeder vertelde dat ze de laatste tijd vaak aan haar ouders dacht. Die twee waren heel gelukkig samen. Ze dachten er niet over na of er ergens in het heelal misschien een ster is, duizenden lichtjaren ver, die de mensheid nog niet heeft ontdekt. Ze hadden elkaar en ze waren blij met elkaar. Ik herinner me mijn grootouders nog wel. Het waren lieve mensen. Glimlachend, beleefd en wat mijn moeder zei: altijd samen. Ze kwamen niet vaak bij ons. Ik denk dat grootvader mijn vader niet begreep en grootmoe kon zijn gesprekken helemaal niet volgen. Ze was in staat tussen de verhandelingen door aan mijn moeder te vragen naar een recept van peen en uien, bij wijze van spreken dan en dat was natuurlijk onmogelijk.

Ze zijn ook niet oud geworden. Toen grootmoe vrij plotseling overleed, volgde grootvader haar kort daarna.

Verveel ik je niet?" vroeg Menno Verhoeven opeens. Hij keek Noortje aan. „En wil je iets anders drinken? Ik zal de ober roepen. Ik praat zoveel." Hij maakte een verontschuldigend gebaar. „Verveel ik je echt niet?"

„Nee, echt niet."

De ober kwam en bracht even later een fles wijn, twee glazen en een schaal met kleine hapjes, toostjes met Franse kaas en een schaaltje noten.

„Ik zie hoe jullie in de voorkamer zaten," zei Noortje nu, „en ik voel hoe dat gesprek begon. Uw moeder vertelde en u luisterde, u zei af en toe ja. Het was een gesprek met weemoed, milde weemoed, zoete herinneringen. Misschien soms een glimlach, omdat het allemaal voorbij is. Maar het was mooi en goed."

Menno Verhoeven keek haar over het tafeltje heen strak aan. „Ja, Nora, zo begon het, met weemoed en een glimlach. Maar hoe langer mijn moeder praatte, hoe meer ik verandering merkte in haar stem. Er kwam iets van spijt in, zo van, gedane zaken nemen geen keer, maar ik zie het nu anders.' 'Eigenlijk, Menno,' zei ze opeens, 'ben ik nooit echt gelukkig geweest met je vader. Zo gelukkig als mijn ouders met elkaar waren. Erg veel van elkaar houden en alles doen en willen doen om de ander gelukkig te maken. Daar dacht je vader niet aan. Hij was ook geen mens, hij was een menselijk radertje in het grote geheel. En ik was er om ervoor te zorgen dat hij zijn werk kon doen.' Het maakte me verdrietig, Nora, haar dat te horen zeggen. Want mijn vader leefde al die jaren min of meer gelukkig, hij was gelukkig met zijn werk, maar voor moeder waren het achteraf verloren jaren. Dat besefte ze nu. Ik wist niet wat ik erop moest zeggen.'

'En jij,' zei ze, 'Menno, jij hebt geen fijne jeugd gehad. Je was een blijde en vrolijke kleuter, toen was je nog te klein voor je vader, maar zodra hij wist dat je kon luisteren en begrijpen, nam hij je onder zijn hoede. Hij zei vaak dat hij een groot geleerde van je zou maken, dat de hele wereld je zou kennen: Menno Mathijs Verhoeven'."

„Wat triest." Noortjes hand gleed over het tafelkleed. Haar vingers omklemden het voetje van het ranke wijnglas.

„Triest en waar," zuchtte Menno.

Het was een poosje stil tussen hen. Noortje wist niet wat ze nu moest zeggen. Dat een mens als mens moet leven, gewoon, hier op aarde. Alles wat daarbuiten is, is toch veel te groot om te begrijpen. Wat had meneer eraan om dat te horen? Hij wist het nu trouwens zelf wel. Wat kon het leven hem nog brengen? Geen liefde, geen geluk, misschien daardoor ook geen verdriet. Dat was dan het enige voordeel.

Eigenlijk was hij een arm mens. En zolang hij het niet wist, was hij gelukkig met zijn schimmeltjes en stekkies, maar dat verloor de toverkracht. Hij ging verlangen naar iets dat hij in zijn leven niet meer zou ontmoeten. Hij zou een stille, gesloten man blijven tot hij oud was. Noortje zag hem voor zich, de mensen bleven zeggen: „Die Verhoeven is toch ook niks aan." Weinigen wisten hoe het begonnen was en dat er een tijd in zijn leven was geweest, waarin hij verlangde een ander mens te zijn, lief te hebben misschien. Zou Menno Verhoeven kunnen liefhebben? En hij verlangde naar mensen om zich heen, die van hem hielden om hemzelf… Wie zou dat, als zijn moeder weg was, nog doen? Ze keek naar hem. Ze had medelijden met hem en niet alleen in woorden, nee, het was een diep gevoel van meeleven, van verdriet hebben om wat hij miste. Ze voelde opeens warmte voor hem, ze schrok van die gevoelens, maar ze keek door zijn strakke masker heen en zag zijn verlangens en dromen.

„Wat wilt u nu?" vroeg ze zachtjes.

„Willen? Ik wil niets. Of toch… Ik wil me losmaken van alles wat me beknelt, Nora. Ik ben altijd bang geweest, bang voor dingen waarvoor jij en andere mensen niet bang zijn en jullie hebt gelijk, het gevaar is niet van dag tot dag…"

„En als het komt?" Noortjes donkere ogen lichtten op. „Gaan we allemaal tegelijk en allemaal samen?"

Hij glimlachte. „Dat is waar."

„En zorgen maken helpt niet, want miljoenen mensenhanden zouden het niet kunnen afwenden."

„Nee." Hij zweeg een poosje, dan zei hij: „Ik weet dat alles wat achter me ligt, in het leven niet meer ongedaan gemaakt kan worden en dat het beïnvloedt wat nog voor me ligt, maar een klein beetje anders kan het worden."

Hij boog zich even over het tafeltje naar haar toe. „Ik ben met kleine dingen tevreden, Nora…"

Ze keek hem aan, ze begreep het niet, ze begreep deze man niet. Was hij zo veranderd in korte tijd of sluimerde in hem altijd al het verlangen anders te zijn dan zoals de mensen hem zagen? Hunkerde hij achter dat strakke masker naar warmte en verlangde hij met die harde stem, die niet meer woorden sprak dan nodig was naar een beetje genegenheid? Ze keek in zijn grijze ogen.

„Ik ben met kleine dingen tevreden. Dat geloof je misschien niet. Maar als Judy lacht, voel ik me vreemd vanbinnen, een klein beetje ontroerd. Ik weet dat mijn moeder heeft gezegd dat het stil moet zijn in ons huis en moeder zei dat terecht. Als ik moet werken, is het nodig dat het stil is om me heen. Maar nu vraag ik me weleens af of ik altijd moet werken..." Hij schudde zijn hoofd, legde zijn twee handen op de tafel, leunde voorover en keek haar aan. „Als je Judy niet meer verbiedt, als je haar niet meer met haar handje voor haar mond naar boven stuurt..." Noortje keek hem verbaasd en ook een beetje geschrokken aan. Hoe wist hij dat?

„Ja, ik weet het. Moeder vertelde het me. Als Judy na het avondeten naar boven gaat, doet ze voor de keukendeur haar handje voor haar mond, jij draait met het onzichtbare, gouden sleuteltje en je zegt, krik, krak, stil naar boven lopen, daar pas kan je mond weer open'."

Noortje grijnsde. In gedachten zei ze soms: krik, krak, mond op slot, voor die nare knorrepot. Nu bleek dat Judy hun spelletje aan mevrouw had verteld.

„Maar ze is stil op de trap!" zei Noortje lachend. „Als ik niet zo nadrukkelijk zeg dat ze stil moet zijn, is ze het alweer vergeten, vóór ze de knop van de keukendeur in haar hand heeft en dan kan ze rustig op de onderste traptree gaan jubelen over een klein, klein kneutertje dat vaders bloementuin plundert."

„Ja, klein, klein kneutertje... Je weet niet hoe graag ik het hoor. Ik begrijp het zelf soms niet. Maar het is of het in huis anders is, sinds jullie er zijn. Levendiger, blijer. Ik moest eraan wennen. Maar nu vind ik het prettig."

„Ik zal niet meer zeggen dat ze stil moet zijn. Maar ze zal u dan vandaag of morgen vragen of de plantjes in uw kamer zijn omgevallen. Dat heeft Annie haar verteld. Meneer heeft plantjes in zijn kamer en die vallen allemaal uit hun potjes, als er iemand in huis luid roept. Daar schrikken ze van. Ze wou die plantjes meteen zien, dat was vast een bijzonder soort, maar Annie zei dat dat helemaal niet kon. Als zulke plantjes een kind zien, gaan ze aan het plafond hangen."

„Rare dingen maken jullie dat kind wijs."

„Ja. Annie zegt soms de zotste dingen. Maar Judy gelooft het niet. Bestaat nietes, noemt ze dat. Maar ze is wel stil in huis, als ze weet dat u thuis bent."

„Het is een gehoorzaam kind. En lief." Hij glimlachte naar haar en die glimlach bracht Noortje een beetje in de war.

„Ja, ik heb haar goed opgevoed, hè?" zei ze, een beetje nerveus lachend.

„Zou je me willen helpen, Nora? Ik wil graag dat het in ons huis net zo is als ik thuis ben dan wanneer ik niet thuis ben. Moeder vertelde me dat het plezieriger is in huis, nu jij er bent. Je zingt in de keuken. Laatst was je bezig met een vrolijk lied over een zeeman, vertelde ze. Ze luisterde naar je, maar opeens hoorde ze niets meer. Toen ze later vroeg waarom je opeens zweeg, zei je: 'Ik goot net de aardappelen af en ik kreeg het kokendhete boegwater over mijn handen. Toen heb ik die zeeman met zijn dromen door de afvoer gehoosd. Met koud water.' Zoiets vindt moeder heerlijk. Och, het is eigenlijk niets, het is simpel, maar wij zijn dat niet gewend, moeder ook niet. Het was altijd stil in ons huis. Mevrouw in de kamer en de dienstbode in de keuken. Maar jullie drinken nu vaak koffie met jullie drietjes, vertelde ze me." Noortje knikte, want ze vond het zo ongezellig voor mevrouw. Die zat maar alleen in de kamer met een kopje koffie voor zich, terwijl Annie en zij samen in de keuken zaten, gezellig babbelend.

„Moeder vindt het leuk," ging Menno Verhoeven verder, „Annie kan zo grappig vertellen, zegt ze. En ze praat fijn met jou, als je 's middags een poosje bij haar komt zitten en als Judy komt, is het helemaal feest. Het zijn kleine dingen, ik heb er nooit aandacht aan geschonken, het was onbelangrijk, maar dat is het niet. Moeder is niet eenzaam meer. Ik dacht er nooit over na, als ik op het laboratorium was, dat mijn moeder de hele dag alleen in die grote kamer was. Maar het moet vreselijk voor haar geweest zijn. Nu is alles anders. Zoals deze zomer, thee drinken in de tuin, spelen met Judy. Moeder is opgeleefd. En ik wil graag dat die sfeer ook in huis is, als ik er ben."

Ze had medelijden met hem. Het liefst zou ze haar hand op zijn hand leggen. Stel je voor dat ze dat deed, ze moest er stilletjes vanbinnen om lachen, en dan morgen tegen Annie zeggen: „Ik zat hand in hand met Menno Verhoeven," maar ze had medelijden met hem. Dat een mens kan hunkeren naar zo weinig warmte, zo'n beetje hartelijkheid, een lach vanuit de keuken, het gebabbel van een kind van vijf jaar.

„Voor mij zal er niet veel meer veranderen in het leven." Zijn stem klonk berustend... En het is ook niet zo, dat mijn werk en mijn studie me opeens niets meer doen, dat is overdreven, maar ik wil graag dat thuis geen schuif van stilte neerdaalt, als ik binnenkom..."

Ze praatten nog lang met elkaar en steeds meer verwonderde Noortje zich over deze man. Ze kreeg langzaam een beeld van hem, van zijn verleden, van de vele, gewone dingen waarvan hij niets wist en waarvan hij ook de waarde niet kende. Ze leerde vooral zijn verlangen dat alles anders zou worden.

Tegen elf uur keek Menno Verhoeven haar aan... „We moeten naar huis gaan, ik vind het jammer, maar het is al laat."

Noortje keek op haar horloge... „Ja, buurvrouw Jaspers moet naar bed. Jan zal zeggen: 'De hele avond druk praten, vannacht doe je geen oog dicht en ik zit ermee. Rechtop in bed en ik krijg steeds een por: zeg, Jan...'"

Menno Verhoeven lachte. „Arme buurvrouw Jaspers. Ik weet zeker dat ze je graag een avondje bij zich had gehad."

„En ik wil graag naar haar toe." Ze schoof haar stoel achteruit.

Hij stond ook op. „Ik ben erg blij met dit gesprek, Nora. Je weet niet hoe goed het me doet eens te praten. Ik heb niemand om mee te praten. Ik heb geen broer of zuster en op mijn werk is niemand met wie ik vertrouwelijk ben. Ik praat nooit met iemand. Over gewone dingen met moeder, maar niet over dit soort dingen. Dan geef ik moeder schuldgevoelens en dat wil ik niet. Zij was niet in staat het te keren."

„Maar ik kan u niet helpen. Alleen met heel kleine dingen."

„Dat is genoeg."

Ze reden zwijgend terug naar de stad. Er was zoveel om over te denken. Noortje voelde zich moe, maar ze was ook blij en ze wist zelf niet waarom ze blij was.

Toen ze haar kamer binnenkwam, zaten Annie en Martin ieder aan een kant van de lage tafel. Vóór hen stonden twee glazen, waarin donkerrode wijn fonkelde.

„Ik zie het al," zei Annie lachend, „je hebt de hele avond gekletst en gelachen. Je bent veel te druk geweest, je ziet er rood van."

„En je hebt vast een beetje hoofdpijn," merkte Martin op... Zal ik iets koels voor je inschenken? Frisse sinaasappelsap?"

„Graag."
Ze had inderdaad hoofdpijn. Het kwam door het gesprek met
Menno Verhoeven. Terwijl hij praatte en zij luisterde, dacht ze te
veel, gingen haar gedachten te snel. Ze wilde hem helpen, maar
dat kon ze niet. Niemand kon hem helpen. Het leven – nee, zijn
vader en zijn opvoeding – hadden hem in een kluis gedrukt,
waaruit hij nooit helemaal kon ontsnappen. En dat denken op
de achtergrond, door alle woorden en zinnen heen, maakte haar
triest en moe en daar kreeg ze hoofdpijn van.
Martin zette het glas voor haar op de tafel.
„Alsjeblieft." Hij keek haar aan, hij glimlachte naar haar. Lieve
ogen had Martin, heel andere ogen dan Menno Verhoeven. Niet
meer aan Menno Verhoeven denken.
„Dank je wel."
„Hoe was het in de Anjelier?" Annie schoof naar voren op de
bank, ze wilde wat verhalen uit de straat horen. „Veel verande-
ringen daar?"
„Eigenlijk niet. Maar we hebben gezellig gebabbeld."
„Over alles en nog wat?" Annie begreep dat Noortje nu niet ging
vertellen, het kind was te moe, dat zag je zo. Maar morgen
kwam ze wel los.
„Is Judy stil geweest?"
„Ja. Ik heb bij haar gekeken, zopas nog, ze slaapt als een zonne-
bloemetje."
Noortje glimlachte. Als Judy sliep, was het een plaatje.
Het leven in het huis aan de Admiralenkade ging zijn gewone
gang weer en toch was het er anders dan voor die dag.
Natuurlijk praatte Noortje niet over hun gesprek. Niet met
mevrouw, en ook niet met Annie. Stel je voor, die zou van schrik
en verbazing achteroverslaan en de zotste dingen zeggen! Nee,
het was een geheim tussen hen beiden en niemand had er iets
mee nodig. Ze zei tegen Judy ook niets. Maar ze mopperde niet
meer op het kind, als die in de gang speelde. De gang had een
bijzondere aantrekkingskracht op Judy. Noortje begreep dat. De
lange, hoge gang met de witgestucte muren, de forse, eikenhouten deuren, de grote koperen lamp, de plechtige staande klok en
de witte bank vlak bij de deur naar de vestibule; de gang was
echt een "vertrek" dat tot de verbeelding sprak. Maar meer nog

dan alle andere dingen was het de prachtige, brede loper, die de gang – tenminste in de verbeelding van een kind – tot een zaal uit een sprookje kon maken. Zelf dacht ze soms, als ze over de loper liep: wat is hij mooi, wat een weelde! Het donkerrood erin was zo warm en stralend, dat je bijna zou vergeten dat het alleen maar een kleur was, het straalde kracht en mildheid uit. En het koningsblauw, vlak langs de smalle baan goudgeel, lachte je toe alsof het iets te vertellen had. Misschien zat er ook een verhaal in de loper. Hij was gemaakt in een ver, vreemd land van zon, liefde, weemoed en donkere ogen en wellicht weefden de handen van de meisjes en vrouwen achter het weefgetouw er hun zoete dromen en verlangens in mee.

De gang lokte Judy. Ze wilde er graag spelen. Ze liep over de loper met kleine pasjes en licht als een vlinder. Noortje bespiedde haar soms ongemerkt. Het was of de warmte van de kleuren haar vleugeltjes gaf. Maar Judy was in gedachten geen elfje of prinsesje, ze praatte nuchter met de slinger van de klok. Ze spiegelde zich in het glas, trouwens, Noortje moest bekennen dat ze dat zelf ook vaak deed. Het was net of ze in het glas van de klok mooi was. Maar het was ook of de steeds heen en weer gaande slinger dan spottend naar haar keek.

Judy praatte met de klok. Ze vertelde hem het verhaal dat juf op school had verteld. Noortje luisterde er glimlachend naar. Zo te horen was juf geen droomster over elfjes en prinsesjes. „Het jongetje was Daantje en hij viel in het water, maar waarom, dat weet ik niet." Judy zat geknield voor de klok. Pop Lotje onder de arm. Het kopje zielig naar beneden. De slinger ging zeker erg meewarig heen en weer, want Judy zei: „Nee, hij is niet verdrinkt, zijn papa kwam en die haalde hem uit de sloot. Die papa was wel blij, maar hij kreeg toch voor zijn broek. Nee, niet die papa, Daantje tuurlijk." Zo'n slinger begrijpt ook niet veel. Maar hij schudde toch „ja, ja" en Judy knikte goedkeurend.

Noortje riep het kind niet meer terug uit de gang. Ze liet haar ook gaan, als ze naar "de grote kamer" wilde.

„Mevrouw gaat met me kleuren. Als meneer weg is. Is meneer al weg?"

„Dat weet ik niet. Kijk maar even."

Noortje keek haar na, toen ze naar de kamerdeur tripte, klopte,

wachtte tot mevrouw „ja, kom maar binnen" riep en toen hoorde ze het kirrende stemmetje: „Gaan we al kleuren? Nee, meneer is nog niet weg" en meteen trok ze met dat kleine handje de deur weer dicht en holde terug naar de keuken.
„Meneer is er nog. Maar hij kijkt niet boos. Hij lacht een beetje."
„Misschien wil meneer ook kleuren?"
Maar daar gaf Judy niet eens antwoord op, dat was te gek.

HOOFDSTUK 5

De zomer was nu echt voorbij. Het was september geworden en Judy ging voor de eerste keer naar de grote school. Ze voelde zich vreselijk gewichtig.
„Nou leer ik lezen, hè mam. Straks kan ik boeken lezen, net als jij en mevrouw, die leest dikke boeken. Dat is niet moeilijk, zegt mevrouw. Je moet het woord voor woord doen."
„Ja, dat is zo, lezen doe je woord voor woord."
„De kleine hummel heeft er zin in morgen naar school te gaan," zei mevrouw de avond voor de gewichtige dag.
Noortje ruimde de tafel op. Meneer Menno leunde tegen de rug van zijn stoel.
„En jij, een beetje zenuwachtig?" vroeg hij glimlachend.
Noortje zag een verbaasde blik in de ogen van mevrouw Verhoeven.
„Tot nu toe niet." Ze lachte naar hem en zette de vlaschaaltjes op het blad. „Misschien morgenochtend, als ik haar bij de juf moet achterlaten. Maar ze gaat al een poosje naar de kleuterschool, ik ben het gewend. Toen ze voor het eerst naar de kleuterklas ging, ja, toen ik terug naar huis liep, kon ik wel janken. En ze was zo dapper, ze huilde niet, welnee, ze vond het heerlijk tussen al die kindertjes. Dag mam!" riep ze. Ik weet nog dat ik bij een buurvrouw ben aangeland. Die begreep het best. Ze heeft vier kinderen en ze had met alle vier hetzelfde gevoeld. Een rare kriebel vanbinnen, noemde ze het."
„Het is inderdaad zo," viel mevrouw bij. „Toen jij voor de eerste keer naar school ging, Menno, was het leeg en stil in huis zonder jou."

124

Ze babbelden nog even verder.

Tot Noortje het blad met een zwaai van de tafel tilde. „Ik zal eens kijken wat mijn studentje uitvoert. Ze heeft alles klaargelegd wat ze morgen aan moet. Schone jurk en sokjes en een zakdoek. Want Annie heeft gezegd dat je op de grote school elke morgen je handen op de bank moet leggen om te laten zien dat ze schoon zijn. En je zakdoek, want zonder zakdoek mag je niet in de klas."

„Mooie manier om een vrije dag te krijgen!" merkte Menno Verhoeven op en daar lachten ze alledrie om.

De schooldag was geen enkel probleem.

Judy stapte fier naast Noortje op weg naar de school, vond de juffrouw, een jong ding met kort, blond haar en vriendelijke ogen, meteen erg lief en zwaaide naar Noortje, toen die terugging. Om halftwaalf vertelde de jongedame dat er één klein jongetje was, dat gehuild had, maar hij was later stil. Ze hadden gekleurd en getekend, net als op de kleuterschool. „Maar vanmiddag leren we lezen."

Paul Brandenberg kwam nog elke dinsdagmiddag en vaak ook op vrijdag en Noortje vond het fijn, als hij kwam. Eigenlijk was het meer dan het alleen fijn vinden, ze verlangde een beetje naar hem. Paul was een jongen die haar blij maakte en vrolijk, het was het type jongen dat ze leuk vond. Hij had lachende ogen en een brede mond met grote tanden. Ze vond hem niet knap om te zien, maar hij had een sympathiek, warm gezicht en daar hield ze van. En Paul had aandacht voor haar. Dat zag ze aan de glans in zijn ogen en de lach om zijn mond. Hij vond haar aardig. Het was heerlijk om dat te weten.

Maar meer was er natuurlijk niet. Meer mocht er niet zijn. Vóór ze naar Katwijk ging, vroeg Paul of ze een avondje met hem uit wilde. Ze was toen echt verlegen met die vraag. Ze wilde wel, graag zelfs, het zou gezellig zijn met Paul samen, maar het kon natuurlijk niet. Haar verstand zei dat ze dat niet moest doen. Toen kon ze zeggen: „Later, als we uit Katwijk terug zijn." Naar Katwijk gaan was zo'n groot avontuur, eigenlijk dacht ze nog niet aan terugkomen. En op die manier weigerde ze niet, maar ze schoof het weg. Tussen hen kon nooit iets zijn. Daarvoor waren de verschillen te groot. Dat wisten ze allebei. Ze moest ervoor zorgen dat het niet verderging dan het nu was, een beetje vriendschap. Maar het was soms moeilijk. Ze zeggen weleens romantisch dat je de stem van je hart niet het zwijgen kunt opleggen en dat liefde altijd overwint, maar daar glimlachte ze om, daar geloofde ze niet in.

Ze droomde over Paul. Als ze 's avonds alleen op haar kamer was, fantaseerde ze hoe het zou zijn, als hij bij haar was. Als hij op de bank zou zitten, een kopje koffie, wat lekkers erbij, daar hield hij van, dat wist ze. Als Annie een appeltaart had gebakken, bedelde hij om nog een puntje. Ze konden heerlijk samen praten en ze hadden zoveel onderwerpen, dat was ook zoiets zaligs tussen Paul en haar. Ze hadden altijd, spontaan, dingen om over te praten.

Maar het kon natuurlijk niet, Paul Brandenberg en zij. Alleen een beetje fantaseren, dat mocht.

's Avonds in bed dacht ze aan hem. Ze liet nog steeds elke avond het schemerlampje boven haar bed een poosje branden. Ze vond het nog steeds een weelde in deze kamer te liggen, het mooie behang op de muren – in de zachtwitte streep was een glanzende baan alsof het satijn was, zo mooi – de lange, dikke sluitgordijnen, fluweelzacht en warm van kleur, en het schijnsel van het lampje maakte alles nog intiemer en gezelliger.

Als het zou kunnen, Paul en zij… Ze wist dat ze meer voor hem was dan 'een leuke meid, dat hulpje van tante'. De manier waarop hij naar haar keek en naar haar lachte zei genoeg. Ja, tussen Paul en haar zou warmte en liefde kunnen zijn, maar het mocht niet.

Ze moest haar verstand gebruiken, want het was gewoon vragen om moeilijkheden. Als Paul haar eens in zijn armen zou nemen… Als ze daaraan dacht, kroop ze dieper weg onder de dekens, alsof ze zich schaamde voor haar gevoelens en alsof ze ze wilde verbergen. Maar eigenlijk hinderde het niet dat ze fantaseerde. Het was ook een verlangen naar warmte en liefde. Ze wist hoe heerlijk het was in je leven iemand te hebben, die altijd bij je is, die van je houdt en dat laat merken, die alles wil doen om je gelukkig te maken. Ze had dat gekend en ze dacht, toen ze Frans verloor, dat het voor haar nooit meer zou komen, maar nu ze Paul kende wist ze dat ze weer gelukkig zou kunnen zijn. En het was geen verraad of ontrouw aan Frans. De liefde die tussen hem en haar was, bewaarde ze in haar hart. Het was een deel van haar leven, dat nooit zou verdwijnen, een herinnering die als een warme zon vanbinnen bleef schijnen. Ze wist ook dat Frans het goed zou vinden, als ze opnieuw geluk vond, veel sterker nog: ze wist dat hij er blij mee zou zijn. Omdat hij van haar hield. Omdat hij geluk voor haar wilde. Ze praatten daar eens over. Noortje wist het nog heel goed. Er waren gesprekken geweest tussen Frans en haar, die ze nooit zou vergeten. Ze nam toen de woorden in zich op, ook de blik in zijn ogen en de manier waarop hij langzaam zijn handen bewoog. Ze bewaarde die woorden en beelden vanbinnen. Als foto's. Maar ze waren alleen voor haar zichtbaar.

Een van die gesprekken hadden ze, toen ze 's avonds laat bij Kees vandaan kwamen. Het was een koude winteravond. Ze liepen dicht tegen elkaar aan, haar arm door zijn arm. Hij droeg de dikke, donkerblauwe jas waar hij zo gek op was. Ze hadden hem eigenlijk niet kunnen kopen, hij was te duur, maar Frans vond hem zo mooi.

Ze gaf hem later aan oude Dorus.

Ze waren die avond bij Kees geweest. Kees was al een vriend van Frans, toen ze allebei in het Westerkwartier woonden en samen op de voetbalvereniging "Wij willen winnen" waren. De vriendschap bleef. Ook toen Kees met Katy trouwde en Frans met haar. Gezellige, fijne avonden hadden ze met hun viertjes. Katy was zo'n fijne meid. Soms dacht Noortje, zonder een zweem van jaloezie: Katy heeft alles. In de eerste plaats de liefde van Kees – hij was werkelijk stapel op haar – maar Katy had zelf ook zoveel mee. Ze was leuk om te zien, heel blond, met sprekende, groene ogen. Ze had een goed verstand, een fijne manier van praten, ze kon serieus zijn, maar ook aanstekelijk vrolijk en gevat. Iedereen hield van Katy.

Toen ze die avond bij Kees waren, was het ruim twee jaar geleden dat Katy overleed.

Ze was in verwachting van hun eerste kindje en ze konden hun geluk niet op. Kees noemde zijn vrouwtje al 'mama' en ze maakten grapjes over het kind, dat later beslist iets bijzonders zou worden. Als het een zoon werd, werd hij minstens minister – als je wat voor elkaar wilt hebben, jongen, dan bel je onze zoon, het komt altijd goed – een dochter zou lauweren oogsten als film-ster of topmannequin. Niets wees erop dat het niet goed zou gaan. Katy voelde zich prima. Maar een paar weken voor de dag waarop de baby volgens de berekening van de dokter zou moe-ten komen, kreeg Katy hevige pijnen. Ze werd naar het zieken-huis gebracht, kreeg een vreselijke bloeding en in de daarop-volgende nacht overleed ze. Met het kindje. Kees was bijna waanzinnig van verdriet en wanhoop. Noortje wist nog de ver-bijstering die ze voelde, toen ze het hoorde. Ze begreep het niet, het kon niet waar zijn, Katy dood… En ze was zo goed, zo gezond, wat was er misgegaan? Toen ze 's avonds heel dicht tegen Frans aan kroop, huilde ze van verdriet en onmacht en ze voelde bewust hoe teer het leven is, hoe breekbaar, hoe snel alles kan veranderen.

Na twee jaar ontmoette Kees Mary. En die koude winteravond, terug van een bezoek aan Kees, ieder aan een kant van de kachel, zij met haar kousenvoeten op het plaatje voor het deur-tje en Frans met zijn benen op een krukje, praatten ze er samen over. Dat het ondenkbaar was, toen Katy overleed, dat voor Kees ooit weer het geluk zou komen. Ja, nuchter pratend, dan zeg je: het gaat voorbij, zo'n verdriet kan niet blijven, maar als je Kees zag zitten was het ondenkbaar. Er was maar één naam op zijn lippen: Katy. En nu kende hij Mary. Hij lachte allang weer, maakte grappen, dolde met Mary.

Toen zei Frans dat het fijn is dat het leven zoveel kansen kan geven om opnieuw te beginnen, weer de zon te zien opkomen. „Je zult alle herinneringen in je hart bewaren," zei hij. „Natuur-lijk, het gaat nooit weg en dat mag ook niet, het hoeft ook niet. Maar je kunt verder."

Noortje wist dat ze hem alleen aankeek en knikte.

„Gebeurt er ooit iets met mij, Noor, dan moet je, als je de kans krijgt om weer gelukkig te worden, dat geluk met beide handen aanpakken. Het is triest en wrang om erover te denken. Zoals nu met Kees. Als ik Katy voor me zie… Mijn God, het lijkt onmo-gelijk. Maar voor Katy is alles voorbij. Voor Kees niet. Ik hoop dat hij heel gelukkig wordt."

Noortje knikte. Ze kon geen woord over haar lippen krijgen. Nu, zoveel jaren later wist ze dat Frans haar geluk wilde. Als ze het vond, mocht ze het met beide handen aannemen. Zonder te denken dat ze Frans vergat; ze vergat hem niet. Ze zou hem nooit vergeten. Zonder te denken dat ze zijn liefde verraadde. Ze verraadde zijn liefde niet. Die bewaarde ze diep in haar hart. Maar een nieuwe liefde groeide en ze was nog jong en ze leefde. De volgende dinsdag kwam Paul weer. Hij kwam de laatste weken door de tuinpoort, over het grasveld en door de achterdeur binnen. Vroeger was de poort meestal op slot, omdat er toch niemand doorging, maar nu Noortje in huis was, werd hij veel gebruikt. Elke morgen, als ze Judy naar school bracht en weer ophaalde, ging ze door de poort en 's middags ook. En als ze boodschappen deed, ging ze wat zij noemde 'achterom'.

Noortje vond het prettig dat Paul door de tuin kwam. Nu hoefde hij niet aan de voordeur te bellen en die bel stoorde mevrouw Verhoeven niet in haar middagslaapje. Mevrouw wist niet dat haar neef zo vaak in de keuken was en dat vond Noortje fijn. Stel je voor dat mevrouw erover begon te praten…

Ze wachtte elke dinsdagmiddag op Paul, maar ze liet het niet merken. Het was eigenlijk een spelletje tussen hen. Paul kwam binnen, deed zachtjes de deur dicht – om mevrouw! – en dan riep zij heel verbaasd: „Oh, ben jij het!" Maar deze middag ging het anders.

Deze middag kwam hij ook weer heel zachtjes binnen.

„Dag Noortje." Ze stond bij het aanrecht en poetste met het doekje over het gladde blad. Hij kwam achter haar staan. „Wat kan ik sluipen, hè? Ik weet zeker dat tante Renate niets hoort. Maar jij hoort me wel."

„Ja. Ik wacht op het piepen van de tuindeur, mijn oren zijn gespitst op het sluipen van voeten over het natte gras en ik ken elk geluidje van de keukendeur."

Hij lachte. „Zo wil ik dat een vrouw op me wacht."

„Geloof je dat het echt waar is?" fluisterde ze, terwijl ze naar hem omkeek.

„Natuurlijk is dat waar." Hij legde zijn handen op haar armen, ze voelde een lichte trilling door zich gaan. Dit moest hij niet doen, dat mocht niet. „Ik weet zeker dat het waar is."

Ze draaide zich vlug om, zodat hij haar moest loslaten. Ze leunde nu tegen het aanrecht.

„Weet je wat ik niet begrijp? Dat jij altijd tijd hebt om hier te komen."

„Klein, lief meisje" – zijn stem klonk een beetje plagend, maar toch leuk – „dat zal ik je uitleggen. Ik werk bij een bank en een bank is een zaak van vertrouwen. Als ik tegen de directeur zeg dat ik een bespreking heb met zakenman Spaar Daalders en dat het een langdurig gesprek kan worden, gelooft hij me volkomen." Hij keek nog ernstig, maar dan lachte hij opeens en Noortje dacht: wat heeft hij een fijn, open gezicht. Ze luisterde naar hem. „Nee, zo is het niet helemaal. We hebben op onze bank variabele werktijden en ook wisselende lunchpauzes, zoals onze juffrouw van de afdeling 'Verzekeringswezen' dat steeds noemt. Ze trekt dan zo'n tuitmondje – 'Wie heeft er lunchpauze?' – je krijgt er gewoon zin in hete soep van. Maar goed, ik werk door tot halftwee, ik neem dinsdag de late lunchpauze en dan ben ik vrij tot halfdrie. En ik zit in de buitendienst, dat is ook vreselijk belangrijk. En gemakkelijk. Het houdt in dat ik vaak eropuit moet om iemand te adviseren bij de aankoop van effecten, raad moet geven over beleggingen, praten over hypotheken en leningen. Dat zijn geen gesprekken die je in een kwartiertje afrondt. Zo van, geef mij je centen maar mee, het komt wel voor elkaar, Jansen! En meestal zijn de Jansens en Pietersens ook nog vreselijke zeurpieten, die me uitgebreid vertellen waarom ze geld nodig hebben of het willen beleggen. Het is eigenlijk zeer simpel: als ze geld willen beleggen, neem ik het zo mee; als ze geld nodig hebben, moet ik kijken of ze genoeg onderpand hebben om de bank niet met een strop te laten zitten. Maar goed, zo is mijn tijdverdeling. En ik heb bijna elke dag een bespreking."

„En één keer in de week een onderonsje met je tante."

„En met jou."

Ze glimlachte naar hem.

„Noortje, nu ga ik nog iets zeggen. Maar leg alsjeblieft dat keukendoekje neer! Ik word er zenuwachtig van, je blijft poetsen! Weet je dat ik, als ik 's nachts van je droom, je altijd met zo'n streepjesdoekje zie? Als ik je dan een zoen wil geven, dweil

je eerst met dat ding over mijn snoet."
„Ja, ik houd van poetsen en wrijven."
„Je moet naar mij luisteren." Zijn stem werd zachter. Hij liep langzaam op haar toe en stond nu vlak voor haar. „Noortje, vóór je naar Katwijk ging, heb je me beloofd dat je een avond met me uit zou gaan. Dat weet je toch nog wel?"
„Ja, Paul, dat weet ik nog wel." Ze glipte voor hem langs en liep naar de eethoek, trok een stoel naar achteren en ging erop zitten.
„Ik weet het, maar we moeten het niet doen."
„Waarom niet?"
„Waarom niet? Dat hoef je niet te vragen. Dat weet je wel. Ik vind jou een aardige jongen en jij mag mij en dat is leuk. Jij komt hier voor je tante en ik zorg voor de thee. Meer moet er niet zijn."
Hij keek haar grijnzend aan. „Ga verder."
„Er is geen verder. Als we samen een avondje uitgaan, nou ja, dan is er voor mijn gevoel meer dan…" Ze voelde hoe warm ze werd en rood.
Heel zacht vroeg hij, toen hij bij de tafel stond: „En je vindt dat dat niet kan."
„Nee, natuurlijk kan dat niet." Haar stem klonk een beetje bits. „Wij passen niet bij elkaar, of misschien passen we wel bij elkaar, maar we horen niet bij elkaar. Het kan niet."
„Er is voor mij maar één ding belangrijk en dat is dat ik jou erg aardig vind, erg lief. Liefde is toch belangrijk?"
„Och, liefde, Paul, dat is zo'n groot woord. Laten we zeggen dat er tussen ons vriendschap is, we mogen elkaar graag. Zo moet het blijven."
Hij keek haar recht aan. Ze zag vlammetjes in zijn helblauwe ogen.
„Je voelt niet, zoals ik, dat er meer is?" Ze werd warm vanbinnen, opgewonden zelfs, maar ze moest nuchter blijven en haar verstand gebruiken.
„Toe, Paul, je weet zelf ook dat er tussen ons nooit meer kan zijn dan alleen vriendschap." Ze voelde haar hart snel kloppen, ze was in de war. Ze verwachtte niet dat hij zou zeggen dat hij haar lief vond, maar hij zei het, ze hoorde het toch. Opeens flapte ze

eruit – ze was dat echt niet van plan: „Zelfs een meisje als Tosca, die een vader heeft met veel geld, past niet in jouw familie."

Zijn ogen flikkerden. „Wie heeft jou over Tosca verteld?" Hij praatte langzaam, zoekend naar de juiste woorden. „Wie heeft jou gezegd dat mijn ouders haar niet wilden accepteren? En waarom niet?"

„Omdat ze niet uit een deftige familie komt," zei Noortje zacht. Ze had spijt dat ze het gezegd had, stom was het, maar ze kon nu niet meer terug.

„En jij gelooft" – hij boog over de tafel en keek haar recht aan – „dat ik het daarom uit zou maken, als ik echt van haar hield?" Ze schudde haar hoofd. Nee, dat geloofde ze niet, maar toch… Het was een poosje stil tussen hen. Noortje begreep dat Paul erover moest nadenken. Dan begon hij weer te praten.

„Hoe komt dit verhaal in de wereld?" Hij leunde met zijn ellebogen op de tafel, de handen tegen elkaar gevouwen.

„Mijn ouders hebben dit beslist niet gezegd, tegen niemand. Het zou voor hen ook niet getuigen van menselijkheid en dat is nou juist iets waar ze erg op gesteld zijn. Je kent mijn ouwelui niet, anders zou je dat meteen begrijpen. En als… – hoor je, ik zeg *als* – ze zoiets diep in hun hart dachten, zouden ze het nog niet zeggen, dat zou toch vreselijk stom zijn. Nee." Weer was het stil. Dan ging zijn donkere stem langzaam verder: „Het is opgekomen in de gedachtegang van iemand die mij kent. Dat is punt één. En iemand die jou kent. Dat is punt twee. Dat maakt het kringetje al veel kleiner. Als Menno zou denken over mijn vriendschap met Tosca, zou hij het kunnen zijn." Opeens lachte Paul. „Maar Menno denkt niet over mijn liefdes en hij praat niet met jou. Zoiets wrangs opmerken zou trouwens wel iets voor hem zijn."

Noortje zweeg. Je kent hem niet, dacht ze. Ze zag Menno Verhoeven weer tegenover zich zitten in het stille restaurant. Ze zag zijn ernstige, een beetje verdrietige ogen. Nu zei Paul: zoiets wrangs is net wat voor Menno.

„Menno is het dus niet. Dan moet het tante Renate zijn. En dat is heel goed mogelijk. Als ik denk hoe het is gegaan: onze verloving was verbroken en ik heb daar aan tante geen reden voor opgegeven. Maar tante is gaan denken wat de reden kon zijn.

Daar komt nog wat bij. Tante Renate mag mijn vader niet. Ze vindt dat hij zich nogal wat verbeeldt, omdat 'De Brandenberg' zijn familiebezit is. Tante kan dat wel denken, maar ze voelt niet wat hij voelt. Ik begrijp hem wel. Het is het huis waar zijn ouders woonden, waar hij geboren werd. Hij speelde als kind in de kamers, in de gangen en in de tuin, hij kent elk plekje, elke deur, elk raam. Ik houd ook van ons huis. Maar niet overdreven. Gewoon, zoals ieder mens kan houden van het huis waarin hij als kind woonde. Dierbare plekjes in je hart sluiten.

Ik weet zeker dat mijn ouders niets gezegd hebben over Tosca, dat doen ze gewoon niet. Het is dus zo, dat tante zich heeft afgevraagd waarom het uitraakte. Aan vermindering van liefde dacht ze niet. Tosca is een beeldschoon meisje, daar moet een man van houden en ik, nou ja" – hij lachte - „wie houdt er nou niet van mij? Dus er was wat anders. Wat kon dat zijn? Geld. Maar de familie Brandenberg kon Tosca niet afwijzen, omdat er geen geld in haar familie zit. Haar vader zit er zeer goed bij. Dat was het dus niet. Toen ging ze denken aan mijn vader – mijn moeder, dat is familie van haar, treft bij voorbaat geen enkele blaam. Als er schuld was, had mijn vader die schuld. En wat kon mijn vader tegen Tosca hebben? Eigenlijk alleen dat ze niet uit een echt oude, deftige, lang gevestigde familie komt. Zo moet het zijn." Hij keek Noortje recht aan. „Ik neem het tante niet kwalijk. Het is een oude vrouw, ze heeft veel tijd om te denken. Het moet zich zo in haar gedachten hebben vastgebeten dat ze het als waarheid aannam. Maar dat ze er met jou over praatte, is niet zo fijn." Noortje glimlachte een beetje raadselachtig. Ze wist niet wat ze moest denken. Ze had geen tijd om te denken. Paul praatte verder.

„Nu het zo ligt, Noortje, moet ik meer vertellen. Ik doe het liever niet en ik zou het niet doen, als je me niet vroeg naar Tosca. Ik zal je zeggen waarom het tussen haar en mij uitraakte. Eigenlijk is het net andersom dan tante denkt. Eén ding is zonder meer waar en dat is dat Tosca's vader veel geld heeft. Ik heb bewondering voor die man. Toen hij een jongen was en de armoede zag in het huisgezin van zijn ouders, nam hij zich voor om later rijk te worden en hij is rijk geworden. Met vreselijk hard werken, ploeteren, alles aanpakken in het begin. Er kwam bij dat hij een goed inzicht in zaken had en veel durf. Ik denk dat Tosca dat verbeten naar iets streven, dat vastbijten in iets dat ze in haar hoofd heeft gezet, van haar vader heeft geërfd.

Tosca zet voort wat haar vader is begonnen. Hij had een armoedige jeugd, hij woonde in een klein huisje in een volksbuurt. Hij sliep onder de hanebalken en als het sneeuwde, lag de sneeuw op zijn bed. Daar vertelde hij weleens over en dan werd Tosca nijdig. Hij hoefde daar niet over te praten, dat was ver verleden tijd. Ze wonen nu in een prachtige, grote villa. Een schitterend huis met een mooie tuin, een rozenhoek en een prieeltje. Maar naar Tosca's gevoel horen ze niet echt bij de gegoede burgers van de stad en dat is ook inderdaad zo. Zoals de families Dortegies, de notaris en de dokter. Dat zijn families die meetellen in de stad en daar hoort de familie Brandenberg ook bij. Weet je wel, ze zitten in de gemeenteraad en in het bestuur van diverse verenigingen. Tosca dacht: als ik nou trouw met een jongen uit zo'n familie, zit ik op fluweel. Ik paste precies in haar plannen. Ik had daar eerst geen erg in. Om eerlijk te zijn: ik was helemaal weg van haar, toen ik haar voor de eerste keer zag. Tosca is werkelijk beeldschoon, ze kan leuk vertellen, ze heeft maniertjes om je in te palmen. Voor mij was het een spontane ontmoeting. Achteraf heb ik begrepen hoe zij erop voorbereid was.

De eerste tijd was erg leuk, ik was verliefd en gelukkig. Maar tamelijk vlug kreeg ik Tosca's ware bedoeling door. Ze speelde haar spel niet geraffineerd genoeg. Ze praatte altijd over deftige families. Ik dreef daar een beetje de spot mee, dat begrijp je, maar dat kon ze niet waarderen. Mensen van stand, meetellen, gezien worden, dat was het voor Tosca. Ook al zei ze dat ze zeker wist dat haar vader meer geld op diverse banken en in diverse bezittingen had dan menige deftige burger van onze stand. Ze zei me ook vaak dat ze sinds ze eenentwintig was, veel geld had, dat haar vader voor haar had vastgezet. Ze kon met dat geld doen wat ze wilde. Een status kopen. Ze zei: „Als we trouwen, kun jij 'De Brandenberg' opknappen... Als we een feest geven op onze trouwdag, zal de upper ten van de stad komen, zoals meneer en mevrouw Welleman Kopens, het echtpaar Van Koudewater en Elzeline van Vreeswijk...''

Er ging een klein lampje bij me branden. Ze praatte nooit over later met mij, hoe gelukkig ze zou zijn, als ze met mij samen in één huis woonde, welnee, het was voornamelijk over het leven als mevrouw Brandenberg, dat ze zou gaan leiden. Ze durfde nog niet te vragen, wanneer mijn ouders zouden overlijden, zodat zij en ik op 'De Brandenberg' konden gaan wonen. Ik lette op wat ze vertelde en vroeg, ik lette op haar houding en steeds meer raakte ik ervan overtuigd dat ze niet echt van me hield, maar dat ik het middel was om tot het doel te komen. Toen ik dat eenmaal voelde, was het vlug uit tussen ons. En ik heb er geen verdriet over gehad. Ik dacht dat ik verdriet zou krijgen, omdat ik haar kwijt was. Maar ik voelde me niet leeg en verlaten zonder haar." Hij zweeg. Noortje knikte alleen. Was het zo, wilde de mooie Tosca Merendaal op 'De Brandenberg' wonen, was dat het doel? Wat zot, zij kon zich zoiets niet voorstellen! Je gaat toch in de eerste plaats met een jongen, omdat je van hem houdt, omdat je samen met hem wilt leven en waar dat is, dat is niet het belangrijkste. Maar voor andere mensen wel, wist ze. Ze keek naar Paul. Ze kon zich niet voorstellen dat iemand niet echt van Paul hield. Zoals hij vertelde met zijn donkere, maar toch zachte stem, niet te vlug pratend, in dit geval zonder veel emotie, want hij voelde geen emotie toen het uit was. Het was voor Tosca een nuchtere benadering geweest en het was in hem niet omgezet in een echte liefde. Hij verlangde naar liefde, maar bij Tosca vond hij het niet en verloor hij het ook niet.

„Zo was het tussen ons, Noortje, nu weet je de waarheid. En nu vraag ik weer: wanneer gaan wij samen uit?"

Ze strekte haar handen even over de tafel in zijn richting. Ze wilde dolgraag zeggen: „Gauw, Paul, zeg jij maar wanneer!"

Ze verlangde ernaar met hem uit te gaan, maar ze zei: „Ik geloof niet dat het goed is, Paul, we passen niet bij elkaar."

„Maar waarom niet, kind, waarom niet? Je kunt het ook anders zien. Jij hebt geen geld en ik heb het wel, nou, dan is dat toch mooi geregeld? Wat jij tekort hebt, heb ik over. Ik vind dat een democratische gedachte. Dat is dan over de materiële kant van de zaak. En nu over de genegenheid die we voor elkaar voelen. Zoek ik daar geen mooi woord voor uit, genegenheid. Ik voel voor jou en jij voor mij, dat is toch ideaal?"

„Jawel, maar het is niet goed."

Opeens stond hij op en liep naar haar toe. Hij trok haar met twee sterke handen van de stoel, nam haar in zijn armen en kuste haar. „O… Paul," wilde ze roepen, „niet doen, dat moet je niet doen," maar ze voelde zijn warme lippen op haar mond en ze kon niets meer zeggen. Alleen zijn lichaam voelen en het geluksgevoel dat binnen in haar was.

Toen hij haar losliet, zei hij: „Nu weet je wat ik bedoel, of niet soms?"

Zijn ogen lachten. Noortje herstelde zich vlug en zei speels plagend: „Ja, ik weet het, niet nog een les."

Met haar handen streek ze haar haren glad. Ze keek naar de klok. „Je moet naar mevrouw gaan, ze zal niet weten waar je blijft."

„Ja, ik moet naar tante. En jij moet denken over ons afspraakje. Ik kom vanavond om antwoord."

„Vanavond?"

„Ja. Ik weet dat de tuinpoort pas gesloten wordt, als Menno zijn avondronde door het huis doet. Ik ben goed op de hoogte! Tante vertelde me dat eens en het bracht mij op een idee. Jij bent 's avonds even in de keuken, om een uur of halfnegen zet je thee voor de familie, is het niet? Dan kom ik. Om je antwoord." Hij liep op zijn tenen naar de deur en fluisterde: „Ik ga. Tante, hoe is het met u? Met mij? Goed, tante, heel goed zelfs!"

Hij opende de deur voorzichtig, sloop erdoor en trok hem achter zich dicht. Noortje hoorde dat hij nu naar de deur liep van de gang naar het terras, die opende en sloot en toen waren zijn voetstappen even op de witmarmeren stenen van de gang, daarna ging hij over de loper en hoorde ze niets meer. Ook niet het tikje op de deur van de grote kamer.

Ze stond bij het aanrecht en wist niet wat ze voelde en dacht. Ze was blij, maar ook bang; gelukkig, maar op een vreemde manier ook bezwaard. Ze hield van Paul en hij hield van haar, dat had hij laten merken. Hij had haar gezoend en niet zo zacht ook, dat was het bewijs, maar het kon niet. Als het wel kon… Ze droomde een beetje weg, een glimlach om haar mond. Een leven met Paul… Ze wisten allebei dat ze bij elkaar hoorden, dat ze elkaar liefde gaven, dat ze voor elkaar wilden zorgen en dat er zoveel dingen waren, die ze samen beleefden. Fijne gesprekken en vreugde in kleine dingen. Samen lachen en blij zijn, elkaar steunen in verdriet en moeilijkheden. Nooit meer alleen zijn.

Ze leunde op de zware keukentafel.

Als zij met Paul Brandenberg... Een groot buitenhuis, een machtige tuin, zij en Judy, och nee, dat kon niet. Een arme weduwe met een kind en de enige erfgenaam van Marius Brandenberg uit Stelvoorde, nee, dat paste niet bij elkaar. Ze zuchtte. Ze moest het hem vanavond duidelijk zeggen. Maar hij zou niet willen luisteren. Hij zou haar zoals vanmiddag in zijn armen nemen en zoenen. Maar ze bleef het herhalen: het kon niet. Ze maakte geen afspraak met hem. De weg terug zou steeds moeilijker worden.

Ze kon aan niets anders denken dan aan Paul. Ze haalde Judy uit school en het kleine bekje naast haar snaterde over de juf, maar Noortje luisterde niet echt. Nadat Judy verteld had wat juf allemaal deed vanmiddag, begon ze over een meisje dat geen liedje wist over een bloemetje. Ze trok aan Noortjes arm. „Wie kan er nou niet een liedje zingen over een bloemetje?"

„Jij dan wel?" vroeg Noortje, een beetje verstrooid.

„Ja, ik wel. Boterbloempje, boterbloempje, sta je zo vlak bij m'n schoentje..."

Noortje lachte. „Dat maak je nou zelf."

„Ja," zei Judy gewoontjes. Paul en het kind zouden elkaar begrijpen en met elkaar kunnen opschieten. „Wat vond juf ervan?"

„Ze vond het mooi."

Toen babbelde het mondje verder over de schrijfles. Ze kon nu 'oom' schrijven en ook hadden ze de 'ge' geleerd om 'oog' te maken. En oor. Maar Judy vond de 'oo' van oog anders dan de 'oo' van oor. „Vind jij dat ook, mam, zeg eens zachies 'oog', dat is een andere 'oo' dan in oor."

Noortje drukte het kleine handje in haar grote hand. Wat was het toch een lekker meisje! Ze luisterde nu naar het kind, ze gaf antwoord en ze lachte stilletjes om het parmantige ding, maar door alles heen was Paul toch niet uit haar gedachten. En ze dacht aan wat ze vanavond moest zeggen.

Ze dekte de tafel in de grote kamer, voor meneer Menno thuiskwam. Dat wilde mevrouw graag. Toen Annie de tafel nog dekte, vertelde mevrouw eens, ergerde Menno zich aan het gekletter van vorken en lepels. Annie rammelde met de borden, alsof ze voor een jeugdherberg in de weer was.

Noortje vond dat mevrouw vanavond een beetje stil was en een beetje vreemd naar haar keek. Zou Paul iets gezegd hebben? Toch zeker niet over Tosca?

„Tante Renate, u hebt gekletst over Tosca en mij en wat u zei, is helemaal niet waar. Hoe kunt u nou zoiets zeggen, als u nergens van weet!" Ze glimlachte, nee, zo zou Paul niet tegen zijn tante praten. Maar mevrouw deed wel vreemd.

„Mijn neef komt vanavond nog even." Zie je, hij had toch gepraat. Mevrouw keek haar aan. Misschien had Paul verteld dat hij haar, Noortje, aardig vond. Daarom keek mevrouw nu. Ze vond Noortje best een aardig vrouwtje, heus wel, maar niet geschikt voor de familie. „Hij komt een paar boeken brengen. Zou jij voor een kopje koffie willen zorgen?"

„Natuurlijk, mevrouw." Ze legde de onderzetters in het midden van de tafel op het zacht roze laken. „Ik zet bijna elke avond koffie of thee. Als u zegt hoe laat meneer Brandenberg komt…"

„Om een uur of negen. Weet je, als er iets te drinken is, blijft hij wat langer zitten. Het is zo gezellig, als Paul er is. Het is een lieve jongen." Dat was weer de vertrouwde stem van mevrouw, er was misschien toch niets aan de hand, ze had het zich verbeeld. Dat ben ik met u eens, dacht Noortje, maar haar gezicht kwam niet uit de plooi. „Ik zal zorgen dat de koffie klaar is, mevrouw."

Dus hij had tegen mevrouw gezegd dat hij kwam. Moest dat? Eigenlijk wel. Als hij in huis was en niet naar tante ging – en hij kwam nooit 's avonds – en ze zouden hem horen, nee, dat ging niet.

Ze bracht Judy op tijd naar bed. „Mama moet straks een poosje in de keuken werken, er komt visite voor mevrouw. Als er wat is, roep je maar bij de trap."

Judy knikte. Ze vond het helemaal niet erg om alleen boven te zijn. Ze was vaak alleen boven. En mama was niet weg, ze was beneden. Meneer Menno was ook beneden en mevrouw.

Tegen halfnegen ging Noortje naar de keuken. Ze zette opnieuw de gebloemde kopjes en schoteltjes op het theeblad. Ze was gespannen, ze was blij omdat hij kwam en ook bang. Hij zou teleurgesteld zijn, als ze zei dat ze toch niet met hem uit wilde en ze kon dat begrijpen van hem, hij zou het niet begrijpen. Hij voelde het anders. Hij begreep niet waarom ze niet kon toegeven aan een liefde, hij zag de bezwaren niet.

Ze liep een beetje heen en weer, tot ze de poort open en dicht hoorde gaan. Dat was Paul. Ze trilde. Ze wilde graag zeggen: „Paul, ik ga met je mee!" Als hij haar zou zoenen, zou ze zijn kussen beantwoorden. Hij moest weten dat ze van hem hield, het leven zou zalig zijn, maar het mocht niet. Ze zou tegen hem aanleunen en met een lieve stem zeggen: „Toe Paul, dring niet aan, geef me nog wat tijd. Waarom moeten we samen uitgaan? We praten hier toch fijn met elkaar…" In haar fantasie gaf hij daar antwoord op: „Ik wil het niet geheimzinnig houden, ik wil jou aan de mensen laten zien, iedereen mag het weten…" Stel je voor dat hij dat zei…

Ze hoorde de achterdeur, hij ging zo zacht open dat ze zeker wist dat mevrouw in de grote kamer en Menno in zijn eigen kamer het niet hoorden. Paul kon wel inbreker worden! Dat zou ze straks tegen hem zeggen: „Je kunt goed sluipen! Als jij inbreekt, ga ik op de uitkijk staan…" Hij zou zeggen: „Ja zeker, jij op de uitkijk en als het misgaat, ren jij hard weg en ik word gepakt. Maar als je me in het gevang komt opzoeken, zitten we ieder aan een kant van de tralies."

Hij kwam de keuken binnen.

„Dag, Noortje." Ze vond de klank in zijn stem een beetje vreemd. Maar hij was natuurlijk ook zenuwachtig.

„Dag, Paul." Ze lachte naar hem.

„Het is koud buiten, het valt tegen." Hij wreef zijn handen. Wat was hij nerveus, hij was ook bang voor het gesprek. Opeens was hij in een paar stappen vlak achter haar. Opeens… dat was het niet. Ze verwachtte dat hij dicht bij haar zou komen, ze hoopte het ook. Hij zou haar in zijn armen nemen en kussen. Steeds weer denken: „Het is niet goed," maar het zou heerlijk zijn. Ze verlangde ernaar en dan zou ze lief zeggen: „Nog even wachten…" Maar hij nam haar wild, bruut bijna in zijn armen, ze schrok ervan, hij hield haar stijf vast. Ze werd opeens een beetje bang. Waarom, dat wist ze niet. Het was zo vreemd, dit was niet de Paul die ze kende, dit was een andere man, een man die niet goed meer wist wat hij deed. Ze zou willen gillen, maar dat deed ze natuurlijk niet, stel je voor. Ze probeerde hem een beetje te kalmeren. „Toe, Paul," fluisterde ze, maar hij drukte zijn mond wild op haar mond en zoende haar. Dit was niet prettig, dit was wreed, bruut zelfs. Ze raakte in paniek. Ze begreep het niet, wat was dit nou, waarom deed Paul zo... Met zijn ene arm hield hij haar stevig vast, zijn andere hand gleed over haar rug, ze voelde die hand, hij ging naar voren, over haar borsten. Hij maakte de knoopjes van haar bloesje los.

„Nee, Paul, ben je mal, niet doen," wilde ze roepen, maar het ging niet. Ze wilde zich losrukken, maar hij hield haar te stijf vast. Ze voelde zich wanhopig. Zo ging het, als je verkracht werd. Machteloos ben je, een man is altijd sterker. Dat zei Toos eens, toen ze erover praatten. Maar dat kon nu toch niet hier in de keuken. Ze was helemaal overstuur en wilde gillen.

Opeens liet hij haar zo wild los, dat ze bijna viel. Ze wankelde terug tegen het aanrecht.

„Wat denk jij wel!" schreeuwde Paul luid. „Mij uitdagen, me steeds uitdagen, weken lang, nou zul je weten dat je dat gedaan hebt! Wat denk je wel, keukenprinses..."

„Paul, Paul," riep ze vertwijfeld.

„Jij, met je mooie koppie en je mooie maniertjes, een slet ben je, een dweil! Mij uitdagen, alles beloven en dan niets doen. Dat is jouw soort, maar dan ben je bij mij aan het verkeerde adres! Ik zal je een lesje geven!"

Weer kwam hij op haar toe. Haar ogen waren groot van angst, ze zag spierwit, haar hart klopte wild in haar keel, maar ze voelde het niet, ze was alleen bang en ontredderd. Ze probeerde hem te ontwijken, maar ze kon geen kant uit. Hij zoende haar wild, ze voelde zich machteloos. Hij liet haar los, ze viel tegen de tafel, ze bezeerde zich, maar ze voelde het niet en opeens riep ze: „Menno!"

Ze zag in een flits Pauls ogen, groot en bang, maar hij herstelde zich erg snel. Nog vóór Menno de keukendeur opendeed, had hij zijn haren gladgestreken en zijn kleren rechtgetrokken.

„Jij, lelijke slet..." schreeuwde Paul nog een keer.

Menno stapte de keuken binnen, stil zoals altijd. Paul schreeuw-

de door: „Jij gevaarlijke, hitsige meid…"
Ze viel tegen Menno Verhoeven aan. Later begreep ze zelf niet hoe dat kon gebeuren, maar ze was zo overstuur, verbouwereerd, geschrokken en in de war, dat ze niet wist wat ze deed. „Wat is hier aan de hand?" vroeg Menno Verhoeven rustig. Hij legde even zijn hand om haar heen in een beschermend gebaar. „Die keukenmeid van jou probeert mij te verleiden, ze is al wekenlang bezig. Nou ik hier binnenkom – ik zou tante een paar boeken brengen – lokt ze me met een smoesje de keuken binnen en daagt me uit. Bloesje los, zwoele blikken, mijn hemel, wat een toestand! En nou snikken en van niks weten, zeker." Zijn stem bulderde door de keuken. „Nou ja, jij knapt het maar op. Ik ga…"
Ze hoorden de deur met een vreselijke slag dichtslaan. Noortje had Menno losgelaten en stond nu hijgend en snikkend tegen het aanrecht. Ze trok haar rok recht en knoopte haar bloesje dicht. Ze ademde zwaar.
„Rustig maar, rustig maar," suste Menno. „Drink een beetje water, kind, en vóór we er verder over praten: ik weet dat niet jij hem uitdaagde, maar hij jou."
„Oh meneer, ik ben zo geschrokken. Wat vreselijk. En ik vond hem altijd aardig…" Ze huilde weer. Teleurstelling, radeloosheid, ze voelde zich ziek en moe en ze was niet in staat om te denken.
„Je verwachtte dit niet van Paul. Het is een gemene schurk. Hij vertelt nu zijn verhaal aan moeder. We wachten af."
Hij glimlachte. Noortje begreep niet hoe iemand nu kon glimlachen. De hele wereld stortte in, haar hele wereld. Zij zou nooit meer kunnen glimlachen. Ze was verraden en gewond, ze was kapot en terneergeslagen.
Ze kamde haar haren voor de spiegel. Ze zag zichzelf. Vlekkerig, rode, natte wangen en grote, angstige ogen. Ze huilde nog zachtjes.
„Je kent dit soort mensen niet." Menno Verhoeven liep zachtjes door de keuken heen en weer. Noortje voelde dat hij het vermeed haar aan te kijken om haar gelegenheid te geven zich te herstellen, maar ze kon niet tot rust komen. In haar klopte wild haar bloed en ze voelde pijn, ze voelde zich hopeloos.

„Nu heb je kennisgemaakt met een keurige, charmante man. Paul Brandenberg."
„Hij was altijd aardig," snikte ze zachtjes.
„Ja, dat vindt mijn moeder ook. Die vindt hem altijd aardig. Een lieve jongen, Paultje. Ze vraagt zich nooit af waarom hij hier zo vaak komt. Ze denkt, omdat hij haar een lieve tante vindt." Menno Verhoeven schudde langzaam zijn hoofd over zoveel naïviteit. „Paul is zo'n lieve jongen, die zoekt zijn oude tante op en houdt haar gezelschap. Als je dat in de tijd van de baas kunt doen, is het zo gek nog niet. Kopje thee, bonbonnetje, wat babbelen en de uren draaien door. Zijn baas, de directeur van de bank, kan er niets van zeggen, want vader Marius Brandenberg heeft een vinger in de pap bij de bank. Niet met geld, nee, niet met geld, maar hij zit in het bestuur, of weet ik hoe het heet, raad van beheer of raad van toezicht. Och, en de naam Brandenberg telt mee in de stad. Wilt u inlichtingen? Wij sturen onze heer Brandenberg. Kan niet missen. Weet je waarom Paul bij mijn moeder komt? Kom eens hier, Nora. Ja, je haar zit weer goed en je bloesje en je rok ook, en die rode vlekken trekken weg. Als je hier gaat zitten, naar me luistert en probeert weer gewoon adem te halen – rustig inademen, rustig uitademen, ja, zo moet het, kom hier zitten, dan praten we samen."
Hij schoof een stoel voor haar aan. Ze ging erop zitten. Aan de zijkant van de tafel nam hij plaats. Hij keek haar aan.
„Stil maar, er is eigenlijk niets aan de hand. Ik weet dat het niet jouw schuld is, deze hele vertoning. Het enige wat er is gebeurd, is dat je een illusie armer bent. Want nu heb ik begrepen dat Paul veel vaker bij je in de keuken kwam, vóór hij naar moeder ging." Ze knikte.
„Hij kwam door de tuinpoort?"
„Ja. Omdat hij eerder kwam. Dat mocht mevrouw niet weten."
„Nee, dat mocht mevrouw niet weten. Die mocht niet weten dat hij jou opzocht."
Ze knikte, maar ze begreep niet wat hij bedoelde. Hij wachtte even, draaide wat op zijn stoel, verzette de asbak op het tafelkleed en keek haar aan.
„Ik zal je vertellen wat er aan de hand is, Nora. Mijn moeder heeft veel geld. Ze heeft geld van haar ouders geërfd en mijn

vader had geld. Ze hebben het goed uitgezet, het bracht veel rente op en ze hebben ook geluk gehad met effecten en aandelen. Ze werd steeds rijker, terwijl ze er eigenlijk niets voor hoefde te doen. Mijn moeder is niet bij de bank waar Paul voor werkt, daar heb ik voor gezorgd. Maar ondanks dat weet Paul dat mijn moeder een rijke vrouw is. Als mijn moeder sterft, erf ik dat geld. En als ik sterf, is er misschien een familielid die het erft, maar dat is allemaal zover weg, dat kan nog jaren en jaren duren.

Paul is een zoon van Marius Brandenberg en hij heeft van zijn vader de liefde, bijna de hartstocht overgenomen waar het hun familiebezit 'De Brandenberg', betreft. Ik kan dat wel begrijpen. Het is een prachtig huis, het lijkt groter dan het is, maar het staat er erg mooi aan het eind van een grote oprijlaan met prachtige bomen. Er is veel grond omheen, een schitterende tuin en het huis zelf is om van te houden. Een prachtige hal en grote kamers met hoge plafonds, boogramen, enfin, een mooi huis. Maar verschrikkelijk duur om te onderhouden. Dat is bijna niet meer te doen in deze tijd. Marius Brandenberg heeft wel geld, maar niet genoeg om in het huis te blijven wonen. En voor Paul ziet het er al niet veel beter uit. Daarom zoekt hij naar een oplossing. Hij moet geld hebben. Hij dacht een goede slag te slaan met dat meisje Merendaal, maar vader Merendaal is een nuchtere zakenman, die zag zijn zuur verdiende centjes verdwijnen naar de bankrekening van de schilder en aannemer. En ondanks zijn geld zou zijn dochter een min of meer zorgelijk bestaan leiden. Dat heeft hij de jongedame duidelijk gemaakt en die heeft Paul zeer geraffineerd op de proef gesteld. Ze heeft hem gezegd dat zij niet op geld behoefde te rekenen, vóór haar vader zou overlijden, want hij stopte alles wat hij verdiende in het bedrijf om dat steeds groter te maken. Paultje ging rekenen. Die Harmen Merendaal is een nog tamelijk jonge man, die kan nog jaren mee. Dan zit dat geld in die zaak en krijg je het er moeilijk uit. Misschien vindt die Harmen Merendaal ook daar nog een oplossing voor, een gesloten vennootschap of weet ik hoe ze het geld veilig kunnen stellen. In elk geval zat het er niet direct in dat Tosca met de poet over de brug zou kunnen komen. Dus raakte het uit."

Noortje snikte nog een beetje na. Ze luisterde naar Menno. Het was of ze naar iets luisterde, dat haar niet aanging. Het was gewoon iets dat hij vertelde, over andere mensen, slechte mensen, gemene mensen. Het ging niet over Paul. Paul zei dat hij van haar hield en dat bleef. Nee, het bleef niet, het was voorbij. Paul noemde haar een slet, hij zei dat ze hem uitdaagde. Ze begon weer te huilen.

Menno Verhoeven deed alsof hij het niet zag. Gewoon doorpraten, dan luisterde ze naar hem en zou ze rustiger worden. „Paul zoekt mijn moeder op in de hoop dat zij hem nu al geld geeft of in elk geval hem in haar testament goed bedenkt. En de kans dat zij dat doet, is niet uitgesloten. Ze weet dat als ik doodga, het hele bezit aan de staat vervalt of dan alsnog aan hem. Hij is een heel verre achterneef, ik weet niet zeker of hij ervoor in aanmerking komt, als er geen testament is. Maar het is niet denkbeeldig dat mijn moeder denkt: och, die jongen kan het goed gebruiken en als ik hem help, blijft het familiebezit van de Brandenbergs in stand en dat is een goede zaak. Ik heb me er nooit om bekommerd. Geld interesseert me niet. Ik verdien genoeg om behoorlijk te leven en wat er na mijn dood met de erfenis gebeurt, kan me niet schelen. Als de staat het opslokt, is het ook weg. Als Paul er gelukkig mee is, nou, vooruit dan maar. Maar ik volgde zijn doen en laten wel, eigenlijk had ik er op mijn manier plezier in. Tot nu toe is het hem niet gelukt. Ik weet precies hoe het is met het geld van mijn moeder, dat bespreken zij en onze accountant met mij. Tot nu toe heeft ze hem niets gegeven. Hij heeft er ook nog niet rechtstreeks om gevraagd. Misschien omdat nu zijn vader moet zorgen 'De Brandenberg' in stand te houden. Mijn moeder weet dat ik me niet druk maak om geld. Als ze Paul wil helpen, zal ik haar daarvan niet afhouden. Dat weet ze. Ze weet ook dat ik Paul niet mag. Maar tot nu toe heeft zij niet door dat hij alleen en uitsluitend om geld te krijgen zo lief tegen haar is. Ze is blij als hij komt en ze denkt dat hij dan ook blij is om bij haar te zijn. Maar zo ligt het niet. Heb je een zakdoek?"

Ze glimlachte opeens naar hem. „In mijn schortzak," zei ze. Ze stond op en pakte een zakdoek uit de zak van haar schort, die in de keukenkast hing. Ze snoot haar neus.

„Paul dacht dat alles op rolletjes liep. Hij plaveide bij wijze van spreken zijn weggetje naar de geldmijn en er waren geen gevaren. Het enige gevaar was dat mijn moeder plotseling ziek zou worden en niet meer in staat zou zijn haar laatste wil kenbaar te maken. Maar tot nu toe is tante Renate springlevend en Paul wist dat ze al speelde met de gedachte notaris Ellebrink te verzoeken naar Admiralenkade 4 te komen om te praten. Ik weet dat en Paul weet dat ook."

Menno Verhoeven zweeg even. Noortje had naar hem geluisterd. Ze zei niets, ze vroeg niets, ze knikte ook niet om te laten merken dat ze het begreep. Ze begreep eigenlijk niets. Ze was leeg vanbinnen. Maar ze luisterde wel.

„Toen jij hier kwam, dacht Paul daar eerst niet over na. Jij hoorde in het rijtje van Annie, de hulp, en Martje, de werkster, die we een paar jaar geleden hadden en die altijd een sopemmer in de gang liet staan. Jij was alleen leuker om te zien en Paul heeft nu eenmaal als hobby: indruk maken op jonge meisjes en vrouwen, of ze nu rijk zijn of arm, dat maakt niet uit. Hij kon met jou lachen. En het is waar, dat weet zelfs ik." Menno Verhoeven lachte wrang om zijn zelfspot. „Paul kan een gezellige, vlotte jongen zijn. Hij vond jou een leuke afleiding, als hij hier kwam, want eerlijk gezegd is het geen pretje om elke week met zo'n oude vrouw te moeten praten. Ze heeft nooit iets te vertellen, ze komt niet verder dan haar kamer en haar slaapkamer en het bezoek van mevrouw Van Slooten Fopma. Maar die vertelt ook geen nieuws. Op een dag moet het tot hem zijn doorgedrongen dat mijn moeder jou graag mag en dat ze bijzonder op Judy is gesteld. Daarover is hij gaan nadenken en van toen af zag hij jou niet meer als een leuk niemendalletje in de keuken, maar als een gevaar. Stel je voor, moet hij gedacht hebben, dat mijn suikertantetje dat arme weduwvrouwtje en dat lieve kindje zó aardig vindt, dat ze de toekomst voor hen financieel een beetje veilig wil stellen. Zo gek was dat niet gedacht van Paul, want mijn moeder heeft hem gezegd dat ze het triest vindt te bedenken dat jij geen enkele achtergrond hebt. Als je, waarom dan ook, uit ons huis zou gaan, zou je niet weten waar je heen moet. En je hebt geen geld om iets te kunnen doen.

Paul moet vanaf toen waakzaam zijn geworden. Hij moet

gezocht hebben naar een oplossing. Voor hem was het vreselijk belangrijk dat jij opzij geschoven werd. Hoe dan ook, mijn moeder mocht niet gaan spelen met de gedachte dat ze jou iets wilde nalaten, want als ze daarover ging denken, stelde ze het gesprek met de notaris uit. En dat mocht niet. Het geld van mijn moeder is Pauls enige kans zijn toekomst wat 'De Brandenberg' betreft veilig te stellen. Dat mag niet gedwarsboomd worden door een leuke keukenmeid met een kind. Maar hoe moest hij jou opzijschuiven? Eigenlijk was dat onmogelijk. Hij weet dat mijn moeder erg op je gesteld is. Dat zegt ze vaak." Hij glimlachte nu naar Noortje. „Ja, moeder is blij met jou en daar praat ze over. En Judy is een zonnetje in haar leven. Gewoon zeggen dat hij jou niet mocht en dat tante je dus maar moest ontslaan, was onmogelijk. Maar hoe moest het dan?"

Noortje leunde op de tafel en luisterde.

„Toen bedacht Paul een ander plan. Hij moest jou in de ogen van mijn moeder in een onmogelijk daglicht plaatsen. Hij moest een situatie scheppen, waardoor mijn moeder zou zeggen: 'Wat heb ik me in die vrouw vergist! Ze moet de deur uit, zo'n mens wil ik niet onder mijn dak hebben!' Wat moest hij bedenken om dat voor elkaar te krijgen? Het zou mooi zijn, als jij ging stelen. Onze hele zilveren bestekvoorraad roven en op de markt verkopen. Of met de klok uit de gang onder je arm naar een opkoper lopen." Eventjes kwam ondanks alle narigheid de echte Noortje terug. „Maar ik poets de zilveren lepels en vorken met toewijding en de klok zeem ik voorzichtig af," zei ze gemaakt bedremmeld.

Er gleed een glimlach over Menno's gezicht. „Daarom was dat geen uitvoerbaar plannetje. Toen dacht hij aan wat anders." Menno wachtte even, keek Noortje nadenkend aan en ging verder. „Mijn moeder is een degelijke, stijf en zeer serieus opgevoede vrouw. Als kind zag ze alleen maar keurige, welopgevoede mensen en ook toen ze groter werd, wist ze uit eigen ervaring niets van armoede, ruzie, drankmisbruik en meer van dergelijke narigheid in de maatschappij. Ik weet ook zeker dat er weinig over zoiets gesproken werd in het huis van mijn grootouders. Zulke onderwerpen waren niet opbouwend en waarom zouden ze er dan over praten? Toen mijn moeder met mijn vader getrouwd was, gingen de gesprekken wel over sterren die van de baan afwijken, maar dat waren andere sterren! Mijn moeder komt – tevreden en wel – uit de categorie degelijke vrouwen. En meisjes die zelf het initiatief nemen in de omgang met mannen, keurt ze af. Ze heeft weleens gehoord van een heel slecht soort vrouwen, dat zichzelf aan mannen aanbiedt! Ik geloof niet dat mijn moeder ooit zo'n vrouw ontmoet heeft. Maar neef Paul zou haar zo'n vrouw laten zien en nog wel in haar eigen huis. Hij bouwde het behoedzaam op. Hij zei mijn tante dat jij je altijd vreselijk uitsloofde, als hij kwam. En hij vroeg zo langs zijn neus weg bijvoorbeeld: „Tante, waar komt dat vrouwtje vandaan? Weet u dat niet?" En dan trok hij een bedenkelijk gezicht, waarop mijn moeder gevraagd kan hebben: 'Hoe bedoel je dat, jongen?' En de jongen zou zeggen: 'Ik weet het niet, tante, ze heeft iets dat me niet aanstaat, ze is overdreven aanhalig en flirterig tegen me.' Mijn arme moeder zou nooit op het idee komen dat achter Pauls lieve woorden zulke gemene gedachten zaten. Zo is ze niet, zo denkt ze over een ander ook niet. Maar Paul bouwde het zo wel op. Ik weet dat omdat mijn moeder een enkele maal een opmerking plaatste waarover ik nadacht." Hij lachte weer even naar Noortje. „Je weet dat ik heel goed kan luisteren en zwijgen. Paul zei dat jij hem om de hals viel, als hij via de voordeur binnenkwam. Toen dacht hij slim te zijn door de weg via de tuinpoort te nemen. Maar, zo vertelde hij mijn moeder, hij kon niet zo voorzichtig doen of jij hoorde hem en wachtte op hem in de achtergang. En jij probeerde hem mee te lokken naar je keuken."

Noortje keek hem hevig verbaasd aan. Ze begreep alles wat hij zei, maar ze kon het niet geloven. Ze moest het geloven. Na alles wat er vanavond was gebeurd, wist ze dat wat Menno zei waar was, maar dat alles wat Paul in de laatste weken gezegd had, volkomen komedie van hem was, vals en gemeen opzet, dat was onbegrijpelijk.

„Zo zit het, Nora." Hij keek haar aan. Ze zei niet instemmend „ja", ze knikte alleen. Dan vroeg ze zachtjes: „En nu?" Menno keek haar nadenkend aan. „We moeten maar afwachten."

Maar opeens, fel – zo kende ze Menno niet, ze schrok een beetje van de drift in zijn stem: „We moeten niet wachten! Straks gaat Paul weg en dan wenst moeder met jou te spreken, zoals ze dat zal zeggen. Dat moet niet." Hij stond snel op en schoof zijn stoel naar achteren. „Kom mee, we moeten Paul aanpakken, vóór hij weggaat!"

Zo'n stem en zulke woorden had Noortje nooit achter Menno Verhoeven gezocht en toch was ze nu niet verbaasd, want sinds ze met hem praatte, kende ze de echte Menno Verhoeven een beetje.

Ze stond ook op en liep achter hem aan naar de keukendeur. Ze was bang Paul te ontmoeten, maar het moest. Als alles was zoals Menno zei, moest het. En het was zoals Menno zei, daarvan waren de woorden die Paul haar vanavond toesmeet het bewijs. Ze voelde weer een bijna brandend rood in haar hals opkomen, toen ze aan die woorden dacht. En dat van Paul, de man die ze vertrouwde en in stilte haar liefde wilde geven. Hij gebruikte haar vriendelijkheid alleen om zijn gemene opzet uit te voeren.

Ze stapte achter Menno Verhoeven de grote kamer binnen. Ze zag in één oogopslag hoe ontredderd mevrouw was. Ze hing meer dan ze zat tegen de rechte leuning van de stoel, de handen in haar schoot trilden. Haar gezicht was bleek, maar de adertjes in haar wangen waren rood van opwinding. De ogen achter de brillenglazen hadden pijn in zich, verwondering, onbegrip, verdriet ook en veel vragen.

Schuin tegenover mevrouw zat Paul. Noortje zag de schrik op zijn gezicht, toen ze binnenkwamen. Meteen drong het tot haar door dat Paul nooit had gedacht dat zij in dit huis steun zou vinden bij iemand. Ze stond helemaal alleen en was een gemakkelijke prooi. Haar roep om Menno moest hem al in grote verwarring hebben gebracht en toen Menno de keuken binnenkwam en haar in bescherming nam, legde hij even zijn arm om haar heen. Wie verwachtte zoiets van Menno Verhoeven? Paul zeker niet, hij moest het als volkomen onwerkelijk hebben ervaren. Als ze niet zo gespannen was, kwaad, verdrietig en diep teleurgesteld, zou ze erover kunnen denken en erom glimlachen. Maar daar was geen tijd voor. Ze keek naar hem, zag zijn ogen, die haar vol haat aankeken. Opeens kwam een wilde drift in haar boven. Deze vent wilde haar alles wat ze had aan veiligheid, onderdak en geld om te leven afnemen op een intens gemene, laaghartige manier. Ze voelde woede in zich opkomen, ze moest hem uitschelden, zoals hij haar zopas had uitgescholden voor 'lelijke slet' en 'hitsige meid'. Lammeling, zou ze hem willen toeschreeuwen, gemene schurk, verrader! Ze wist zelf niet hoe groot de woede en haat was in haar donkere ogen.

Paul Brandenberg wist op dat moment dat hij verloren had. Noortje zei niets, omdat Menno Verhoeven begon te praten. „Wat heeft Paul u gezegd, moeder?" Hij bleef lang en recht in de kamer staan, tegenover de stoel van zijn moeder.

„Nou… eh… dat Noortje hem uitdaagt. Ze probeert Paul te veroveren, ze kust hem en hij weet niet wat hij moet doen. Haar bruut afwijzen wil hij niet. Hij heeft medelijden met haar. Het is natuurlijk niet prettig voor hem, want als hij komt, valt ze hem meteen om de hals. Paul is dat niet gewend van meisjes, maar hij zegt: 'Noortje komt uit een ander milieu, ze leefde tussen vrouwen die proberen een man uit de betere klasse aan de haak te slaan, al is het maar voor één nachtje…!' Haar ogen keken weg van Menno en zagen Noortje aan. „Het valt me tegen van je, kind…" Ze huilde zachtjes.

„Is dat waar, Paul Brandenberg?" De stem van Menno Verhoeven was hard als staal. „Probeert Noortje jou te versieren en moet jij alles doen om haar van je lijf te houden?"

„Wat!" schreeuwde Noortje nu. Ze kon zich niet langer inhouden. Meneer Menno hoefde haar niet te verdedigen, ze kon zelf haar woordje wel doen. „Hij vraagt me de hele week al of ik met hem uit wil, maar ik heb nee gezegd, want ik weet heel goed dat meneer Brandenberg en ik niet bij elkaar passen! Weet u dat hij vroeg in de middag hier naartoe komt? Hij staat om twee uur al op de stoep of in de tuin, terwijl hij donders goed weet dat mevrouw tot drie uur rust! Als er iemand is, die flirt en versiert, is hij het! Gemeen varken, je wilt me zwart maken bij mevrouw, stuk ongeluk!" Haar ogen spoten vuur. Ze zag niet de kleine pretlichtjes in de ogen van Menno Verhoeven.

„Maar jij zei…"

„Ik heb gezegd dat ik je aardig vind, mijn hemel, hoe kon ik dat zeggen. Ik heb er nooit aan gedacht dat iemand zo vals en gemeen kon zijn, een schurk ben je!"

„Wat heb je hierop te zeggen?" vroeg Menno Verhoeven.

„Jullie geloven mij toch niet meer," zei Paul met een diepe zucht. „Jij gelooft dit onnozele wicht, ik wist trouwens niet dat jij met vrouwen kon praten," voegde hij er hatelijk aan toe. Zijn gezicht was asgrauw, nu hij zijn plan mislukt zag. „Maar het kan zijn dat ze haar netten naar vele kanten heeft uitgezet en dat ze zó geraffineerd is, dat ze zelfs jou kan overwinnen en tante Renate." Zonder hun de kans te geven iets te zeggen, ratelde hij door. Inwendig barstte Noortje van woede. „Tante Renate kent het leven te weinig om te weten hoe doordrapt dit soort vrouwen te werk gaat. Jij doorziet dat trouwens ook niet," voegde hij er met een gemeen lachje aan toe, „of ze moet je iets aanbieden waarvan jij in je suffe leven nog geen weet had." Het kon Paul niet meer schelen wat hij zei, alles was toch verloren. „En dat maakt je ziende blind."

Noortje was door het dolle heen. Ze wilde op hem afstormen om hem wat men in de bloemenbuurt noemde 'een muilpeer' te geven, maar Menno Verhoeven hield haar tegen.

„Nee, Nora, niet doen. Deze knaap is het niet waard je handen eraan vuil te maken. Hij ziet nu in dat zijn plannen zijn mislukt." Wild schoof Paul Brandenberg zijn stoel achteruit. „Ik heb het hier bekeken!" schreeuwde hij. „U moet het zelf weten, tante! Als u de keukenmeid die u net een halfjaar in huis hebt en van wie u niet weet waar ze vandaan komt, eerder gelooft dan mij, dan kan ik niet meer praten!"

„Het is ook beter dat je je mond houdt." Menno deed een stapje naar voren. „Ik zal mijn moeder vertellen hoe de vork in de steel zit."

„Als je denkt dat jij dat weet!"

„Ja, dat weet ik. Ik ken jou al jaren en ik weet ook al jaren waarom je hier zoveel komt. Ik neem je dat niet kwalijk, ik zou je zonder je ware bedoelingen aan mijn moeder te vertellen je gang laten gaan, omdat je ware bedoelingen haar verdrietig zouden maken. Maar je gaat te ver, als je Nora door je minderwaardige plannen van onderdak en broodwinning berooft."

Paul Brandenberg deed of Menno Verhoeven niet bestond. Hij boog zich naar mevrouw Verhoeven.

„Als u echt wilt weten hoe het is, tante, kunt u me opbellen."

Ondanks alles liep hij recht en fier naar de kamerdeur. Ze keken hem na. Mevrouw Verhoeven huilde zacht en schudde met haar hoofd. Och lieve mensen, ze hield van alledrie, ze wilde dit niet, wat was er nou, ze begreep het nog maar half. Misschien omdat ze al oud was en het zo kil op haar dak viel.

Menno Verhoeven keek naar Paul Brandenberg met een strak gezicht.

Noortje voelde een diepe radeloosheid in haar hart. Ze had hem vertrouwd en ze hield van hem. Hoe kon hij zo gemeen zijn om dat wat tussen hen groeide te verloochenen, dat begreep ze niet. Ze was er zeker van dat wat er in het begin tussen hen was, waar was, ook van zijn kant, maar hij schoof het opzij en verraadde haar, toen hij dacht dat het voor hem beter was, als zij niet meer in het huis zou zijn. Ook wat hij voor haar voelde, telde niet meer mee. Alleen 'De Brandenberg', een brok steen, hout en glas, dat was voor hem belangrijker dan de liefde tussen hen.

De deur sloeg dicht. Ze luisterden ernaar zonder iets te zeggen. Even later hoorden ze de dreun van de voordeur.

„Menno toch..."

„Ja, moeder, het is verschrikkelijk voor u, dat weet ik. Maar als de waarheid niet op tafel kwam, was het voor Nora nog verschrikkelijker."

Mevrouw Verhoeven keek naar Noortje, die ineengedoken in een stoel zat. „Hij zei heel lelijke dingen van je, kind. Ik wilde het eerst niet geloven, maar het is natuurlijk waar dat ik niet veel van je achtergrond weet. Je vertelde me over de armoede bij jullie thuis, maar armoede is geen schande, daar mag men iemand niet om veroordelen. Het is juist een prestatie om ondanks je eigen armoede niet jaloers te zijn op mensen die het veel beter hebben in de wereld en niet toe te geven aan de verleiding wat weg te nemen van de overvloed van anderen. Eerlijke arme mensen hebben recht op bewondering. Maar Paul vertelde rare dingen. Dat je hem de eerste maal, toen je hem zag, al zoende en vlug daarna aanbood de nacht met hem door te brengen. Och, kind toch, dat zijn lelijke, verkeerde dingen en zoiets mag Paul niet zeggen, als het niet waar is." Ze schudde zorgelijk haar hoofd. „En het is niet waar, moeder."

„Dat hoorde ik. Het is erg lelijk van Paul dat hij dit heeft gedaan." Ze zat even stil. Noortje en Menno, ook te veel bezig met hun eigen gedachten, lieten haar gaan. Dan zei mevrouw Verhoeven: „Het is triest te bedenken dat Paul me zoveel keren heeft opgezocht, met me babbelde en boeken voor me uit de bibliotheek haalde. Ik vond het lief van hem, ik dacht dat toch de band van het bloed sprak, ook al is Paul een ver familielid. Ik vond het aardig van hem dat hij dat allemaal deed voor een oude tante. Maar achteraf was het alleen spel. Hij deed het in de hoop dat ik een testament ten gunste van hem zou maken." Ze glimlachte weemoedig. Noortje voelde haar hart overstromen van medelijden. Wat was dit een teleurstelling voor mevrouw, want ze was op Paul gesteld. „Ik heb er weleens over gedacht om dat te doen. Ja, ik heb veel tijd om te denken, als ik alleen in de kamer zit en ik weet hoeveel geld er is. Menno heeft het niet nodig, maar Paul kan het gebruiken. En door Paul blijft het een beetje in de familie. Paul zal trouwen en kinderen krijgen en die kinderen blijven op 'De Brandenberg' wonen, als dat mogelijk is. Ik houd ervan dat zulke huizen, zo'n familiebezit blijft bestaan. Als het verkocht moet worden, komen er kantoren in of tehuizen voor zwakke kinderen. Dat is een goed ding, maar ik vind het jammer, als daar een oud familiebezit voor gebruikt wordt. En 'De Brandenberg' is al lang in de familie Brandenberg. Ik weet ook dat Amalia er bijzonder op gesteld is. In gedachten zag ik Pauls gezicht, als hij een brief kreeg van de notaris om op zijn kantoor te komen. Ik zou dan al dood en begraven zijn, maar ik genoot er wel van. Paul verbaasd kijkend naar Ellebrink die zei: 'Je tante heeft je veel geld nagelaten...'

„Wat zou die jongen blij zijn! Wat een verrassing! Maar zo is het helemaal niet," voegde ze er triest aan toe, „het zou geen verrassing zijn. Paul rekende erop. Ik heb nog niets laten beschrijven. Als ik gisteren plotseling was gestorven" – ze keek van Menno naar Noortje – „dan waren die bezoekjes voor niets geweest. Wat zielig voor die arme Paul! Voor mij, och, ik vond het altijd fijn, als hij kwam. Ik dacht dat hij het spontaan deed. Het is natuurlijk waar dat er voor een jonge knaap weinig aan is om bij een oude vrouw te zitten, die nooit iets leuks heeft te vertellen. Ik kon het weten. Maar waarom hij nou zo lelijk over Noortje praatte...?" Ze keek haar zoon vragend aan.

„Hij was bang, moeder, dat u Nora in uw testament zou beden-ken."
Nu lachte mevrouw Verhoeven. „Ook al in mijn testament. En ik heb niet eens een testament! Maar het kon, ja, want als Noortje wat geld heeft, wanneer ze bij ons weggaat, staat ze steviger in het leven. Dan kan ze misschien een huisje kopen en hebben Judy en zij onderdak. Dat zou fijn zijn. En wat geld om niet meteen alles te moeten aanpakken. Als ik dood ben, zullen ze hier weggaan." Opeens huilde mevrouw Verhoeven, de spanning was te groot, ze kon dit niet verwerken. „Wat moet jij dan alleen in dit huis, Menno, wat moet jij dan?"
„Ik red me wel, moeder, maakt u zich over mij geen zorgen."
„Je hebt geld, dat is waar. Geld is gemakkelijk. Je kunt er veel mee doen, je kunt er veel voor kopen. Ja, jij redt je wel. Maar Noortje redt zich zonder geld niet. Dat van dat testament, dat moet gebeuren. En Paul..." Ze keek Noortje aan. „Als jij en Paul... och, nee, hij zei dat je een goedkope meid bent, je hangt om zijn nek, nee, met jou trouwen zou hij nooit, maar als jullie samengingen en ik wilde jullie allebei helpen..."
Noortje barstte in snikken uit. De stem van mevrouw prevelde zacht. Ze was lichtelijk in de war en sprak de gedachten die in haar opkwamen, zonder meer uit.
„Je hield echt van hem?" vroeg mevrouw Verhoeven zacht.
„Och, of ik van hem hield..." Opeens had ze het gevoel of het uit haar weggegleden was. „Ik vond hem erg aardig. Ondanks dat lokte ik niets uit, dat weet ik zeker, ik ken mijn plaats. Maar hij zei dat hij van me hield."
„Dat deed hij niet," mengde Menno zich nu in het gesprek. Zijn stem had een ijzeren, harde klank. „Als hij dat deed, wist hij dat hij met jou samen zeker kon zijn van moeders sympathie. En testament."
„Ja, ja," zei mevrouw glimlachend. „Als Paul en jij en kleine Judy... dat zou fijn zijn... jullie drietjes. Maar het is niet zo. En Paul is weg. Hij zal hier niet meer komen. Misschien zie ik hem nooit meer. Maar het is niet jouw schuld, kind. Als hij alleen om mijn geld kwam, ben ik blij dat hij niet meer komt. Ik word niet graag bedrogen."
Die avond laat zat Noortje nog in het donker voor het raam van

haar kamer. Ze kon naar bed gaan, maar slapen zou ze toch niet. En als ze alleen in het bed lag, was alles veel ergeren moeilijker dan hier, zittend voor het grote raam en kijkend naar het plein, verder weg. Het was stil buiten. De lantaarns op de kade en ook die rondom het plein brandden.

Af en toe reed er een auto voorbij. Als ze naar beneden keek, zag ze de lichtbundels uit de koplampen over de straatstenen glijden. Ze hoorde het grommen van de motor en zag dan de rode achterlichten. De mensen erin zag ze niet, het was eigenlijk een grote, grommende robot die voorbijschoof.

Er liepen geen mensen buiten. Ja toch, aan de andere kant van de kade. Een man en een vrouw. Dicht tegen elkaar aan. Ze zuchtte. Wat een vreselijke avond was dit geweest. In het begin was ze ontzettend geschrokken en ze had het nare gevoel dat ze veel verloor. Ze voelde zich geslagen en leeg na Pauls uitbarsting, maar het was of het weten van de waarheid haar sterker maakte. Ze wist nu dat Paul nooit echt om haar had gegeven. Hij speelde het spelletje van de vlotte jongen die ieder meisje kan veroveren. Haar ook. Ze hield niet van de Paul Brandenberg die hij werkelijk was. Ze was verliefd geweest op de man die hij speelde, vlot, gevat en adrem. Ze was verliefd geweest op een droombeeld, maar toen dat droombeeld stukviel en haar beschadigde, was het alsof ook de droom uit was. En alleen denken naliet, verdrietig zijn om de warmte die het had gegeven, maar niet het echt missen van de persoon.

En er was iets anders voor in de plaats gekomen. De warmte, de vriendschap, de oprechte aandacht van mevrouw Verhoeven en Menno.

Ze praatten nog lang, nadat Paul was weggegaan. Ze was toen niet de hulp in de huishouding, maar een goede vriendin met wie mevrouw praatte over de pijn die het deed te moeten erkennen dat Paul haar jaren lang bedrogen had met zijn lieve lach en zijn 'tantetje'.

Er was een sfeer in de grote kamer die haar blij maakte vanbinnen ondanks het verdriet dat ze voelde.

En nu ze voor het raam zat en door niemand gezien, vroeg ze zich af wat het precies was.

Ze wist ook dat ze zichzelf niet begreep. Ze moest verdrietig zijn, maar ze was niet echt verdrietig. Ze had het gevoel dat ze nu mensen had gevonden, die echt van haar hielden. Ook al was dat natuurlijk een heel andere liefde dan de liefde die ze van Paul wilde hebben. Maar die liefde bedroog haar en maakte haar koud, de liefde van mevrouw Verhoeven en haar zoon was zuiver en oprecht en ze had er steun aan. Heel laat ging ze naar bed en met een lichte glimlach om haar mond viel ze toch in slaap.

HOOFDSTUK 6

De herfst was dat jaar erg triest. Veel regen, veel harde wind, bijna elke dag storm. De mensen werden er een beetje chagrijnig van, want het bleef maar, de ene dag na de andere. In winkels, werkplaatsen en op kantoren was het weer het onderwerp van gesprek. Niet dat er veel over te zeggen was, want het was elke dag hetzelfde. „Wat verveelt dat, hè? Het is te hopen dat het gauw gaat vriezen, een beetje vorst is veel gezonder dan dit." Gelukkig waren er ook mensen die zich herinnerden hoe fijn en warm de voorbije zomer was geweest.

Noortjes humeur leed niet onder het miezerige weer. Elke morgen bracht ze Judy naar school – de lagere school was aan een singel aan de andere kant van het Albertplein – ze moest dus het plein oversteken en daar was het zó druk, dat ze het kind niet alleen durfde te laten gaan. Ze trok haar laarzen aan, deed haar lekkere warme regenjas aan, zette een wollen mutsje op en met Judy, ook goed ingepakt, stapte ze de deur uit. Nee, Noortje was niet triest en toch was er niets in het leven van nu, dat haar echt vrolijk maakte. De dagen waren allemaal gelijk. 's Morgens kwam Annie en dat was gezellig, want waar Annie de verhalen vandaan haalde, wist niemand, maar ze had altijd wat te vertellen. Ze werkten zoveel mogelijk samen – samen in de voorkamer, samen de keuken soppen, samen in de werkkamer en de zitkamer van meneer Menno, dan konden ze lekker babbelen. Tegen halfelf dronken ze koffie, vaak in de zitkamer met mevrouw, daarna gingen ze weer verder met hun werk. Tegen halftwaalf haalde Noortje Judy uit school en zorgde daarna voor de lunch.

Na de lunch was het elke dag hetzelfde: afwassen, opruimen en Judy naar school brengen. Als ze daarvan terugkwam, was het stil in huis. Mevrouw rustte. Het was Annie opgevallen dat Paul Brandenberg niet meer kwam, hoewel ze bijna nooit 's middags in het huis was. Maar mevrouw noemde zijn naam nooit meer, misschien kwam het daardoor.

„Die Brandenberg, zie jij die nog weleens? Nee? Ik had het er laatst met Toon over. Die dacht dat hij hem had gezien met een blom van een meid in een dure bontjas aan zijn arm."

Als ze maar veel geld heeft, dacht Noortje, en als ze hem maar niet doorkrijgt.

Die eerste middaguren vond Noortje heerlijk. Mevrouw sliep, Judy was naar school, ze ging dan tot een uur of drie naar haar eigen kamer. Nu, in de herfst, was het er gezellig. De verwarming brandde – en mevrouw betaalde de rekening – de regen sloeg tegen de ruiten en als ze naar buiten keek, zag ze de mensen weggedoken in de kragen van hun jassen, maar zij zat veilig, warm en vertrouwd in haar eigen kamer. Tussen haar eigen spulletjes.

Ze las wat, ze breide aan een truitje voor Judy, ze luisterde naar de radio of keek naar buiten en soms verbaasde ze zich erover dat ze zich zo tevreden voelde. Want eigenlijk was er nu in haar leven niets om intens blij of gelukkig mee te zijn. Of misschien toch. De vriendschap van Martin. Ze dacht niet bewust aan het fijne van die vriendschap, omdat Martin met Annie en Toon mensen waren, die in haar leven hoorden. Ze waren er gewoon. Annie was een moederfiguur voor haar en Martin paste daarbij als een broer. Maar dan wel een broer met wie ze goed kon praten. Op een andere manier dacht ze eigenlijk nooit aan Martin. Misschien kwam dat omdat hij in dezelfde tijd in haar leven kwam als Paul. Maar Paul was zó'n overrompelde, aandacht vragende figuur, dat Martin Stellinga gewoon in zijn schaduw achterbleef.

Martin kwam nu en dan even binnenwippen om wat te halen of te brengen voor zijn moeder, of een boodschap voor haar over te brengen. Noortje vond het dan leuk met hem te praten, want Martin kon goed luisteren en naar zijn kijk op mensen en dingen luisterde zij graag. Martin had niet dat heftig reageren van zijn moeder; Annie had altijd meteen een mening klaar. Noortje kon er soms om schateren. Annie pakte de zaken in woorden radicaal aan. „Ze moeten zo'n vent het land uitzetten, weg ermee, zo'n kerel verpest de hele stemming in het kabinet," meende ze, als een minister een opmerking plaatste die haar niet aanstond. „Die andere mannen doen allemaal hun best en dan één lammeling ertussen, die steeds tegen hun hielen schopt..." Martin was veel minder heftig en verstandiger ook.

Ze had Martin, toen het voorbij was met Paul, verteld wat er was voorgevallen.

„Je mag nu niet alle mensen uit zijn milieu op dezelfde lijn stellen en veroordelen, zoals mijn moeder zou doen."

Martin grijnsde toen, dat wist Noortje nog, ze zaten tegenover elkaar in haar kamer, op een rustige avond in september. „Zo van 'die lui doen desnoods een moord voor geld'."

„Nee, dat doe ik niet, dat weet je wel. Er zijn ook onder arme mensen schurken. Maar ik had dit van Paul niet verwacht. Het is echt een teleurstelling geweest."

Ja, de vriendschap met Martin was fijn, ze waardeerde het ook, maar het hoorde en paste in haar leven van nu. En het leven zoals het nu was, was goed. Ze was nog steeds blij met de fijne kamer, de heerlijke slaapkamers voor Judy en haar, het leuke inkomen. Ze was tevreden, maar er was niet iets in haar leven echt belangrijk, iets waaraan ze steeds moest denken en ook niet iemand, die een kleur op haar wangen kon toveren en een blik van blijheid in haar ogen. Zo was het wel, toen Paul nog kwam. Ze wist nog hoe ze dagdroomde over het huis 'De Brandenberg'. Stel je voor dat zij een familiebezit zou hebben, zou dat dan 'De Folmer' heten? Ze had eigenlijk diep in haar hart altijd geweten dat zij nooit op 'De Brandenberg' zou wonen, maar erover denken was leuk. Hoe ze de trap zou afdalen, gracieus – hoe dat was moest ze nog leren, nu hopste ze als een berggeit de treden van de trap van de Verhoevens af – en hoe ze voor het hoge raam van de ontvangkamer zou staan en in de tuin keek naar het werk van de tuinman. Ze kon er heerlijk over fantaseren en er in stilte om lachen. Het zou nooit zover komen en toch... er was een tijd geweest dat ze van Paul hield en bijna zeker wist dat hij ook van haar hield.

Maar het was voorbij.

Nu was er niets om over te dromen in haar leven en toch was ze gelukkig. Het kwam door de sfeer in huis. Er was een heel bijzondere sfeer in huis. Ze kon niet omschrijven hoe dat was. Het was heus niet zo, dat mevrouw elke dag jubelde dat ze blij was met haar en Judy, stel je voor, maar na de scène met Paul was de verhouding tussen haar en mevrouw Verhoeven anders geworden. Voor die tijd wisten ze van elkaar dat ze elkaar graag mochten, nu was er een band van warme vriendschap. Soms dacht Noortje, maar daar lachte ze zelf om, dat het kwam omdat mevrouw had ontdekt dat je het van je familie ook niet moet hebben. Lekkere achterneef, die maanden achtereen bij je komt en je vleit om je rijp te maken voor de gang naar de notaris. En niet alleen als familielid was hij tegengevallen, natuurlijk ook als iemand van stand, iemand die gestudeerd heeft. Dat moest een hoogstaand mens zijn. In wezen was Paul gewoon een slecht mens, dat was het. En zij, een arme weduwe, dat vond Noortje zelf zeer zielig klinken, een vrouw met een kind, daar viel eigenlijk niets op aan te merken. Dat was de ware adel!

Noortje kon inwendig lachen, als ze zoiets dacht. Maar een beetje in die richting was de houding van mevrouw gegaan na die vreselijke avond. Ze praatte er nooit over. Pauls naam werd niet genoemd. Ze praatten wel veel samen. Over gewone dingen uit hun leven en omdat hun levens zo heel verschillend waren, was het interessant naar elkaar te luisteren.

Mevrouw vertelde over haar ouderlijk huis, hoe ze in de winter met haar ouders voor de open haard zat en dat haar moeder dan dikwijls voorlas. Noortje zag het in gedachten voor zich, het leek een sprookje. Ze kon zich haar moeder niet voorstellen, bij de potkachel zittend en voorlezend. Trouwens, lezen, dat was zonde van de tijd. Je handen laten gaan, dat was beter. En Noortje had dan niets te doen, zij was nog een kind, maar haar moeder wel. Sokken stoppen, overhemden en werkbroeken verstellen en noem maar op, werk genoeg.

Als Noortje vertelde, luisterde mevrouw. Voor haar was dat een andere wereld. Maar tussen hen was een band gegroeid van elkaar begrijpen en van elkaar houden.

En dan Menno.

„Menno is erg veranderd de laatste tijd," zei mevrouw op een van die nare, trieste novemberdagen.
Ze zaten in de grote kamer. Judy lag op de grond met een moeilijke legpuzzel. Hij was eigenlijk te moeilijk voor haar, maar ze zou niet opgeven, vóór hij af was. Dat had ze van Frans, die kon ook niet uitstaan dat een puzzel het van hem won. „Die dooie stukkies op de tafel grijnzen gewoon naar me," zei hij eens, toen hij met een vreselijk ding vol blauw water en blauwe luchten bezig was. „Maar ik zal ze krijgen, ze komen op hun plaatsjes terecht en dan krijgen ze het deksel op hun kop." Gek, dat ze zulke dingen nog zo goed wist. Op wat mevrouw zei over Menno, gaf ze geen antwoord. Wat moest ze zeggen? Ze wist zelf ook dat hij veranderd was. Trouwens, dat wist iedereen die hem kende.
„Hij was jarenlang een stille, gesloten man. Als kind was Menno ook erg rustig, graag alleen, hij sloot zich het liefst op in zijn kamer." Maar hij hunkerde naar vriendjes, dacht Noortje, dat had u niet in de gaten.
„Het is onbegrijpelijk dat hij in vrij korte tijd zo is veranderd. Of hij nu ineens meer behoefte heeft om te praten…" – ze schudde haar hoofd – „ik weet het niet. Echt bang om te praten zal Menno niet geweest zijn. Tenslotte is hij een volwassen, gestudeerd man die heel goed een gesprek kan voeren. Maar hij had er geen behoefte aan. De meeste gesprekken die we dagelijks houden, zijn totaal overbodig, zei hij eens en daarin heeft hij gelijk. Als jij me vertelt dat het buiten akelig weer is, zie ik dat zelf ook. En als je zegt dat Annie en jij de ramen van de keuken hebben gelapt, zonder die opmerking gebeurde het ook en zo kun je doorgaan. Ik vind het prettig, die gewone gesprekjes, maar als Menno zegt dat ze eigenlijk onbelangrijk zijn, moet ik hem gelijk geven."
Noortje knikte. Ja, als je zo redeneerde… Dan lust je nog wel koek, zou Annie zeggen. Welk gesprek was dan belangrijk? Niet eens van ministers, want die vergaderen en praten gewichtig, maar de meeste keren komt er ook niets van terecht.
„Hij vertelt mij nu meer. Over zijn werk, de proeven die hij doet en de resultaten ervan. En over zijn collega's. Ik wist vroeger niet eens de namen van de mensen met wie hij werkte." Ze glim-

lachte naar Noortje en die kon niet anders doen dan ook glimlachen. „Ik vind het leven zo plezieriger. Vroeger werd er onder
de maaltijd vrijwel niet gesproken. Ik wist niets te bedenken,
dat hem kon interesseren. Zo was het gewoon en Menno dacht
dat wat hij die dag had gedaan voor mij niet interessant was. Ik
heb erover gedacht hoe het is gekomen dat hij anders is dan
vroeger. Ik geloof dat het komt door iemand die sinds een halfjaar bij hem op het lab werkt. Een botanicus. Hij heet Edo
Weber."
Noortje luisterde rustig knikkend toe, maar ze voelde haar hart
sneller kloppen. Edo Weber… nee, dat was niet waar, daardoor
was Menno niet veranderd. Ze hoorde die naam trouwens nooit
van hem.
„Het moet een heel bijzondere man zijn en hij heeft invloed op
Menno. Misschien is dit de eerste mens tegen wie hij zich durft
uit te spreken. Die Weber heeft de gave het innerlijk van een
ander te bereiken en te begrijpen. Als ik zeg 'een ander' mens,
bedoel ik in dit geval Menno natuurlijk en ik weet uit eigen ervaring hoe moeilijk het is Menno te bereiken. Maar het lukt deze
Weber." Noortje knikte. Was het waar wat mevrouw zei? Was er
een man op zijn werk, met wie hij vriendschap sloot? Ze kon het
zich niet voorstellen, maar het was mogelijk. Als het iemand
was, die zijn vertrouwen won, die hem niet opdringerig of
nieuwsgierig benaderde, maar gewoon, uit een gevoel van hem
begrijpen.
Vóór Katwijk kon ze zich niet voorstellen dat hij met haar zou
praten. Maar hij had de behoefte uit zichzelf te breken, alsof hij
dacht: ik word ouder, als ik het nu niet doe kan het niet meer en
dan leef ik nooit het leven dat ik graag wilde leven: niet meer
alleen en eenzaam.
Hij moest het ontzettend moeilijk gehad hebben. Maar hij deed
de stap. Ze voelde, als toen in het restaurant langs de verkeers-
weg, medelijden met hem, maar ook diepe bewondering voor
hem.
Medelijden omdat het toch vreselijk zielig was dat hij zoveel
jaren leefde met een verlangen er meer bij te horen. Als ze daarover nadacht, voelde ze zich warm worden vanbinnen. Het was
toch eenvoudig: wat vragen, wat zeggen, meeleven, maar als

niemand je de hand toestak, bleef je staan. Bewondering voelde ze, omdat hij het opeens aandurfde.
Maar het was door haar en Judy gekomen, dat wist ze zeker. Dat had Menno trouwens ook gezegd. Ze was zich daar toen niet van bewust, maar ze wist wel dat ze zo gewoon mogelijk deed, als meneer met dat uitgestreken strakke gezicht – dat dacht ze toen – aan tafel zat. Ze babbelde rustig met mevrouw, vertelde grappige dingen en ze wist dat ze op een avond een klein lachje om zijn mond had gezien. Nou, nou, dacht ze, meneer Menno, denk erom, als de klok slaat blijft je mond zo staan, zei moeder vroeger als we gekke bekken trokken. Maar dat zei ze natuurlijk niet. Ze keek gewoon langs hem heen en praatte verder. Zij was niet bang voor hem. Ze zocht hem – figuurlijk dan – niet op, stel je voor, maar ze ontweek hem ook niet. En dat kleine beetje warmte – want wat betekende het nou, eigenlijk niets – dat kleine beetje warmte had hem bereikt. Haar gewone houding tegen hem, nu eens niet een hulp in huis die bibberde, als ze de kamer inkwam en hem zag zitten. Gewoon een jonge vrouw die vroeg: „Hoe vond u het toetje, meneer Verhoeven? Lekker hè?" Dat toverde een lachje in zijn ogen. En hij gaf soms antwoord: „Het was lekker, Nora."
Kleine Judy liet hem ook ontdooien en gaf hem kans. Het kind was vrij en onbevangen en niet echt bang voor hem, het was meer respect hebben voor de man van de plantjes. „Geeft u ze allemaal water? Met een gietertje? Ik heb ook een gietertje, zal ik u helpen?"
Ook toen weer die glimlach om de strakke mond. Hij moest het opgeheven snoetje antwoord geven. „Nee, dat doe ik liever zelf, want het zijn heel kleine, zwakke plantjes, begrijp je dat?"
Judy begreep het niet. Zij kon ook heel voorzichtig gieten, zei ze later tegen Noortje, maar ze knikte tegen Menno.
„Je moet het kind niet in de kamer laten, als die chagrijn thuis is," waarschuwde Annie haar. „Vandaag of morgen valt het hem verkeerd en dan sta je op straat."
Maar het was of ze aanvoelde dat hij het diep in zijn hart leuk vond en hij kon Judy niet ontwijken, die vroeg gewoon antwoord. Hij durfde tegen het kind eerder iets te zeggen dan tegen een volwassene. Die dacht natuurlijk: „Gunst, Menno Verhoeven

zegt wat, dat zijn we niet gewend," en dat te denken hield hem tegen. Maar voor Judy was meneer net zo'n man als buurman Jan Jaspers uit de Anjelierstraat en oom Toon en Martin van tante Annie. En daar kon ze goed mee opschieten.

Menno moest ook ondervonden hebben dat het eigenlijk heel gemakkelijk is om te praten. „Ik praat wel," vertelde hij Noortje toen in het restaurant. „Als er een bespreking is na een belangrijk onderzoek, breng ik naar voren wat mijn bevindingen zijn en ik kan daarover discussiëren met de mensen die ervan weten, maar ik klap dicht als het over gewone dingen gaat. Ik weet ook niets te bedenken om te zeggen."

En nu zei mevrouw dat Edo Weber hem zover had gebracht. Och, het hinderde niet wie het had gedaan en hoe. Misschien was die Weber net zo'n type als zij: gewoon doorgaan, doen of het normaal is, zo'n stille erbij betrekken. Het was eigenlijk fijn dat meneer Menno zo'n man op zijn werk had. Dat maakte het gemakkelijker voor hem.

„Ja, meneer is erg veranderd."

„Hij hielp jou in die geschiedenis met Paul. Dat is weer zoiets. Je denkt dat hij constant bezig is met zijn werk, maar dat is niet waar. Menno vermoedde allang en wist voor zichzelf zeker dat Paul mij veel opzocht in de hoop dat ik hem geld zou geven of hem in elk geval wat zou nalaten, als ik sterf. Menno zei dat niet tegen me. Was dat met jou er niet tussengekomen, dan zou hij ook gezwegen hebben, als ik met hem praatte over het maken van een testament ten gunste van Paul. En ik zou dat natuurlijk met Menno bespreken, tenslotte is hij mijn zoon en enige erfgenaam. Hij zou het niet verhinderen. Hij was niet gek op Paul, maar hij wist zelf dat dat min of meer voortkwam uit de rivaliteit uit hun jeugd. Paul was het vlotte jongetje en Menno de stille toeschouwer. En och, waarheen zou het geld later anders gaan... Ik bedoel: Menno wist dat Paul mij met valse vriendelijkheid omringde, maar hij voelde geen haat. Maar toen Paul een oplossing zocht om jou uit ons huis te krijgen, werd hij inwendig razend, dat ging hem te ver." Ze zweeg even en keek Noortje recht aan. Toen zei ze: „Ik had een beetje in de gaten dat er wat in hem broeide, toen hij me zei dat niet Paul jullie naar Katwijk zou brengen, maar dat hij dat zelf wilde doen. Ik denk dat hij Paul de gelegenheid wilde ontnemen later over dat reis-je verhalen te vertellen, waarvan alleen jij en hij de waarheid konden zeggen, omdat er niemand anders bij was geweest. Het verbaasde me toen wel: Menno met een vrouw en een kind in de auto."

's Avonds op haar kamer dacht Noortje over het gesprek met mevrouw. Ze had Judy om acht uur naar bed gebracht en daar-na beneden koffiegezet voor Menno en thee voor mevrouw. Straks zou Martin komen om een boek te brengen. Over dat boek praatten ze een paar dagen geleden. Het heette „We zoe-ken een rozentuin" en volgens de recensies in de krant was het een mooi boek. Noortje wilde het graag lezen en Martin zei dat hij iemand wist die het in zijn boekenkast had staan. Ze geloof-de dat niet. Ze verdacht Martin ervan dat hij het ging kopen. Maar dat hinderde niet. Het was een heerlijk boek om te heb-ben. En Martin hield van boeken.

Ze ging niet voor het raam zitten, want dan keek ze toch naar buiten en dat leidde haar af. Ze wilde helemaal stil zijn met zich-zelf. Want in haar hart was een vreemd gevoel en in haar hoofd waren wonderlijke, verwarde gedachten.

Door het praten met mevrouw kwamen vanmiddag veel dingen terug, gesprekken, woorden, blikken uit grijze ogen, handen die zich over een tafel bewogen, zinnen die ze toen niet begreep, maar waarnaar ze moest luisteren.

Nu vloeide alles incen.

Menno Verhoeven zou toch niet... ze aarzelde eraan te denken, hij zou toch niet verliefd op haar zijn?

Ze bleef heel stil zitten. Een beetje gebogen, de handen in haar schoot. En wat zij voor hem voelde en medelijden noemde, was dat echt medelijden?

Was het niet anders, een beet je meer, was het geen genegen-heid? Ze moest zichzelf bekennen van wel.

Het begon als medelijden. Want zij was niet bang voor hem en ze had geen ontzag voor hem. Ze vond hem zielig. Zo'n grote man die zoveel geleerd had en zoveel wist – op zijn terrein is het een bolleboos, zei Annie – maar hij wist niet wat het was om gewoon blij te zijn, vrolijk, heerlijk te lachen. Hij wist ook niet wat je voelde, als je verliefd was. Misschien was hij weleens verliefd geweest, toen hij jong was, maar dan was het een stille verliefdheid. Meer pijn dan plezier. Niet met een meisje hand in hand lopen in de zon, kussen en dwaze plannen maken.

Haar medelijden vermengde zich met genegenheid. Want ze wist algauw, toen ze hier in huis was, dat Menno Verhoeven niet de stijve, stugge man was die op de hoge stoel aan de tafel zat. Dat wist ze aan de glans van zijn ogen, als Judy in de kamer was en aan het even trekken van zijn mond, als zij – expres – zotte dingen zei. Maar ze dacht niet veel aan hem, waarom zou ze…

Toen hij in Katwijk met haar praatte en zo open was omdat hij ernaar snakte zich te uiten, hield ze van hem om zijn eerlijkheid tegenover zichzelf. Ze voelde sympathie voor hem. Ze was niet verliefd op hem, stel je voor, Menno Verhoeven was geen man om verliefd op te worden en hij was veel ouder dan zij. Maar ze voelde sympathie voor hem, dat was het juiste woord. Sympathie. En dat bleef. Als ze na die tijd in de grote kamer was en Menno was er ook, was het alsof er een klein draadje van verbond tussen hen spande. Ze hadden samen een geheim, ze kenden elkaar beter dan zo te zien was, hij de meneer op de stoel en zij het dienstertje met de borden. Dat was vanbuiten, vanbinnen waren ze stilletjes vrienden.

Toen Paul in haar leven kwam, dacht ze niet veel meer aan meneer Menno. Tot die vreselijke avond. Toen Paul haar zo intens vernederde en zulke vreselijke woorden toevoegde en ze zich machteloos en kapot voelde, kwam er maar één naam over haar lippen: Menno!

Daar dacht ze nu over. Als ze het nuchter bekeek, was er ook maar één mens die ze kon roepen om te helpen en dat was Menno. Hij was de enige in huis die kon komen. Of mevrouw… Oh, nee, zo'n oude dame en wat zou ze geschrokken zijn. Maar daar dacht ze toen niet over na, ze overwoog niet en besliste niet, ze riep alleen: Menno.

Hij kwam vlug. Misschien hield hij Paul al in de gaten. Als hij erop lette, kon hij de achterdeur horen, want die piepte als hij openging.

Ze wist hoe Menno in een beschermend gebaar een arm om haar heen sloeg en dat ze zich opeens veilig voelde.

Eigenlijk was er toen maar één mens die haar kon helpen en die had haar geholpen.

Als die er niet was... wat dan? Dan was Paul met zijn verhaal naar mevrouw gegaan, die geloofde hem en zij had, met Judy, iets anders moeten zoeken. Geen onderdak, geen inkomen. Wie hielp?

Annie en Toon en Martin. Ja, Martin zou haar zeker helpen. Ze lachte zachtjes. Een lieve jongen, Martin...

Menno... Haar gedachten gingen naar hem terug, want ze wilde weten wat ze voor hem voelde.

Nu zat ze hier, nog steeds in dezelfde houding in de lage stoel en ze wist dat hij een plaats in haar gedachten had. Een mengeling van medelijden en genegenheid. Het kwam omdat ze hem begreep. Hun werelden waren heel verschillend, maar nadat hij haar over zijn jeugd vertelde, begreep ze hem. Het was een eenzame jeugd en heel anders dan de hare. Zij had geen vader die praatte over sterren en hemellichamen, ze geloofde niet dat hij er ooit naar keek. Maar haar vader bemoeide zich wel met zijn kinderen. De vader van Menno begreep niets van een kleine jongen. Hij probeerde ook niet hem te begrijpen. Haar moeder begon gewoon te schelden tegen haar vader, als er iets was dat haar niet zinde. Noortje herinnerde zich die ruzies nog goed. Het was vaak 's avonds, ze wachtten natuurlijk tot de kinderen op bed lagen, maar door het houten plafond heen konden ze best horen hoe ze beneden tekeergingen. Nu wist ze dat het meestal de zorgen waren, die die ruzies uitlokten. De volgende morgen was het meestal weer voorbij, want mokken deden ze niet. Moeder zei later: „Dan kon ik wel aan de gang blijven, deed ik mijn halve leven geen mond meer open!" En daar was ze het type niet naar, stel je voor!

Nu Noortje in het huis aan de Admiralenkade woonde, kon ze zich voorstellen hoe het hier vroeger was. Daarom had ze medelijden met het kind Menno. Ook met de opgroeiende Menno. Want ondanks alle armoede thuis en de oorlog had zij toch een leuke jeugd. Lachen kost niets, zei moeder vaak, en de zon schijnt voor ons allemaal. Als hij vanavond ondergaat, komt hij morgen weer op!

Leuke vriendinnen, kleine liefdesaffaires, dol verliefd en in de zevende hemel, de naam van zo'n jongen met potlood op je hand schrijven en verdrietig zijn, als het uit was. De eerste ontmoeting met Frans, de beginnende liefde tussen hen. Een zalige tijd. Dat had niets met geld te maken.

Maar Menno Verhoeven was alleen. Hij had daar niet veel moeite mee, omdat hij zijn studie had en omdat zijn vader het gezin in een waas van iets bijzonders zijn plaatste. Ze waren anders dan andere mensen. Op mensen als zij, mannen die studeerden en zochten naar een nieuwe leer, mannen die ontdekkingen en onderzoekingen deden tot nut van allen, daarop dreef de toekomst. Het grote volk was te dom om dat te beseffen.

Menno werd in beslag genomen door zijn werk en voelde zijn gemis niet. In die tijd kwamen er geregeld mensen in het huis aan de Admiralenkade. Geleerden met wie zijn vader – en hij soms ook – discussieerden. Want dat heette niet gewoon praten. Maar toen zijn vader overleden was, werd het stil in hun huis. En van toen af groeide langzaam in hem de vraag of dit zijn hele leven was. Langzaam groeide dat, ja, tot hij uiteindelijk wist dat hij ongelukkig was. Dat weten kreeg omlijsting, toen zij met Judy in dit huis kwam. Het was niet zij, het was een jonge vrouw om hem heen. Dat riep gevoelens in hem op, want Menno Verhoeven was niet van steen.

Ze wist opeens – ze zat nog steeds een beetje voorovergebogen in de stoel, ze keek nergens naar – ze wist opeens dat Menno Verhoeven liefde kon geven.

En dat hij naar liefde verlangde. Iemand om van te houden. Een vrouw in zijn armen. Haar strelen en kussen en gekust worden. Misschien droomde hij van het samenleven met een vrouw. Het was volkomen gezond daarover te denken en daarnaar te verlangen.

En hij wilde, maar dat voelde hij niet met dezelfde woorden als die zij nu dacht, zijn gezicht uit de strakke plooien halen. Ze zag soms een lach om zijn mond en ze wist na Katwijk dat hij kon praten en ook later, in het restaurant. Alsof hij alle woorden jarenlang opspaarde en wachtte tot hij ze kon uitspreken.

Ze voelde dat ze op een heel bijzondere manier van hem hield. Niet zoals ze van Frans had gehouden. Dat was spontaan en zuiver, jong en zonder enige remming.

En niet zoals ze van Paul hield, dat was ook verlangen naar iemand dichtbij, hopen iemand te ontmoeten die weer dat geluk van vroeger terugbrengt.

Voor Menno voelde ze warmte. Dat was eigenlijk het goede woord. Het was geen medelijden meer. Maar warmte en begrijpen. Het betekende niets tussen hen, maar het was een band. Ze wisten het van elkaar. En zij voelde het in het gebaar dat hij maakte, die avond toen ze het zo moeilijk had: ik ben er.

En verder?

Niets. Gewoon, ze mocht hem en hij mocht haar, maar verder was er niets. Echt niet, vroeg ze zichzelf af en om die vraag glimlachte ze. Ze richtte zich op, strekte haar armen en zei in gedachten:

„Nee, echt niet."

Een halfuur later kwam Martin Stellinga met het boek 'We zoeken een rozentuin'.

Het zag er nog zó nieuw uit, dat ze lachend vroeg: „Heb je het voor jezelf gekocht?"

„Nee, voor jou." Hij legde het in haar handen.

„Dat moet je niet doen!"

„Waarom niet? Je wilt het toch graag hebben? Het is een klein cadeautje."

„Ik ben er erg blij mee." Ze keek naar hem op. „Nu durf ik nooit meer te vragen of ik een boek van je mag lenen."

„Dan ben ik meteen van dat gezeur af!" haakte hij vlot in. Vlug voegde hij eraantoe: „Dat is onzin, dat weet je."

„Ja, dat is onzin. Maar je moet niets voor me kopen. Dan heb ik het gevoel dat ik wat terug moet doen."

„Nou…" deed hij gemaakt nadenkend, „dat komt dan goed uit, want ik wil je wat vragen. Niet dat dat een gunst is…" Hij lachte opeens weer. Als Martin lachte, had hij een open, blij gezicht.

„Ik hoop dat je het prettig vindt. Ik vraag je met me mee te gaan naar een feestavond. Ons filiaal bestaat tien jaar, het loopt prima en daarom geeft de directie een feestje. In 'De Bourgondiër'."

„Zo, deftige boel."

„Ja. Voor ons is alleen het beste goed genoeg. Maar we hebben ook geploeterd voor de winst. Steeds gezorgd dat alle vakken gevuld waren, vriendelijk en behulpzaam tegen de klanten, reclame gemaakt voor de dingen waarmee we dachten te blijven zitten en nu als resultaat mooie omzetcijfers. Hoeveel winst dat is, weten alleen de heren op het grote kantoor. Maar we hebben de waardering van de baas. Daarom krijgen we een leuke avond. Er komt een goede band met een leuk zangeresje, een koud buffet en weet ik wat nog meer. Wil je met me meegaan?"

„Graag," antwoordde ze blij, „het is een tijd geleden dat ik naar een echt feestje ben geweest. Ik kan het me niet meer herinneren. Moet ik me er erg mooi voor aankleden? Dan moet ik iets nieuws kopen. Maar dat hindert niet. Ik verdien goed bij deze mevrouw!"

„Echt groot gala is het natuurlijk niet."

„Je bedoelt: ik hoop dat je er fatsoenlijk uitziet. Dat snap ik, jij bent tenslotte de chef van de verkoop. Ze kijken naar je."

„Dat is overdreven, maar het zit erin dat de directeur, meneer Paltser, me vraagt je aan hem voor te stellen."

„Ik oefen morgen met je moeder in de keuken," beloofde ze.

„Spaar me," was het enige wat Martin kon uitbrengen.

Het werd een zalige avond. Alles werkte mee om Noortje een geluksgevoel te geven. Ze droeg een schattig jurkje van heel dunne, soepele stof, wit, met een klein, blauw bloemetje.

„Vergeet-mij-nietjes," zei Menno. Het jurkje had een klein boordje dat haar goed stond en een wijde, zwierige rok. Ze had nieuwe schoentjes gekocht, koket met een hakje. Ze kocht nooit zulke schoenen, daar had ze in haar werk niets aan en uitgaan deed ze niet, maar vanavond voelde ze zich de prinses uit het verhaal van Assepoester. Ze draaide voor de spiegel in de slaapkamer.

„Mooi ben je," zei Judy goedkeurend, „je bent nou net Miepies moeder uit het boek van juf. Miepies moeder is de mooiste moeder van het hele land. Heeft mevrouw je al gezien?"

„Welnee, kind, mevrouw hoeft me niet te zien, als ik een nieuwe jurk heb gekocht!"

„Jawel!" Vóór Noortje het kon verhinderen, was ze naar de deur gerend. Ze trok hem open, holde door de gang en wipte de trap af.

Even later kwam ze hijgend terug. „Mevrouw moet het zien. Ik heb gezegd dat je erg mooi bent. Niet echt mama."
Ze kon niet anders dan met het kind meegaan. Toen ze de kamer binnenstapte, zag ze dat Menno er nog was. En ze zag zijn ogen, toen hij naar haar keek: verbazing eerst, dan bewondering en de glimlach om zijn mond zei dat hij haar mooi vond. Menno had geen woorden nodig om iets te zeggen.
Annie kwam al om halfacht. Ze zou die avond op Judy passen. „Kind, meid, wat zie je er beeldschoon uit!" Ze sloeg haar hand voor haar mond. Dat was bij Annie altijd een bewijs van grote bewondering.
„Kleren maken de man. En de vrouw," zei Noortje lachend.
„Nou zeg, zeg dat wel! Ik heb nooit geweten dat je zo'n knappe meid bent! Wat zal Martin opkijken. En wat zit je haar leuk! Ik ben er gewoon stil van."
„Daar merk ik niet veel van."
„Nou, ja, bij wijze van spreken dan."
Even later kwam Martin.
Verdorie, Noortje," zei hij, „als mijn vader je zag, zou hij zeggen: daarmee kun je voor de kramen langs! Mooi, erg mooi. Ik mag je wel vasthouden vanavond, anders zijn er nog mannen die je van me af willen pikken."
„Niks daarvan," besliste moeder Annie, „samen uit, samen thuis."
Noortje lachte crom. Heerlijk was het jezelf leuk gekleed te weten en bewonderd te worden.
In Martins autootje reden ze naar 'De Bourgondiër', een groot, vrij nieuw restaurant aan de buitenkant van de stad. Toen ze de grote zaal betraden, voelde Noortje een tinteling van plezier door zich heen gaan. Heerlijk was het weer eens uit te gaan! Er waren heel veel mensen! De dames feestelijk en fleurig gekleed, leuke kapsels, te blauw gemaakte ogen en rode lippen, de heren in keurige pakken. Een gezellige zaal met zitjes, veel lampen, een band van zes man op het podium en een zangeresje, heel blond, in een lang, zwart japonnetje.
„Stellinga! Kerel, wil je me aan onze gaste voorstellen?"
Een grote, dikke man met een bol gezicht kwam op hen toe. Zijn ogen namen haar op en keurden haar goed, ze zag het. Toen hij

verder was gelopen, zei Martin: „Dat is nou de grote baas, Paltser, de directeur van het circus."

Het werd een zalige avond. Noortje danste met Martin. Hij danste goed en ze verbaasde zich erover dat zij na al die jaren de passen nog wist; het was of ze wegzweefde in zijn armen. Ze luisterde naar de romantische muziek, de stem van de zangeres, die prachtige liedjes zong. Ze praatte af en toe zacht met Martin, zijn mond vlak bij haar oor. „Alsof we al jaren samen dansen, Noortje. En we hebben niet eens geoefend op de keukenvloer."

Ze zaten aan een tafeltje met leuke mensen. Twee verkoopsters van de zaak met hun vrienden, een jong vrouwtje met haar man "van het kantoor", legde Martin uit, en een chef met zijn vrouw. Een leuk ding met dik, blond haar, lichtblauwe ogen en een grote mond met kleine, witte tanden. De gesprekken waren gezellig, luchtig natuurlijk, want in een zaal kun je bij muziek en zang alleen maar luchtig praten, maar het was erg leuk. Noortje genoot.

Heel laat in de nacht gingen ze naar huis. Martin hielp haar met instappen.

„Ja, ik wiebel een beetje op die hoge hakken, ik ben moe en ik heb dansbenen." Hij stapte in, trok het portier dicht en keek naar haar.

„Een zalige avond, Martin" – ze lachte naar hem – „ik kan me niet herinneren wanneer ik zo'n fijne avond heb gehad. Ik ben blij dat je me hebt uitgenodigd."

Hij lachte ondeugend in het duister van de auto. „Ik moest met een meisje komen, ik wist zo gauw geen ander."

Martin startte de wagen en reed weg. Het was stil op de brede rijweg en ook stil in de stad.

Hij parkeerde de auto op het pleintje vlak bij zijn huis. Ze liepen door de straat waar Toon en Annie woonden, naar de tuinpoort. Vlak voor de poort bleef Martin staan.

„Ik vond het een fijne avond," zei hij en opeens trok hij haar naar zich toe en gaf haar, heel licht, een kusje op haar wang. „Bedankt, Noortje."

„Jij moet mij niet bedanken, ik moet jou bedanken."

„We hoeven elkaar niet te bedanken. Laten we zeggen dat we het allebei fijn vonden."

Ze praatten nog even over de mensen die ze ontmoet hadden, Noortje vroeg en Martin gaf antwoord. Er werd niet meer gepraat over iets tussen hen samen.

Pas toen Noortje in bed lag – nog steeds blij vanbinnen, maar wel vreselijk moe – bedacht ze dat Martin haar had gekust. Gewoon een zoentje was het, een zoen zoals een broer kan geven. Meer niet. Ze wist zeker dat Martin het ook niet als meer bedoelde. „Hoe was het feestje gisteravond?" vroeg mevrouw de volgende dag.

„Gezellig en leuk en fijne, mooie muziek. We hebben heerlijk gedanst. Het is toch lekker om eens uit te gaan."

„Natuurlijk, kind, en je bent nog jong! Ik vond het aardig van Martin Stellinga jou te vragen. Ik leid eruit af dat hij geen meisje heeft."

„Nee, dat geloof ik niet, want dan had hij haar meegenomen!" Mevrouw knikte. „Zo is het."

December was een heerlijke maand. Voor het eerst sinds vele jaren had Noortje een gezellige Sint-Nicolaasavond. Ze was dit jaar bij Annie en Toon. Annie zorgde voor een heuse Sinterklaas, die in zijn rode gewaad binnenkwam en twee Pieten liet zeulen met grote zakken, waarin cadeautjes zaten. Judy was helemaal niet bang. Ze is net als ik, dacht Noortje, zich van geen kwaad bewust. Judy zong liedjes voor Sinterklaas tot vermaak van het hele gezelschap en ze zei tegen de goedheilig man dat iedereen lief was. Mama natuurlijk en tante Annie en... Ze noemde ze allemaal op. Ook mevrouw Verhoeven en meneer Menno van de plantjes. En de juf van school en alle kinderen van de klas. De Sint knikte eerst instemmend, maar toen de woordenstroom aanhield, stopte hij daarmee uit angst zijn baard te verliezen door dat geknik.

Noortje kreeg leuke pakjes. Spulletjes voor haar kamer, onder andere een schattig beeldje van een hondje, waarover Judy zich meteen ontfermde. Voor de badkamer een gezellige badmat en een groot, zacht, lichtblauw badlaken. Een tasje van zwart fluweel, geborduurd met kleine bloemmotiefjes. En een boek. Toen ze erin bladerde, viel er een envelop uit. Er zat geld in en een kort gedichtje. Ze moest er iets voor kopen dat ze graag wilde hebben. Ze wist dat het een geschenk van mevrouw Verhoeven was. Ze kreeg ook een doosje waarin een schattig, gouden kettinkje lag op een bedje van donkerblauwe watten. Ze werd rood tot diep in haar hals, toen ze het uitpakte en het heel voorzichtig, alsof het breekbaar was, in haar hand hield. Ze had geen sieraden. Wel een goedkoop kettinkje, dat ze kocht bij de Hema, omdat de kleur van de kralen paste bij haar jurk, maar ze had niets van goud of zilver. Daarvoor was nooit geld geweest. En nu dit: ze keek er in stille verrukking naar. Ze wist niet van wie ze dit kreeg. In gedachten ging ze het rijtje langs. Annie… nee, Annie deed zoiets niet. Dat moest ze ook niet doen, dit was geen kleinigheidje meer. Dit was een geschenk. Mevrouw Verhoeven? Nee. Het boek en het geld waren van mevrouw Verhoeven. Martin? Ze keek naar hem, maar zijn gezicht ver- raadde beslist niet of hij blij was met haar reactie. Heel even dacht ze: Menno… Maar nee, Menno Verhoeven zou voor haar geen gouden ketting kopen. Het moest dus Martin zijn. Maar dat moest hij niet doen! Het was te duur. Ze keek naar hem, maar hij liet niets blijken. Hij nam het sieraad van haar over, keek ernaar en zei dat hij het een mooi ding vond. Ze bleef met de vraag wie haar dit geschenk had gegeven. Tegen Kerstmis zei mevrouw: „Ik wil graag, Noortje, dat jij en Judy met Kerstmis bij ons aan tafel dineren."

„Och, nee, mevrouw, ik vind het erg lief van u, maar met Judy, laten we dat niet doen. Ze eet keurig, hoor, dat weet u wel, maar je zult zien dat ze juist dan een soepbord omwipt en het over uw damasten tafellaken giet. Ik moet er niet aan denken."

Mevrouw lachte. „Ik denk er wel aan, Noortje. Ik wil het. Het is Kerstmis, we wonen in hetzelfde huis en ik vind het fijn dan samen te zijn."

„Ik ben er bang voor," sputterde Noortje nog tegen, „maar als u het wilt…"

Mevrouw hield vol. En zo zaten ze in het begin van de avond van de eerste kerstdag in de grote kamer om de tafel. Noortje had feestelijk gedekt, met mevrouw samen. In het midden van de tafel stonden twee zilveren kandelaars met grote, witte kaarsen en er waren beeldige kerststukjes van fris dennegroen, hulst en smal, rood lint, dat tot schattige rozetjes was gestrikt.

Noortje maakte een heerlijk diner klaar. Ze raadpleegde een week voor Kerstmis het dikke kookboek van mevrouw en toen ze wist wat ze wilde klaarmaken, legde ze twee lijsten aan. Eén voor de spullen die in huis gehaald moesten worden en één waarop ze in korte woorden schreef – maar wel zo, dat zij wist wat er stond hoe alles moest worden klaargemaakt. Het briefje prikte ze aan het keukengordijn, toen ze een dag voor Kerstmis met een rood hoofd aan het kokkerellen was. Het resultaat was voortreffelijk. „Nou is het echt Kerstmis, hè?" kwetterde Judy, vóór ze aan tafel gingen, „bij ons ook, boven, wij hebben een kerstboom. U moet komen kijken. Mama en ik hebben in de grote winkel van Martin ballen, slingers en kaarsjes gekocht. Echte kaarsjes. Maar ze mogen niet branden, als mama er niet naast zit. Want als de boom in brand vliegt, vliegt het hele huis in brand, zegt mama. En dat is zonde van de plantjes, van de klok, van de loper en van…"
„Ja, stil maar," viel Noortje haar in de rede, „noem alsjeblieft niet op wat er allemaal in huis is. Dan heb je werk tot nieuwjaarsdag."
„Zonde van alles," besloot Judy en daar lachten ze alle vier om. Het werd een gezellige maaltijd. Judy babbelde gewoon door, alsof ze elke dag met mevrouw en meneer Verhoeven aan tafel zat. Mevrouw vertelde over kerstdiners van vroeger, niet sentimenteel of bedroefd, maar gewoon, herinneringen ophalend. „Weet je nog, Menno, toen professor Lindemeyer onverwachts kwam, net vóór we aan tafel wilden gaan? Die man was zo verstrooid, Noortje, die had niet eens in de gaten dat het Kerstmis was."
„Welnee," zei Menno lachend, „toen hij de gedekte tafel zag, zei hij: is het zo laat? Ik eet een hapje mee en hij schoof bij alsof hij in een cafetaria op de hoek was binnengelopen!"
Na het diner ruimde Noortje af. Judy bleef in de kamer. „Ik zal straks een kerstverhaal voorlezen," beloofde mevrouw Verhoeven, „als mama terug is."
„Niet een eng verhaal?" vroeg Judy. Ze hield niet van enge verhalen.
„Nee, een mooi verhaal. Over een kleine jongen."
„Die alleen op reis moet?"

Menno lachte opeens. „Nee, zo is het niet. Ik geloof dat ik het verhaal ken. Het is geen jongetje dat alleen op reis moet. En het gaat niet over arme mensen die het op de avond voor Kerstmis erg koud hebben in hun kleine huisjes en die honger hebben, maar geen eten in de keukenkast. Dan stopt plotseling een grote arrenslee voor de deur, de kerstman zit op de bok en hij brengt zakken kolen voor de kachel en kerstbrood met suiker en een pan warme chocolademelk."

„Zo'n verhaal vind ik leuk," zei Judy. Ze keek hem met haar kopje schuin ondeugend aan.

„Mevrouw kan zo'n verhaal vertellen," zei Noortje, terwijl ze een kandelaar van de tafel nam en hem op de kast zette. „Maar je weet nu al hoe het afloopt met die mensen, nou is het niet leuk meer."

„Meneer Menno verraadde het," zei Judy en ze keek een beetje boos naar hem. Want het was vast een leuk verhaal geworden.

Toen Noortje terug was in de kamer – de pot met pittige, geurige koffie stond op het lichtje op het blad – begon mevrouw te vertellen. Judy zat op de grond op het zachte, dikke vloerkleed en luisterde. Noortje luisterde ook. Ze keek naar de vlammen in het haardvuur. Er waren veel kleuren in. Geel en zachtrood, maar soms was het alsof er een blauwe vlam tussendoor omhoogschoot. En het wisselde zo, ze moest blijven kijken, zoals ze deze zomer moest blijven kijken naar de zee, toen ze in Katwijk aan het strand stond. Ze probeerde te luisteren naar het verhaal, maar de woorden vloeiden steeds van haar weg, ze kon ze niet vasthouden.

Ze voelde zich gelukkig. Het kwam door de warmte en de veiligheid die ze in dit huis om zich heen voelde en waarmee ze blij was. Elke dag nog waardeerde ze het, maar vanavond was het anders. Er kwam iets bij, een gevoel van liefde, ze wilde er niet aan denken, ze moest nuchter blijven, maar het was een sprookje. Hier zat ze, Noor Folmer uit de Anjelierstraat, hier zat ze met Judy in deze mooie kamer. Alsof ze er hoorden. Deze kamer alleen al, met de diepe, zachte stoelen, het haardvuur, de brandende kaarsen in echt zilveren kandelaars, was een kamer uit een kerstverhaal. Als de juffrouw van de zondagsschool, waarheen ze vroeger soms met Marietje van de buren ging, hierover had verteld, kon ze zich zo'n kamer niet voorstellen, met zoveel, mooie dure dingen. Zoals de kast met de gebeeldhouwde leeuwenkoppen en de schemerlamp met een poot van Japans porselein. Natuurlijk, ze zat hier als de dienstbode, maar het was niet zo, dat mevrouw uit barmhartigheid en om met Kerstmis een goede daad te doen haar binnen had gehaald. Zo was het niet. Het was omdat mevrouw haar aardig vond. En meneer ook. Even keek ze naar hem op. Hun ogen ontmoetten elkaar. Een paar warme, grijze ogen en een paar glanzende, donkere ogen. Het verwarde Noortje. Ze zag de zachte blik waarmee hij naar haar keek. Hij knipoogde naar haar. Ze sloeg verward haar ogen neer.

In de namiddag van de tweede kerstdag kwam Menno boven. „Ik moet naar jullie kerstboom komen kijken," zei hij een beetje verlegen, zich verontschuldigend omdat hij haar kamer binnenkwam.

„Judy was gisteren al verdrietig, omdat u niet wilde komen kijken. De boom is voor haar een klein wonder. Ze heeft nog nooit een kerstboom gehad."

„Ziet u dat vogeltje?" Judy trok hem bijna aan zijn mouw, maar ze bedacht zich nog net. „Dat vogeltje met geel en groen, dat heb ik uitgezocht. En dat kerstklokje ook. Het kan echt bellen. En die grote bal, dat is net een spiegeltje. Als u zo bukt, doet u dat eens, ziet u uw gezicht erin. Maar wel een mal gezicht."

„Het is een prachtige boom," zei Menno bewonderend.

„Ja, het is een lief boompje." Noortje glimlachte naar hem.

„We hebben hem vanmorgen vroeg al aangedaan. Het was buiten zo lang donker en triest." En ik wil de warmte vasthouden, dacht ze, bij me houden, laten duren.

Judy was naar haar speelhoek gegaan en vertelde de pop over de kerstboom.

„Gaat u zitten." Noortje wees naar de bank. Eigenlijk wist ze niet goed wat ze tegen hem moest zeggen. Ze was de blik in zijn ogen van gisteravond nog niet vergeten. Ze wist ook dat hij eraan terugdacht, dat voelde ze, maar hij zei er natuurlijk niets over. Het was net of het een geheim tussen hen was. Het vervolg op het geheim van toen...

„Ik vond het gisteravond erg prettig, Nora. Moeder en ik hebben in veel jaren niet zo'n fijne kerstavond gehad. We hadden in het verleden uitgebreide diners, er is zelfs weleens een kok gekomen om daarvoor te zorgen. Er waren dan gasten, maar zo fijn als gisteravond was het nooit."

Wat moest ze daarop zeggen?

„Dat begrijp ik niet," zei ze, terwijl ze op de stoel schuin tegenover hem ging zitten. „Er was toch niets bijzonders?"

„Zo op het oog niet. Ik heb me afgevraagd waarom het me zo goeddeed. Ik geloof dat het komt, omdat we aan tafel zaten als mensen die elkaar graag mogen."

Ze keek hem aan.

„Je weet dat mijn moeder je graag mag en je weet ook dat ik je graag mag. Door jou is mijn leven veranderd."

„Dat hebt u me eerder gezegd," zei ze heel zachtjes, „maar ik geloof het niet." Wat moest ze anders zeggen? „Is er geen andere reden? Iemand die u ergens hebt ontmoet." Ze dacht aan de man die Edo Weber heette. „Op uw werk misschien?"

„Het is juist andersom. Omdat ik door jou heb geleerd hoe fijn het is gewoon te praten met de mensen om me heen, heb ik vriendschappen gevonden onder de collega's met wie ik al jaren werk. Het is nog een beginnetje" – hij lachte opeens – „iets dat jaren in je zit, raak je niet zomaar kwijt, maar het doet me ontzettend goed. Het was eigenlijk een wisselwerking. Ik zei bijna niets tegen hen en zij niet tegen mij. Toen ik begon te praten, was het of de spanning die een zwijgzame figuur inbrengt, opeens was verbroken."

„Ik ben blij dat ik u op zo'n simpele manier heb geholpen. Maar ik begrijp het niet."

„Ik eigenlijk ook niet, Nora." Hij praatte zachtjes, terwijl hij lachte. Ze zag de glans in zijn grijze ogen. „Ik begrijp het ook niet. Maar ik ben er blij mee. Het is ook omdat ik je aardig vind. Misschien is het meer dan dat."

Hij keek naar haar en ze voelde zich opeens vreselijk onzeker, angstig bijna, maar ook opgewonden. „Je hebt zoveel in me wakker gemaakt."

Ze vroeg niet: „Wat dan?" want ze was bang voor zijn antwoord. Als hij zei dat hij van haar hield... Stel je voor, maar het kon, hij was een man, ook al onderdrukte hij jaren lang alle gevoelens die in hem bovenkwamen, omdat hij meende dat dat niet bij hem paste. En misschien was er in al die jaren nooit een meisje of vrouw geweest, op wie hij verliefd kon worden. Dat was mogelijk. Frans zei dat vroeger eens. „Een wereld vol meisjes, er zijn er genoeg om je heen, overal waar je komt, maar eentje pik je ertussenuit. Die heeft iets dat je aantrekt. Op haar word je verliefd."

Misschien ontmoette Menno Verhoeven die vrouw nooit. Op zijn werk was ze misschien niet. En de meisjes die er waren, werden afgeschrikt door zijn strakke gezicht. Wie lachte er naar zo'n man met 'vlinders in zijn ogen', zoals buurman Jan dat noemde? Ze kon het zich voorstellen van die meisjes. Je moest door meneer Verhoeven heen kijken om de ware Menno te ontdekken. Maar nu zij in zijn huis was ontwaakten de dromen in hem. Ze had geen tijd om erover te denken.

„Je hoeft niet bang te zijn, Nora." Hij raadde haar gedachten, ze voelde zich rood worden. „Ik wil je alleen zeggen dat ik het gisteravond erg gezellig vond en dat ik jou erg aardig vind. Dat mag toch?"

„Natuurlijk." Ze keek naar de grond, dan tilde ze haar hoofd op. Ze had zich hersteld, ze lachte naar hem. „Ik heb u zelf gezegd dat u zich veel meer moet uiten!"

Tussen Kerstmis en nieuwjaar had Noortje het druk. Ze wilde het huis wat doorwerken, maar de dagen waren kort en Judy had vakantie, dat was gezellig, maar het hield haar op.

Annie vroeg of ze oudejaarsavond in 'de Wilmanstraat', zoals Annie hun tehuis omschreef, wilde komen. Noortje vond het leuk om er heen te gaan. Het was er een gezellige boel en de kinderen van Toon en Annie zouden allemaal komen.

Ze vond het niet leuk dat mevrouw en meneer Menno de laatste avond van het jaar samen in het grote huis zouden zijn. Maar mevrouw vroeg haar niet thuis te blijven en ze kon toch moeilijk aanbieden met Judy naar de grote kamer te komen om ganzenbord te spelen of met elkaar dierenkwartet te doen.

Dus ging ze naar de Wilmanstraat. Een dolgezellige avond, oliebollen eten, spelletjes doen, veel praten en lachen.

„We stoppen Juudje hier in bed, als ze moe wordt," had Annie van tevoren al beslist. „Het bed op het kleine kamertje staat klaar."

Het was bijna halfvier in de morgen, toen Martin en zij door de smalle straat liepen op weg naar de tuinpoort.

„Moe?" vroeg Martin. Hij liep dicht naast haar. Hij keek op haar neer en ze moest haar hoofd optillen om zijn gezicht te zien. „Ja, maar dat is niet zo'n wonder! Het is halfvier en ik heb vanavond zoveel gekletst en gelachen! Maar het was heerlijk."

„Ja, het was druk, maar gezellig. Mijn vader en moeder hebben altijd wat te vertellen en Theo en Tineke kunnen er ook mee terecht. En dan Rietje en Bob nog! Het is druk, maar ik vind dat passen bij een oudejaarsavond. Het is goed om geen trieste gedachten te krijgen en geen zorgen voor het nieuwe jaar."

Hij zei het als grapje, maar Noortje ging er ernstig op in.

„Die heb ik nu niet. Vorig jaar wel. Toen zat ik alleen in de kamer in de Anjelierstraat. Alleen met de radio. Mijn buren hadden gevraagd of ik bij hen wilde komen, maar ze dronken daar zulke avonden veel te veel en ik had geen zin erbij te zitten. Ik bleef met Judy thuis. Ik was bang voor dit jaar. Geen geld en weinig kans om te kunnen werken, want ik kon geen oppas voor Judy vinden. Ik kon haar nergens onderbrengen. Voor niets. En ervoor betalen kon ik niet. Huishoudster worden was het enige. Ik schreef op alle advertenties in het reclameblaadje dat elke week in de bus werd gegooid en ik kreeg vaak antwoord. Of ik komen wilde. Maar als ik bij die mensen kwam, was ik bang dat zo'n man, die tobde met een zieke vrouw of alleen was, meer in me zag dan iemand die eten zou koken en de troep opruimen. Natuurlijk was het niet in alle gevallen zo, dat is onzin, maar buurvrouw Jansje zei vaak dat alle mannen hetzelfde denken, als ze een jonge vrouw zien!" Ze lachte.

„Ik geloof dat buurvrouw Jansje een beetje gelijk heeft. Een getrouwde man, die om welke reden dan ook niet meer met een vrouw kan leven, mist dat. En verlangt ernaar."

„Ze zoeken maar een ander!" riep Noortje vrolijk. „Ik heb het hier best naar mijn zin!"

„Dat weet ik. En je denkt nooit aan iets anders? Weer een man ontmoeten van wie je houdt, weer trouwen, iemand die een leuke vader voor Judy wil zijn…"

Ze keek hem aan. Opeens was er iets in haar donkere ogen, het was of ze wakker werd uit een lange droom, alsof ze hem voor het eerst zag. Martins blauwe ogen die naar haar keken, zijn ernstige mond, Martin, die een broer voor haar was, onzin, een vriend dan. Bedoelde hij iets met deze vraag?

„Daar denk ik nooit over," zei ze zacht, „maar misschien als ik iemand ontmoet van wie ik veel kan houden."

Even legde hij zijn handen om haar armen.

„Ik hoop dat je die man ontmoet, Noortje. Ga nu naar binnen en ga maar gauw lekker slapen." Hij boog zich voorover en kuste haar heel voorzichtig op haar wang.

Als in een droom liep ze naar binnen, goed nadenken kon ze niet, ze was moe en gelukkig. Ze dacht aan Martin, de kus op haar wang, de warmte van zijn handen op haar armen, het maakte haar zweverig, blij en ze wist dat het wat betekende, maar ze kon het niet thuisbrengen.

HOOFDSTUK 7

In de morgen van een grijze januaridag begon het te sneeuwen. Grote, witte vlokken dwarrelden uit een grauwe hemel en toverden de tuin achter het huis Admiralenkade 4 tot een sprookjeswereld. Tegen twaalf uur lag de sneeuw als een vlakke, wollige deken over het gazon, rein, wit en ongerept. De takken en bladeren van de heesters en struiken droegen de sneeuw als warme ijsmutsjes. Het was een prachtig gezicht.

Noortje stond voor het keukenraam en genoot ervan.

„Alsof je nog nooit sneeuw hebt gezien!" Annie was een beetje mopperig die morgen. „Nou, van mij hoeft het niet! Het wordt een vieze troep, als het wegdooit. Moet je straks de straten bekijken, als de pekelwagen is geweest. Gewoon blubber en prut! En het sjouwt onder de schoenen naar binnen…"

Judy kwam juichend uit school. Ze vond de sneeuw prachtig. „We hebben niks geleerd vanmorgen, mam, we hoefden niet te lezen. We zijn op het schoolplein geweest, we mochten sneeuwballen gooien, maar geen harde, dat is gevaarlijk zegt juf. Het was zo leuk! En nou gaan Dieneke en ik hier in de tuin, dat mag, hè, mam, en Dieneke haalt haar slee…"

179

Dieneke was Judy's vriendinnetje. Ze zaten allebei in de eerste klas en Dieneke woonde vlakbij, in een van de straten achter de kade.

„Als jullie uit school komen, maken we samen een sneeuwpop," beloofde Noortje. „De sneeuw blijft wel liggen, want het vriest hard genoeg."

Het werd een pracht van een sneeuwpop. Noortje rolde een grote bal voor de romp, de sneeuw pakte goed. Samen met de kinderen zeulde ze achter de bal aan. Daarna nog een kleinere bal voor zijn hoofd en net toen ze aan het karwei begonnen om het hoofd op de romp te krijgen, kwam Martin.

„Je komt prachtig op tijd!" Noortje hijgde een beetje, haar wangen waren rood van inspanning en van de frisse vrieslucht. „We moeten de kop van de sneeuwpop op zijn lijf zetten."

Samen maakten ze de sneeuwman af. Bezem in de hand, knopen van stukjes hout op zijn buik, een wortel waar zijn mond moest zitten en donkere stenen om de ogen aan te geven. En een klein emmertje op zijn kop, want een oude hoed konden ze niet vinden. „Zal ik nou warme chocolademelk maken?" stelde Noortje voor, „dat hoort bij de winter. Lust jij ook een kom, Martin?"

„Graag en ik vind dat ik dat verdiend heb."

„Ja, prijs jezelf maar." Noortje trok haar schoenen uit voor de deur van de achtergang.

„Als de sneeuw blijft liggen tot het weekend, Noortje, zullen we dan naar het bos gaan, daar is het prachtig! Maken we een fijne wandeling, Judy, jij en ik."

„Ja Martin, enig!" Ze stond voor het aanrecht. Ze draaide zich om en keek hem aan. Leuk zou dat zijn, een boswandeling. Ze had nog nooit een bos in de winter gezien. Ze vond de tuin al fantastisch, hoe groots moest het dan tussen de bomen zijn! Die avond ging Noortje even na elven naar haar slaapkamer. Ze had er in de wintertijd een gewoonte van gemaakt eerder op de avond, eigenlijk al als het donker werd, de sluitgordijnen voor de ramen van haar slaapkamer dicht te trekken. En later op de avond, meestal tegen een uur of tien – alleen als ze een mooi boek had, dan wist ze dat ze later naar bed zou gaan – draaide ze de knop van de verwarming open, zodat het behaaglijk was in de slaapkamer als ze er binnenkwam. Ze kon van deze luxe

180

genieten, waarom zou ze het niet doen!

Ook deze avond was het lekker warm in de slaapkamer. Vóór ze in het bed stapte, draaide ze de verwarming dicht. Ze kroop weg onder de dekens. Ze was moe en een beetje 'rozig', zoals moeder dat vroeger noemde. Dat kwam van het spelen met de kinderen in de sneeuw. En ook van de vrieskou, want nadat donkere wolken hun sneeuwvracht hadden laten vallen, waren ze weggedreven om plaats te maken voor een strak gespannen, heldere hemel. Ze soesde weg. Ze dacht aan Judy en Dieneke. Een leuk ding was dat met die korte, parmantige bosjes in haar haar en die glimmende blauwe ogen. Ze speelden vaak samen. Ze kibbelden ook en dan kwam naar voren dat Judy niet gewend was met andere kinderen te spelen. Ze wilde steeds haar zin hebben, haar plannetjes moesten worden uitgevoerd. Maar Dieneke liet zich niet op de kop zitten.

Ze zou morgen met Judy praten en zeggen dat het fijn is met andere kinderen te spelen, maar dat die kinderen niet altijd willen doen en hoeven te doen wat zij wilde. Judy zou het begrijpen, ernstig 'ja' knikken, maar of ze het in de praktijk kon uitvoeren – Noortje glimlachte – daar zou nog wel enige tijd overheen gaan. Maar dat hinderde niet, ze moest het leren. En Dieneke bleef er niet door weg, die schonk er geen aandacht aan.

Ze dacht aan Martin. Samen met hem en Judy naar het bos gaan, heerlijk, naast hem in de auto zitten, dat vond ze al zalig. Lekker stilzitten, zacht in de kussens en wegglijden over de wegen. Martin naast haar. Af en toe keek ze dan stiekem naar hem. Zijn handen aan het stuur, mooie, stevige handen had Martin. Zijn gezicht zag ze van opzij, Martin keek recht voor zich op de weg. Als het nou maar bleef vriezen tot zondag, maar och, dat zou wel, het was januari. Als het nou niet vroor, wanneer moest het dan vriezen! Fijn met hun drietjes naar het bos, laarzen aan, dikke jassen en mutsen, genieten van een sprookje, want dat zou het zijn... sneeuw op de bomen, sneeuw op de grond, Martin en zij en Judy... Ze doezelde weg. Tot ze opeens wakker schrok van een vreemd geluid. Ze hoorde nooit geluiden in dit huis. Tenminste geen vreemde geluiden. Wat ze soms hoorde, was het getik van de regen op de ruiten of de wind, die om het hoge dak gierde. Dit was een ander geluid.

Ze hoorde duidelijk een stem. Ze schoot overeind.

„Nora… Nora…"

Mijn hemel, dat was Menno, wat zou er zijn? Iets met mevrouw natuurlijk! Ze trok aan de lichtschakelaar en riep: „Ja, ik kom." Ze stond al naast haar bed, schoot vlug in de roze duster, die over de stoel hing en trok de deur open.

Menno stond in zijn overhemd op de gang. Zijn gezicht was grauw, zijn ogen angstig en groot.

„Nora, sliep je al? Moeder is niet goed."

Ze liep voor hem uit de trap af en ging de slaapkamer van mevrouw Verhoeven binnen.

Het was een sombere slaapkamer. Dat wist ze natuurlijk, want ze hield hem altijd schoon. Maar dan was het dag, dan waren de gordijnen open en scheen de zon binnen of viel in elk geval het daglicht de kamer in. Nu waren de lange, donkere gordijnen gesloten. En het zware eikenhouten ledikant leek forser en plomper dan anders. De hoge, brede kast stond als een groot, dreigend vlak tegen de muur.

In de kamer brandde een vrij sterke gloeilamp in de bol aan het plafond.

In het bed zat mevrouw Verhoeven in de kussens. Haar gezicht was smal en wit, de ogen stonden glazig en bang.

„Wat is er, mevrouw?" Noortje probeerde haar stem zo rustig mogelijk te laten klinken. Dat leerde moeder vroeger. „Ook al zit je nog zo in de zenuwen, als je bij een zieke komt moet je proberen rustig te blijven. Want een patiënt voelt dat je geschrokken bent en dat maakt hem of haar onrustig."

Noortje ging op de zijkant van het bed zitten.

Mevrouw Verhoeven keek haar aan, ze zei niets.

„Hebt u pijn?"

„Ja. In mijn buik. En ik voel me zo raar."

„Een beetje misselijk?" veronderstelde Noortje. „Hebt u iets gegeten dat niet goed is gevallen? Wat hadden we vandaag? Winterkost, boerenkool. Misschien was het te zwaar voor uw maag. Zal ik melk warmen? En bent u zelf warm? Uw voeten? Nee! Ik maak een kruik. En ik zal een bak meenemen uit de keuken. Als u kunt overgeven, moet u dat doen. Niet denken: dat is zo'n troep, dat wil ik niet. Als u eruit kunt gooien waarvan u last hebt, bent u daarvan af. En dat opruimen betekent niets." Inderdaad gaf mevrouw over. Noortje stond ernaast en steunde en hielp haar zoveel ze kon. Servetten hield ze bij de hand om het vermoeide gezicht af te wissen. Ze liet haar 'spoelen' zoals haar moeder dat vroeger deed als zij had overgegeven en zei, net als moeder, dat mevrouw het water niet moest doorslikken. Na een halfuur lag mevrouw, hoger in de kussens nu, maar veel rustiger in het bed. Een warme kruik aan haar voeten. Noortje had een klein schemerlampje uit de voorkamer gehaald en dat op de grond in de slaapkamer laten branden. Het grote licht knipte ze uit. Het was opeens rustiger in de kamer.

„Ik voelde me zo naar… Ik heb nog pijn in mijn buik. En in mijn maag."

„Dat zal afzakken, nu alle narigheid eruit is." Noortje glimlachte naar haar.

„Ja, misschien wel."

Toen Noortje na een halfuurtje naar de keuken ging om thee te zetten – mevrouw voelde zich veel beter, slappe thee, dat was warm en het zou ook de nare smaak die mevrouw in de mond had, laten verdwijnen – kwam Menno de keuken binnen.

„Wat denk je, Nora, wat is het?" vroeg hij bezorgd. „Ik schrok vreselijk, toen ik haar zag. Ze zag er akelig uit."

„Ja, ik merkte dat u geschrokken was. Maar door uw reactie raakte mevrouw ook overstuur. Ik geloof niet dat er iets ernstigs aan de hand is. Maar ik ben geen dokter. Niet eens een verpleegster."

„Een verpleegster kan je niet verbeteren. Je deed het prima."

„U moet zich geen zorgen maken. Ieder mens voelt zich toch weleens naar?"

„Ik kan me mijn moeder niet ziek herinneren. Moeder is nooit ziek. Ik had mijn moeder nog nooit in bed gezien. Misschien vroeger, toen ik een kleine jongen was, maar daar weet ik niets van. Zolang ik mijn moeder ken, was ze altijd perfect gekleed en gekamd in de kamer of in de keuken. Ik kwam nooit in haar slaapkamer. Ik hoorde haar kreunen, toen ik naar het toilet ging. Ze riep me niet, ze kreunde alleen. Als ze gehoord had dat ik de deur van mijn kamer opende en de gang instapte, was ze mis-

183

schien stil geweest. Dan had ze zich stilgehouden. Om niets te laten merken. Zo is moeder."

„Maar dat is toch dom?"

„Ja. Toen ik haar hoorde kreunen, ging ik de kamer binnen. Ik schrok verschrikkelijk, Nora" – hij keek haar recht aan, ze zag nog de angst in zijn ogen – „mijn moeder was op dat moment een heel vreemde vrouw voor me. Ze droeg een nachtpon, natuurlijk, maar ik heb haar nog nooit in een nachtpon gezien. En dat losse haar, dat zag ik nooit en het bleke gezicht, nu pas weet ik dat moeder oud is. Aan haar gezicht was ook te zien dat ze pijn had en ik wist niet wat ik moest doen. Dat maakte me bang. En ik had een hekel aan mezelf, maar ik wist niet wat ik moest doen. Moeder zei tegen me dat ik jou maar moest roepen."

„Dat was een goed idee."

Het water kookte. Noortje goot het in de theepot. Toen de thee onder de dikke muts stond te trekken, zei ze: „Ik zal even binnen kijken."

Mevrouw lag onder de dekens.

„Ik lig nu lekker, kind. Fijne warme voeten. Ik had gewoon ijsklompen. En ik voel me opgelucht, nu alles wat me dwarszat weg is."

„Zal ik een kopje thee voor u halen? Slappe thee. En een paar biscuitjes, hebt u daar zin in?"

„Zin eigenlijk niet."

„Maar het is goed om iets te eten. Nu is uw maag erg leeg."

„Dat is waar." Over het vermoeide gezicht gleed een glimlach. „Ik haal het. En als het u niet goed smaakt, laat u het gewoon staan. Gieten we de thee door de gootsteen, zoveel kost dat niet." Ze lachte naar mevrouw.

Toen mevrouw na de thee was ingedommeld, sloop Noortje de slaapkamer uit.

Ze droeg het blad met het kopje en het lege biscuitschaaltje naar de keuken.

Daar zat Menno nog op een stoel.

„Wilt u ook een kopje thee?" vroeg ze. „We kunnen toch nog niet naar bed gaan. Ik geloof dat mevrouw erg geschrokken is, toen ze zich niet goed voelde en bedacht dat er niemand was om haar

184

te helpen. Ze wilde u niet lastig vallen, ze heeft u, geloof ik, nog nooit lastiggevallen met iets dat voor haar een probleem was. En ze kon mij niet roepen. Alleen via u. Misschien wilde ze mij ook niet roepen, omdat ze niet wilde dat ik haar zou zien in haar nachtpon, met haar haren los en zonder bril. En ziek en akelig. Ze raakte erdoor in paniek. Ik kan me dat voorstellen. Maar toen wij kwamen en alles op een goede manier werd opgelost, werd ze rustiger. Ze voelt zich verzorgd, ze heeft warme voeten en wat gegeten, ze ligt lekker nu het niet meer zo kil licht is in de kamer. En ze voelt zich niet alleen. Ik ga nog niet naar bed. Ik zal straks vragen of ze naar het toilet moet. Ja, dat zijn nu eenmaal heel normale dingen, maar een mens die gewend is dat zelf te regelen, iemand die nooit ziek is, staat er een beetje naar tegenover, als hij geholpen moet worden. Het is precies zo, als je voor de eerste keer van je leven in een ziekenhuis wordt opgenomen, maar het went vlug. Voor mij is het de gewoonste zaak van de wereld om te helpen. Of het nu mijn mevrouw is of een buurvrouw die in moeilijkheden is."

„Ik bewonder je, Nora. Wat moest ik doen, als jij er niet was?"

„Een dokter bellen. Als hij komt, lost het zich ook op. Maar als het onder ons gaat, is het beter. Als de dokter komt, geeft dat gauw het gevoel dat er iets ernstigs is. En uw moeder is niet jong meer, ze weet dat ze iets kan krijgen. Dat kunnen wij ook, maar ik geloof dat je er als je ouder wordt anders over denkt."

Menno Verhoeven pakte een koekje uit het open trommeltje dat op de tafel stond.

„Droge koekjes," zei hij na de eerste hap.

„Koekjes voor patiënten en hun verzorgers," zei Noortje lachend.

„Wat jij zegt over moeder, Nora, dat ze misschien bang is" – hij keek haar recht aan, maar eigenlijk zag hij haar niet, zo intens was hij bezig met zijn gedachten – „dat is waar. Ik denk voor mezelf nooit aan de dood. Ik ben nog niet oud en ik heb het te druk om erover te denken, er zijn te veel andere dingen die me bezighouden. Zoals ik het nu voel, zou ik me niet druk maken over mijn dood, maar als het dichterbij komt, als je zo oud bent als moeder en zoveel tijd hebt om na te denken, dan zal het anders zijn." Hij zweeg. Hij keek over Noortje heen. Ze zei niets.

„Ik neem het mezelf kwalijk, Noortje." Hij zag haar aan. Ze schrok van de vreemde glans in zijn ogen, ze voelde een vreemde blijdschap, omdat hij haar opeens Noortje noemde. Ze luisterde gespannen naar hem. „Ik neem het mezelf kwalijk dat ik het nooit heb beseft, dat ik er nooit over nadacht dat dit mijn moeder kon bezighouden. En jij, moeder is voor jou een vreemde, ook al mag je haar graag, jij denkt er wel aan. Ik weet dat je gelijk hebt. Toen ik de slaapkamer binnenkwam, zag ze er ontredderd en bang uit. Ze moet gezien hebben hoe ik van haar schrok."

Noortje knikte.

„Steeds meer, Noortje, ontdek ik dat het leven heel anders is dan ik weet. Ik weet eigenlijk niet veel van het leven. Van het gewone leven zoals duizenden mensen het leven. Zoals jij het leeft. Met verdriet en warmte, met zorgen, blijdschap, vreugde, tranen en plezier. Dat leven is ver van mijn leven af. Zoals ik mijn leven tot nu leidde, zo is voor mij het leven. Het is een stil, saai en triest leven. Er is veel meer en nu ik me ervan bewust ben, verlang ik naar die mooie, goede en waardevolle dingen." Hij keek naar haar en er kwam een glimlach in zijn ogen, maar die gleed meteen weer weg. „Ik heb er nooit bij stilgestaan wat mijn moeder deed en dacht, als ze een lange dag in haar kamer zat. En voor jij in huis kwam, zat ze er lange dagen alleen. Ik heb er geen verontschuldiging voor, het is een tekortkoming van mezelf. Omdat ik egoïstisch bezig ben met mijn leven."

„Zover moet u het nou ook weer niet zoeken." Ze kreeg medelijden met hem, ze voelde dat hij elk woord dat hij zei, meende en dat het verwijt diep in zijn hart pijn deed. Ze zou haar hand op zijn hand willen leggen in een gebaar van begrijpen, maar dat deed ze natuurlijk niet. „Uw moeder heeft u nooit om raad gevraagd. Uw ouders hebben u geleerd egoïstisch te zijn. Uw moeder had uw hulp niet nodig, ze is altijd een sterke vrouw geweest, die zich goed kon redden. En u moet niet omdat ze zich één avond niet lekker voelt, in paniek raken."

„Het heeft me wakker geschud."

„Dat is niet erg." Opeens lachte Noortje. „U zei het zelf al: er zijn veel mooie, heerlijke dingen in het leven, waarvan u niet veel weet."

„Dat is waar. Waar we nu over praten, de denkwereld van mijn moeder nu ze ouder wordt, dat is niet bepaald een fijne gedachte om mee bezig te zijn. Maar er zijn andere dingen. De liefde bijvoorbeeld. De liefde tussen een man en een vrouw." Menno Verhoeven leunde met zijn ellebogen op de tafel. „Daar heb ik nooit echt over nagedacht. Goed, jongens gaan met meisjes wandelen, de armen om elkaar geslagen en ze fluisteren en zoenen met elkaar, maar dat is voorbij als ze getrouwd zijn. Ik zag het zoals de loktijd van de vogels, veren opstrijken en met het kopje draaien van het mannetje om het wijfje te veroveren. Dat is een door de natuur ingegeven drift. Een jongen en een meisje trouwen met elkaar, ze worden man en vrouw, gaan samen in een huis wonen en zorgen voor de kinderen, net als vogels een nest bouwen en zorgen voor de jongen. Dat moet, dat is het voortbestaan van het leven en alles in de natuur is gebaseerd op het voortbestaan van de soort. Dat is zo bij de dieren, dat is ook zo bij de planten. Het is niet erg dat oude struiken afsterven, als er maar nieuwe loten ontkiemen op plaatsen waar ze kunnen gedijen. Kijk eens naar de dierenwereld. Ze maken elkaar af, ze vreten elkaar op, maar de natuur schept steeds mogelijkheden voor een deel van de jonge dieren om te overleven." Hij glimlachte naar Noortje.
Ze zag iets in zijn ogen dat ze nog nooit had gezien. Was het warmte, een stille blijdschap, verwachting misschien? „Weet je, Nora, eigenlijk heb ik nooit liefde meegemaakt. Ik zag het niet tussen mijn ouders. Ze woonden allebei in dit huis. Ze hadden allebei hun eigen leven. Mijn vader met zijn studies en onderzoekingen, mijn moeder met het huishouden, de gasten die ze ontving en de gesprekken die ze voerde met de dames van andere bollebozen in de sterrenkunde. Iets van genegenheid tussen mijn vader en moeder heb ik nooit gezien. Mijn moeder zou met een andere man, die ook iets bestudeerde en onderzocht, net zo'n leven kunnen leiden. En wat mijn vader van zijn vrouw verlangde, weet ik niet.
Ik weet nu een beetje wat liefde in je hart doet." Hij keek Noortje aan. Ze voelde zich onzeker door zijn woorden. Wat bedoelde hij? „Ik weet nu ook wat een kind is. Er waren vrijwel nooit kinderen in dit huis. Ik weet dat er kinderen zijn op de

aarde. Ik zag ze, zonder er echt over te denken, als het product van het overlevingsproces. Maar toen Judy hier kwam, ging er een wereld voor me open. Een kind is sprankelend, origineel, oprecht blij en oprecht bedroefd. Ik weet dat Judy in het begin bang voor me was. Dat verborg ze niet. Ik zag de angst in haar ogen en toch was er iets van: waarom zou ik bang zijn, hij doet me toch niks? Een beetje nieuwsgierigheid ook. En daardoor kwam ze stap voor stap, figuurlijk gesproken, dichterbij. Dat ontroerde me, dat vond ik leuk, dat boeide me. Ik weet eigenlijk niet hoe ik het moet zeggen. En het verveelt niet. Ik weet dat ik steeds meer naar haar verlang. Ze heeft zo'n heerlijke fantasie. Ze springt van de hak op de tak als een kwetterend vogeltje. Het is ook leuk om de vorderingen die ze maakt te zien. Vorig jaar kwamen veel woorden nog moeilijk over haar lippen, nu zegt ze vrijwel alles goed. Ik kan me voorstellen dat zij voor mijn moeder een zonnetje in huis is. Als Judy binnenkomt, komt iets van de blijheid van het leven binnen. Moeder lacht met het kind en fantaseert met het kind. Heb je het verhaal van de rode zwaan weleens gehoord? Dat maken ze samen elke dag een stukje verder. En moeder speelt met het kind."

Noortje knikte. Ze luisterde naar hem, want hij praatte verder en het was onbeleefd niet te luisteren, maar eigenlijk kon ze haar gedachten er niet bij houden.

Ze voelde blijheid vanbinnen, een beetje voldoening ook, omdat meneer Menno zei dat hij het leven dat hij niet kende, het leven waarin emoties en gevoelens meespelen, hartstochtelijk verliefd zijn en pijn hebben van verdriet, dat hij dat leven wilde leren kennen. Maar er was ook onrust in haar, ze wist zelf niet waarom. Of toch wel... De lach in zijn ogen, toen hij zei dat hij nu wist wat liefde was... Wat bedoelde hij...? Hij zou toch niet verliefd zijn op haar, nee, stel je voor!

Maar toen ze in bed lag – mevrouw sliep rustig, ze liet het schemerlampje in de kamer branden – kon ze niet in slaap komen. Eerst lag ze heel stil en staarde in het duister. Van buitenaf drong bijna geen licht door de gordijnen naar binnen. Meneer Menno, zo noemde ze hem eerst in gedachten, daarna Menno Verhoeven en nu vaak Menno.

Meneer Menno Verhoeven was de stijve man die ze ontmoette,

toen ze hier in huis kwam. Ze was bang voor hem, omdat mevrouw zei: „Het kan niet om mijn zoon, een kind in huis." Toen ze hem zag, vond ze dat bij zo'n hark geen kind in huis kon zijn. Maar meteen dacht ze, onbewust, dat een man als Menno Verhoeven niet kon bestaan. Zo stil, strak en buiten het leven, dat was niet echt. Daartoe was hij gevormd, geleid, hij was het niet van zichzelf. Zo wordt niemand geboren.

Ze voelde algauw dat ze gelijk had. Uit de verhalen van Annie en wat mevrouw vertelde. Dat weten wroette in haar voort. En intussen splitste hij bloemzaadjes en bestudeerde bladnerfjes onder de microscoop.

Tot langzaam in hem iets ontwaakte.

Heel simpel, door haar.

Noortje Folmer grijnsde in het duister.

Omdat ze gewoon tegen hem praatte, naar hem lachte en misschien – dat durfde ze in het donker wel te denken – misschien daagde ze hem soms uit. Maar dan alleen als jonge vrouw die wilde aantrekken. Niet omdat zij, Noortje Folmer, iets zag in Menno Verhoeven. Stel je voor! Het was een spelletje, een uitdaging.

Frans zei eens: „Weet je, hummel" – zo noemde hij haar vaak- – „dat je een gevaarlijk vrouwtje bent, als je zo om die zwarte haarlok van je heen lacht?"

„Welnee," zei ze toen, „omdat jij van me houdt, voel je dat."

„Nee, nee," hield Frans vol, „als je zo doet, ben je verleidelijk." Ze lachten er samen om.

Maar zo lachte ze ook naar Menno! Meer dan eens zelfs. Eigenlijk gemeen. Maar het was grappig. Zo'n ijspegel, die toch een beetje ontdooide. Zo ging het. Als ze tegen hem praatte, had ze vanbinnen plezier, omdat hij zijn gezicht strak in de plooi hield, maar hij zag haar heel goed. Ze wist later dat hij haar met zijn ogen volgde. Het schudde hem wakker.

In Katwijk praatte hij tegen haar en toen was het niet langer een spelletje.

Eerst medelijden, gevoelens van medelijden in haar, maar dat veranderde vlug in kameraadschap, Ja, dat voelde ze in haar hart voor hem, kameraadschap. Ze begreep hem.

Later praatten ze vaker samen en het begrip dat ze voor hem

voelde, groeide naar echte vriendschap. Niet van buiten, hij bleef 'u' en meneer Verhoeven, maar in gedachten was het zo. Wat ze nu voelde...

Ze werd warm onder de dekens. Ze hield niet van Menno Verhoeven. Het was genegenheid. Wat een vreemd woord eigenlijk, maar dat was het, genegenheid, geen liefde.

Menno zei dat hij nu wist wat liefde was. Toen hij dat zei, was er een lach in zijn ogen. Wat bedoelde hij daarmee? Ze schoof de dekens van zich af en ging rechtop zitten. Ze voelde zich vreemd vanbinnen. Ze had een ontdekking gedaan, waarvan ze schrok. Het was niet hóe diep het was wat ze voor hem voelde, maar dát het er was...

Ze trok het licht aan, stapte uit bed, draaide de knop van de verwarming weer open en ging op de rand van het bed zitten. Boven op de zachte, donzige deken.

Ze moest goed nadenken.

Er was een rare trilling in haar, het was of ze helemaal beefde. Van de zenuwen.

Ze stond op, trok het licht uit en liep naar het raam. Ze schoof de gordijnen vaneen en keek de donkere tuin in. Beneden haar, midden op het sneeuwveld waarin lange, donkere banen waren waarlangs zij de sneeuwbal rolde, stond de sneeuwpop. Met het emmertje op zijn koude kop.

Als ze in Menno Verhoeven gevoelens wakker maakte van verlangen, wat moest ze daar als antwoord op geven?

Ze had er geen antwoord op.

Ze stond heel stil. Ze rilde, maar het was niet koud in de kamer. Ze zou kunnen huilen, warme tranen, omdat ze zich verdrietig voelde.

Ze wilde Menno Verhoeven helpen. Ze vond het erg voor hem dat zijn leven voorbijging, zonder dat hij wist wat het was zorgeloos vrolijk te zijn en intens gelukkig. Menno Verhoeven zoù van een vrouw kunnen houden. Hij wist dat zelf ook. Hij voelde vanbinnen de warmte die hij kon geven. Maar aan wie? Als hij verliefd was op haar...

Ze moest zich heel voorzichtig terugtrekken. Hem niet krenken, hem niet, ook zonder woorden, afwijzen.

Maar wel afstand nemen, ook al deed het pijn. Ook al had ze

medelijden met hem en was ze bang dat hij terug zou kruipen naar zijn leven van vroeger.

Toen was hij er tevreden mee, nu wist hij wat hij verlangde en hij zou niet meer tevreden zijn.

Ze zuchtte diep. Ze zag hem voor zich met veel gezichten. Zoals in het restaurant, toen hij vertelde, volkomen eerlijk. Met een ernstige stem pratend, maar toch iets speels in zijn ogen. Ze zag hem zoals hij de laatste tijd vaak naar haar keek, met een bijna verlegen, voorzichtige glimlach. Maar ook zoals hij vanavond was. Eerst de angst om zijn moeder, de verwondering haar zo te zien en dan de spijt, omdat hij er zich van bewust was dat hij te weinig aan haar dacht.

Ze trok het licht weer aan en deed de gordijnen dicht. Ze moest proberen te slapen, want het was al laat. En ze moest er geen drama van maken. Gewoon het tussen Menno en haar houden zoals het was. Een man die twaalf, veertien jaar ouder was dan zij, precies wist ze het niet, die haar aardig vond en voor wie zij vriendschap voelde.

Ze kroop in bed diep weg onder de dekens. Ze viel in slaap, maar erg onrustig en telkens als ze wakker werd, zag ze de gezichten van Menno Verhoeven. Met ernstige ogen en een strakke mond, met een lach op zijn gezicht en soms ook met een mond, die iets wilde zeggen.

De volgende morgen was ze vroeg wakker. Terwijl de thee op het lichtje stond te trekken, maakte ze de ontbijttafel klaar. Ze zou nog even wachten om mevrouws slaapkamer binnen te gaan, misschien sliep ze nog lekker en dan was het jammer haar wakker te maken. Opeens ging de deur open en mevrouw kwam de keuken binnen. Ze droeg een donkerbruine, fluwelen duster, die bijna tot op de tegels reikte.

Ze lachte naar Noortje. „Kind, goedemorgen."

„Mevrouw!" riep ze verbaasd, „bent u al uit bed? Ook goedemorgen, hoe voelt u zich?"

„Veel beter, gelukkig wel. Maar vannacht" – mevrouw Verhoeven ging op een keukenstoel bij de tafel zitten – „vannacht was ik echt niet goed."

„Ik zag het. Maar dat is altijd zo, als je misselijk bent. Ik heb dat ook weleens, als ik in de spiegel kijk schrik ik van mezelf, zo

goor en bleek! Ik ben blij dat u weer bent opgeknapt. Maar kunt u vandaag niet beter in bed blijven? Een beetje uitzieken?"
„Nee, hoor, dat bed verveelt me nu al! En ik krijg rugpijn, als ik te lang in bed lig. Maar ik hoorde je en dacht: ik zal meteen melden dat ik weer opgeknapt ben. Heb je al thee?"
„Ja. Lust u een kopje? Judy zal zo wel beneden komen. Ze was bezig met haar sokken, dat is een teken dat de waspartij achter de rug is." Noortje zette de jampot en het busje chocoladevlokken op tafel.
Even later kwam Judy. „Bent u niet meer ziek? Mama zei dat ik stil moest doen, want u sliep. Maar u slaapt helemaal niet. Wat hebt u een mooie duster!" Ze streek met haar hand over de zachte mouw. „Als u hem niet meer aan wilt, kunt u er een teddybeer van maken."
Ze klom op een stoel. „Eet u nou bij ons? Wat leuk!"
„Nee, mevrouw Verhoeven drinkt alleen een kopje thee met ons. Ik breng het ontbijt direct naar de kamer. Meneer Verhoeven moet toch ook eten?"
„Is de sneeuw er nog? En onze pop? Dieneke noemt hem Thomas."
Ze liet zich van de stoel glijden en holde naar het raam. „Ja, hij staat er nog! En de sneeuw ligt er ook nog!"
„De tuin is prachtig," zei mevrouw Verhoeven.
„Als het buiten zo mooi blijft, gaat Martin Stellinga zondagmiddag naar het Welkerbos. Daar is het dan schitterend, zegt hij. Judy en ik mogen mee."
„Dat moet je beslist doen, kind. Een boswandeling in de winter, heerlijk lijkt me dat. En gezond ook. Lekker buiten."
Toen het theekopje leeg was, ging mevrouw terug naar haar kamer. Noortje keek haar met een glimlach na. Mevrouw Verhoeven die 's morgens om acht uur bij haar in de keuken op de thee kwam!

Zaterdagmiddag begon het weer te sneeuwen. Judy sprong er juichend in rond, haar hoge stem galmde door de tuin. „Mam, maken we straks een sneeuwvrouw voor Thomas? En kun je Thomas een beetje rechtzetten, hij zakt onderuit!"
Zondagmiddag reden ze naar het Welkerbos.

Judy, een dikke, warme jas aan en een grappig, wollen mutsje op haar hoofd, zat op de achterbank van Martins auto.

Noortje keek van opzij naar Martin. Naar Martin kijken was anders dan naar Menno kijken. Als ze naar Menno keek, was er vertedering, nou ja, dat was overdreven, maar toch een gevoel van blijheid, omdat de strenge trek uit zijn gezicht was. Een beetje zoals een moeder voelt, als een kind na verdriet weer lacht. Ook omgekeerd, een kind dat inwendig opgelucht zucht, als zijn moeder weer kan lachen. Natuurlijk was wat zij voelde niet zo sterk als tussen een moeder en een kind. Meer als tussen een broer en een zus.

Als ze naar Martin keek, was het anders. Martin had een jong gezicht. Nu, in de auto, blikte ze voorzichtig naar hem. Hij had een energiek gezicht.

„Het was vroeger een ondernemend ventje," vertelde Annie, „al toen hij een jaar of drie was. Als zijn neusje in de wind ging en zijn kinnetje omhoog, nou, dan moest ik hem in de gaten houden." Als ze van opzij naar hem keek, zag Noortje het jongetje van vroeger in hem. Maar de ronde vormen van het kinderkopje waren nu tot rechte lijnen geworden.

Martin was niet echt knap, maar aantrekkelijk was hij wel.

Hij voelde dat ze naar hem keek. Hij draaide zijn hoofd even om.

„Bestudeer je me?"

„Bestuderen, nee, ik kijk naar je. Je moeder zei van de week dat je als kleuter ronde, bolle wangen had en een onderkinnetje."

„Als ik foto's van mezelf van vroeger bezie – die zitten in het album waar 'Martin' op staat, anders weet moeder niet eens wie het is, Theo of ik – als ik die foto's zie, weet ik dat ze gelijk heeft. Veel kleine jongens hebben bolle toetjes en ronde kinnetjes, vind je dat niet leuk?"

„Ja, schattig."

„Vind je me nou nog leuk?" Hij vroeg het plagend. „Je ziet er goed uit."

„Niet knap, maar ook niet lelijk."

„Precies."

„Vind je het belangrijk of iemand knap is?" Waarom dacht ze nou aan Menno Verhoeven...?

„Dat moet niet belangrijk zijn, maar het is het wel. Vooral bij de eerste ontmoeting. Als bij jou een meisje solliciteert dat er leuk uitziet, fris gezicht, springerig haar, aardig figuurtje, dan spreekt je dat meer aan dan wanneer er een meisje komt met pukkeltjes op haar wangen, stijl haar en een stakerig, lang figuur. Maar het kan een lief, behulpzaam meisje zijn, terwijl die ander een kattenkop is en de klanten niet wil helpen. En als je die twee meisjes niet in je kantoortje ontmoet, maar in een feestzaal bijvoorbeeld, wat dan? Dan trekt het blondje je aan en naar die ander kijk je niet, maar misschien zou die jou heel gelukkig kunnen maken, omdat ze lief is, zacht, toegeeflijk, hartstochtelijk" – Noortje lachte naar hem – „verstandig, nooit driftig, meegaand..."

„Alsjeblieft, zo'n vrouw wil ik niet."

„Wat voor vrouw wil jij wel?"

„Ze hoeft niet knap te zijn, dat ben ik zelf ook niet, maar een beetje leuk kopje is meegenomen. Tenslotte zal ik er vaak naar kijken, als ik tegenover haar aan tafel zit en de krant niet mag lezen onder het eten."

„Natuurlijk wil ze niet dat jij de krant leest onder het eten. Ze wil naar jou kijken en met je praten over de stofjes die ze onder het bed vandaan zwabberde en ze wil praten over de handdoeken, die gaan rafelen."

„Ik zal aandachtig naar haar luisteren. Ik heb respect voor een huisvrouw. Ze heeft een veelzijdig beroep" – hij keek ernstig voor zich op de weg, Noortje grijnsde – „en ik bewonder de vrouwen die het blijmoedig volhouden. Want eigenlijk is het hopeloos werken. Neem nou afwassen. Ik zie het bij ons thuis. Mijn moeder wast af, alles schoon in de kast, aanrecht lekker ruim, maar 's avonds staan diezelfde bordjes en kopjes er weer met een restje suiker en een velletje. En morgen en overmorgen ook. En kamers en kasten opruimen, eten koken, elke dag wat bedenken, en dan nog rekenen en tellen met het huishoudgeld."

„Je zult een echtgenoot vol begrip zijn," zei Noortje lachend. „Zalig voor de vrouw die jou krijgt!"

„Zijn we er algauw?" klonk opeens Judy's stem van de achterbank.

Noortje was blij met deze onderbreking. Waarom, dat wist ze

eigenlijk niet, maar er was iets in dit gesprek tussen Martin en haar, dat ze vreemd vond.

Het leek een spelletje met woorden. Hij prees overdreven het beroep van huisvrouw en hoopte dat ze zou zeggen dat hij er niet mee moest spotten. Huishoudens zijn belangrijk, huishoudens vormen gezinnen en gezinnen zijn de grondslag van de maatschappij. Zoiets zou ze zeggen, dat verwachtte hij. Gezinnen opbouwen is volharden in hetzelfde werk, op het oog saai, maar later zeggen de kinderen van nu: „Vroeger was het bij ons thuis gezellig, mijn ouders..." Dat legt een basis van saamhorigheid. Ze zei het niet, ze ging er lekker niet op in en het hoefde ook niet, omdat Judy wat vroeg.

Maar anders... wat dan nog?

Er was iets in zijn stem dat haar dat vreemde gevoel gaf. Het leek op een waarschuwing. Onzin natuurlijk. Wat zou het moeten zijn?

Ze wist opeens dat ze nooit echt aan Martin dacht. Hij hoorde erbij. Als ze een boekenplank aan de muur wilde hebben, kwam hij met een boor, pluggen en een schroevendraaier. En als een tafelpoot loszat, repareerde Martin die. Ze praatte met Martin over boeken en muziek en met hem zette ze een discussie op over de inhoud van een hoorspel dat ze via de radio volgde. Hij hoorde bij het leven aan de Admiralenkade. Hij was een zoon van Annie en Annie was voor haar gevoel vaak een oudere zuster.

Nu was er iets in hem dat haar heimelijk naar hem deed kijken. Stiekem van opzij. Hij had een andere stem, hij praatte anders. Hoe anders, dat kon ze niet zeggen. Maar het was anders. Alsof hij iets wilde zeggen en wachtte op een kans. Zou Martin iets tussen hem en haar... Och nee, dat was het natuurlijk niet. Ze voelde zich warm worden vanbinnen. Martin en zij, daar dacht ze nooit aan. Martin was een jonge, vrije man en hij moest een jong, vrij meisje kiezen. Een kind zonder verleden, pril en helemaal op hem gericht. Dat zou zij, met welke man dan ook, nooit meer kunnen. Zij droeg een verleden mee. Een hart vol herinneringen. Er waren erbij over wie ze kon praten, maar er waren er veel meer die alleen van haar waren. Die ze als lieve geheimen koesterde. Ze keek weer naar hem.

Hij wist veel van haar, omdat ze hem veel vertelde. Met Annie babbelde ze over de buren in de Anjelierstraat en hoe het leven daar was; tegen Annie zei ze bijna niets over zichzelf. Over de zwarte dagen van toen, de angst en de ontreddering, het verdriet en zich hopeloos verlaten voelen.

Met Martin praatte ze daar wel over. Ze wist, op de achtergrond, dat hij haar liet vertellen, omdat dat goed voor haar was. Ze raakte er spanningen door kwijt. Maar hij leerde haar ook goed kennen, hij wist en begreep veel van haar.

Nu vroeg ze zich af of Martin echt alleen om haar te helpen naar haar luisterde. Misschien was er meer.

Gek, dat een mens in zo'n korte tijd, een paar minuten, zoveel kan denken.

Dat het net is of je opeens je leven anders ziet. Of je licht ontdekt dat er al was, maar dat je nu pas ziet. En als je het eenmaal ziet, begrijp je niet hoe je aan die stralen voorbij kon gaan. Wat bedacht ze dat leuk, ze kon wel dichteres worden, maar het was waar, ze zag Martin nooit met haar ogen van nu.

„We zijn er zo." Martins rustige stem bracht haar terug naar de werkelijkheid. „Maar ik kan niet hard rijden, omdat het hier en daar een beetje glad is op de weg."

Judy hing over de leuning van de voorbank.

„Ik zie het glinsteren. Doe maar voorzichtig, Martin, straks glijdt de auto weg en dan bommen we tegen zo'n dikke boom en dan is de auto kapot en mama heeft een gebroken been en…"

„En jij rolt in de sneeuw en je neus wordt blauw van de kou," ging Martin verder, „nee, poppedein, zulke toestanden moeten we niet hebben. Maar het hoeft ook niet. Kijk maar, we zijn bij het bos."

Hij parkeerde de wagen in de brede, harde berm, dicht bij het begin van een smal pad.

Het bos was een sprookje. De bomen durven hun takken niet te bewegen, dacht Noortje, ze staan volkomen roerloos uit angst dat de sneeuw eraf valt en de betovering verbroken wordt.

Ze liepen naast elkaar over de paden. Hun voetstappen drukten zich in de witte sneeuw; het kraakte zacht.

„Wat mooi, hè, mam?" Judy kwam dicht naast haar lopen, de kleine hand met de wollen want wrong zich in haar hand. „Juf vertelde gister over de winterkoning, ik weet zeker dat hij hier woont."

„In een ijspaleis," ging Noortje er ernstig op in, „misschien vinden we het."

Judy tilde haar kopje op. De pompoen, die aan een kort koordje aan het mutsje hing, bengelde heen en weer. „Nee, het is niet echt, maar het zou kunnen. Ver weg, tussen de bomen."

Er waren meer mensen in het bos. Ze kwamen een al wat ouder echtpaar tegen en een jongen met een grote hond, die uitgelaten tussen de stammen door rende. En later, in een ander, breder pad zagen ze een jong paartje. Het meisje in een warm, felrood jasje en de jongen in een hardgele, van dikke wol gebreide trui.

„Kun je hard lopen in de sneeuw?" daagde Judy Martin opeens uit. Haar snoetje straalde. Haar wangen waren rood van de frisse buitenlucht en haar ogen glansden donker.

„Nou en of!" Martin lachte vrolijk. „Maar we moeten niet te hard lopen, want als je valt doet het zeer. Onder de sneeuw liggen takken en er zitten ook wortels van de bomen in het pad."

Ze renden voor Noortje uit. Ze keek hen lachend na. Judy, moeizaam op haar laarsjes, en Martin, zich inhoudend om het kind niet te hard laten lopen. Opeens was ze zich ervan bewust dat ze meer naar Martin keek dan naar Judy en dat ze een raar, warm gevoel vanbinnen had. Ze keek naar zijn gezicht, het was of ze het opeens met andere ogen zag. Hij keek niet naar haar, hij keek naar Judy om het kind, als ze een duikeling zou maken, direct te kunnen vastpakken.

Ze wist opeens dat ze van dat gezicht hield, van zijn ogen die staalblauw van kleur waren en rustig en beheerst, van zijn mond die vertelde en vroeg en altijd woorden vond om haar te helpen, ze wist opeens, op dat besneeuwde bospad in een wintersprookje, dat ze van hem hield.

Ze stond stil.

Ze voelde zich heel jong, achttien, negentien en dolverliefd. Het tintelde in haar. Zoals hij daar liep, groot en stoer en spelend met het kind, ja, ze hield van hem.

Ze glimlachte erom. Een zottin was ze, hoe kon ze nu zoiets denken, verliefd op Martin Stellinga... Houden van Martin...

En hij... Och nee...

„Kom je, mam?" Judy stond midden op het pad. Haar wangen waren bijna zo frisrood als het jasje dat ze droeg. „Mama kan ons niet bijhouden!" Martin lachte, hij zag haar. Langzaam liep hij terug in haar richting, het was symbolisch alsof hij haar tegemoet wilde komen, dichter bij zich halen. Hij kwam naar haar toe en zij liep naar hem. Martin voelde de verandering in haar, hij strekte zijn hand uit en ze legde haar hand erin, ze voelde de warmte en de druk van zijn vingers.

„Heerlijk is het hier, hè?"

„Geweldig, Martin. Ik zal dit nooit vergeten."

Ze wist dat ze het nooit zou vergeten. Ze had meer beelden in haar hart, ze bewaarde ze daar, fijne, goede beelden om stilletjes aan te denken. En dit, alles van deze middag zou ze ook bewaren. Judy, stralend en vrolijk, Martin, die met een warme blik in zijn ogen naar haar keek en als een onvoorstelbaar mooie achtergrond het winterse bos.

HOOFDSTUK 8

Noortje was gelukkig.

Die eerste dagen gingen als in een droom voorbij. Ze droeg het geluk van hun liefde als een geheim in haar hart, een zalig geheim, een rijkdom om over te dromen, maar het was nog een zoet geheim tussen hun twee, want ze spraken af er niet over te praten. „Niet omdat ik niet wil dat iemand weet dat ik van je houd," zei Martin. Ze leunde tegen hem aan, toen hij dat zei. Ze zaten samen op de bank, zijn arm om haar heen. „Dat weet je wel, dat is het niet, ik zou het bij wijze van spreken van de daken willen schreeuwen, zo trots en gelukkig ben ik, maar je weet hoe mijn moeder is. Die begint meteen te organiseren. Tegen mevrouw Verhoeven zegt ze dat mevrouw maar heel gauw moet uitkijken naar een andere hulp, want dat jij eerdaags gaat vertrekken. Mevrouw in paniek, advertentie in de krant en een rij struise gedienstigen op de stoep. En moeder gaat meteen naar een huis voor ons speuren. Ze is in staat voor mij naar het bureau Huisvesting te hollen en heus, dat kan ik zelf wel af."

Noortje gaf hem glimlachend gelijk. „Ze komt er toch wel achter," zei ze, „je moeder is leep genoeg. Als jij hier geregeld komt..."

„Ik kom hier al geregeld, maar ze had de ware reden nog niet in de gaten."

Diep in haar hart was Noortje blij dat er nog niet over gepraat zou worden.

Ze wist waarom ze daar zo blij om was. Om Menno Verhoeven. Ze zou het niemand durven zeggen, zelfs Martin niet. Later misschien wel, als ze hier weg was. Dan zou ze durven zeggen dat ze bang was dat Menno op een heel prille, schuchtere manier. die niet bij zijn leeftijd paste maar wel bij zijn leven, verliefd op haar was. Ze had geen enkel bewijs en dat hield ze zichzelf steeds voor. „Je denkt het, je fantaseert." Met de intuïtie van een vrouw die weet wat liefde is, voelde ze de blik in zijn ogen als ze niet naar hem keek en het stille contact dat hij zocht als ze wel naar hem keek.

Er was een verbond tussen hen.

Door haar was hij uit het leven dat hij leidde, gebroken en hij wilde uit dat leven breken. Door wat hij zag in haar en hoorde van haar, wat hij ontdekte door haar, ook al deed ze dat beslist niet met opzet.

Het was echt niet vreemd om te denken dat hij haar aardig vond. Hij zei ook dat hij haar aardig vond. Hij zei meer: door haar en Judy was het leven in hun huis veranderd en ging hij denken over dingen waaraan hij vroeger nooit dacht: vrolijkheid, gezelligheid, warmte van mensen tezamen, liefde...

Misschien droomde hij van een vrouw in zijn armen, een kind, van hem...

Was het gek te denken dat hij in haar een vrouw zag? Nee, toch zeker?

Toen ze hem pas kende, voelde ze medelijden met hem, eigenlijk vanaf de eerste dag, want het is toch triest en zonde als je grijs en somber door het heerlijke leven gaat. Mijn hemel, wat miste die man veel!

Later was het geen medelijden meer. Toen kende ze hem en ze begreep hem. Hij begreep zichzelf ook. Hij leerde zichzelf kennen en voelde wat hij miste. En dat was het nou juist: zou Menno Verhoeven, diep verborgen in zijn hart, denken dat zij meer voor hem kon zijn dan de dienstbode in zijn huis?

Ze kon niet meer voor hem zijn, dat wist ze zeker. Ook al was Martin er niet, dan kon ze nog niet houden van Menno Verhoeven op de manier die nodig is tussen twee mensen die met elkaar willen leven. Als ze ver doordacht: als man en vrouw. Maar voelde Menno dat ook?

Niet ijdel worden, Noor Folmer, verbeeld je niets, maar nuchter bezien was het toch zo, dat zij wel een vrouw was op wie hij verliefd kon worden. Dat mocht ze gerust denken. Ze tobde erover. Echt tobde ze er niet over, dat was het niet, ze dacht erover. Ze hield zichzelf voor, dat dat niet nodig was. Misschien dacht Menno Verhoeven niet zover dat hij een vrouw in zijn leven wilde, welnee, dat wilde hij niet. Maar ze bleef eraan denken, het liet haar niet los.

Langzaam zouden ze in dit huis begrijpen dat er iets was tussen Martin Stellinga en haar.

Dan zou Menno zich terugtrekken.

Het zou triest zijn als hij dacht dat het leven waarover zij samen praatten, niet voor hem te bereiken was. De liefde niet, want de vrouw die een plaats in zijn hart had – een klein plaatsje nog, maar dat groeide – die vrouw koos een ander. Misschien kroop hij terug naar het leven zoals dat eens vóór hem was, maar in dat leven zou hij zich dan triest voelen, omdat hij wist en verlangde en hoopte. Noortje voelde nu al een intens medelijden met hem.

Gauw zouden mevrouw en Menno niet merken dat er iets was tussen Martin en haar. Als Martin in de keuken kwam, wist mevrouw dat niet en Menno helemaal niet. Zou een van beiden het horen, als hij 's avonds naar boven liep? In dit huis kraakten de traptreden niet en het geluid van schoenen werd opgevangen door de dikke lopers.

Zo gingen een paar weken voorbij. Toen had Annie het in de gaten. „Er is wat aan het handje met Martin," zei ze op een avond tegen Toon. Ze stond te strijken in de achterkamer. Toon zat lui onderuitgezakt in zijn stoel. „Er is wat aan het handje met Martin."

„Hoezo?" vroeg Toon. Hij was bezig met een kruiswoordpuzzel en luisterde maar half naar haar.

„Ik ken de symptomen. Dat hebben we met Theo ook meegemaakt. Zo aardig en praterig, behulpzaam en leuk, ik geloof het vast."

„Misschien een kind in de zaak. Daar lopen genoeg zonnebloemetjes rond." Welk woord moest hij hier nou invullen, ze konden soms van die onwijs rare dingen vragen, woorden waarvan hij nog nooit had gehoord.

„Ik heb een ander idee."

„Zo... heb jij een idee?" Nu keek hij haar aan. „En wat dan wel?"

„Ik denk dat hij Noortje aardig vindt."

„Dat is niet iets bijzonders, Noortje is een leuke meid. Maar ik geloof niet dat Martin dat zal doen, ze heeft tenslotte een leven achter zich en ze heeft een kind."

Nou, wat zou dat!" viel Annie bits uit.

„Dat zou niks. Judy is een schat van een kind, maar het is de dochter van een ander. Wie weet wat voor moeilijkheden ze er later mee krijgt."

„Jij hebt altijd wat, jij ziet altijd zorgen, jij bent een geboren pessimist. Nou, ik zeg je dat hij heel wat slechtere vrouwen kan krijgen dan Noortje! Het is een schat van een meid. Ze kan werken, ze kan met geld omgaan, het is geen modepop..."

„Tut, tut, bedaar alsjeblieft," viel Toon haar in de rede. „Ik zeg helemaal niet dat Noortje niet deugt en ik zeg nog minder dat ik er wat op tegen zou hebben, als de jongen met haar zou gaan, helemaal niet. Maar ik zeg alleen dat het toch anders is dan wanneer hij met een vrij meisje gaat. Ze beginnen gewoon anders, vooropgesteld dat jij gelijk hebt. Dat zal wel, want jij ziet zulke dingen altijd eerder dan ik en jij bent in het huis aan de kade en jij ziet hem daar binnenkomen. Sjanst hij dan met Noortje?"

„Wat kun jij het toch altijd grof zeggen!" Ze zette de strijkbout een beetje ruw op het plaatje naast de plank. „Hij is altijd aardig tegen haar geweest, vanaf de eerste dag en hij is nog aardig. Maar ik voel gewoon dat er wat is tussen die twee. Noor krijgt een kleur, van de week nog, helemaal rood, nou, dat hoeft ze niet te doen als er niks aan de hand is. En Martin gaat er 's avonds naartoe. Hij zegt wel dat hij bij Theo langsgaat en ook deze week even bij Jan de Roos binnenlopen, maar hij kan mij nog meer vertellen, ik geloof dat hij dan op de kade zit. Boven, voor het raam."

„Dat geloof je, maar dat weet je niet zeker."

„Nee, zeker weet ik het niet. Maar vandaag of morgen zullen ze er toch mee voor de dag moeten komen, als het echt zo is. Ik houd niet van dat geheimzinnige gedoe."

„Mens, bedaar! Misschien is het nog niet zover tussen die twee. Misschien zijn ze gewoon een beetje verliefd, weten ze zelf nog niet wat ze willen."

„We zullen het afwachten," zei Annie. Ze vouwde een tafellaken dubbel. Ze dacht: je zult zien dat ik gelijk heb.

Er gingen weer een paar weken voorbij.

Buiten was te merken dat het voorjaar kwam. In de tuin kleurden op de strook zwarte grond langs het gazon de krokussen lichtgeel en zachtlila en aan de takken van de bomen bolden de knoppen. In huis ging het leven zijn gewone gangetje. Noortje zong in de keuken, lachte met Annie, dolde met Judy en praatte vrolijk met mevrouw.

„Nog een paar maandjes, Noortje, dan kunnen we op warme dagen weer buiten zitten. Ik verlang ernaar. De winter heeft me lang genoeg geduurd."

Noortje ging op het randje van een stoel zitten. „Toen ik vanmorgen op het terras stond, dacht ik daar ook aan. Het is net of buiten alles wacht. Geduldig en met een gevoel van zeker weten dat het komt. Onzin natuurlijk" – ze lachte er zelf om – „maar zo voelde ik het vanmorgen. Alsof alles, zacht wiegend in de voorjaarswind, me wilde vertellen dat over een paar maanden alle bomen vol bladeren zijn en alle heesters vol kleur."

„Het maakt je romantisch."

„Ja. Vroeger dacht ik nooit over de lente, dat alles opnieuw bloeit en groeit, dat was gewoon zo, maar ik maakte het van dichtbij niet mee. We hadden een klein plaatsje met tegels, die groen uitsloegen als het te lang vochtig was. Maar het hier in zo'n fijne, grote tuin allemaal zien gebeuren, dat is heerlijk."

„Geniet er maar van, kind," zei mevrouw Verhoeven glimlachend, „het is elk jaar weer een wonder."

Op een middag in het begin van april liep Noortje de trap af. Ze was op haar kamer geweest zoals ze elke middag deed na de afwas. Wat opruimen, een poosje op de bank zitten en naar buiten kijken, wegsoezen en stilletjes gelukkig zijn. Op deze tijd van de dag was het heel stil in huis. Judy was naar school, meneer Menno naar het laboratorium en mevrouw rustte. Meestal tot een uur of drie, dan stond ze op en ging naar de zitkamer. Ze wachtte tot zij kwam met het theeblad.

In de keuken hield Noortje de waterketel onder de kraan, liet hem vol lopen en zette de ketel op de kookplaat.

Ze schikte de kopjes op het theeblad, een schaaltje met koekjes erbij, zachte zandkoekjes, daar hield mevrouw van. „Ze smelten op je tong, kind, lekker vind ik die." Ze zong zachtjes en ze dacht aan vanavond. Dan kwam Martin weer. Fijn was het als Martin kwam. Ze verlangde naar hem. Het water kookte. Ze goot het in de theepot en zette de theepot onder de muts.

Ze ging op een keukenstoel zitten wachten tot de thee getrokken was. Mevrouw Verhoeven hield van sterke thee.

Toen de thee klaar was, zette ze de pot met muts en al op het blad en liep ermee door de gang naar de grote kamer.

Ze tikte op de deur en opende hem meteen. Ze stapte de kamer binnen; mevrouw zou in haar stoel zitten en naar haar glimlachen. En ze zei bijna elke middag: „Heerlijk, thee, daar heb ik zin in." Daar lachte Noortje in stilte om. Steeds elke middag hetzelfde, maar mevrouw had er geen erg in. Het hinderde ook niet. Ze vond een kopje thee na het middagdutje elke middag weer lekker.

Noortje keek op en slaakte meteen een kreet van ontzetting. Ze liet het blad bijna uit haar handen vallen, ze kon het nog net op de tafel schuiven. Mevrouw Verhoeven hing voorover in de stoel, het hoofd op de borst. Ze zag vreselijk wit, geelwit. Haar mond hing open, ze kwijlde een beetje en ze zat stil, vreselijk stil. Het was of niets aan haar bewoog, alsof ze niet meer ademde...

„Mevrouw, mevrouw," riep Noortje. Ze liep vlug naar de stoel en probeerde het zware lichaam op te richten. Het hoofd hield ze tussen haar handen. De ogen draaiden vreemd in hun kassen, mevrouw zag haar niet. Ze liet het hoofd tegen de hoge stoelleuning zakken, pakte vlug een paar kussens van de bank en schoof die ernaast.

Ze holde naar de telefoon en draaide het nummer van dokter Welders. Ze kende dat nummer uit haar hoofd. „Dat moet je weten, Nora," zei Menno een paar weken geleden nog, „er kan van alles gebeuren met moeder. Het is een oude vrouw. Vandaag of morgen kan ze iets krijgen."

Er was wat gebeurd met moeder. O mijn hemel, ze trilde op haar benen, ze kon niet praten, haar keel zat dichtgesnoerd.

„Met de assistente van dokter Welders, goedemiddag," zei een rustige, vriendelijke stem.

„Met het huis van mevrouw Verhoeven, Admiralenkade," zei Noortje hijgend. Goddank kwamen de woorden toch! „Kan dokter direct komen, mevrouw is niet goed. Het is heel erg, dokter moet direct komen…"

„Dokter is met het middagspreekuur bezig," antwoordde de stem bedaard.

„Hij moet direct komen, het is ernstig, ik ben bang dat mevrouw doodgaat!" gilde ze in de hoorn.

„Ik zal het dokter zeggen." De verbinding was verbroken.

Noortje liep terug naar de kamer. Het leek iets beter, nu het hoofd tegen de leuning van de stoel rustte. Ze ziet niet meer zo bleek, dacht Noortje, maar misschien kwam het omdat het niet meer zo akelig was om te zien. Het hoofd hing voorover, mijn hemel, wat moest ze doen?

Menno bellen, natuurlijk Menno bellen!

Het nummer van het laboratorium stond in het blocnootje dat naast de telefoon lag.

Ze draaide het nummer.

„Juffrouw, wilt u meneer Verhoeven zeggen dat hij zo snel moge-lijk naar huis moet komen?" Ze gooide de hoorn weer op de haak, ze moest terug naar mevrouw. Stel je voor dat ze uit de stoel viel, mijn God, wat moest ze dan doen! En Menno zou begrijpen dat er iets gebeurd was, hij hoefde geen nadere uitleg.

Ze maakte de jurk van mevrouw een beetje los, het hoge boord-je en de vele, kleine knoopjes. Ze wreef de koude handen, ze haalde wat water en maakte de lippen nat. Ze wist niet wat ze meer moest doen.

Toen na bijna tien minuten de bel ging, holde ze door de lange gang en trok de deur open. De dokter stond op de stoep. Hij stapte meteen binnen. Ze zei niets tegen hem, ze liep vlug voor hem uit naar de kamer.

De dokter kwam binnen, het was een kleine man met donkere ogen. Hij keek naar mevrouw Verhoeven, knikte naar Noortje, zei niets. Hij liep naar de stoel en voelde de pols van mevrouw. „De slaapkamer is hierachter?" vroeg hij dan zacht.

„Ja, dokter." Ze schoof de tussendeuren open.

„We zullen haar in bed leggen. Liefst met een paar kussens onder het hoofd. Dan kan ik haar beter onderzoeken. De hartklopping en zo."

Samen droegen ze haar naar bed.

De dokter was lang met mevrouw bezig. Noortje stond, trillend van de zenuwen en schokkend over heel haar lichaam, in de grote kamer te wachten. Mijn hemel, als er maar niets met mevrouw gebeurde! Ze was zo lief, Noortje hield van haar. Dat voelde ze nu, deze vrouw betekende veel in haar leven, deze vrouw kon ze niet missen. Menno zei vorige week nog: „Moeder is achteruitgegaan na die nacht, van de winter."

De dokter kwam in de kamer. „Ik kan het nog niet precies zeggen, maar het is ernstig. Hebt u meneer Verhoeven gebeld?"

„Ja. Ik verwacht hem elk ogenblik."

„Goed. Kunt u haar kleren uittrekken? In elk geval zoveel mogelijk losmaken. Het is beter dat ze geen knellende dingen om zich heen heeft."

Noortje knikte.

„Ik wacht nog even, ik hoop dat Verhoeven gauw komt. Ik zal haar een injectie geven. En een recept schrijven voor medicijnen, maar op het ogenblik kan ze die natuurlijk niet innemen."

„Nee, dat begrijp ik." En dan vroeg ze heel zachtjes: „Denkt u, dokter, dat mevrouw… dat mevrouw doodgaat?"

Ze wist zelf niet hoe angstig en ontredderd haar ogen stonden.

„Direct levensgevaar is er niet, tenminste, dat geloof ik niet. Maar ook een dokter kan dat niet bepalen. Als het hart ophoudt… Mevrouw Verhoeven is een patiënte van me, ze staat op mijn lijst, in mijn boeken, maar eigenlijk ken ik mevrouw niet. Ik kom hier nooit voor haar. Ze is altijd een heel sterke, gezonde vrouw geweest." Hij lachte flauwtjes.

Noortje knikte.

Ze zaten een poosje stil tegenover elkaar aan de tafel, allebei kijkend door de geopende deur naar het stille lichaam in het bed. „Ze heeft meer kleur dan zoëven," fluisterde Noortje. Ze had voor zichzelf het gevoel of haar gebed verhoord werd.

De dokter knikte.

Toen kwam Menno Verhoeven thuis. Noortje hoorde de achterdeur open- en dichtgaan en zijn voetstappen op de tegels van de achtergang.

Even nog, toen drukte zijn hand op de deurknop en stapte hij binnen.

Hij keek van Noortje naar de dokter en toen naar zijn moeder in het bed. Noortje zag de schrik op zijn gezicht. De dokter wenkte hem mee te gaan naar de gang.

Mevrouw Verhoeven was heel ziek. Toen de dokter was weggegaan, riep Menno Noortje bij zich.

„Moeder heeft nu een injectie gehad, ze zal wegzakken," zei hij. Hij stond recht tegenover haar en keek haar met zijn grijze ogen ernstig aan.

„Is het… is het heel erg?"

„Ja, en dat weet je zelf ook," zei hij zacht.

„Oh…" Opeens kon ze zich niet meer goed houden en leunde snikkend tegen Menno aan. De schrik die ze voelde, toen ze de kamer binnenkwam en mevrouw onderuitgezakt en bleek zag zitten. Haar angst… ze was zo bang. Als mevrouw maar niet doodgaat, had ze gedacht, toen ze met haar alleen was. Mijn hemel, nee, laat dat niet gebeuren, mevrouw mag niet bij ons weggaan. Ze trilde over haar hele lichaam en huilde hevig. Menno streelde zachtjes met zijn hand over haar haren.

„Meiske toch," zei hij zachtjes, „meiske toch, ik begrijp het, je bent geschrokken, je was alleen… We maken ons bezorgd, de dokter en ik ook, we moeten afwachten en hopen, maar huil jij maar, dat lucht op…"

„Moet mevrouw naar het ziekenhuis…?"

„Dat weten we nog niet. Zoals ze nu is, kan ze niet vervoerd worden."

Ze maakte zich los uit zijn armen.

„Neemt u me niet kwalijk…"

„Hij hield haar nog vast. „Zou je geen je tegen me zeggen, Noortje? We kennen elkaar zo goed."

Ze hikte en zocht naar een zakdoek om haar tranen af te vegen. „Ik ben bang, Menno." Zijn naam kwam makkelijk over haar lippen, ze hoorde het zelf niet. „Ik ben bang dat het niet goed gaat met mevrouw. Ze zag er vreselijk uit. Haar hoofd hing op haar borst, ik dacht echt dat ze dood was." Weer begon ze te huilen.

„Kom, zover is het nog niet, misschien valt alles mee. Ik denk aan een flauwte, iets in de bloedsomloop, je moet niet direct het ergste denken…" Maar ze hoorde aan de klank van zijn stem dat hij zijn woorden niet geloofde.

„Nee," snikte ze, „je moet niet direct het ergste denken… Maar ik ben bang…"

„Luister. Ga jij naar de keuken of naar je kamer, fris je wat op, dan ga ik terug naar de slaapkamer. We mogen moeder niet alleen laten en niet laten merken hoe ongerust we zijn. Ze ligt stil en ik denk dat ze ons niet hoort, maar zeker weten doe ik dat niet. Misschien hoort ze onze stemmen wel. En dan is het niet goed…"

„Nee, nee, dat mag niet. Ze mag ook niet alleen zijn, als ze roept of wenkt… Gaat u gauw, ik kom zo."

Menno glimlachte ondanks de vreselijke toestand. Hij wist dat dokter Welders zijn moeder een injectie had gegeven en dat ze een poosje heel rustig zou zijn.

„Wat denkt u, dokter?" vroeg hij.

„Ik weet het niet. Het is een oude vrouw, maar ze is sterk. Hoewel, het kan zijn dat ze al langer klachten heeft, maar me daarvoor niet liet komen. Misschien omdat het geleidelijk ging en ze er daardoor geen erg in had, maar ik geloof eerder dat uw moeder niet graag een dokter bij zich heeft. Ik wil haar nog niet te diepgaand onderzoeken, dat is op het ogenblik bijna onmogelijk, we kunnen toch niets doen. Ook overbrengen naar het ziekenhuis kan fataal zijn. Rustig in de eigen omgeving, dat lijkt me het beste. Ik kom over een halfuur, drie kwartier, als het spreekuur voorbij is, terug."

Het werd een vreselijke middag.

Ze zaten ieder aan een kant van de tafel, zó, dat ze de roerloze gestalte in het bed konden zien. Het bleke, oude gezicht, de gesloten ogen, de stille mond, het dunne, grijze haar op het witte kussen.

Ze fluisterden af en toe een paar woorden. Verder was het stil. Angstig stil. Onheilspellend stil. Alsof de dood om ons heen is, alsof het in de kamer is, dacht Noortje. Zou Menno denken aan wat zijn vader vroeger vertelde over stemmen en gezichten...? Ze rilde.

Ze schreef een kort briefje voor Toon en Annie en toen Judy uit school kwam, stuurde ze het kind ermee naar de Wilmanstraat. Ze had gevraagd of Judy de eerste uren bij hen kon blijven. Weer was het stil in huis.

De dokter kwam terug. Er was niets veranderd. Stil en roerloos lag mevrouw Verhoeven in het bed. De ademhaling ging af en toe moeilijk. Noortje wist dat Menno en zij er allebei naar luisterden en bijna zelf niet durfden te ademen, als ze het stokkende en hijgende geluid vanuit de slaapkamer hoorden.

Tegen vijf uur fluisterde Noortje: „Zal ik koffie voor ons zetten?" Menno keek op. „Ja, doe dat maar. Dat hebben we wel nodig, sterke koffie."

Noortje liep naar de keuken. Ze was er nog maar net, toen Annie binnenkwam.

„Wat een toestand, kind, hoe is het nou?"

„Nog hetzelfde. Slecht."

„Wie weet wat er gebeurt, het is een oud mens, tegen de tachtig, wat wil je..." Annie leunde tegen het aanrecht. Ze trok haar jas dichter om zich heen. Ze had het koud. Ze voelt ook de dood in dit huis, dacht Noortje, dat ze dat nou dacht...

„En de dokter kan er niets van zeggen..."

„Nee. Hij heeft haar een injectie gegeven. Maar waarvoor dat is, weet ik niet."

„Laat Judy maar bij ons."

Noortje knikte. „Graag. Ik weet niet hoe het verder gaat..." Ze begon zachtjes te huilen.

Toen de koffie klaar was, ging Annie weg.

„Nou, sterkte maar. Ik kom straks weer langs. Dan wacht ik hier."

„Ik hoor de deur."

Noortje liep met het blad met de twee koppen naar de zitkamer.

208

Menno Verhoeven zat roerloos aan de tafel. Als een standbeeld. Maar hij bewoog, toen ze het kopje voor hem neerzette. Hij legde er zijn handen omheen.

„Dank je, Noortje. Lekker warm. Ik heb koude handen. Ik ben trouwens helemaal koud."

„Van angst en spanning."

Ze liep heel voorzichtig op haar tenen de slaapkamer in en bleef naast het bed staan. Ze voelde een zachte trilling van vreugde door zich gaan. Het rimpelige gezicht was niet meer zo in-wit. Ze ging terug.

„Ik geloof dat het iets beter wordt," fluisterde ze.

„Ik dacht het ook. Minder bleek. Niet meer zo grauw. En even ontspannen," gaf hij toe. Menno Verhoeven was er echter van overtuigd dat hij deze nacht zijn moeder zou verliezen. Zoals ze daar lag, was ze al ver van hem weg. Ze hoorde en zag hem niet, ze dacht niet meer aan hem.

Maar Noortje hield zich aan elk strohalmpje, elke kleine verandering ten goede vast.

Dokter Welders kwam die avond nog tweemaal.

En heel laat, het was ver over twaalf uur, deed mevrouw Verhoeven even haar ogen open en zacht, maar ze konden het allebei verstaan, zei ze: „Menno…"

Hij stond naast het bed.

„Ziet u me, moeder?"

Ze knikte.

„Hoort u me?"

Ze knikte weer.

Noortje was naast het bed geknield en hield de koude, rimpelige hand in haar hand. Een glimlach gleed over het gezicht van de zieke, maar ze sprak Noortjes naam niet uit.

Ze bleven die nacht beiden op. De meeste tijd zaten ze stil bij elkaar, soms praatten ze wat samen, zacht fluisterend.

Tegen de ochtend voelde Noortje dat het grote gevaar voorbij was. Ze was erg moe en nog gespannen, dat wel, maar het zich zo koud voelen alsof er rondom haar een kilte was die ze niet kende, alsof ze gevangen werd gehouden in de greep van iets dat volkomen zwart was en volkomen stil, dat was voorbij.

„Ik voel dat het beter gaat," zei ze.

Menno Verhoeven keek haar aan. Hij zag dat uit haar ogen de angst was verdwenen.

„Ik hoop het, maar ik was vannacht erg bang. Ik vreesde dat mijn moeder ging sterven. En dan" – bijna onhoorbaar kwam het over zijn lippen – „dan heb ik niemand meer."

In een opwelling van medelijden en aanhankelijkheid wilde ze zeggen: „Maar je hebt mij toch..." Ze zei het niet. Ze mocht dat niet zeggen, want het was niet waar.

„Ik weet wat je nu graag zou willen zeggen. Dat jij er toch nog bent. En dat ben je ook." Over de tafel heen raakten zijn handen haar handen. Ze durfde ze niet terug te trekken. „Ik ga je wat zeggen, Noortje. Het is zo'n vreemde nacht en we hebben zoveel gedacht deze uren, wij allebei. Ik ga je zeggen dat ik van je houd. Niet op de manier waarop een man van een vrouw houdt. Ik zou graag willen dat ik dat gevoel kende. Het moet heerlijk zijn. Vooral als je weet dat die vrouw ook van jou houdt. Lief voor je is, je kust, zich tegen je aandrukt" – hij glimlachte mat – „maar dat is zover van mijn eigen ik, zulke dingen kan ik denken, maar niet oprecht voelen. En jij, ik zou nooit willen dat jij je aan mij opofferde. Jij bent jong en jij weet wat liefde is en er is een man die van je houdt, dat weet ik. Ik heb het gezien. Toen je thuiskwam de laatste nacht van het oude jaar. Ik hoorde jullie, vergeef me, ik ben uit mijn bed gestapt en ik heb even door een kier van het gordijn gekeken."

Noortje voelde een zacht rood in haar wangen opkomen.

„Ik was er blij mee. Ik zei het je al, voor mezelf ken ik dat geluk niet. Maar ik gun het jou. Wat ik voor je voel, is wat een man kan voelen voor een jongere zuster. Liefde, gewoon liefde. En graag wat aandacht terugkrijgen en een beetje deel mogen zijn van haar leven. Of zoals een vriend voelt voor een vriendin. Of een vader voor een dochter. Ik wil je graag helpen, als ik dat kan."

Hij stond op, bleef haar handen vasthouden en trok haar van de stoel. Ze stond tegenover hem. Wild klopte haar hart, ze voelde de slagen in haar keel, ze was ontroerd door zijn bekentenis. Dit was een vreemde, donkere nacht. Zou ooit de zon weer opkomen? Dit was verwarrend, maar het maakte haar ook blij. Want wat hij vroeg, kon ze geven en ze wilde het geven: vriendschap, aandacht...

„Zeg eens heel eerlijk: ben je bang geweest dat ik van je zou gaan houden?"

„Nee." Ze keek hem recht aan. „Ik heb mezelf wel afgevraagd wat het was wat ik voor jou voelde. Medelijden is het allang niet meer. Ik weet vaak wat je denkt en voelt, dan begrijp ik je en dan wil ik je helpen, als ik dat kan."

„Dat kun je!" Hij trok haar dichter naar zich toe, drukte haar hoofd tegen zijn borst en aaide over haar haren.

„Je bent een dappere, lieve vrouw, Noortje Folmer."

Tegen halfzes die morgen ging heel zacht de bel over. Menno sprong overeind, stapte naar de deur en deed die open. De dokter stond op de stoep.

Noortje had een paar boterhammen klaargemaakt en een pot thee gezet. Ze aten de boterhammen uit het vuistje.

De dokter kwam binnen. Hij knikte naar Noortje en liep meteen door naar de ziekenkamer.

Toen hij terugkwam, zei hij: „Het ergste is voorbij, direct levensgevaar is er, geloof ik, niet meer, maar de toestand is nog heel ernstig. Dat begrijpt u wel."

Ze knikten allebei.

„Ik kan niet zeggen hoe het zich verder zal ontwikkelen. Ook niet of uw moeder ooit nog het bed zal kunnen verlaten. Ze is bijna tachtig jaar en in deze nacht is ze erg achteruitgegaan. In elk geval zal ze de eerste weken verzorgd moeten worden. Ik geloof dat u er goed aan doet, meneer Verhoeven, voor haar een verpleegster in huis te nemen."

Menno Verhoeven knikte. Noortje luisterde alleen. Ze had nog niet verder gedacht dan dat ene: als mevrouw maar niet sterft…

„U kunt haar niet verzorgen en ook voor uw huishoudster is die taak te zwaar."

„Ik verlang niet dat zij dat op zich neemt." Er klonk een beetje irritatie in zijn stem. „We hebben er nog niet over gedacht hoe het verder moet. Onze enige zorg was of mijn moeder zou blijven leven."

Dokter Welders knikte.

„Ik zal zo vlug mogelijk iemand proberen te vinden. Kunt u me daarbij helpen? Weet u iemand?"

„Er zijn in de stad enkele verpleegsters die dit werk doen. Ik kan u wat adressen geven."

„Graag."

In de loop van de ochtend was de verdoving, die mevrouw had gehad en die haar rust gaf, uitgewerkt. Ze wilde Menno bij zich hebben en Noortje, ze wilde wat water en hoger in de kussens. Noortje keek voorzichtig toe of ze haar armen kon bewegen en haar benen. Maar niets wees in de richting van een verlamming. Tegen acht uur kwam Annie.

„Toon brengt Judy naar school, ja, ze zullen Dieneke ophalen. Ik ga bij mevrouw zitten en dan ga jij een paar uurtjes slapen. Je ziet eruit als een spookverschijning, kind, je tolt om van vermoeidheid. Ik begrijp het wel, natuurlijk, jullie konden niet naar bed, maar nu neem ik het over. Ik weet wat waken bij een ernstig zieke is. Ik heb op mijn schoonouders gepast en op mijn eigen vader." Toen Noortje tegen halfelf beneden kwam, zag ze Menno in de keuken.

„Even geslapen? Ja, ik zie het. Je ziet er beter uit. Binnen is het ook rustig. Annie waakt als een kloek. Ik ben de adressen afgegaan, die dokter Welders me gaf. De eerste was juist bij een patiënt, de tweede was zelf ziek, de derde wil wel komen. Overdag. Alleen als het erg slecht is, blijft ze ook 's nachts."

Noortje knikte. Ze kon moeilijk 'fijn' zeggen, maar diep in haar hart was ze blij dat er een verpleegster zou komen om de verzorging van mevrouw op zich te nemen. Ze wilde mevrouw helpen zoveel ze kon, daar ging het niet om, maar dit werk was iets waar ze weinig van wist. En het zou ook te zwaar zijn naast het andere werk in het grote huis.

„Ze komt om een uur of vier kennismaken. Ik weet niet of mijn moeder beseft wat er gebeurt, maar ik geloof dat ze voelt dat ze erg ziek is. Ik vertel haar dat er tijdelijk een verpleegster komt om haar te helpen."

De verpleegster was een stevige, blonde vrouw. Ze droeg een donkerblauw, glad gesteven en gestreken uniform en een groot, hagelwit schort.

Mevrouw Verhoeven lag in het bed, ze keek en luisterde, maar echt begrijpen deed ze het niet. Ze sloot af en toe haar ogen en dommelde zachtjes weg.

„Wat denkt u?" vroeg Menno, toen ze met hun drieën in de zitkamer waren. Zuster De Wilde had de schuifdeuren zover dichtgeschoven dat ze er nog doorheen kon gaan.

„Het ziet er niet goed uit, dat weet u zelf ook, maar echt ernstig is het niet. U moet in dit geval de eerste dagen niet rekenen. Mevrouw is ingestort en het duurt zeker vijf, zes dagen vóór zich dat een beetje herstelt. Ik heb het vaker meegemaakt. Het kan zijn dat ze over een week rechtop in bed zit en praat en uitzoekt wat ze wil eten."

's Avonds kwam Martin.

„O Martin!" Noortje vloog in zijn armen, toen hij de kamer binnenkwam. Hij ving haar op en drukte haar tegen zich aan. Opeens besefte ze dat ze nog nooit zo naar hem had verlangd als deze dag. En dat er geen ander was naar wie ze verlangde om mee te praten, om tegen te zeggen hoe bang ze was geweest en hoe verdrietig. Alleen tegen Martin kon ze dat zeggen. Ze wist ook dat ze nog niet zo vrij, ongedwongen en in haar hart helemaal zichzelf van hem had gehouden. Vaak was op de achtergrond vaag het denken aan Menno geweest. Of haar liefde voor Martin verraad aan hem was. Natuurlijk was dat niet zo, met haar verstand en in woorden kon ze het beredeneren, geloofde ze het ook, was ze ervan overtuigd, maar haar hart voelde het anders. Alsof ze een beetje schuldig was.

Maar Menno zei haar dat hij wist van haar liefde voor Martin. Hij was er blij mee, hij gunde het haar, hij wilde alleen vriendschap, niet vergeten worden, een beetje delen in hun leven.

„Martin, wat fijn dat je er bent!"

„Meiske, lieveling, wat erg, hè? Ik hoorde het van moeder. Hoe is het nu met mevrouw Verhoeven?"

„Ze leeft nog en dat is onze hoop. Ik was vreselijk bang. En echt niet omdat ze, hoe zal ik het zeggen, omdat ze mijn mevrouw is of omdat ik eraan dacht dat ik hier weg zal moeten als zij overlijdt, dat is het niet, dat weet je wel, maar ik houd van mevrouw. En gisteravond..." Ze begon weer te huilen, ze kon haar tranen niet tegenhouden. Martin sloeg zijn arm om haar heen en suste haar. „Gisteravond voelde ik dat de dood in huis was, echt waar, in de kamer. Het was zo koud, Martin, en zo naar... En ik weet dat mevrouw nog erg graag wil leven, ze wil bij Menno blijven en bij ons en in dit huis. Als ze doodgaat, is ze weg, helemaal weg en ze komt nooit terug en alles gaat gewoon door en…"

Martin trok haar naast zich op de bank.

„Noortje, rustig een beetje, mijn lieveling. Zoveel mensen die gaan sterven willen dat niet, maar het is het lot van ons leven. We hebben geen keus. Maar ik begrijp je wel. Mevrouw is een beetje een moeder voor je en jullie hadden het fijn samen. Mevrouw wil het ook graag laten duren. Waarom niet nog een paar jaren… Maar misschien krijgt ze die. Het gaat nu goed. Ze wordt verzorgd" – hij veegde de tranen van haar wangen – „de dokter heeft haar onder behandeling en hij houdt alles in de gaten, hart en bloed en weet ik wat nog meer." Hij zoende haar op haar natte wang. Noortje snikte nog wat na, maar voelde zich toch rustiger worden.

„We hebben een verpleegster in huis."

„Moeder vertelde het. Ze is vast directrice geweest van een groot ziekenhuis, zei moeder. Ze durft niet te hoesten, ze is bang dat de verpleegster haar zonder meer in bed stopt."

Noortje lachte erom.

„Ik ga naar beneden om koffie te zetten."

Martin knikte. „En kijken hoe het nu is."

„Ja. De dokter komt vanavond nog langs."

„Hoe nam Judy het op?"

„Je moeder moest het haar gisteren vertellen. Ze heeft vannacht bij jullie geslapen, maar dat weet je. Ik wilde niet dat ze deze nacht weer in de Wilmanstraat sliep. Gisteravond kon het niet anders, Menno en ik hebben gewaakt, want elk ogenblik kon er iets gebeuren. Dat is voor Judy te veel. Maar nu er geen direct levensgevaar is, wil ik haar niet wegsturen. Ze mag niet het gevoel hebben dat ze er niet bij hoort. Ze kwam vanavond heel stil binnen, ze fluisterde: „Hoe is het nu met mevrouw? Is ze nog ziek? Ligt ze in bed? Heeft ze een pon aan? Mag ik bij haar kijken? Zal ik een verhaaltje vertellen? Wat juf vertelde vanmorgen?" Ik zei dat mevrouw nog te ziek was om naar verhaaltjes te luisteren. Toen ging ze spelen. Och, ze weet niet van ziek en erg ziek. Maar wel van doodgaan. Doodgaan is weggaan en nooit meer terugkomen. Dat leerde ze al heel jong."

Martin drukte haar tegen zich aan.

„Ze zal toch een blij leventje hebben, Noortje, als wij daar samen voor mogen zorgen."

Ze knikte.

Mevrouw Verhoeven koesterde zich in de goede zorgen van de verpleegster. Janine de Wilde was een strenge, resolute verpleegster, maar ze had een hart van goud en veel geduld, aandacht en begrip voor een zieke die aan haar zorgen was toevertrouwd.

„Mevrouw is niet gewend ziek te zijn," zei ze een paar dagen na die vreselijke nacht tegen Noortje. Ze zaten samen in de zitkamer. De tussendeuren waren gesloten, omdat mevrouw moest rusten.

Noortje keek naar het ietwat bolle gezicht, waarin de fletsblauwe ogen even lachten.

„Aan alles is te merken dat ze vrijwel nooit ziek was. Ze vraagt niets. Ik moet voelen waaraan ze behoefte heeft."

„Mevrouw was nooit echt ziek. Weleens een griepje, maar verder niet. Dat vertelde ze me van de winter, toen ze op een avond niet in orde was."

Dokter Welders zei me dat hij zich niet kan herinneren dat hij ooit voor haar in dit huis was geweest. Hij wist nog dat meneer Verhoeven was overleden, een jaar of zeven geleden, dacht hij. Dat ging toen heel plotseling en de dokter wilde met mevrouw gesprekken hebben om haar te leiden in het verdriet. Maar ze sloeg dat heel beslist af."

Noortje knikte. Nu ze mevrouw goed kende, wist ze dat zij toen geen gesprekken wilde met een dokter, die zij nauwelijks kende en die haar man niet had gekend. Noortje vroeg zich af of er iemand was, die haar toen kon helpen.

„Het is een sterke vrouw, ook van karakter," praatte de verpleegster verder. Ze schoof het lege theekopje dat voor haar stond van zich af. „Haar zoon lijkt me ook niet iemand die met zijn gevoelens te koop loopt!" Ze lachte weer, het witte schort kraakte. „Meneer Verhoeven is stil. Maar hij is erg aardig. En u moet niet denken dat hij altijd is zoals nu. Hij is erg geschrokken van de ziekte van zijn moeder."

„Dat geloof ik. En het is begrijpelijk. Hij woont in dit huis met haar. Als zij wegvalt, is dat een groot gemis voor hem en het zal verandering geven."

Omdat hij van haar houdt, wilde Noortje zeggen, dat is het grote verlies, ze is zijn moeder, hij kan haar niet missen, het is niet omdat hij dan alleen zal zijn. Om die gedachte wil hij haar niet bij zich houden. Ze zei het niet. Zuster De Wilde wist niets van hem. Ze kende Menno niet. Noortje vond dat ze er ook niets mee nodig had.

„Zou hij in dit grote huis blijven wonen, als mevrouw iets overkomt?" vroeg de stem verder.

„Ik denk het wel. Hij heeft ruimte nodig voor zijn studies." Ze zei het nogal uit de hoogte, ze hoorde het zelf, maar er was iets in de vragen van de zuster, dat ze niet prettig vond. Ze werd er zelfs een beetje kriegel van.

„Mevrouw Stellinga en jij zorgen voor de huishouding?"

„Ja." Noortje knikte instemmend.

„En dat zou zo blijven, als mevrouw niet meer in huis zou zijn?"

„Waarom niet? Als meneer hier blijft wonen, moet het werk gedaan worden. Dit huis is van zijn ouders en als zij beiden weg zijn, zal het van hem zijn."

De zuster knikte. Noortje hield het vage gevoel dat ze deze vrouw niet mocht. Of kwam het alleen, omdat ze nieuwsgierig was? Mevrouw Verhoeven herstelde redelijk. Zoals ze vóór haar ziekte was, werd ze natuurlijk niet meer. Ze kwam na een paar weken soms even uit bed, maar dat was omdat zuster De Wilde erop aandrong. Ze zat het liefst in de hoog opgestapelde kussens. De zuster kwam nu alleen nog 's morgens.

„Hè, lekker rustig," zei mevrouw Verhoeven de eerste middag, toen Noortje en zij weer samen thee dronken, nu niet meer in de zitkamer, maar in de slaapkamer. Mevrouw in bed, Noortje in een klein stoeltje ernaast. „Het is een best mens en ze helpt me goed, maar ik ben toch blij dat ze er 's middags niet is. Je kunt zien dat ze gewend is te regelen. Nu moet u in bed en nu moet u drinken en nu moet u slapen." Mevrouw schudde er glimlachend haar hoofd om. „Ik ben oud en ik ben ziek, maar ik ben geen klein kind. Als het half kan, wil ik zelf beslissen. Maar ik geloof wel dat het goed voor me is, hoor, er zo nu en dan uit, maar echt prettig vind ik het niet!" Ze nam een slokje van de thee. Dan boog ze zich voorover en keek Noortje aan. „Maar nu een ander gesprek, meisje. Menno vertelde me dat Martin en jij..."

„Ja, mevrouw." Ze bloosde ervan.

Een rimpelige hand sloot zich om haar hand.

„Dat is fijn, kind. Ik geloof dat Martin een goede jongen is. Hij heeft fijne ouders. Annie is een lieve vrouw en Toon is een goede man. Ik ben blij dat je weer geluk gevonden hebt. Ik weet niet of jullie algauw..."

„Gaan trouwen, bedoelt u? Daar hebben we nog niet over gepraat."

„Echt niet?" De waterige ogen lachten.

„Nee, echt niet."

Hun liefde was nog zo jong, maar eigenlijk wist Noortje dat Martin veel langer op de achtergrond van haar denken was. Ze wist toen niet dat ze van hem hield. Hij was er gewoon, hij hoorde in haar leven.

Door Paul... Als ze aan hem dacht, stuwde een rood van drift en schaamte naar haar wangen. Hoe kon ze denken dat ze op hem verliefd was en wat had hij haar vernederend behandeld. Door Paul dacht ze niet aan Martin. Maar hij was er wel.

Later dacht ze aan Menno. Ze hield niet van hem, maar ze was bang dat hij, als ze hem vertelde dat ze van Martin hield, teleurgesteld zou zijn.

Ze wist nu dat dat niet zo was.

Ze kon eerlijk, vrij en open van Martin houden!

Mevrouw Verhoeven keek zwijgend naar het jonge gezicht naast haar bed, vanbinnen glimlachte ze om dit prille geluk. Er was geen verdriet in haar hart, ze was oud en moe en verlangde niet terug naar het leven. Dit zien maakte haar blij vanbinnen. Wat Henri zei, was waar: het leven gaat steeds door, geboren worden en sterven, ontmoeten en afscheid nemen, het vallen van de avond en de zon die weer opkomt... Renate Verhoeven legde haar handen ineen.

Het kind was zo bezig met haar eigen gedachten, ze liet haar stilletjes begaan, maar opeens, alsof de zon doorbrak op het smalle snoetje, keek Noortje haar aan met ogen die straalden als kleine sterren.

Ze lachte, ze was terug in de slaapkamer.

„Maar voorlopig blijf ik hier, bij u! We moeten wachten op een huis en sparen. Weet u, Martin en ik kennen elkaar al, zolang ik hier ben, maar dat we van elkaar houden weten we nog maar pas.

Toen ze 's avonds heel laat in de slaapkamer stond, schoof ze de gordijnen vaneen.

De nacht was donker. Zwartgrijze wolken joegen langs de hemel. De kruinen van de hoge bomen achter in de tuin wiegden heen en weer in de krachtige wind. Ze hoorde het ruisen van de bladeren en soms het kraken van de takken. Maar morgen, wist ze heel zeker – ze trok de gordijnen dicht alsof ze alles wat donker en zwart was wilde buiten sluiten – morgen komt de zon weer op.

Nel van der Zee

Samen verder

HOOFDSTUK 1

„Ik wil het huis wel van u kopen, mevrouwtje," zei hij.
Til keek naar de man tegenover zich en schudde ontkennend het hoofd.
„Nee, meneer Horsting, daar kan geen sprake van zijn, het huis moet in de familie blijven. Als het enigszins kan, tenminste," voegde ze er iets minder zelfverzekerd aan toe. „Mijn grootvader zou het verschrikkelijk hebben gevonden, als ik het al zo gauw na zijn dood van de hand deed. Bovendien kan ik het niet verkopen, omdat er een gedeelte van verhuurd wordt als kantoorruimte."
Horsting knikte, hij trok heftig aan zijn grote sigaar en sloeg zijn korte dikke beentjes over elkaar·
„Dat zei u al, maar is dat zeker? De makelaar dacht van niet. Hij heeft er die meneer Van Luik gisteren nog over opgebeld, maar die man piekert er niet over een vijfjarig huurcontract met u af te sluiten. Dat kan hij trouwens ook niet, want zo goed staan zijn zaken er niet voor."
Til voelde zich tot over haar oren kleuren.
„Hoe weet u dat?" vroeg ze, en ze hoorde de verontwaardiging in haar stem doorklinken.
Hij glimlachte vriendelijk en amicaal naar haar en zei bijna meewarig. „Ik ben jarenlang in zaken geweest, meisje, ik weet de weg om achter zulke dingen te komen, een bankinformatie is voor zoiets soms al genoeg."
Zijn antwoord kwam onaangenaam bij haar over, alles in haar kwam in verzet. Deze kleine dikke oude man, die veel te amicaal deed naar haar zin, had zomaar inlichtingen over Rob ingewonnen. Ze voelde het als een inbreuk op haar privacy.
„Meneer Van Luik is met een groot project bezig," zei ze kort.
„Dat zullen ze op uw bank niet geweten hebben. Hoe het ook zij," voegde ze er opstaand aan toe, „ik wil het huis niet verkopen, dus kunnen we samen geen zaken doen, meneer Horsting."
„Ho, ho, mevrouwtje, niet zo haastig, ik wil het ook wel huren! U biedt toch een gedeelte te huur aan? Dit gedeelte waarin uw grootvader heeft gewoond, staat me erg aan, al zou ik die kantoorruimte en een van de twee garages er ook graag bij hebben.

U zou zelf toch in het korte gedeelte van de L-vorm blijven wonen. De makelaar zei me tenminste, dat u daar met uw twee kinderen woont. Dat heb ik toch goed begrepen?"

Til knikte bevestigend, maar ze dacht: ik wil deze man niet zo dicht bij me hebben. Hij ligt me als huurder helemaal niet. Ze nam hem nog steeds kwalijk wat hij over Rob had gezegd. Andries Horsting dacht nog niet aan weggaan, hij keek om zich heen en zei vergenoegd: „Mijn vrouw stond het ook meteen aan, toen de makelaar ons vorige keer het hele huis heeft laten zien. Dat zwembad geeft voor ons de doorslag, ziet u? We gaan alle-bei iedere dag zwemmen en nu kan dat bij huis. En dan woon je hier zo mooi dicht bij het dorp! Nee, we willen het zonder meer huren. Ik deed dat voorstel om het te kopen vooral omdat ik dacht, dat u het graag zou willen."

Til zuchtte ongeduldig. Hoe kwam ze van deze man af?

„Er zijn nog meer gegadigden, meneer Horsting, mensen die eer-der waren dan u. U moet er niet te vast op rekenen, dat u hier komt wonen."

„Wat zegt u?" riep hij verbaasd opverend. „Maar daar klopt niks van!

De makelaar zei…"

„De makelaar heeft vast niet gezegd, dat u hier zonder hem weer naartoe moest gaan," viel Til hem in de rede. „Ik wil eerst nog eens over alles nadenken en dan hoort u wel via de makelaar van me."

Andries Horsting droop, voor zijn doen, wat timide af.

„Ik hoop spoedig een gunstig bericht van u te ontvangen," zei hij. „U zult aan ons rustige, goedbetalende huurders hebben."

„Dag, meneer Horsting," zei Til.

Al voor hij het tuinpad was afgelopen, wist Til dat ze het niet goed had gedaan. Ze was niet zakelijk geweest en hij was dat wel. Hij had een bankinformatie over Rob en die klopte met haar bange vermoedens. Rob was charmant, Rob was allerliefst voor haar en hij probeerde ook aardig voor de kinderen te zijn, maar zijn zaken gingen slecht. Ze wist dat nu zeker, omdat die man haar dat had verteld. Maar hij kon het niet helpen dat Robs zaken slecht gingen. Ze moest blij zijn, dat ze zo gauw een huur-der voor dit dure huis vond. Hij zou zeker de prijs willen betalen, die door de makelaar was vastgesteld en dat betekende voor haar een wereld van zorgen minder. En als Rob de kamers waarin grootvader vroeger zijn architectenbureau had gehad, niet kon huren, omdat hij er geen geld voor had, dan zou ze er verstandig aan doen dat gedeelte van het huis ook aan de familie Horsting te verhuren. Dat kon immers niet mooier! Alles in één hand en verder geen geloop van andere mensen door de tuin. En dan nog wel twee van die rustige oude mensen. Nu ja, rustig? Meneer Horsting had drukte genoeg, zo niet, maar mevrouw was een bedaarde dame, die vast van een schoon huis zou houden en zodoende haar bezit nog mooi onderhield ook. Ze moest blij met hen zijn en vergeten dat ze uit zijn mond een onaangename mededeling over Rob had gehoord. Dat was tenslotte het enige wat ze op hem tegen kon hebben. Je huis verhuren waarin je zelf zo graag zou blijven wonen, was nu eenmaal niet makkelijk. Dat deed altijd een beetje pijn.

Ze maakte de schuifdeuren open en liep de tuin in.

Ze deed er beter aan voortaan niet meer zo gauw op haar teentjes getrapt te zijn, hield ze zichzelf voor. Ze was nu al meer dan zes jaar weduwe, maar op de dag dat Joost stierf, had haar grootvader zijn beschermende handen naar haar uitgestrekt en hij had haar met Ewout en Rikkie, die toen twaalf en tien jaar oud waren, in zijn huis opgenomen. Of liever gezegd, hij had een gedeelte aan zijn huis laten bouwen en daarin had hij hen laten wonen. Achteruf besefte ze pas hoe hij haar en de kinderen verwend en vertroeteld had. Dat was nu allemaal voorbij. Zij was nu degene, die zorgen moest dat haar kinderen een plaats in de maatschappij kregen. Ewout was nu achttien en ging na de zomervakantie in Amsterdam medicijnen studeren. Erica, Rikkie noemde ze haar meestal, zat in de vijfde klas van het gymnasium. Ze zou pas over twee jaar naar de universiteit gaan. Maar dan moest ze wel zorgen dat ze beide studies bekostigen kon. Ewout was ijverig, hij werkte al jarenlang bij een verhuisbedrijf om zich van zakgeld te voorzien. Hij zou dat blijven doen, ook als hij straks in Amsterdam studeerde. Maar ze moest ervoor waken dat Ewout in zijn ijver niet te ver ging, niet te veel tijd besteedde aan een baantje, hij moest de gelegenheid krijgen zich optimaal voor zijn studie in te zetten. Gelukkig had ze de laatste jaren aardig kunnen sparen. „Eten jullie nu maar bij mij uit de grote pot mee," had grootvader gezegd. „Daar is mijn pensioen groot genoeg voor en bewaar je inkomsten als een appeltje voor de dorst. Ik kan je niet meer nalaten dan het huis, maar er staat niet veel hypotheek op, jullie wonen dan praktisch gratis. Verkoop het huis alleen, als het heel hard nodig is. Je staat zo veel makkelijker in het leven, als je kunt bogen op wat bezit." Til keek om zich heen, de uitbundig bloeiende tuin geurde haar toe, Grootvader was zo trots geweest op zijn tuin... Ze voelde tranen achter haar ogen branden, maar je mocht eigenlijk niet huilen om iemand, die in de negentig was geworden en maar een ziekbed van enkele weken had gehad.

„Ik was nog graag wat gebleven," had hij gezegd.

„Ik had eigenlijk gehoopt dat ik gezond zou mogen blijven tot de kinderen een eindje met hun studie op weg waren, maar dat zit er niet in. Mijn tijd is om."

Er drupte nu toch een traan langs haar wang. Waarom ook eigenlijk niet? Hij was zo verschrikkelijk lief voor hen alledrie geweest, ze mocht best een beetje om hem treuren. Het was maar goed dat ze het druk had, nu hij er niet meer was. Onwillekeurig verdiepte je je anders in muizenissen. Toen grootvader nog leefde had ze maar één etmaal als particulier verpleegster gewerkt, nu had ze de twee dagen, die ze erbij had kunnen krijgen, gretig aangenomen. Maar ze had algauw ontdekt dat dat veel te veel was, als je nog twee opgroeiende kinderen in huis had. De werkdagen waren lang, veertien uur per dag, van 's morgens acht tot 's avonds tien. De kinderen zaten haar dan op te wachten, maar meestal was ze zo moe dat ze weinig aandacht meer voor hen kon opbrengen. Ewout merkte wel dat ze aan het eind van haar Latijn was en had er begrip voor, Rikkie kon dat minder goed begrijpen. „Je luistert maar weer half, mam," zei ze soms.

Toen het reclamebureau, dat in het gedeelte zat waar grootvader vroeger zijn architectenbureau had gehad, de huur opzegde in verband met het betrekken van een groter pand, was het idee bij haar geboren het woonhuis van haar grootvader te verhuren, eventueel met of zonder het kantoorgedeelte. In die tijd had ze Rob van Luik leren kennen. Hij was de eerste man die een soort wonder tot stand had gebracht, hij had gemaakt, dat ze Joost soms vergat. Rob was tweeënveertig, precies twee jaar ouder dan zij. Eens, in een, naar zij aannam, ver verleden moest hij ooit getrouwd zijn geweest, maar hij sprak daar alleen heel vaag over. Ze wist nu nog niet of hij weduwnaar was of van zijn vrouw gescheiden. Addie, een bevriende collega, vond dat maar vreemd. Zoiets hoor je elkaar te vertellen, als je met elkaar omgaat zoals jullie, was haar standpunt. Toch kon zij zich een stilzwijgen over het verleden best indenken. Praten over zulke dingen scheurden weer wonden open, die eindelijk en met veel moeite geheeld waren.

Rob praatte met haar wel over zijn zaken, het grote project dat in Duitsland op stapel stond, waarvan hij de hele reclame te verzorgen zou krijgen. Dat was de reden dat hij geen ander werk kon aannemen. „Vol is vol," zei hij. „Ik wil niet aan veel personeel beginnen. Personeel slokt je winst op, als je even wat krap in je werk zit. En de knecht eet nu eenmaal langer dan de baas."

Hij had na die woorden zijn arm om haar schouder geslagen en gezegd: „Waarom zouden we ons nog zoveel moeite op de hals halen? Jij hebt hier een mooi huis, dat is een mooie financiële achtergrond. Straks verdien ik geld als water, dan kunnen we het er eens goed van nemen. Wat denk je van een fijne vakantie samen? Ver weg, in het buitenland? Zou je daar wel zin in hebben?"

Ze had grctig geknikt.

„O ja, een weekje zou ik wel weg kunnen, maar dan moeten we wachten tot Ewout in Amsterdam studeert. Rikkie kan ik wel een weekje bij een vriendin onderbrengen. Bij Addie en Sil kan ik altijd voor zoiets terecht."

„Maar ik bedoel geen week," had Rob gezegd, „ik bedoel een echte lange buitenlandse reis."

En toen had ze gelachen.

„Och Rob, maar dat kan nooit! Ik ben de moeder van twee hongerige spreeuwen, om zo te zeggen, ik ben de hele dag bezig om voedsel voor hen te zoeken. Bij wijze van spreken dan."

Ze herinnerde zich goed, dat zich toen een verdrietig gevoel van haar had meester gemaakt. Nu ze eindelijk iemand gevonden had, die de plaats van Joost voor haar gevoel kon innemen, liep het vast op de kinderen. Ze had ooit met de gemeentesecretaris van het dorp kunnen trouwen, een kalende saaie man, wiens kinderen de deur al uit waren. Hij was wel bereid geweest de opvoeding van de kinderen te betalen. Als ze er maar in toestemde zijn vrouw te worden, was hij tot alles bereid, had hij gezegd. Maar ze had er eenvoudig niet over gedacht. En nu met Rob leek het erop dat alles er was: ze gingen leuk samen uit, ze konden samen lachen, ze waren samen verliefd, alles, alles klopte en nu deed Rob alsof ze een loslopend jong meisje was zonder verplichtingen.

„Och, kom, waar praten we over," had Rob luchtig gezegd. „Zover is het immers nog niet. Ik heb trouwens grote kans op een tweede project, een nog grotere klus. Als dat doorgaat, hoef jij niet meer te werken, dan kan ik wel voor jouw hongerige spreeuwen zorgen. En je weet toch nog niet zeker of Erica wel wil studeren? Ik zou me best kunnen voorstellen dat ze een kantoorbaantje zoekt en 's avonds een cursus voor iets volgt. Dan hebben we één mond minder open te houden."

Ze had gezwegen. Het had geen zin Rob te vertellen, dat het als een paal boven water stond dat Rikkie ook ging studeren, net zo goed als Ewout. Dat ze het als een stuk van haar levenswerk zag de twee kinderen klaar te maken voor een mooie toekomst. Met Rob kon je niet over de kinderen praten, hij begreep niet wat ze voor haar betekenden. Het was jammer, maar er was niets aan te doen. Ze moest daar niet te veel bij stilstaan, er waren immers zo veel andere goede dingen tussen Rob en haar. En een huwelijk had geen haast. Ze konden rustig wachten tot de kinderen allebei de deur uit waren. Tegen de tijd dat Rikkie ook studeerde, zou het project in Duitsland wel van de grond zijn. Dat kwam dan allemaal mooi uit.

Haar gedachtegang werd onderbroken door het rinkelen van de telefoon.

Terwijl ze het huis weer binnenging, viel het haar op dat de tuin er toch niet meer zo verzorgd uitzag als vorig jaar, toen grootvader nog leefde. Grootvader had een dag per week een tuinman gehad, het viel niet mee om met hun drieën op te boksen tegen het vakmanschap van hovenier Wolters. Ze moest echt zien, dat ze zo gauw mogelijk het grootste gedeelte van het huis verhuurde, dan hadden ze ook veel minder werk aan de tuin. Alleen het gedeelte, dat grootvader eraan had laten bouwen, toen zij bij hem kwamen inwonen, zou ze houden. Het was groot genoeg voor hen drieën. Ze moest geen rekening meer met Rob houden, ze konden immers verder zien, als zijn Duitsland-project van de grond kwam.

Ze nam de hoorn op en hoorde de stem van Van der Somme, de makelaar. Hij was van de leeftijd van haar overleden vader en ze hadden zolang ze zich herinneren kon alle verzekeringen bij hem gehad. Door deze jarenlange relatie voelde Van der Somme zich verplicht speciale aandacht aan haar geval te besteden.

„Kindje toch," zei hij vaderlijk, „wat heb je me nu toch uitgehaald met die meneer Horsting? Hij kwam in zak en as hier en vertelde me dat je nog andere huurders voor je huis had. Waar haal je die plotseling vandaan?"

„Dat was fantasie," bekende Til, „maar hij irriteerde me door dingen die hij over Rob van Luik zei. Hij wilde het kantoor erbij huren en dat heb ik toch eigenlijk aan Rob beloofd."

Van der Somme had mensenkennis. Hij wachtte er zich wel voor ook maar een woord in Robs nadeel te zeggen en hij pakte het anders aan.

„Daar zou ik nu niet te veel over inzitten. Meneer Van Luik voelt, geloof ik, niet erg voor die kamers. Als straks die grote zaak loskomt waarop hij wacht, wil hij waarschijnlijk ook een heel ander kantoor dan die paar kamers. Dan vinden we wel iets mooiers voor hem. Nu kun je beter die hele ruimte tegelijk aan meneer Horsting verhuren. Zijn zoon komt met zijn gezin drie maanden met verlof uit Amerika, daarom is hij er zo op gebrand. Die zoon zoekt een pied à terre, dicht bij zijn ouders, waar hij zo af en toe kan neerstrijken, als hij in het land is. Hij werkt in Amerika bij een bank en komt geregeld hiernaartoe. Hij is hier op het ogenblik en hij wil graag het huis zien. Mag ik hem naar je toesturen en mag ik er dan op rekenen dat de zaak doorgang vindt?"

Til was eigenlijk blij, dat de kans op verhuur nog niet verkeken was en stemde onmiddellijk in.

Horsting junior was een heel andere figuur dan zijn vader, hij begon met zijn excuses te maken.

„Mijn vader heeft in zijn enthousiasme voor uw mooie huis de zaak wat te doortastend aangepakt, vrees ik. Hij heeft u maar meteen voorgesteld het van u te kopen, hè? Ik begrijp goed, dat dat uw bedoeling niet is. Maar meneer Van der Somme heeft u al verteld, dat we heel blij zullen zijn, als we het woonhuis met het kantoorgedeelte mogen huren."

„Daar ga ik mee akkoord," zei ze meteen. „Meneer Van Luik zal zijn reclamebureau ergens anders onderbrengen, dus de kantoorruimte kunt u erbij huren. Ik ga ook akkoord met de kleine verbouwing, die u in de kantoorruimte wilt laten uitvoeren. Meneer Van der Somme heeft me daarover ingelicht."

„Dat is fijn," zei Koert Horsting. „Op de plattegrond die de makelaar ons liet zien, zag ik dat er naast die twee kantoorruimtes die mijn vrouw en ik als zit- en slaapkamer kunnen gebruiken, nog een ruimte is waar we een badkamer van kunnen laten maken. Een keukentje is er al en zo zullen we ons daar uitstekend kunnen redden. De twee meisjes slapen dan in het huis van mijn ouders. We kunnen als gezin helemaal zelfstandig opereren, als we dat willen."

„Wilt u het huis niet eerst zien voor u definitief besluit?" vroeg Til glimlachend. „Misschien staat het u helemaal niet aan."

Hij lachte met haar mee.

„De buitenkant zegt me al genoeg," zei hij. „En denkt u eens aan het enthousiasme van mijn vader, om van de loftuitingen van de makelaar maar te zwijgen. Maar als het u niet te veel moeite is me rond te leiden, zal ik het heel graag zien."

Zo, dacht Til tevreden, dat is tenminste iets anders dan dat bedillerige gedoe van zijn vader.

„Komt u maar mee," zei ze.

Hij knikte tevreden, toen hij alles had gezien.

„Het overtreft mijn stoutste verwachtingen," zei hij. „Het is werkelijk een unieke gelegenheid om tijdens ons verlof bij mijn ouders te wonen en verder is het aanhangsel, zoals ik het maar noemen zal, een uitstekend onderdak voor mij, als ik voor de zaak in het land ben. De makelaar zei, dat u de zolder voor het grootste deel nodig had om de meubels van uw grootvader in op te slaan, klopt dat?"

Til knikte bevestigend. „Ik heb straks twee studerende kinderen, die allebei meubilair nodig hebben," zei ze. „Daarom wilde ik zo weinig mogelijk wegdoen. Hebt u bezwaar tegen het gebruik van de zolder?"

„Helemaal niet. Ik vraag me alleen af of ik zo brutaal kan zijn u te vragen of we iets van de meubelen mogen gebruiken om de vertrekken van mijn vrouw en mij in te richten. Alles zal op afroep beschikbaar zijn, om dat zo maar eens uit te drukken. Wat u nodig hebt staat meteen tot uw beschikking. De huur voor het aanhangsel kunnen we dan verhogen, want gemeubileerd huren is nu eenmaal duurder dan leeg."

„Dat moet u maar met de makelaar uitmaken," besliste Til diplomatiek. „In principe ga ik akkoord met het gebruiken van de meubelen."

„Geweldig," zei hij.

Hij is aardig, dacht ze. Ze had er een beetje spijt van, dat ze zijn vader zo had afgescheept. Hij had haar toch ook eigenlijk niets gedaan.

„Mag ik u een kop thee aanbieden?" vroeg ze. „Of drinkt u misschien liever koffie?"

Zie je wel, dacht hij, zijn vader had wel gezegd, dat het zo'n onuitstaanbaar modern mens was, maar ze viel erg mee. Hij was daar blij om. Het zou zijn moeder geruststellen, als hij haar dat vertelde. Ze had gezegd: „Doen we er nu echt wel goed aan zo aan te dringen om dat huis te huren, als die mevrouw ons liever niet heeft. Denk er eens aan dat ze naast ons blijft wonen! Wat kunnen we dan nog een narigheid met haar beleven."

Zover hij zien kon, zou het met die narigheid wel meevallen. Ze was een modern knap vrouwtje en heel bij de hand, maar dat moest ze wel zijn, als ze in haar eentje voor twee opgroeiende kinderen moest zorgen.

Aan de thee vertelde hij haar, dat ze zich zo verheugden op zijn verlof van drie maanden.

„Mijn ouders verheugen zich speciaal over het feit dat we de nieuwe baby mee zullen brengen, die straks geboren wordt. Onze beide dochters zijn al veertien en vijftien jaar oud, maar we zijn nog een erg ouderwetse familie en we zijn allemaal even blij met de komst van de baby."

Til glimlachte vertederd.

„Dat kan ik me zo goed begrijpen," zei ze, „het is ook zo leuk er nog eens zo'n kleintje bij te hebben. Zes jaar geleden, toen onze kinderen ook al wat ouder waren, spraken we er vaak over dat het nog best leuk zou zijn er eentje bij te hebben."

„Och," zei hij zacht, „bent u al zes jaar alleen met de kinderen? Gaat het goed met hen?"

„Prima," zei ze. „Ik heb zoveel plezier van ze en ze helpen me zo goed, vooral nu grootvader er niet meer is."

Hij stond op.

„Ik beloof u dat we ons best zullen doen voorbeeldige huurders te zijn. U zult er geen spijt van hebben dat u ons genomen hebt."

Ze gaf hem een hand en knikte hem toe. Ineens zei ze verlegen glimlachend. „Ik denk ook, dat het best zal meevallen, zeg dat maar tegen uw vader."

„Dat zal ik graag doen," antwoordde hij.

Ze keek hem na, toen hij het tuinpad afwandelde, een lange gestrekte figuur met donkerblond goed geborsteld haar en uitstekende manieren. Nee, hij leek in niets op zijn kleine gedrongen vader. Misschien alleen zijn grijze ogen. Hij maakte de indruk van een evenwichtig mens die alles voor de wind ging. De vader van een gelukkig gezin. Zijn meisjes waren maar iets jonger dan Ewout en Erica en ze zouden nog een baby krijgen. Als Joost nog geleefd had… Onzin, Joost leefde niet meer en ze was veel te oud voor baby's. Ze moest nu niet weer jaloers gaan zitten denken aan mensen, die meer hadden dan zij. Dat had ze gedaan, toen Joost pas overleden was en ze wist nog goed hoe negatief de invloed was, die daarvan uitging. Ze moest alsjeblieft de klok niet terugzetten, ze had wel iets anders aan haar hoofd.

Vanavond zou Rob komen eten, ze zou de biefstuk vast uit de koelkast leggen, vlees was veel lekkerder, als het op kamertemperatuur werd klaargemaakt. Ze zou hem nog maar niet direct vertellen over de verhuurder van het kantoor. Dat kwam later nog altijd vroeg genoeg.

Ze liep naar de slaapkamer en ging voor de spiegel zitten. Haar korte blonde haar hing sluik en moe langs haar wat bleke gezicht en aan haar fletsblauwe ogen was te zien dat ze hoofdpijn had. Ze zou vlug haar haar wassen en een bad nemen, daar knapte ze vast van op. En dan deed ze haar nieuwe groene jurk met de lage taille aan. Ze voelde zich al wat beter door het vooruitzicht.

Toen ze later met geföhnde haren en een klein beetje make-up op haar gezicht weer kritisch in de spiegel keek, was ze tevreden over de aanblik. Ze mocht er best zijn met haar bijna veertig jaar, ze was misschien wat te mager, maar dat kwam van al dat hollen voor haar patiënten. Het was altijd nog beter dan te dik.

Rob kwam vroeger dan ze had verwacht, hij was er al voor de kinderen thuiskwamen.

Hij was knap, dacht ze bewonderend, toen ze hem binnen zag komen. Zijn dik donker haar zat onberispelijk, ze plaagde hem weleens met zijn bijna volmaakte donkere wenkbrauwen boven zijn bruine ogen.

Aan de geïrriteerde manier waarop hij met zijn lange lenige gestalte in een stoel viel, zag ze dat er wat gebeurd was. Hij drukte zijn duim en wijsvinger even in zijn ooghoeken en keek haar toen aan.

„Ik werd door Van de Somme gebeld," zei hij, „en ik was erg verbaasd. Ik dacht dat het tussen ons vanzelfsprekend was, dat de kantoorruimte leeg bleef staan tot ik hem nodig had. Nu moet ik straks, als we getrouwd zijn, een ruimte buitenshuis huren. Dat is toch belachelijk? Heb je al getekend?"

Ze aarzelde een ogenblik met haar antwoord, toen liep ze naar hem toe en ging naast hem zitten.

„Rob," zei ze, „ik kan het me niet veroorloven die ruimte leeg te laten staan. Ik heb geld nodig, echt waar. En dat weet je best."

Hij keek bouderend van haar weg en haalde zijn schouders op. „Jij hebt zulke uitgesproken ouderwetse begrippen over geld," vond hij. „Ik wilde maar, dat je eens inzag dat die nu echt verouderd zijn. Je zorgen maken over je inkomsten met zo'n kapitaal huis achter je, dat nota bene helemaal jouw persoonlijk eigendom is en waar geen stuiver van je kinderen bij is, nu Til, dat zal iedereen ronduit belachelijk vinden. Ik zal daarom alleen al blij zijn, als dat Duitsland-project van de grond is. Met die tweede zaak zal ik nu ook ernst gaan maken. Ik persoonlijk vind het overdreven zoveel tegelijk overhoop te halen, maar ik merk wel dat het de enige manier is om jou rust te geven: een heleboel geld achter het linnen en ook nog een bom duiten in het vooruitzicht. Nu, straks zul je geen klagen meer hebben, als die beide zaken doorgang vinden, is ons kostje gekocht. Maar dan verwacht ik ook van je dat je ermee instemt dat we het er eens echt van nemen. Om mij kun je die verplegingen aanhouden, als we straks getrouwd zijn, maar ik zou wel wat kalmer aan doen. Anders hebben we nog geen minuut voor onszelf."

„Als jij vaste inkomsten hebt, wordt ook alles anders," zei ze. Ze zei het niet met overtuiging en hoorde zelf de twijfel in haar stem. Ze had altijd vast geloofd in dat werk in Duitsland, maar ineens was ze daar zo zeker niet meer van. Kwam dat nu echt alleen omdat Horsting senior zo honend gesproken had over Robs financiële achtergrond? Of bracht ze het ook in verband met het feit dat hij vorige week langs zijn neus weg had gezegd: „Zeg, geef me even vijfhonderd gulden, ik ben vergeten naar de bank te gaan. Ik zal er zo een cheque voor schrijven, help het me maar onthouden."

Ze had geen cheque van hem gekregen, en ze had er ook niet om willen vragen, omdat Rob een hekel had aan praten over geld.

„Jij wordt nog eens een bankbiljet," had hij eens wrevelig opgemerkt, „je denkt gewoon in geld."

„Nou ja, we zien wel," zei hij. „Ik vind het erg jammer dat je het huis van je grootvader hebt verhuurd in plaats van dit. Je had er beter zelf kunnen gaan wonen, het is veel groter en veel gerieflijker. Je had het toch tenminste met me kunnen overleggen."

Ze slikte even en zei niets, stond op en ging weer naar de keuken.

Ze had een vreemd huilerig gevoel en dat kwam niet alleen omdat Rob zo ontstemd was over wat ze had gedaan. Ze voelde zich verdrietig, omdat zich allerlei andere gedachten over Rob aan haar opdrongen. Hij was tweeënveertig en hij had, daar was ze nu wel zeker van, geen cent achter de hand en weinig of geen werk, alleen een heleboel in het vooruitzicht. En daar dacht ze nu ineens het hare van, opgeschrikt als ze was door wat Horsting senior haar had gezegd. Ze was blij geweest met Rob, ze had zich gouden bergen over hun toekomst voorgesteld, zoiets als vroeger met Joost...

Ze hoorde de keukendeur openkieren, Rob stond in de deuropening, hij had een fles wijn in zijn hand. „Kom," zei hij, „laten we samen maar op onze toekomst drinken en het verleden laten voor wat het is. Ik heb een flesje heerlijke wijn meegebracht." Ze keek op de klok, het was inmiddels al vijf uur geworden, vanavond om tien uur moest ze bij haar patiënt zijn. Ze zou daar nachtdienst hebben en daarna dagdienst tot de volgende avond tien uur. Ze kon zich niet permitteren veel te drinken. De kinderen zouden straks aan tafel ook niets willen hebben, omdat ze direct daarna hun huiswerk moesten maken. Rob zou dan praktisch alleen voor de fles wijn opdraaien en daarna moest hij weer met de auto naar zijn flat terugrijden.

Ze nam de fles van hem over.

„Weet je wat," zei ze, „we kunnen hem beter tot zaterdagavond bewaren, ik moet vanavond immers nog naar mijn werk? Zaterdag kunnen we er samen van genieten. Ik heb voor jou iets, dat ook lekker is, we maken een fles sherry van grootvader open. Je weet wel, van de partij die hij toen uit Spanje heeft laten komen. Je hebt er weleens eerder wat van gehad."

„Ook al goed," zei hij, het klonk nog wat gelaten, maar zijn boze bui was al aan het overdrijven.

Ze liet het eten in de keuken even voor wat het was en gaf hem glazen aan, terwijl hij de fles openmaakte. Dicht naast hem op de bank dronken ze samen op de onbekende toekomst. Hij sloeg zijn arm om haar heen, terwijl hij zijn glas in zijn andere hand hield. „Ik ben zo blij met je," zei hij, „maar je moet je niet zoveel onnodige zorgen maken."

„Dat zou ook beter zijn," zei ze en ze dacht eraan dat het vroeger met Joost ook weleens moeilijk was geweest een compromis te vinden tussen wat hij en wat zij wilde. Het was toen ook niet altijd rozengeur en maneschijn geweest. Dat moest ze wel bedenken.

Later, aan tafel, was Rob weer de gezellige prater, die opgetogen haar kookkunst prees. Hij betrok de kinderen ook in het gesprek. Hij vroeg Ewout naar zijn werk bij de verhuizer.

„Zaterdag ga ik een oude dame naar een bejaardentehuis verhuizen," vertelde hij. „Ik mag de kleine wagen van de zaak gebruiken en de opbrengst is helemaal voor mij."

„Alleen?" schrok Til. „Kind, denk toch aan je rug! Het is toch onmogelijk dat je zoiets alleen doet. Er zijn ook bij zo'n kleine verhuizing altijd een paar grote stukken, die je samen versjouwen moet."

Hij knikte haar toe.

„Gelijk heb je, mam. Ik moet voor eigen rekening iemand zoeken, die me helpt. Zoals altijd bij zo'n klein karweitje. Deze keer heb ik Otto gevraagd. Maar als de kosten voor hem eraf zijn, is het toch altijd nog een leuk meevallertje voor me."

Til keek vervuld van trots naar de lange tengere jongen met zijn donkerblonde haar en zijn heldere blauwe ogen. Hij ziet er zo leuk uit, dacht ze, leuker dan Rikkie. Het kind zou wat aan haar lijn moeten doen, ze snoepte te veel. Met haar ronde gezicht en haar donkere uiterlijk leek ze veel op Joost, die er toch ook heel goed had uitgezien. Rikkie was alleen een beetje te dik.

„En, Erica," hoorde ze Rob zeggen, „vertel eens, hoe gaat het met de liefde? Draag je nog steeds het beeld van die blonde jongeman uit Amsterdam in je hart mee?"

Er bestond helemaal geen blonde jongeman voor Rikkie, hij was zomaar in een opwelling uit Robs fantasierijke geest ontsproten en hij wilde alleen maar een grapje maken. Het kwam waarschijnlijk door Rikkie's omstreden vriendschap met een donkere Turkse jongen, dat ze om Robs woorden zo furieus werd. Til zag hoe haar het bloed naar de wangen stroomde, terwijl ze heftig en bijna stotterend uitbracht:

„Meneer Van Luik, ik vind het helemaal niet leuk dat u zoiets zegt. Ik houd niet van dergelijke insinuaties. Als u dat maar wilt onthouden."

Rob nam het goed op. „Da's tenminste duidelijke taal," vond hij. „Ik zal het onthouden, Erica."

Hij at smakelijk verder, totaal niet uit het veld geslagen.

Til voelde zich ongemakkelijk, ze vond het jammer dat het niet klikte tussen Rob en de kinderen. Ze zorgden ervoor zo weinig mogelijk in de buurt te zijn, als hij op bezoek was. Het hielp ook niet om er wat van te zeggen, dacht ze triest, dingen als genegenheid en sympathie kon je niet afdwingen.

Na tafel zei Ewout: „Mam, ga jij nu maar lekker zitten, Rik en ik doen de afwas en zetten koffie."

„O, geweldig," zei Til dankbaar. „De cake staat onder de vliegenkap af te koelen, ik denk wel, dat je hem al snijden kunt."
„Het komt voor elkaar, we vinden het wel."
Tijdens de afwas glipte Til toch nog even de keuken in om te vertellen dat ze het huis van opa had verhuurd.
„Ga je nu een dag minder werken, mam?" vroeg Rikkie direct.
Til knikte bevestigend. „Ik denk erover de nachtdienst te laten schieten," zei ze. „Je slaapt het grootste gedeelte wel, maar het nadeel is dat je er de hele dag rekening mee moet houden, als je 's avonds om tien uur in dienst moet zijn. En dan toch, je slaapt nergens lekkerder dan in je eigen bed."
„Een werkdag van veertien uur zoals jij hebt, vind ik afbeulen," merkte Ewout op, terwijl hij het oortje van een 'zondags' kopje voorzichtig afdroogde.
„Kunnen we niet eens bij elkaar gaan zitten om uit te rekenen of je toch nog niet een dagje minder weg hoeft?"
Til schudde glimlachend om zoveel bezorgdheid het hoofd. „Er is nog een belastingachterstand van opa," zei ze. „Als die betaald is, kunnen we verder zien."
„Ik ga ook uitkijken naar een baantje," kondigde Rikkie aan. „Dat kan best, ik had zo'n goed overgangsrapport."
„Rikkie," zei Til vastbesloten, „daar komt niets van in. Je doet me het grootste plezier, als je goede rapporten blijft houden en straks vlot je eindexamen doet."
Ze snoof verontwaardigd. „En Ewout dan? Hij werkt toch ook? Ik mag zeker niet, omdat ik een meisje ben?"
„Je weet dat dat onzin is," antwoordde Til. „Ik heb er niets op tegen dat je in je vakanties bij de bloemist werkt, dat weet je wel. Maar buiten de vakanties heb je je vrije tijd hard nodig voor je huiswerk. En zeur er nu niet meer over."
Ze had geen gelegenheid haar mopperende dochter nog verder aan te horen, want de keukendeur kierde open en Rob kwam binnen.
„Het is hier, geloof ik, gezelliger dan binnen," merkte hij op. „Ik kom er ook maar bij. Verdraaid zeg, wat ruikt die koffie lekker."
Til zag dat Rikkie een gezicht trok achter Robs rug.
„Gaat u maar naar binnen en neem moeder ook mee," zei ze, „dan brengen wij u de koffie."

HOOFDSTUK 2

Toen Til tegen tien uur het monumentale huis van meneer Hiemstra binnenging om van haar collega de verpleging over te nemen, voelde ze iets van opluchting, ondanks het feit dat haar die avond nog heel wat werk te wachten stond. Meneer Hiemstra was een reumapatiënt, die zich soms dagenlang praktisch niet bewegen kon. Maar de verzorging van meneer Hiemstra leek haar een peulenschilletje bij wat ze op het ogenblik thuis meemaakte. De kinderen pleegden eigenlijk lijdelijk verzet ten opzichte van haar relatie met Rob. Ze moest er met hen over praten dat zoiets toch onbehoorlijk was. Ze moesten haar de kans geven in dit opzicht haar eigen leven te leiden.

„Meneer wil niet gestoord worden," had Thea, haar collega, gezegd.

Dat betekende, dat ze in afwachting van meneer Hiemstra's belletje vast zijn bed voor de nacht kon klaarmaken en zijn medicijnen klaarzetten.

Het verwachte belletje kwam algauw.

„Zo, zuster Van Voorst, is het vanavond uw beurt," begroette hij haar. „Jammer dat ik dat vergeten was, anders had ik me erop kunnen verheugen. Weet u dat u de beste verpleegster bent, die ik hier ooit heb gehad?"

Til glimlachte.

„Fijn," zei ze, „dank u wel. Wilt u nog iets hebben voor de nacht?" Hij glimlachte terug.

„U praat zomaar over mijn compliment heen," zei hij. „Bent u gewend veel complimenten te krijgen?"

„Bij bosjes," had ze willen zeggen, maar ze dacht er bijtijds aan, dat ze hier voor alles aan de goede toon moest denken. Met patiënten in het ziekenhuis kon je je nog weleens een luchtig grapje veroorloven, maar met een particulier patiënt was het voor alles zaak in stijl te blijven.

„Ik krijg gelukkig wel meer een compliment," zei ze bijna stijfjes om direct daarop te vervolgen: „Ik heb uw bed al klaargemaakt, de kussens hoog opgestapeld, zoals u dat graag heeft, zullen we maar eens proberen omhoog te komen?"

Het was altijd een gezeul en gesjor om meneer Hiemstra uit zijn stoel te krijgen, want hij was een grote zware man, maar nu was het extra moeilijk, omdat hij meer pijn had dan anders.

Het zweet liep hem tappelings langs zijn gezicht, toen hij eindelijk zijn bed had bereikt en daarin neerviel als een zak zand.

„We hebben het er al eens meer over gehad," begon Til voorzichtig, „maar zou het echt niet beter voor u zijn, als we u om tien uur samen naar bed brachten, mijn collega en ik? Alleen maar als u zo'n pijn hebt, bedoel ik. Het lijkt me dat u zich veel narigheid bespaart, als u door twee verpleegsters geholpen wordt."

Meneer Hiemstra wiste zich de zweetdruppels van het gezicht en schudde ontkennend zijn hoofd. „Ik wil dit zo lang mogelijk volhouden, zuster. Waar moet het heen, als ik daaraan begin? Om tien uur naar bed, bij het wisselen van de wacht, met de kippen op stok en maar in dat bed liggen. Bovendien maak ik mezelf steeds afhankelijker."

„Ja, misschien wel," gaf Til aarzelend toe en ze wreef zo onopvallend mogelijk haar handen over elkaar. Ze waren rood en pijnlijk, omdat hij er zo hard in geknepen had, toen hij zich aan haar ophees.

Weer ging zijn zakdoek over zijn gezicht. Ze zag, dat hij nu ook over zijn ogen wreef.

„Laat u me maar even alleen, zuster," verzocht hij. „Breng me straks maar een cognacje, ik bel u wel weer."

Til verliet het vertrek, ze had ineens erg met hem te doen. Hij was dertig jaar jonger dan haar grootvader, had hij haar eens verteld. „En nu al een wrak," had hij eraan toegevoegd. Ze wist dat hij nu huilde en haar daarom had weggestuurd.

Je moest de ellende van je patiënten niet op je laten inwerken, dat was het grote gebod van een verpleegster, wist ze. Haar eigen problemen leken erbij geminimaliseerd. Al konden de kinderen dan niet zo goed met Rob overweg, voor haar was hij een schouder om op te steunen. Dat was het belangrijkste. Nu ja, steunen? Ze kon haar hoofd op zijn schouder leggen en dat was voldoende. Ze had geen steun nodig, zolang ze gezond was en kon gaan en staan waar ze wilde en zelf haar brood kon verdienen. Ze liep naar het grote antieke kabinet en nam daar de fles cognac uit en een glas. Cognac was slecht voor meneer

Hiemstra, hij mocht het eigenlijk helemaal niet hebben, maar ze kon het hem niet weigeren, hij was immers zijn eigen baas! Hoelang zou hij het nog volhouden in zijn eigen huis met altijd maar weer andere verpleegsters. Ze schudde haar hoofd, ze wilde zich daarin niet verdiepen, het had geen enkele zin. Maar toch krampte er iets in haar borst om het leed van de mensen in het algemeen, over hun blinken, aftakelen en verzinken. Hij had al verschillende huishoudsters gehad, die vertrokken waren, omdat ze hun taak te zwaar vonden, daarna was hij begonnen aan verpleegsters voor dag en nacht, met hetzelfde negatieve resultaat.

En Til kon het begrijpen, dit werk kón je eenvoudig niet dag in dag uit doen. Zoals het nu ging, met steeds andere particuliere verpleegsters, was het nog het beste vol te houden. Voor zijn verzorgsters, maar ook voor hemzelf, want hij zag nu tenminste zo nu en dan een ander gezicht.

Toen ze met de cognac bij hem kwam, had hij zich alweer verdiept in een cryptogram. De tranen waren gelukkig gedroogd.

Het was twaalf uur, toen Til in haar bed stapte en de wekker op drie uur zette om naar haar patiënt te gaan kijken. Daarna zou ze nog een keer om zes uur poolshoogte bij hem gaan nemen. Ze deed dit sinds ze hem op een ochtend naast het toilet in de badkamer had aangetroffen. Hij kon niet meer overeind komen. Hij had veel pijn in die tijd en het was haar een raadsel hoe hij in zijn eentje zo ver gekomen was. Hij had haar beloofd voortaan te bellen, als hij naar het toilet wilde, maar voor alle zekerheid ging ze toch maar iedere drie uur naar hem kijken.

Even voor de volgende avond de aflosverpleegster kwam, zei hij:

„Zuster Van Voorst, niemand zorgt zo goed voor me als u, weet u dat?"

Wat zeg je in zo'n geval, dacht ze later. Ze had alleen wat flauwtjes geglimlacht, maar het had haar op de tong gelegen te zeggen: „Nu, meneer Hiemstra, dan wordt het hoog tijd, dat de andere verpleegsters ook beter voor u gaan zorgen, want ik vind, dat ik niets bijzonders voor u doe," maar zoiets kon je tegenover je collega's niet maken. Dat was nu eenmaal zo.

„Ik weet best, dat u 's nachts een paar keer naar me komt kijken," had hij gezegd. „De verleiding om te proberen alleen mijn bed uit te komen is nog altijd groot voor me, hoewel ik weet dat ik zo hulpeloos ben als een schaap, dat ook niet meer overeind kan komen, als het eenmaal op zijn rug ligt. Wist u dat zuster?"

„Van dat schaap? Nee," zei ze, „dat wist ik niet. Zou het echt waar zijn?"

„Ik weet het niet," zei hij, „maar van mij is het echt waar, dat is zeker," en hij had gezucht.

Terwijl ze naar huis reed dacht ze eraan dat ze nu vrij was tot maandagmorgen acht uur. Dan was ze tot tien uur 's avonds bij het echtpaar De Vos van Duin. Dat was een drukke verpleging, maar ze was er graag, omdat er zoveel afwisseling was. Meneer was de patiënt, hij was herstellende van een gebroken heup. Ze hadden een verpleegster nodig, omdat mevrouw licht invalide was. Ze liep erg moeilijk en kon haar man niet verplegen. Ze hadden alleen overdag hulp nodig en Til kon zich goed voorstellen dat het echtpaar 's avonds met een zucht van verlichting de deur achter de verpleegster zag dichtgaan om dan uit te roepen: „Eindelijk alleen!" of een dergelijke kreet. Het was een jolig jeugdig paar, ondanks het feit dat ze allebei al in de tachtig waren.

„Mijn enige gezonde zieke," noemde Til meneer De Vos en dat vond hij prachtig. „Wacht maar," zei hij dan, „de dag komt steeds nader dat ik u niet meer nodig heb."

Ze moest mevrouw herhaaldelijk beloven dat ze, als haar man weer beter was, bij hen op bezoek zou komen. „Dan zorgt mijn man voor de thee en dat doet hij geweldig hoor. Een echte, 'high tea' als er bezoek is, met alle lekkers dat erbij hoort."

Maar het was nog lang geen maandagmorgen. Til ontdekte dat ze er warempel tegenop zag naar huis te gaan, terwijl de vrijdagavond toch de gezelligste avond van de week moest zijn. Zelf helemaal vrij tot maandag en de kinderen, die de volgende morgen ook konden uitslapen. Het werd dan dikwijls laat. Ze zaten soms tot diep in de nacht naar een film te kijken. Til zorgde er altijd voor dat er iets lekkers in huis was.

„Later zullen ze zich zulke avonden herinneren," had grootvader gezegd, „deze hoogtepunten vormen voor hen later hun jeugd."

En grootvader kon het weten, dacht Til vertederd, hij was toen al zo oud geweest.

Ze moest dat gevoel van tegenzin om naar huis te komen van zich afzetten, hield ze zichzelf voor, de kinderen bleven speciaal voor haar thuis. Ze hadden zolang ze die dag en nacht werkte, en dat was al bijna sinds Joosts dood, nooit een andere afspraak op die avond gehad.

Ewout had de garagedeuren al opengezet, toen ze kwam aanrijden.

„Ga je gauw verkleden, mam, we zitten buiten, het is nog zulk lekker weer. Rikkie stelde voor te gaan scrabbelen. Die late film is niet veel bijzonders, bekijk maar even de korte inhoud."

„Ik kies ongezien voor scrabbelen," zei Til meteen. Heerlijk, dacht ze, dan zullen ze me niets over Rob kunnen vragen.

„Heb je zin in koffie, mam? En moet ik de appeltaart erbij geven of wil je liever iets van de cake die gisteren overgebleven is?"

„Appeltaart graag," koos ze, „dat is feestelijker. Klop er maar wat slagroom bij. Ik duik nog even het bad in. Geen suiker in de slagroom," riep ze hem nog na.

„Oké, we doen natuurlijk gezond, wat dacht je?"

Tegen zijn zusje vervolgde hij: „We strooien die suiker er later wel overheen, dat smaakt ook. Moeder moest ook maar eens wat suiker eten, ze is zo mager als brandhout."

Terwijl Til in het bad stapte en het lauwwarme water over zich heen liet lopen, bekroop haar een gevoel van welbehagen. Het was toch eigenlijk allemaal heerlijk zo en de kinderen waren engelen. Ze zouden het straks met hun drieën weer oergezellig hebben. En morgen, als Rob kwam, dan zag ze wel weer verder. Misschien hadden de kinderen een andere afspraak, dat gebeurde nogal eens op zaterdagavond en dan had ze hem voor zichzelf alleen. Maar dat viel tegen, want het eerste dat Ewout vroeg was: „Mam, heb je er iets op tegen als ik Otto morgenavond meeneem? Kan hij hier blijven eten? Zijn ouders zijn met vakantie."

Ze wist dat Ewout Otto al voor het eten had uitgenodigd en dat zijn verzoek pro forma was.

„Natuurlijk kan Otto blijven eten," zei ze, „we roosteren gewoon een kip meer. Misschien kun jij Susie vragen, Rikkie? Hoe meer zielen hoe meer vreugd."

Ze dacht: eigenlijk helemaal zo gek nog niet een paar anderen erbij, daar ontspande de atmosfeer misschien van. Ze hoopte alleen dat Rob niet te veel grapjes vertelde, ze vielen bij de kinderen nooit in goede aarde.

„Susie moet koffers pakken," zei Rikkie, „ze gaan morgenmiddag met vakantie naar Griekenland en moeten om twee uur op Schiphol zijn. Mag ik Achmed niet vragen. Of zou meneer Van Luik ook niet van Turken houden?"

„Hè, Erica, wat zeg je nu weer voor onzin, iedereen houdt natuurlijk van Turken, meneer Van Luik ook. Het Turkse volk was al beschaafd, toen wij nog in berenvellen rondliepen. Het enige dat ik van Turken zeg is, dat ze een andere cultuur hebben dan wij en een andere godsdienst en dat je je dat wel moet realiseren, als je je al te zeer aan iemand hecht."

„Al te zeer aan iemand hechten," herhaalde haar dochter, „hè, mam, wat zeg je dat weer deftig. Ik hecht me aan niemand, ik wou dat je dat eens geloofde. Zal ik hem nu vragen of niet?"

„Natuurlijk mag je hem vragen," antwoordde Til.

Ze vond Achmed een heel aardige jongen en was alleen weleens bezorgd dat Rikkie hem aardiger vond dan hij haar. Maar voor zulke teleurstellingen kon ze haar dochter toch niet vrijwaren, besloot ze.

Toen Rob die zaterdagavond binnenkwam, was Otto er al. Hij begroette eerst Til en overhandigde haar een bos rode rozen, daarna begroette hij Ewout en Erica. Toen zag hij Otto pas, die Ewout aan hem wilde voorstellen.

„Niet nodig hoor," zei Otto, „we kennen elkaar al jaren. Hoe maak je het, Rob?"

„Dag, Otto," zei Rob stijfjes, de zwierige houding waarmee hij was binnengekomen en de rozen aan Til had overhandigd, viel van hem af.

Er was niets vreemds aan dat Otto en Rob elkaar van vroeger schenen te kennen, wat wel opviel was Robs reactie op deze ontmoeting. Hij stond er een ogenblik bij als op heterdaad betrapt. Toen herstelde hij zich. „Ook toevallig dat we elkaar hier ontmoeten," zei hij.

Nou en of," bevestigde Otto. „Rob werkte tot voor kort bij mijn vader in de zaak," verduidelijkte hij de anderen de situatie. „Hij

heeft vroeger, toen ik klein was, nog weleens op me gepast."
„O ja? Och, dat herinner ik me niet meer," zei Rob. „Ja toch, er was weleens werk dat af moest en dan hield ik een oogje op je, als ik 's avonds overwerkte."
Otto's vader had een reclamebureau, wist Til, en Rob deed ook in reclame. Ze vond het op dat ogenblik niets bijzonders dat Rob Otto kende. Ze werd afgeleid door de komst van Achmed, die even later door Rikkie werd binnengelaten. Rikkie had hem aan zien komen en was naar de voordeur gegaan, hij had niet hoeven bellen.
De donkerharige Achmed zag er prachtig uit in zijn zwarte kostuum met witzijden overhemd en gele das. In zijn hand had hij een bos gele rozen in dezelfde kleur van zijn das. Ze waren verpakt in doorzichtig cellofaanpapier. Hij overhandigde Til het boeket met een buiging. „Alstublieft, mevrouw, ik dank u wel voor uw uitnodiging," zei hij.
Til nam glimlachend de bloemen in ontvangst.
Achmed zag eruit als een plaatje, dacht ze, met iets van de oosterse pracht en praal uit zijn ver land als een vleugje parfum om zich heen.
„Wat een beeldige rozen, Achmed," zei ze, „ik dank je heel hartelijk hoor! Maar zo schandelijk had je me niet mogen verwennen."
Achmed lachte al zijn sterke witte tanden bloot, zijn donkere ogen glinsterden, hij zei ontwapenend: „Ik heb ze vanmiddag op de markt gekocht, mevrouw. Ik vond dat ze zo mooi bij mijn das pasten. Het cellofaanpapier heb ik van mijn moeder gekregen, mooi papier bewaart ze om nog eens te kunnen gebruiken, ziet u."
„Dat doen wij ook altijd," zei Til, „Je rozen krijgen nu nog meer waarde voor me."
Rob hield zich aan tafel veel met Achmed bezig.
„Je spreekt zo goed Nederlands," hoorde Til Rob opmerken, „woon je allang hier?"
„Ik ben hier geboren," lachte Achmed. „Ik geloof dat ik zelfs beter Nederlands spreek dan Turks."
„Dus je vader werkt allang in Nederland," concludeerde Rob.
Achmed knikte bevestigend. „Mijn vader heeft vroeger in Delft

gestudeerd en daarna heeft hij hier een baan gekregen als inge-
nieur. Hij is alleen naar Turkije gegaan om met mijn moeder te
trouwen."

„O, juist," zei Rob, hij snoot zijn neus eens en trommelde toen
met zijn vingers op de tafel, hij bewoog zich kortom ongemakkelijk.

Hij is zichzelf niet, dacht Til, wat zou er gebeurd zijn? Had hij
misschien bericht gekregen dat die grote opdracht uit Duitsland
toch niet doorging. Of zou het iets te maken hebben met de confrontatie met Otto?

Ze herinnerde zich, dat hij bij het binnenkomen wel als altijd
was geweest. Hij ging vroeg weg, het eerst van allemaal.

„Ik hoop dat je het niet erg vindt," zei hij, „ik wou naar huis
gaan. Ik voel me namelijk niet erg lekker, misschien een griepje
onder de leden."

Bij het afscheid nemen hoorde Til Otto tegen Rob zeggen: „Ik
hoorde van de familie hier dat je druk aan het werk bent, heb je
hier in de buurt een baan gekregen?"

„Ik heb me zelfstandig gemaakt," was zijn korte antwoord.

„Dus een concurrent van vader? Nou, hij zal in ieder geval toch
erg blij zijn dat je weer aan de slag bent, dat weet ik zeker."

Wat wist ze eigenlijk van Robs achtergrond, dacht Til. Alleen
wat hij haar verteld had en dat was bedroevend weinig.

Toen Achmed en Otto ook vertrokken waren, ruimde ze met de
kinderen de kopjes en glazen van de tafel. In de keuken stond
de afwas van het etentje nog. Het leek zo alles bij elkaar een
heleboel en ze begon de borden af te spoelen.

„Zou je niet liever rustig in de kamer gaan zitten, mam," stelde
Ewout voor. „Rik en ik maken de boel wel aan kant."

„Liever niet," zei ze, „ik verzet mijn gedachten een beetje, als ik
nog wat doe voor ik naar bed ga."

„Je piekert over Rob, hè mam?"

„Och, piekeren," zei ze, „dat is een groot woord."

„Otto's vader heeft hem, met nog een paar anderen, moeten ontslaan, omdat ze al een hele poos te weinig werk hadden. Dat is
vorig jaar gebeurd. Heeft hij je dat nooit verteld, mam?"

„Nee," zei ze wat terughoudend, „ik denk ook niet dat er één
man is die dat graag vertelt, Ewout. Hij is voor zichzelf begon-

nen, dat heeft hij me wel verteld. Zo'n zaak opzetten heeft een lange aanlooptijd, moet je rekenen. En misschien had hij Otto liever ontmoet, als hij wat verder was geweest."

„Dat kan," zei Ewout. „Als je er maar niet te erg over piekert, mam."

„Lief van je, dat je zo bezorgd voor me bent, dank je wel hoor." Ze dacht: ik moet oppassen dat ik Ewout niet te veel gebruik om mijn zorgen te spuien. Daar is hij niet voor. Mijn kinderen moeten een probleemloze jeugd hebben voorzover dat mogelijk is.

Toen Rikkie binnenkwam, begonnen ze vlug met zijn allen de vaat af te wassen.

Eenmaal in bed was Til te moe om nog lang over alles na te denken.

Ze zou Rob morgen bellen en vragen hoe het met hem ging. Ze keek op de klok, het was inmiddels kwart over één geworden. Ze kon hem nu niet meer bellen, de kans dat hij al sliep was te groot.

Rob was haar de volgende ochtend al voor met zijn telefoontje. „Hallo," zei hij, „de vermoeienissen van gisteravond alweer te boven? Mooi zo. Ik was gisteravond niet erg lekker, maar nu gaat het wel weer. Ik hoop dat je het me niet kwalijk hebt genomen dat ik vroeg ben weggegaan. Het was een heel gezellige avond, zoals altijd het geval is bij jou. Alleen kon ik er deze keer niet zo van genieten als anders. Een volgende keer beter, zullen we maar zeggen."

Hij liet geen tijd haar aan het woord te laten komen, babbelde aan één stuk door.

„Er was weinig gelegenheid voor een gesprekje alleen met jou gisteravond, daarom breng ik je nu even op de hoogte van mijn doen en laten de volgende week. Ik moet maandagmorgen al vroeg in Duitsland zijn, ik denk wel dat ik daar een paar dagen moet blijven. Ik bel je dan nog wel"

„Zie ik je vandaag niet?" vroeg Til. Het was een vaste gewoonte geworden dat hij op zondag even langskwam, soms alleen voor een kop koffie, maar dikwijls bleef hij ook een boterham eten.

„Nee, dat kan deze keer niet," zei hij. „Trouwens, nog iets dat ik je gisteren had willen zeggen, ik ga namelijk naar mijn ouders. Mijn vader is jarig. De hele bups komt daar naartoe, broers, zusters, kleinkinderen, je kent dat wel. Je begrijpt dat ik moeilijk verstek kan laten gaan."

Rob had over zijn ouders maar heel vaag gesproken en van een hele bups familie had ze helemaal nog nooit gehoord.

Er viel een stilte aan beide zijden van de lijn.

„Til…" zei hij toen.

„Ja."

„Als die zaak in Duitsland in kannen en kruiken is, ga je dan mee om met mijn familie kennis te maken?"

„We zullen zien, Rob, laten we niet te hard van stapel lopen."

„Dat zeg je steeds," verweet hij haar. „Ik wil ook graag dat je zegt, dat je met me trouwen wilt en wanneer. Ik zou je allang hebben meegevraagd naar mijn ouders, als je een besluit kon nemen."

„Och, Rob," zuchtte ze, „moet dat allemaal nu per telefoon? Vertel me liever eens hoe je je voelt. Zet de griep door, denk je?"

Hij maakte een brommend geluid, dat waarschijnlijk een lachje moest voorstellen, maar spontaan klonk het niet.

„Altijd op zijwegen," zei hij zuchtend. „Kunnen we, als ik terug ben uit Duitsland niet eens een paar dagen helemaal voor ons samen hebben, Til? Kom dan naar mijn flat. Ja, laten we dat doen," zei hij gretig.

„We zien nog wel," antwoordde ze haastig. „Er wordt gebeld," verzon ze, „en de kinderen liggen nog in bed, ik moet afhaken. Dag Rob, veel plezier voor vandaag en veel sterkte toegewenst in Duitsland. Ik hoop dat je me gauw opbelt. Dag."

Ze legde de hoorn neer en staarde voor zich uit.

Met Rob naar zijn flat… Hij had het haar al vaker voorgesteld en ze had gezegd dat ze daar nog niet klaar voor was. Er zaten consequenties aan het meegaan naar zijn flat. Hier in huis waar de kinderen altijd af en aan liepen en altijd op ieder ogenblik binnen konden komen, hier voelde ze zich veilig met hem. Als ze met hem meeging, zou dat een soort bezegeling worden van een voorgenomen huwelijk.

Ze was nog genoeg van de oude stempel om dat zo aan te voelen. Ze wist ineens minder dan ooit of ze wel met Rob wilde trouwen. Ze wilde diep in haar hart dat hun verhouding zo blijven kon als nu, een knappe, vlotte man die bij haar op bezoek kwam en bloemen voor haar meebracht of een flesje wijn. Als tegenprestatie at hij dan bij haar. Soms gingen ze samen uit. Als ze laat thuiskwamen, was er dikwijls alleen een afscheid in de hal; als ze vroeger waren, zaten de kinderen meestal in de kamer. Dat duurde nu al enkele maanden, maar dat kon niet altijd zo blijven, Rob werd ongeduldig, ze zou een besluit moeten nemen. Kon ze het hem eigenlijk wel zo kwalijk nemen, dat hij niet opener tegen haar was? Ze hield hem toch immers ook aan het lijntje?

Ze snoof de geur van verse koffie en warme broodjes, de kinderen maakten het ontbijt klaar. Joost had vroeger ingesteld dat ze op zondag 'in rust', ontbeten en die traditie had ze altijd gehandhaafd. Alleen maakten de kinderen nu het ontbijt klaar, sinds grootvader er niet meer was en zij meer buitenshuis werkte. Ze beschouwden het allemaal als een hoogtepunt van de week, voor de kerk het uitgebreide, rustige ontbijt, met als extra attractie de warme broodjes.

De kamerdeur zwaaide open om Rikkie met een vol blad binnen te laten. „Ha, die man, we dachten dat je nog boven was," zei ze. Ewout kwam achter haar aan met een tweede vol dienblad. „Die telefoon ging ook vroeg vanmorgen zeg, goeiemorgen, mam. Wie belde er?"

„Rob belde op om te bedanken voor gisteravond," zei ze. „Komtie nog?" vroeg Rikkie zuinig.

„Hij gaat naar zijn vader, die vandaag jarig is en volgende week zit hij in Duitsland."

„Nou, dat treft," vond Ewout. „Nee mam, dat is niet onaardig bedoeld, maar we moeten nog zoveel rommelen, nu opa's huis verhuurd is. U wilde toch graag de meubels naar de zolder hebben en wat spullen van opa hiernaartoe brengen?"

Til knikte bevestigend. „Ja," zei ze, „we krijgen wel een hele drukte.

De familie Horsting wil in opa's kantoor een badkamer laten maken en ik heb gezegd dat de kamers voor mijn rekening een nieuw behang krijgen. Ik heb met de behanger voor de volgende week afgesproken. Ik weet niet of de familie Horsting er al in geslaagd is een afspraak voor de badkamer te maken. Enfin, dat horen we allemaal nog wel."

Er werd niet meer over Rob gesproken, de op handen zijnde veranderingen namen hen in beslag.

's Avonds bij het naar bed gaan draaide Rikkie, nadat ze haar moeder welterusten had gewenst, zich nog even om, toen ze al bij de kamerdeur was. „O ja, mam, ik ga wat aan mijn lijn doen, ik ga 's morgens om zes uur trimmen. Dan weet u waar ik ben als u me soms mist. Dinsdag begin ik ermee. Zondags en maandags slaap ik uit, anders houd ik het toch niet vol."

Til keek bevreemd op. „Zul je niet overdrijven, Rikkie?" vroeg ze bezorgd.

„Onzin, mam," grinnikte Ewout, „maakt u zich maar niet ongerust, die bevlieging van haar is zo weer over."

Rikkie stak tot afscheid haar tong naar hem uit en verdween naar boven.

„Al die nonsens," mompelde haar moeder, „het zou heel wat beter zijn, als ze niet meer zo snoepte. Ze zal toch niet met Achmed gaan trimmen?" vroeg ze ineens. „Ik ben bang dat ze zich een beetje aan hem opdringt, zie je?"

„Achmed gaat niet trimmen," zei Ewout gedecideerd, „daarvoor is hij echt veel te veel op zijn gemak gesteld. En Rik dringt zich heus niet aan hem op, daar hoeft u niet bang voor te zijn. Ze vindt dat ze hem een beetje in bescherming moet nemen, omdat hij een Turk is en andere mensen weleens onaardige dingen over hem zeggen. Dat is echt alles, mam. Rik slaapt nog, als u begrijpt wat ik bedoel."

„O," zei Til, ze keek nadenkend naar haar zoon, die koppensnellend de krant van zaterdag doornam en onderwijl een gesprek met haar voerde over het intieme zielenleven van zijn zusje.

Wat wordt hij volwassen, dacht ze. Het is eigenlijk al een man. Het echtpaar De Vos wachtte haar de volgende ochtend op met versgezette thee. Til wist niet wat ze zag. „Wat bent u matineus,". prees ze, „en dan al helemaal gekleed, waar hebben we dat aan te danken?"

„Laat mij het woord maar doen," zei meneer, die keurig rechtop in bed zijn thee dronk, maar duidelijk een beetje zat met wat hij vertellen moest.

„We hebben een probleem," begon hij, „mevrouw Luiting, onze

overbuurdame, heeft vorige week haar pols bezeerd en zit nu om hulp verlegen. Ze is uit de nood geholpen door een achternichtje ergens uit Limburg of Brabant, ergens bij de Duitse grens in ieder geval. Ze blijft hier een paar weken tot mevrouw zich weer redden kan. Mevrouw Luiting was hier gisteravond en vroeg ons of wij iemand wisten om haar tuin op orde te brengen. Ze doet dat anders altijd zelf en ze wil er beslist geen tuinman in hebben, want die hebben het tot nu toe allemaal verkeerd gedaan. Ze zoekt een jongen, die het als vakantiewerk wil doen. Als zijn vakantie om is, is haar pols wel weer beter, gelooft ze. Nu is mijn vrouw een beetje onvoorzichtig geweest, nietwaar, lieve?"

Mevrouw De Vos knikte blozend.

„O, vreselijk dom," zei ze, „ik begrijp niet hoe ik het heb kunnen doen. Ik zei: „O, daar weet ik wel raad op. Mevrouw Van Voorst, een van de verpleegsters van mijn man, heeft zo'n aardige, flinke zoon. Hij is net geslaagd voor zijn examen, hij helpt u wel." Dat zei ik zomaar, terwijl ik helemaal niet weet of uw zoon dat zou willen of er tijd voor heeft."

„Tja," zei Til, „Ewout heeft een druk programma, geloof ik. Hij werkt nogal eens voor een verhuisbedrijf, dat heb ik u, meen ik, verteld, nietwaar?"

Ze keek op haar horloge. „Hij zal vast wel op zijn, ik bel hem gewoon even, dan weet u het meteen."

„Wat neemt u het goed op," prees mevrouw De Vos. „Ik ben zo benieuwd of hij het wil. Ik heb echt te doen met mevrouw Luiting, ziet u. Ze is zo'n goede, behulpzame vriendin voor ons, nietwaar, Lodewijk?"

Til hoorde al niet eens meer wat Lodewijk ervan vond, ze was al naar de huiskamer gegaan, waar de telefoon stond.

Ze legde Ewout het geval uit en ze voegde eraantoe: „Je moet het zelf echt willen, hoor, het is jouw vakantie die ermee gemoeid is."

„Ik zal weleens gaan kijken," beloofde hij. „Is het dat grote huis tegenover dat flatgebouw? Dan weet ik het wel. Ik ga vanochtend meteen. Ik had voor vandaag onze eigen tuin gepland, die moet dan maar een dagje wachten."

„U hebt ook al zo'n behulpzame zoon," zuchtte mevrouw De Vos waarderend. „We hebben lieve kleinkinderen, nietwaar, Lodewijk, maar ik moet eerlijk zeggen, erg behulpzaam zijn ze niet. Onze zoon en schoondochter zijn ook geen, 'doe het zelvers', dat scheelt natuurlijk wel. Mevrouw Luiting van de overkant heeft het zo goed getroffen met haar achternichtje. Het is een meisje uit een groot gezin met acht kinderen. Ze hebben thuis een boerderij, niet Lodewijk? Zei Jeanne dat niet?"

Lodewijk knikte bevestigend.

„Dat meisje heeft net haar eindexamen gedaan, geloof ik en ze zou met een paar andere kinderen van haar klas naar Spanje en dat heeft ze afgezegd om haar oude tante te helpen. Waar vind je dat tegenwoordig nog?"

„Geweldig," beaamde Til en dronk haar kopje leeg. Ze moest nu aan het werk. Eerst meneer uit zijn bed helpen en in bad doen en dan moest ze boodschappen doen. Meneer zei dat hij het lijstje al klaar had.

's Avonds vertelde Ewout dat het werk in de tuin bij mevrouw Luiting niet veel voorstelde. Het ging hoofdzakelijk om de heg die nodig geknipt moest worden. Dat zou hij wel even met hun eigen elektrische heggenschaar opknappen. En dan moesten er goten leeggehaald worden, dat zou hij in de loop van de week doen. De rest kon dat nichtje dat er was wel alleen af

Til had alweer wat geleerd. Ze zou voortaan niet te veel meer over de prestaties van haar zoon opgeven, anders zag ze hem in de toekomst bij al haar patiënten en buren van patiënten als manusje-van-alles.

„Pas maar op met die dakgoten," waarschuwde ze, „dat huis is zo hoog. Heeft Rob nog gebeld? Heeft Rikkie er tegen jou misschien iets over gezegd?"

Voorzover Ewout wist had er niemand gebeld.

HOOFDSTUK 3

De volgende dag belde Rob al vroeg. Ze hoorde direct aan zijn stem, dat hij geen goed nieuws had.

„Ik weet dat je vandaag geen verpleging hebt, maar toch bel ik je vroeg om je vooral niet te missen. Je hebt immers met de verhuur van het huis nogal het een en ander te doen?"

„Inderdaad," zei ze, „wat lief van je om daaraan te denken."

„Til, de zaken gaan hier niet naar wens," begon hij. „Ik heb al die maanden voor niets gewerkt, het project gaat niet door. Hoe het allemaal zo gelopen is, vertel ik je wel, als ik terug ben. Ik moet nu naar die andere zaak, maar ik ben bang dat het daar ook mijn neus voorbijgaat."

„Och, Rob toch…"

„Wees maar blij, dat je je huis hebt verhuurd met het kantoor en dat je je niets van mijn luchtkastelen hebt aangetrokken," zei hij mat.

Ze hoorde hem diep zuchten. „Och, Rob toch," zei ze weer.

„Ik heb te veel op één kaart gezet en dat is natuurlijk ook heel stom," vervolgde hij. „En ik ben er ook tussen genomen. Zo voel ik het tenminste. Ik ga dat nog uitzoeken, ik laat me zomaar niet afschepen. Ik kan me voorstellen dat je geen touw aan mijn verhaal kunt vastknopen, maar het zou echt te ver voeren je alles telefonisch uit te leggen. Til, je hoort zo gauw mogelijk weer van me, ik moet nu eerst zien of er nog wat te redden valt."

Toen ze de hoorn had neergelegd, staarde ze voor zich uit. Ze dacht aan wat Horsting senior over Rob had gezegd en aan wat Otto Berg over hem aan Ewout had verteld. Het was allemaal weinig rooskleurig geweest en nu kwam hij eigenlijk zelf met de bevestiging van die verhalen. Maar ze geloofde wel dat hij altijd te goeder trouw was geweest. Hij had haar nooit alles verteld, maar hij had haar toch eigenlijk ook niet voorgelogen. Daar dacht ze ook aan, toen hij twee dagen later bij haar kwam.

Hij zag er moe en verpieterd uit. „Ik ben laat," begon hij. „Ik weet dat je om tien uur weer in je verpleging moet zijn, maar ik kon niet eerder komen. Hebben jullie al gegeten? O, gelukkig, dan hebben we toch even tijd."

Ze had hem in het huis van haar grootvader ontvangen om rustig met hem te kunnen praten. Het was kaal in de kamer, ze hadden die dag al wat meubelen naar boven gebracht.

„Ik heb de kinderen gezegd, dat ik even rustig met je wilde praten," zei ze, „we hebben dus de tijd."

„Nou," begon hij, „ik denk dat je al weet, dat ik eigenlijk werkloos ben en van een uitkering leef. Ik was jarenlang bij reclamebureau Berg in dienst en ik ben daar met moeilijkheden weggegaan. Het heet dat ik ontslagen ben, omdat de opdrachten terugliepen, maar dat was de werkelijke reden niet. Ik wilde daar verder komen, maar dat lukte niet, omdat anderen de voorkeur hadden. Ik dacht dat ik wel voor mezelf kon beginnen, want ik was tegen een paar mooie objecten aangelopen. Ik kreeg daar makkelijk toegang en ik werd helemaal voor vol aangezien. Maar toen puntje bij paaltje kwam, dachten ze dat ik de hele acquisitie voor Berg had gedaan. Ze wisten helemaal niet dat ik voor mezelf opereerde. Toen ik daar maandag kwam, hadden ze achter mijn rug om al contact met Joris Berg opgenomen en alles met hem in orde gemaakt. Ze dachten dat ik nog steeds bij hem in dienst was. Berg krijgt de opdracht en ik kan naar huis gaan."

„Ach…" zei Til. „Maar die andere relatie dan," vervolgde ze, „daar heb je dan toch nog een kans?"

Hij lachte sarcastisch. „Ik ben zo'n oen, Til, het heeft geen enkele zin dat voor je te verbergen. Ik heb aan die andere zaak deze zaak als referentie opgegeven en nu zijn die twee zo slim geweest hun beider belangen met elkaar te verbinden en nu krijgen ze bij Berg ook nog een flinke korting, omdat ze samenkomen. Vind je het niet iets voor een moppenblaadje? Ik ben een geboren faler, Til. En daarbij ook nog iemand die ze makkelijk bij de neus kunnen nemen. Ik had mijn baantje van ondermaatse haring bij Berg rustig moeten uitzitten, dan had ik tenminste te eten gehad en nu heb ik niets. Over twee maanden loopt mijn uitkering af en dan kom ik in de bijstand. O, wacht eens, ik heb een cheque voor je bij me, dat geleende geld, weet je wel?"

„Maar dat hoeft nu niet," protesteerde ze, „daar is helemaal geen haast bij."

„Natuurlijk is er haast," vond hij. „Ik zou mezelf voorkomen als een profiteur, als ik deze schuld niet eerst vereffende. Denk je eens in hoeveel uur jij er hard voor moet werken."

„Kun je het dan wel missen?"

„Ik heb het van mijn moeder geleend. Ik betaal het haar in een paar maanden terug. Ik heb hoge kosten gehad om die zaak in Duitsland aan te zwengelen zoals je weet. Nu heb ik geen kosten meer van omvang. Ik ga weer solliciteren, een paar postzegels kosten niet veel," zijn stem klonk oneindig triest en teleurgesteld.

Til liet de cheque voor haar op tafel liggen, ze had ontzettend met hem te doen. Hij zag er ook zo ontdaan uit.

„Je had ook zulke hoge verwachtingen," zei ze zacht. „Zulke dingen vallen altijd tegen, dat is nu eenmaal zo. Je moet je daar niet zo door te meer laten slaan."

„Er zat een reële kans in," sprak hij haar lichtelijk mokkend tegen. „Je ziet het aan Berg. Wat zal hij in zijn vuistje lachen, dat ik hem dat toegespeeld heb."

Til keek hem nadenkend aan. „Weet je wat ik me afvraag," zei ze toen. „Of dit allemaal wel in de haak is. Wat Berg gedaan heeft, bedoel ik. Zou je daar niet eens naar informeren? Er zijn tegenwoordig wetswinkels, die je over zoiets kunnen inlichten. Of nog beter, ga zelf eerst eens naar Berg toe. Het minste dat hij je geven kan is een bepaalde provisie. Je kunt het toch proberen? Je hebt niets te verliezen."

„Eerst heb ik daar ook aan gedacht. Bij die Duitse firma heb ik dat zelfs al aangekaart, maar ze deden net of ze me niet begrepen en dan kom je jezelf als een tamme idioot voor. Het enige dat ze zeggen is: het was allemaal een misverstand."

„En zo zal het bij Berg natuurlijk ook gaan." Hij zweeg mismoedig.

„Je had het ook niet bij die Duitse firma aan moeten kaarten maar bij Berg," zei ze met nadruk. „Probeer dat in ieder geval. Misschien schaamt hij zich wel en geeft hij jou een schadevergoeding. Alles is beter dan niets."

„Ja, dat kan ik misschien wel proberen."

Ze dacht: hij gaat bij de pakken neerzitten, hij is niet echt flink.

„Je wilt nu zeker niets meer met me te maken hebben?" vroeg hij. „Och, onzin," zei ze. „Je zou mij toch ook niet in de steek laten, als ik in de puree zat. Vrienden doen dat toch niet."

„Vrienden," herhaalde hij, hij zuchtte.

Het leek haar verstandig dit onderwerp even te laten rusten, waar het nu in de eerste plaats om ging was dat hij uit de zakelijke problemen kwam.

„Stel nu eens," begon ze, „dat je deze opdrachten wel had gekregen, dan had je er toch ook weer hard tegenaan gemoeten om nieuw werk te krijgen. Dan had je ook niet met je handen in je schoot kunnen gaan zitten. Kun je nu deze mislukking niet gewoon wegdenken en doorgaan met werk zoeken? Of zeg je: zelfstandig zijn is niets voor mij, ik zoek toch maar weer een vaste baan?"

Hij keek haar taxerend aan, alsof hij afwoog hoe groot de kans was dat ze toch met hem in zee zou gaan, als het hem lukte binnenkort werk te vinden.

„Til," zei hij toen, „als ik ertoe besluit weer een vaste baan te zoeken – en het is zeer de vraag of ik die in deze tijd zal vinden, want ze liggen niet opgeschept – dan zal ik nooit zoveel kunnen verdienen dat ik jou en je studerende kinderen kan onderhouden. Aan de andere kant is het me nu ook wel duidelijk geworden, dat ik niet genoeg capaciteiten heb om zelfstandig te opereren. Conclusie: het kan nooit iets tussen ons worden, ik zal je altijd kwijtraken. En daarom ben ik zo in de put, als je het precies wilt weten."

Een goede relatie tussen ons is niet afhankelijk van wat jij verdient, had ze willen zeggen, maar ze hield het bijtijds binnen. Het zou immers huichelachtig klinken. Een bepaalde financiële basis moest de man met wie ze trouwde wel hebben, ook al zou het geen goudmijn hoeven zijn. Ze was niet in staat ook nog een man te onderhouden, zo lag dat. Toch was het niet de belangrijkste reden dat ze sterk ging twijfelen.

Zijn gebrek aan doorzettingsvermogen en zijn dagdromen over rijkdommen, die hem als gebraden ganzen in de mond zouden vliegen, stoorden haar meer. Het was warempel of ze er een kind bij had in plaats van een man op wie ze wat steunen kon. Als het erop aankwam, zou Ewout nog meer inzicht tonen dan hij.

„Daar praten we later over," zei ze, alsof ze tegen een van haar patiënten sprak, die ze uit de problemen moest helpen. „Eerst zien we dat je óf werk als zelfstandige krijgt, óf een baan en dan zien we verder."

Ze voelde zich dodelijk vermoeid, toen hij min of meer getroost vertrokken was. En wat voel ik behalve die vermoeidheid nog meer, vroeg ze zich af. Ben ik verdrietig omdat mijn illusie samen met iemand verder te gaan, in elkaar dreigt te storten?

Ik weet het nog niet, dacht ze. Als ze met hem brak, zou ze weer alleen zijn, net als vroeger. Nee, ze zou nu eenzamer zijn, want opa was er nu niet meer. Volgende maand ging Ewout naar Amsterdam en straks Rikkie. Het dreigend alleen-zijn besprong haar plotseling en klauwde zijn nagels in haar twijfelend hart.

Maar ik hoef immers niet, dacht ze, ik kan onze verhouding toch laten zoals het is. Ze schudde meewarig over zoveel onnozelheid van zichzelf het hoofd. Dat was het juist, het kon niet blijven zoals het was. Als ze met elkaar bleven omgaan, zou ze naar zijn flat gaan, hij wilde dat en zij ook. Ze moest dat maar liever eerlijk bekennen, het bloed eiste zijn tol.

Een lat-relatie heette dat, het was heel gewoon. Anderen deden dat en waarom zij dan niet?

Ze stond op, woelde met haar beide handen door haar haar, ze liep naar de schoorsteen waar grootvaders grote spiegel nog hing. Ze zag haar trieste gezicht, haar verwarde haren. Sinds Joost er niet meer was had ze dikwijls met zichzelf in de spiegel gesproken, maar nu had haar spiegelbeeld haar niets te zeggen. Joost. Ze dacht nu aan hem, maar niet meer met dat knagende verlangen van vroeger. De jaren met grootvader, de laatste maanden met Rob, ze hadden zijn beeld doen vervagen, hij was nu iemand geworden uit een verder verleden.

Toen ze later met de kinderen in hun eigen huiskamer koffiedronk voor ze naar haar verpleging vertrok, dacht ze weer aan Joost. Ze dwong zich ertoe, maar het leek nu wel of hij zelfs niets met deze kinderen te maken had gehad, of ze die twee zomaar gekregen had zonder hem. Zo ver was hij weg, voor het eerst na al die jaren.

„Mam," vroeg Ewout, „ben je zo moe? Kun je dat bemiddelingsbureau niet opbellen om te vragen of ze een ander in uw plaats kunnen sturen?"

Het was of zijn woorden haar uit een soort verdoving haalden. „Niks hoor," zei ze, „erg lief om dat voor te stellen, maar zo moe ben ik echt niet, ik ben juist blij met mijn werk."

En dat was ook zo.

Toen ze de volgende avond om tien uur van haar verpleging naar huis reed, dacht ze, dat ze nu het liefst even bij Sil en Addie was aangewipt, gewoon om wat over koetjes en kalfjes te babbelen.

Ze wist dat ze op vrijdagavond altijd vrij waren. Maar ze kon dat niet doen. Ewout zou de garage weer wijd open hebben gezet zodat ze makkelijk binnen zou kunnen rijden en Rikkie was nu bezig koffie te zetten. Ze zou waarschijnlijk een appeltaart hebben gebakken die nu nog warm was. En dan zou het wel weer scrabbelen worden, als er op de televisie geen stuk was dat genade in hun ogen had gevonden. Ze had in geen van beiden zin, niet in scrabbelen en niet in televisiekijken, maar dat mocht ze niet laten merken.

Terwijl ze de wagen wegzette en het huis binnenliep, nam ze zichzelf onder handen. Ze zou er nog weleens naar verlangen, later, als ze alleen was, dat ze door haar kinderen werd opgewacht. Als ze het huis uit waren, had ze de rest van haar leven nog om 's avonds een babbeltje te gaan houden bij haar vriendinnen. En nu alsjeblieft maar een opgewekt gezicht zetten, anders zouden ze weer zeggen dat ze er zo moe uitzag. En verder geen gezeur.

Het lukte haar de doffe onverschilligheid van zich af te schudden. De koffie was heerlijk vers en de appeltaart niet te zoet en goed van temperatuur. Het televisiestuk eiste later haar hele aandacht op. Later, in bed, viel ze als een blok in slaap.

De volgende dagen werd ze afwisselend door haar werk en door de verbouwing in het verhuurde huis in beslag genomen. Toen Addie en Sil op een dag langskwamen om te vragen hoe ze het maakte, zei ze· „Eigenlijk maak ik het heel goed, maar ik zou me kunnen voorstellen dat een mens in dagen met zoveel rompslomp ernaar gaat verlangen zich eens te vervelen."

Ze had een paar weken niets van Rob gehoord.

Langzaam raakte ze ervan overtuigd dat hij met stille trom uit haar leven verdwenen was. Ze had een paar keer naar zijn flat gebeld, maar geen gehoor gekregen. Misschien maar beter zo, dacht ze. Een pijnloos einde van een relatie, zou je het kunnen noemen. Nou ja, pijnloos? Hij liet een leegte achter, die ze niet vermocht op te vullen.

Op de dag dat de Horstings het huis betrokken, belde hij op. „Ik heb enorm groot nieuws, Til, zwart op wit deze keer. Het is niet te geloven, ik kan twee kanten op en jij moet de beslissing maar nemen. Ik weet dat je vandaag de hele dag vrij hebt, maar ik

vond het beter je eerst even te bellen, omdat de kinderen vakantie hebben. Zeg maar wanneer ik kan komen om rustig met je te
praten."
Hij had aan een stuk door gepraat en nu maakte hij een adem-
pauze. „De Horstings betrekken vandaag het huis," zei ze. „Ze
zijn druk met de verhuizing bezig. De verhuiswagen staat in ons
gedeelte van de tuin, omdat hij verderop de draai niet kan krijgen. Ik moet een beetje opletten, dat ze met het binnensjouwen
van de meubelen de aanplant niet vernielen."
„Kan ik dan helemaal niet komen?" Het klonk zo teleurgesteld
en ze was toch ook wel nieuwsgierig naar dat plotselinge grote
nieuws.
„Kom toch maar," zei ze toen, „we zien wel. We kunnen samen
een beetje opletten, als we voor het raam gaan zitten."
Nog geen uur later was hij er... Hij had bloemen bij zich, een
reuze boeket gemengde zomerbloemen.
„Die had ik al gekocht, voor ik je belde," zei hij.
Hij kuste haar en het gaf haar een blij gevoel hem terug te zien.
De problemen weken naar de achtergrond, er was weer even
alleen dat weerzien met iemand voor wie ze erg belangrijk was.
„En nu het nieuws," zei hij, terwijl hij zijn tas op zijn knie legde
en er de papieren uithaalde.
„Hier heb ik het zwart op wit," zei hij met trots.
„Maar het lijkt me beter dat ik je eerst vertel waar het over gaat,
anders kun je er niet uit wijs worden. Je raadde me aan naar
Berg te gaan om over de hele geschiedenis te praten. Nu, dat
was niet nodig, want Berg kwam bij mij. Hij wil namelijk zaken
met me doen. Hij laat aan mij de keus of ik dat op free-lancebasis wil doen of dat ik weer bij hem in vaste dienst kom en dan
als acquisiteur en niet meer als manusje-van-alles, wat ik eigenlijk altijd ben geweest. De voorwaarden zijn in beide gevallen
gunstig, lees zelf maar. Alleen is een vast dienstverband natuurlijk zekerder. Jij moet maar zeggen wat je het liefst wilt.
Hij betaalt me ook een provisie over die projecten in Duitsland,
dat komt er allemaal nog bij. Mooi voor de eerste aanloop, om
ons een beetje opnieuw in te richten en een vakantiereisje te
maken en zo. Is het niet allemaal geweldig?"
„Ja, heel geweldig," bracht ze beduusd uit.

Ze begon te lezen zonder dat de inhoud van het contract tot haar doordrong. De percentages van een eventuele opdracht zeiden haar weinig. In het andere conceptcontract werd een jaarsalaris genoemd en over een tantième gesproken dat afhankelijk zou zijn van de omzet. Dat sprak haar meer aan. Het salaris was heel redelijk. Ze gaf hem de papieren terug.

„Dat is groot nieuws voor je," zei ze, „ik kan me voorstellen dat je er blij mee bent. Het moet een enorme genoegdoening voor je zijn, dat Berg bij je gekomen is. Je bent nu ineens uit de zorg, hè?"

Hij knikte bevestigend. „Ja," zei hij en terwijl ze hem gadesloeg, zag ze zijn blijdschap, als het ware, uit hem wegebben, de blijde glinstering week uit zijn blik. Hij nam de papieren van haar aan en deed ze bijna onverschillig weer in zijn tas.

„Ik dacht dat je zou zeggen: wij zijn uit de zorg," hij legde de nadruk op wij. „Vind je het salaris niet hoog genoeg?"

„Rob toch," zei ze, „natuurlijk is dat een mooi inkomen, maar… ze zweeg.

„Nou, ga verder…"

„Ja, wat verder? Als we getrouwd waren lag het natuurlijk anders." Zijn gezicht klaarde op. „Maar we gaan trouwen," zei hij. „Stel je voor, je weet toch, liever vandaag dan morgen, wat mij betreft."

Ze kreeg een zere steek in haar hart bij het zien van zijn opluchting.

Ze zou die de kop moeten indrukken. „Ik kan nog lang niet zeggen of ik met je ga trouwen, daar hebben de contracten niets aan veranderd.

Ik heb immers de kinderen. Zij moeten ook prettig vinden wat ik ga doen; ik wil ze niet verliezen. Ik zal erover nadenken, zeg maar wanneer je het weten wilt. Ik zal het ook met de kinderen bespreken."

Hij lachte schamper…

„Van de kinderen hangt dus mijn wel en wee af, belachelijk. Je hebt toch een eigen leven?"

Ze zuchtte. „Misschien zou dat wel zo moeten zijn, misschien komt dat later nog wel, maar nu zijn de kinderen nog mijn opdracht, Rob."

Hij schokschouderde wat.

„Nou ja," zei hij, „ik hoor het al, mijn nieuwe werk heeft niets bij je veranderd. Kijk eens naar buiten," onderbrak hij zichzelf, „ze vermelen je planten door er zo dicht met de kisten langs te slepen."

„Och, die groeien wel weer aan. Het spijt me zo voor je, Rob. Ik ben echt heel blij voor je. Wat moet het een voldoening voor je zijn dat je weer werk hebt, je houdt van dit werk, hè?"

„Ja," zei hij, „er zit iets avontuurlijks in. Het is spannend iemand tot iets over te halen, want dat is het eigenlijk, als je zo'n opdracht los ziet te krijgen. Ik heb het vroeger ook wel voor Berg gedaan, maar toen was het niet echt mijn werk en nu wel. Je krijgt er een soort feeling voor of je iemand tot iets kunt bewegen of niet en…" hij zweeg en toen vervolgde hij: „Mijn feeling zegt me nu, dat ik jou er nooit toe zal kunnen bewegen om te doen wat ik graag wil, Til."

„Het spijt me zo."

„Nou," zei hij toen, „laten we zeggen dat je het over drie maanden weten moet, is dat goed? Dan kun je in die tijd ook nog eens zien hoe braaf en serieus ik weer aan het werk ben gegaan. Op de goede afloop van jouw beslissing zal ik de vaste baan maar accepteren, en niet op free-lancebasis gaan werken. Jij zou voor een vaste baan kiezen, nietwaar?"

Ze knikte bevestigend.

„Ik geloof, dat het afgezien voor mij, voor jou ook het beste is. Als je eens ziek wordt, zit je veel beter. En later heb je je pensioen."

Hij glimlachte een beetje schamper.

„Alles lekker zeker, dat zegt mijn moeder ook."

„Je moeder heeft ook kinderen," zei ze, „daar komt het zeker door." Hij bleef de rest van de dag bij haar en stelde voor samen met de kinderen uit eten te gaan om zijn succes te vieren.

„Dat zullen ze leuk vinden," zei Til, ze keek op de klok, „ze kunnen zo thuiskomen. Rikkie heeft vandaag in de bloemenzaak gewerkt en Ewout zou de goten bij mevrouw Luiting schoonmaken. Ze komen altijd omstreeks deze tijd thuis om te eten."

„Ik heb een cadeautje voor de kinderen gekocht," zei hij. „Ik hoop dat het naar hun zin is."

„Wat heb je gekocht?" vroeg ze belangstellend. „Badschuim voor Erica en aftershave voor Ewout."

„Nou, dat zullen ze fijn vinden," zei Til, maar ze betwijfelde het, de kinderen hadden naar dit soort dingen nooit getaald.

Maar beide cadeautjes vielen tot haar verbazing in goede aarde. Vooral Ewouts ogen glinsterden. „Och mam, aan dat merk kom ik misschien mijn levenlang niet toe. Dank u wel, meneer Van Luik, ik ga er heel zuinig op zijn, het is een geweldig cadeau."

Rikkie was eigenlijk niet minder blij, constateerde Til bij nader inzien. „Geweldig," zei ze, „ik gebruik het voorlopig nog niet. De doos is zo prachtig, ik zet hem op mijn kaptafeltje, mam."

Dat was dan ook het hoogtepunt van de avond, want het feestelijk etentje werd geen succes.

Later dacht Til dat ze alles misschien had kunnen redden, als ze erop had gelet hoeveel glazen whisky Rob voor het eten had gedronken. Maar ze had hem nog nooit teveel zien drinken en ze was niet alert geweest. Tijdens het eten was hij duidelijk boven zijn theewater. Hij sloeg een ruzietoon aan, toen Rikkie en Ewout over een boek spraken, dat Ewout voor zijn eindexamen had moeten lezen.

„Jullie denken me zeker de ogen te kunnen uitsteken met je geleerdheid," zei hij, „ik heb geen eindexamen middelbare school hoor. Dat zullen jullie zeker wel weten. Dat zal Otto jullie wel verteld hebben. Ik ben zelfs voor mijn mulo-examen gezakt. Ja, zo heette dat toen nog. Nu heet dat mavo, de minste opleiding die er is. Maar je hoeft niet op me neer te kijken hoor, jullie geen van allen. Je moeder weet wat ik straks bij Berg ga verdienen en dat is niet gering. En wat ik er nog bij zal krijgen aan tantième, dat weet ze nog niet, maar dat zal ook niet weinig zijn, want ik ga er straks hard tegenaan. Als ik straks met je moeder getrouwd ben, is het uit met jullie armoedzaaierij. En dat heb ik zonder eindexamen en zonder opleiding bereikt, denk je dat maar eens even in, voor jullie op me neer gaan kijken."

Hij zat in een agressieve houding en keek hen vanonder zijn nu laaghangende wenkbrauwen bijna dreigend aan.

Til legde bezwerend een hand op zijn arm. „Rob," suste ze, „wat is dat nu? Wie praat er hier over een opleiding? We vinden je juist zo geweldig, nietwaar, jongens?" vroeg ze aan de kinderen, die weliswaar geshockeerd maar toch zo overtuigend mogelijk knikten.

„Natuurlijk, meneer Van Luik," voegde Ewout er nog aan toe.

Rob veegde zijn mond af met zijn servet en bromde wat binnensmonds, at toen verder. Even later wenkte hij de ober en bestelde wijn. Til durfde het niet te verhinderen, bang voor een hernieuwde uitbarsting.

Toen de wijn ingeschonken was, begonnen Til en Ewout tegelijk te praten en hielden allebei even abrupt weer op.

Waar moest je het over hebben om niet te geleerd over te komen, dacht Ewout nerveus. Gelukkig herinnerde hij zich de dakgoten, die hij die dag had uitgebaggerd en maakte ze tot een dankbaar onderwerp van gesprek. Til zag aan Rikkie's geschrokken snoetje dat ze de scène niet goed kon verwerken, ze kreeg bijna geen hap naar binnen.

„Rik," zei Til om haar wat op te monteren, „ik heb vandaag bij Menten, de schoenhandel, trimschoenen voor de helft van de prijs gezien. Ga er morgen maar een paar uitzoeken, dat heb je verdiend. Je hebt me zo goed bij de verhuizing geholpen."

„Ik trimschoenen?" vroeg ze verbaasd. „Wat moet ik daar nu mee?"

„Wat is dat nou?" mengde Ewout zich erin, „Je trimt toch iedere ochtend het vuur uit je sloffen! Mijn complimenten hoor, ik had nooit gedacht dat je het zo lang zou volhouden, maar iedere ochtend maak je me om halfzes wakker met je luidruchtige geplons in de badkamer."

Rikkie wendde met een kleur als vuur haar hoofd af en staarde naar een bepaald punt in de verte, terwijl ze zei: „Ik hoef al die flauwekul niet, ik loop best op mijn gewone schoenen."

Later dacht Til eraan, dat deze vreemde reactie van Rikkie haar iets had moeten zeggen, maar ze was op hetzelfde moment én Rikkie én de trimschoenen alweer vergeten, haar hele aandacht was op Rob geconcentreerd.

Tot haar grote opluchting scheen hij zelf te merken hoe vreemd hij zich gedroeg, want hij zei: „Neem me mijn uitval van zonet maar niet kwalijk, ik ben een beetje moe na al die spanningen."

„Dat begrijpen we best," zet Ewout loyaal. „Gaat u algauw aan

het werk, of heeft u nog even tijd om uit te blazen?"
Een dankbaar gevoel doorstroomde Til. Ewout speelde meteen
op Robs berouw in en redde daardoor de situatie. Ze stelde voor
de koffie thuis te gebruiken en zo waren ze vroeg weer terug.
Toen ze uit de auto stapten, zei Rob. „Van de zaak krijg ik straks
een Mercedes."
Fijn," zei ze, „je houdt zo van een mooie wagen, hè? Dan is daarmee ook weer een wensje van je vervuld."
Ze zette sterke koffie in de hoop dat die hem uit zijn enigszins
versufte toestand zou halen, maar het hielp weinig. Hij zat te
knikkebollen boven zijn kopje.
Rikkie was direct na hun thuiskomst naar boven gegaan. Toen
Ewout haar na een minuut of tien volgde, liep Til achter hem
aan, ze zei in de gang: „We kunnen hem zo niet met zijn auto
naar huis laten gaan, dat is niet verantwoord. Vind je het goed,
dat hij op jouw kamer slaapt en jij op de bank in de eetkamer?"
Hij knikte. „Goed idee, mam, dat doen we. Ik maak het bed wel
klaar."
Ze moest Rob wakker maken, toen ze weer in de kamer kwam.
Hij wreef zijn ogen uit en strekte zich.
„Ik ben zo suf," klaagde hij. „Ik ben toch bang dat ik teveel van
die tabletjes heb genomen, die de dokter me heeft voorgeschreven om rustig te worden. Drie per dag, staat er op het doosje,
toen ik van die drie niets merkte, heb ik nog een vierde genomen."
En dan die whisky en wijn, dacht Til.
„Je blijft vannacht hier," zei ze. „Ewout maakt je bed al op, kun
je zo naar boven gaan en lekker uitslapen."
Hij sloot zijn ogen weer.
„Er zal niets anders opzitten," zuchtte hij.
Ze moest de volgende morgen om acht uur bij haar patiënte,
mevrouw Roggers zijn en ze stond als gewoonlijk om halfzeven
op. Toen ze uit het raam keek, zag ze, dat zijn auto, die voor het
huis had gestaan, verdwenen was. Voor alle zekerheid keek ze
in Ewouts kamer, waar ze het bed leeg aantrof. De vogel was al
vroeg gevlogen.
Begrijpelijk, dacht ze, hij voelt zich natuurlijk opgelaten.

Toen ze beneden kwam, was Ewout gekleed en wel voor het ontbijt aan het zorgen.

„Ik zag hem er om zes uur al vandoor gaan, maar ik heb maar niets gezegd," zei hij. „Hij zal het allemaal best rot hebben gevonden, denk ik."

„Wat aardig van je om dat ze zeggen," zei Til. Ze vertelde hem over de medicijnen. „Nou, dan weet u tenminste waar het van komt, gelukkig maar."

„Hij drinkt anders nooit veel," zei Til omdat ze het gevoel had dat ze hem verdedigen moest.

„Nee, dat geloof ik ook niet."

Anders had Otto dat wel geweten en het me gezegd, dacht hij.

Terwijl hij een beschuit smeerde, zei hij langs zijn neus weg: „Dat meisje, dat bij mevrouw Luiting logeert gaat ook in Amsterdam studeren, ook medicijnen, ze is dit jaar ook inge-loot. Toevallig, vindt u niet? Ze weet een kamer voor me en hele-maal niet duur. Een neef van haar woont er eigenlijk, maar hij gaat voor een jaar naar Canada en zolang mag ik er wonen."

„Wat een bof, zeg!" zei Til blij. „Je was al bang, dat je voorlopig heen en weer moest blijven reizen. Is het een aardig meisje?" vroeg ze toen.

Hij knikte bevestigend en keek haar even verlegen lachend aan.

„Léonie is zelfs een héél aardig meisje, mam."

Die Ewout, dacht Til onderweg naar haar werk. Maar hij had al eens eerder een meisje aardig gevonden, het zou wel weer over-gaan.

Haar werk nam haar die dag helemaal in beslag, zodat ze geen tijd had zich in haar eigen aangelegenheden te verdiepen.

Mevrouw Roggers was een dame van tweeënnegentig jaar, die alleen in haar flat woonde en dagverpleging van acht uur 's mor-gens tot tien uur 's avonds had. De nacht was ze alleen. Til vroeg zich af hoe ze die nachten alleen doorkwam, want overdag was ze de meest veeleisende patiënte, die je je bedenken kon.

Ze riep onophoudelijk en zo was het dus de hele dag lopen geblazen.

Ze was aardig en vriendelijk, als ze een goede bui had, maar als de muts scheef stond, en dat was die dag het geval, had je als verpleegkundige de handen aan haar vol.

„Ik wou maar dat de Heer me weghaalde," begroette ze Til. „Waar ben ik nu nog voor in de wereld? De erfenis voor de kinderen wordt iedere dag minder en minder, want ik ben dagelijks een mooie cent aan een verpleegster kwijt. Ja, zegt u nu zelf, is het waar of niet?"

„U hebt schoon gelijk, ik krijg een handvol geld van u voor zo'n dag," beaamde Til, „en daarom ga ik u ook waar voor uw geld geven. Het lijkt een mooie dag te worden, wat zou u ervan denken, als we samen eens naar het dorp gingen om een kopje koffie bij lunchroom Van der Stal te drinken?"

Mevrouw Roggers' oude fletse ogen lichtten blij op. „Ik naar het dorp? Hoe wilt u dat doen? Dat kan ik toch niet. Ik ben drie maanden geleden voor het laatst op straat geweest, toen ik met een taxi naar het ziekenhuis ben gegaan en ik ben een maand geleden per brancard teruggekomen."

„Maar u hebt de hele week al in de tuin geoefend. Mevrouw Dragt, die gisteren bij u was belde me daarover op. Ze heeft met de dokter gesproken. Hij zei dat u best naar het dorp kunt voor een uitstapje."

„Praat me niet van dat voorstel van mevrouw Dragt," weerde mevrouw Roggers af, „die wil me nota bene in een rolstoel hebben. Ik wil niet in een rolstoel gezien worden, dat staat zo stokoud en hulpbehoevend."

Til hief bezwerend haar hand op.

„Weet ik wel," suste ze, „maar we gaan gewoon met mijn auto, hier vóór de deur erin en voor de deur van de lunchroom eruit. We lopen voetje voor voetje, er is niemand, die ons haast."

Mevrouw Roggers' ogen begonnen te glanzen, ze zag er ineens jaren jonger uit. „Denkt u echt, dat dat nog gaat?" fluisterde ze bijna.

„Nou en of," zei Til. „Als u uitrekent hoeveel meter u al in uw tuin hebt gelopen, al is het dan steeds in een kringetje rond, dan zou u verbaasd staan te zien hoe ver u daarmee in het dorp zou komen. Maar dat hoeft de eerste keer niet, dat zien we later wel. Misschien dat we volgende keer naar een winkel kunnen gaan. Had u het er laatst niet over, dat u er graag een bloesje bij wilde hebben?"

„Een bloesje kopen?" ze straalde en beet als een jong meisje

verrast haar tanden in haar onderlip.
„Wat zou dat mooi zijn!"
„Dat zien we dan de volgende week weer, nu eerst de lunchroom," besliste Til.
Ze had die dag een makkelijke patiënte aan mevrouw Roggers.

HOOFDSTUK 4

Rob stond de volgende dag om twee uur ineens onaangekondigd op de stoep. „Ik wist dat je vandaag vrij was," zei hij, „ik ben maar gekomen in de hoop je thuis te treffen."
„Ik moet vanavond om tien uur pas bij meneer Hiemstra zijn," zei ze, „zoals altijd op donderdag. Ik heb dus nog even de tijd, kom verder."
Ze spraken over koetjes en kalfjes, het leek haar beter zijn gedrag van twee dagen geleden niet ter sprake te brengen. Dat zou te pijnlijk voor hem zijn.
Toen ze voor thee gezorgd had en een kopje voor hem had neergezet, vroeg ze: „Voel je je nu weer beter? Je slikt toch niet meer zoveel van die medicijnen, wel?" Ze zag hem kleuren.
„Nee, ik ben er nu wel voorzichtiger mee. Til," zei hij toen, „ik ben hier eigenlijk gekomen om, laten we zeggen, ernstig met je te praten."
Nu wil hij dat ik ja of nee zeg, ging het door haar heen, nu wil hij het weten. Ze roerde in haar kopje en zette het weer op de lage tafel voor haar. „Zeg het maar."
„We zouden het nog drie maanden aanzien," begon hij, „maar ik geloof, dat het geen zin heeft. Mijn lot is al beslist, ik val te licht. Ik pas niet bij jullie, niet bij jou en zeker niet bij je kinderen."
Ze nam haar kop thee van tafel, roerde er weer in, haalde er met het lepeltje een theeblaadje uit en legde dat op het schoteltje.
„Hoe kom je daar zo ineens bij?" vroeg ze. „Ik geloof niet dat ik het van die kant ooit bekeken heb."
„Maar ik wel," zei hij, „want ik heb zoiets al eens meer meegemaakt.
Evelien, mijn ex-vrouw komt uit hetzelfde dorp als ik en we zijn jong getrouwd. Ik had een klein baantje bij Berg en geen oplei-

ding. Maar ze was verliefd op me en dat het baantje klein was telde toen nog niet zo zwaar bij haar. Dat kwam later pas, toen ik geen promotie kon maken. Haar vader was arts en we werden overal gevraagd, omdat ze de dochter van haar vader was. Haar ouders trokken weg uit het dorp, toen haar vader zijn praktijk aan de kant deed. Vanaf die tijd was ze alleen nog maar de vrouw van iemand met een klein baantje en na verloop van tijd werden we nergens meer gevraagd. Ze ging erop aandringen dat ik promotie moest maken, maar daar was geen kijk op en toen is het scheef gegaan tussen ons. Evelien is nu uit het dorp weg en allang getrouwd met een ander. Misschien zou ik nu, in mijn nieuwe baan, genoeg voor haar zijn, maar voor jullie ben ik dat niet. Dat weet ik nu al. Voor jullie heb ik geen ontwikkeling genoeg. Je man was iemand, die gestudeerd had, jouw kinderen zijn zijn kinderen," hij schudde zijn hoofd, „ik merk het al, het wordt niks. Ik maak weleens een taalfout en die wordt dan door Erica verbeterd, of Ewout herhaalt een zin, die ik fout heb gezegd op de goede manier. Ik weet wel, dat ik slordig spreek en dialect gebruik, maar hier wordt daarop gelet. Het wordt toch allemaal niks, Til, het is beter dat we er een streep onder zetten."

Ze zweeg een hele poos, keek naar zijn knap gezicht, dat nu een koppige trek vertoonde, ze voelde ergens in haar borst het weeïge gevoel van een naderend afscheid.

„Het klinkt allemaal zo definitief wat je zegt," zei ze, „ik heb het nog nooit zo bekeken."

„Maar ik wel," zei hij, „en het zou de tweede keer zijn dat ik te licht bevonden werd, ik durf het niet meer aan. Toen ik je pas leerde kennen, dacht ik dat die zaak in Duitsland zo goed als rond was en ik twijfelde er niet aan dat mijn werk en wat ik ermee verdiende voldoende voor je zou zijn. Ik wilde niet dat je erachter kwam, dat ik een uitkering had en werkloos was. Als de Duitse affaire een feit was, zou dat immers ook verleden tijd zijn. Daarom hield ik je ook maar bij mijn ouders weg en uit mijn omgeving in het dorp. Dat komt later allemaal wel, dacht ik. De Duitse affaire is niet zo doorgegaan als ik had gedacht, maar het is toch tamelijk op zijn pootjes terechtgekomen. In ieder geval verdien ik genoeg om jullie te onderhouden, maar

daar gaat het hier niet om. Hier valt mijn ontwikkeling te licht."
Ze sloeg hem gade en haalde toen haar schouders op.
„Er is in deze zin nooit over je gesproken, dat verzeker ik je."
„Dat kan wel," antwoordde hij, „maar ik voel het zo. Ik voel me
hier af en toe onbeholpen. Ik heb eergisteren tijdens dat etentje
ook een modderfiguur geslagen. Ik zag ertegenop, maar ik wilde
iets aardigs doen voor je kinderen. Ik had een extra kalmerend
tabletje genomen, omdat ik door die Duitse affaire wat aange-
slagen was en toen heb ik ook nog teveel gedronken. Het resultaat ken je."
„Die kinderen heb ik nu eenmaal," zei ze. „Daar moet degene die
met me trouwen wil rekening mee houden. Maar geloof je ook
niet, dat we elkaar als het ware een masker hebben opgezet en
dat we op dat masker verliefd zijn geworden? Jij zag mij als een
vrouwtje, dat straks, als jij geld als water verdiende, met je mee
zou gaan naar het buitenland voor lange vakanties in droomho-
tels. Maar ik wil hier niet weg, Rob. Tenminste niet langer dan
veertien dagen. Ik moet voor mijn kinderen zorgen, dat is mijn
opdracht."
„Welk masker had je mij opgezet?" Ze keek hem aarzelend aan,
zich afvragend of het zin had dit nu nog te vertellen, maar toch
deed ze het.
„Jij had jezelf een masker opgezet," zei ze toen.
„Dat van een geslaagde, drukbezette zakenman. Later zag ik
onder dat masker andere dingen, vooral toen bleek, dat Otto je
kende en allerlei dingen over je vertelde, die ik niet wist."
Ze zag hem kleuren en had al een beetje spijt van wat ze had
gezegd.
Het was immers toch uit, er was niets meer te redden en dat
wilde ze ook eigenlijk niet
„Vind je me nu een bedrieger?" vroeg hij bij het afscheid. Ze
schudde ontkennend het hoofd.
„Nee," zei ze, „beslist niet. Ik kan me goed begrijpen dat je me
niet alles direct hebt verteld. Je had het erg moeilijk, zo zonder
werk en het hield je staande iets voor te wenden wat niet waar
was, maar waarvan je hoopte dat het binnenkort waar zou worden."
„Ik ben blij dat je niet slecht over me denkt."

Wat hij zei ontroerde haar en weer was daar die schrijnende pijn van afscheid nemen. „Ik zal je missen," zei ze.

„En ik dan? Mijn droomvrouw, ook zonder masker, maar wel onbereikbaar voor me."

Ze glimlachte triest, toen ze de deur achter hem had gesloten. Het zou nooit een succes met hem geworden zijn, dat wist ze zeker, maar dat nam niet weg dat de eenzaamheid haar weer aangaapte. Dit soort eenzaamheid kon door geen andere dingen worden opgelost, wist ze. Droomvrouw, had hij gezegd en dat had hij gemeend. En dat zou ze nooit meer van iemand horen.

Haar oog viel op Joosts foto, hij leek haar zo jong en zo veraf Met hem was het allemaal al zo lang geleden.

Door het raam zag ze dat Ewout het tuinpad opkwam. Ze wilde nu even niemand zien. Ze vloog de trap op, naar haar slaapkamer en daar huilde ze met haar hoofd diep in het kussen.

Toen ze later de sporen van haar tranen wegwerkte om naar beneden te gaan en het eten klaar te maken, dacht ze: over een paar dagen zal ik er wel overheen zijn. Die vriendschap heeft maar zo kort geduurd, ik ben er zo weer aan gewend alleen te zijn.

Maar dat viel hard tegen, het liep al tegen sinterklaas, toen ze nog steeds haar draai niet kon vinden. Addie, de enige collega-verpleegster met wie ze bevriend was, zei op een avond, toen ze er even aan was gegaan voor een kopje koffie: „Het komt echt niet alleen door die verbroken vriendschap met Rob dat je wat van de kaart bent. Alles is voor je veranderd, je grootvader is er niet meer, zijn huis heb je verhuurd en nu heb je die vreemde mensen zo dicht bij je, Ewout is het huis uit en met Rikkie kun je niet meer zo goed opschieten als vroeger, noem maar op. Dat gaat je allemaal niet in je kouwe kleren zitten. Je zou eens met vakantie moeten. Kun je er met kerst niet een weekje met Rikkie tussenuit? Misschien heeft Ewout ook zin om mee te gaan. Met een wintersportvakantie zijn ze nog wel te trekken."

„Och..." deed Til flauwtjes. Addie had het eigenlijk maar gemakkelijk vond ze, niet getrouwd en goed verzorgd door haar zuster Sil, een weduwe met twee volwassen dochters, die allebei al een baan hadden en zo af en toe maar eens thuiskwamen. Sil was tolkvertaalster en werkte meestal thuis. Addie's leven liep gesmeerd, ze had plezier in haar werk en ze verheugde zich op haar vakanties. Iedere zes maanden trok ze er veertien dagen tussenuit, soms met, soms zonder Sil.

Ze was vijfendertig, had vrienden en vriendinnen en scheen nergens anders naar te talen. Zo leek het tenminste en het zou ook best waar kunnen zijn. Ze moest nu niet de fout maken om te denken dat niemand het echt naar zijn zin had, alleen omdat zij zich landerig en lusteloos voelde.

„Ik zie nog wel," zei ze, „ik kan zomaar geen vakantie nemen, dat wordt te kostbaar. Eerst moet grootvaders belasting allemaal betaald zijn en dan heb ik pas een overzicht."

Ze zette haar lege kopje neer en stond op. „Ik moet opschieten," zei ze op haar horloge kijkend, „Rikkie eet graag vroeg als ik niet werk, dan kan ze bijtijds met haar huiswerk klaar zijn."

Op weg naar huis overdacht ze wat Addie gezegd had. Misschien had ze gelijk, misschien treurde ze maar een heel klein beetje om Rob en was de rest onwennigheid met de nieuwe omstandigheden en wat, 'achterstallig' verdriet om grootvader. Ze was destijds niet aan treuren om grootvader toegekomen, omdat Rob in haar leven was gekomen.

Ze zou morgen maar eens een tonicum bij de drogist halen, misschien hief dat haar lusteloosheid wat op. Haar moeder zwoer vroeger bij bloedwijn, maar dan kon ze net zo goed een sherry nemen. En dan zeker twee sherry's als één niet hielp en daarna drie en zo verder en ten slotte in de problemen.

Niks ervan, dacht ze streng voor zichzelf, een versterkend tonicum was veiliger, en verder geen gezeur.

Rikkie was er nog niet toen ze thuiskwam, dat kwam goed uit. Ze kon het eten klaarmaken, dan had ze daarna nog wat tijd over om met Rikkie wat te babbelen. Het was net alsof ze elkaar kwijtraakten de laatste tijd. Daar moesten ze het samen eens over hebben.

Rikkie kwam even later thuis met Achmed, die direct weer wegging en alleen meegekomen was om wat te halen. „Dóeg!" hoorde ze Rikkie bij de voordeur naar hem roepen.

Hè bah, iedereen zei tegenwoordig maar, 'dóeg' in plaats van dag en met zo'n lange ordinaire uithaal.

„Zou je nooit meer, 'dóeg' willen zeggen?" vroeg ze, toen Rikkie

binnenkwam, „ik vind het ronduit verschrikkelijk klinken."
Rikkie snoof.
„U loopt achter, mam, iedereen zegt het."
„Het is geen fatsoenlijk Nederlands," zei Til stug, „en het is zeker niet beschaafd."
Rikkie liep schouderophalend de kamer uit.
Til beet op haar lip. Wéér fout. Ze had dat niet moeten zeggen en zeker niet als aanloop tot een vertrouwelijk gesprek, dat ze had willen hebben. Enfin, straks, onder het eten moest ze maar even zeggen, dat ze het niet onaardig had bedoeld. Ze proefde de koude soep van de vorige dag om te weten of ze er straks nog groentenat van de worteltjes bij in kon doen. Nee, dat kon niet, de soep was al wat zoetig. Ze werd opgeschrikt door de verklikker van de telefoon, die vlak boven haar hoofd rinkelde. Ze liep naar het toestel en verslikte zich in een stukje soepvlees, dat ze gauw door had willen slikken. Daardoor noemde ze bijna onverstaanbaar haar naam.
„O, Rikkie, ik hoor het al, jou moest ik net hebben. Gelukkig, dat je thuis bent, ik zou je willen vragen of je voor een keertje ook vanavond zou willen komen, dan kun je morgenochtend wat later beginnen. Ik zit met het leggen van het zeil in de salon, weet je wel?"
Er volgde een hoorbare stilte aan de kant van Til en toen zei ze: „U spreekt met Rikkie's moeder, ik zal haar voor u roepen."
Ze ging naar de gang en riep naar boven „Rikkie, telefoon voor je.
Neem hem maar op mijn slaapkamer over."
Door wie werd ze gebeld? En wat betekende 'vanavond ook komen' en 'morgenochtend wat later'.
Ze zat in de hoogste klas van het gymnasium, de moeilijkste klas die er was en ze ging 's morgens voor schooltijd trimmen, maar meer niet.
Dat dacht Til tenminste tot nu toe. Maar Rikkie was de oude niet meer, ze was stug en gesloten geworden sinds, ja, sinds wanneer? Ze pijnigde haar hersens af om zich te herinneren wanneer zich die verandering bij het kind had voltrokken. Het lukte niet, ze bemoeide zich ook te weinig met haar, dat was het. Ze treurde een beetje om Rob en het stemde haar weemoedig, dat

Ewout het huis uit was. Ze vond, dat ze duizendenéén ding tekort kwam, maar op haar dochter letten, hó maar! Dat kreeg je, als je zo druk met jezelf was.

Tijdens het eten merkte ze dat Rikkie haar heimelijk observeerde.

Nu vraagt ze zich af wat ik heb gehoord, dacht ze, wat die dame, die haar opbelde me heeft gezegd. Waarom zei Rikkie niets? Of verwachtte ze, dat zij zou beginnen? Ze wist het niet. Ze zei na het eten wel: „Ik ruim alles af, hoor. Dat afwasje is gewoon niets, nu Ewout niet thuis is.

Was Ewout er maar even, wenste ze, toen Rikkie naar boven ging om haar huiswerk te maken. Ewout begreep Rikkie altijd veel beter dan zij, hij zou misschien ook weten wat dat telefoongesprek betekende.

Toen ze om kwart over acht haar hoofd om de hoek van de kamerdeur stak, zei ze: „Ik ga nog even weg, mam. Je hoeft niet voor me op te blijven, morgen moet je weer zo vroeg beginnen.”

„Waar ga je naartoe?”

„Even naar Susie, we nemen een stuk van Homerus door. Dag mam, slaap lekker.”

Als ik nu Susie opbel om haar te controleren, is het kapot tussen ons, dacht ze. Nou ja, kapot was het in zekere zin al, want het was haar ondertussen wel duidelijk geworden, dat Rikkie helemaal niet trimde, zoals ze voorgaf. ze zou wel ergens een baantje hebben. Ze had daar allang over gepraat, maar Til had het verboden, omdat ze vond dat haar school en huiswerk al meer dan genoeg was.

Til voelde zich sneu aan de kant gezet door haar dochter, ze snikte even en veegde met haar hand over haar ogen, die droog waren gebleven. Ze huilde zonder tranen.

En toen kwamen de zelfverwijten. Ze had dit, als moeder, eerder moeten ontdekken, ze was tekortgeschoten. Als ze zich maar niet zo in zichzelf had verdiept, dan zou ze eerder gemerkt hebben, dat het kind helemaal niet trimde. Ze had destijds die trimschoenen ook niet willen hebben, herinnerde ze zich nu. Wat moet ik daar nu mee, had ze gevraagd en later had ze, met een kleur als vuur, gemerkt dat ze zich versproken had. En nog had haar over zichzelf piekerende moeder er geen erg in gehad!

Ze was een opvoedster van lik-me-vestje. Ze moest er nu het beste van zien te maken. Ze zou vanavond opblijven om haar thuiskomst af te wachten en dan zouden ze het uitpraten. Ze greep naar de televisiegids. Als er nu maar een boeiend programma was, dat haar aandacht een beetje afleidde!

Toen Rikkie om halfelf nog niet thuis was, besloot Til naar boven te gaan. Ze zou gewoon naar boven gaan en haar in de slaapkamer bij zich roepen, als ze haar hoorde thuiskomen.

Het was over elven, toen ze de traptreden hoorde kraken, ze had de voordeur niet eens open en dicht horen gaan. Ze kon zich voorstellen hoe Rikkie nu met haar schoenen in haar hand naar boven sloop. Haar nog binnenroepen, nu het al zo laat was?

Ze aarzelde. Toen nam ze een besluit, het zat nu al zo lang niet goed tussen hen, ze kon beter een gunstiger tijdstip kiezen voor een vertrouwelijk gesprek. Ze hadden nu allebei hun nachtrust immers hard nodig.

Ze moest morgen om acht uur al bij mevrouw Roggers zijn en kwam er om tien uur pas vandaan. De dag daarop, donderdag, was ze vrij tot tien uur 's avonds, dan zou ze tijd vinden om rustig met Rikkie te praten. Haar werkrooster bracht met zich mee, dat ze daar twee dagen mee moest wachten voor ze tijd had. Dat was nu eenmaal zo.

Ze viel maar meteen met de deur in huis, toen ze die bewuste dag samen thee dronken.

„Heb ik het goed begrepen, dat je 's morgens niet gaat trimmen, zoals je altijd voorgeeft?" vroeg ze.

Rikkie kreeg een kleur en begon vlug te praten.

„Ik dacht wel, dat u het begrepen had, toen mcvrouw Verhey opbelde. Ze dacht dat ik aan de telefoon was. Ze zei dat ze zich tegenover u versproken had. Ik maak vijf ochtenden in de week haar kapsalon schoon, maar toen ze belde moest er nieuw zeil worden gelegd en daarbij had ze hulp nodig. Nou ja," ze schokschouderde even en staarde in haar kopje, „nou ja, toen kwam het uit en nu weet u het."

„Doe je het, omdat je geld tekortkomt?" informeerde Til.

Weer een schouderschok.

„Och, echt tekort niet, maar ik wil weleens op reis en zo en dan wil ik geen geld aan u vragen, u moet toch al zo hard werken."

Ineens vervolgde ze heftiger: „Ik begrijp niet dat ik geen baantje mag hebben, terwijl Ewout het al jaren heeft."
„Dat was misschien ook fout van me," gaf Til toe.
„Misschien wat overdreven moederlijke zorg."
„U wilt zeker dat ik ermee ophoud?"
De vraag was agressief gesteld, zo op de manier van: „denk maar niet dat ik daarover pieker."
„Laten we afspreken dat je ermee doorgaat tot Kerstmis en als dan blijkt dat je kerstrapport er niet onder geleden heeft, mag je, wat mij betreft, dat baantje houden."
Til dacht: betere pedagogen dan ik hadden natuurlijk iets anders gezegd, maar ik vind echt dat ik haar niet had moeten verbieden een baantje te zoeken.
Waarom Ewout wel en zij niet, daar heeft ze gelijk in.
Rikkie's gezicht helderde op. „Nou, dat vind ik fijn, mam. Ik heb er wel wroeging over gehad dat ik het stiekem deed, dat moet ik zeggen. Het was trouwens lastig ook. Maar nu kan ik er gewoon over praten, gelukkig," eindigde ze opgelucht.
„Ik ook," zei Til. „Zeg, ik loop al een poosje over vakantie te piekeren. Met Kerstmis kan het nog niet, maar zou jij zin hebben om bijvoorbeeld met Pasen samen ergens heen te gaan? Ewout zal wel geen zin hebben, hij is zo vol van zijn Léonie."
Rikkie fronste haar wenkbrauwen en wendde haar gezicht af.
„Pasen is nog zo ver weg," zei ze vaag.
Ze voert voor Pasen iets in haar schild, flitste het door Til heen. Hè, bah, waarom deed ze nu zo wantrouwend?
„Je wordt ook al zeventien," zei ze toen om haar onaardige gedachte voor zichzelf goed te maken. „Je zult misschien ook liever niet meer met je moeder op vakantie gaan."
En ze deed haar best zich niet af te vragen of een minnaar, die een blauwtje heeft gelopen, zich zou voelen zoals zij nu. Onzin natuurlijk om je verdrietig en afgewezen te voelen, als je dochter toonde dat ze zelfstandig ging worden.
„Laten we dan afspreken," zei ze, „dat we allebei gezellig over onze vakantieplannen praten, als we een doel gevonden hebben. Al gaan we dan niet samen op stap, hebben we toch samen de voorpret."
Til vond het nogal diplomatiek van zichzelf om op deze manier

te proberen een vinger in de pap van haar dochters plannen te houden, maar Rikkie trapte er niet in.

„Misschien wel en misschien niet," zei ze vaag.

„Misschien krijg ik zomaar ineens zin ergens naar toe te gaan."

Jongens waren toch heel anders dan meisjes, dacht Til. Zoiets zou Ewout nu nooit zeggen. „We zien dan wel," zei ze. „Wil je nog thee?" „Ja, graag," en van haar stoel opspringend voegde ze er hartelijk aan toe: „ik zal het voor je inschenken, mam."

Ze zaten nog maar net aan het tweede kopje als het ware de vredespijp te roken, toen er gebeld werd. „Wie kan dat zijn?" vroeg Til op haar horloge kijkend, „ik verwacht niemand. Iedereen weet dat ik om tien uur moet beginnen en we moeten nog eten ook"

„Er staat een gele Opel voor het huis, ik denk dat het dokter Schilder is," zei Rikkie die naar het raam was gegaan.

Het was inderdaad Jaap Schilder, die even later werd binnengelaten. Til en hij kenden elkaar al van de lagere school, zijn vader was vroeger ook al de huisdokter van de familie geweest.

„Ik kom hier om een gunst te vragen," zei hij. „Nee, Erica, je kunt gerust hier blijven, er worden geen geheimen onthuld," dit tegen Rikkie die de kamer uit wilde gaan. „Het is een heel nare geschiedenis, het betreft jullie buren, de familie Horsting. Hun zoon belde me op en vertelde me, dat zijn vrouw en zijn twee dochters bij een vliegtuigongeluk omgekomen zijn. Ze kwamen terug van een korte vakantie in Canada waar Horstings schoonouders wonen. Horsting vroeg me of ik de treurige boodschap zo omzichtig mogelijk aan zijn ouders wilde vertellen. Maar ze zijn niet thuis, ik ben net aan de deur geweest. De hulp die er net was om de planten water te geven, zei dat ze vanavond met de trein van halfacht uit Amsterdam terugkomen. Ze moest een taxi voor hen bestellen. Nu wil het geval dat ik vanavond een vergadering heb, waar ik het woord moet voeren. Ik kan daar onmogelijk gemist worden en nu kom ik klem te zitten met die mededeling.

Ja, Til, je voelt het zeker al aankomen, ik ga een beroep op je doen, zou jij het hun willen vertellen? We kunnen niet wachten tot morgen, omdat het bericht hier misschien ook in de kranten komt. Als je er erg tegenop ziet, vraag ik wel een collega. Maar jij kent de mensen wat beter en als verpleegkundige ben je wel vertrouwd met zulke dingen."

Til beantwoordde zijn vraag eerst niet, ze was helemaal onder-steboven van het bericht.

„Niet te geloven," zei ze zacht, „en die man was nog wel zo blij met de baby die onderweg was, en zo apetrots op zijn vrouw en twee dochters. We zijn een heel ouderwetse familie, zei hij, en we verheugen ons allemaal op de gezinsuitbreiding. Dat die vrouw nog ging vliegen! Dat kind moet toch al een hele tijd onderweg zijn geweest."

„Die baby is er," wist Jaap, „een meisje, dat al een paar maanden oud is. Mevrouw Horsting sukkelde sinds de geboorte met haar gezondheid en dit reisje was bedoeld om een beetje op verhaal te komen. De meisjes mochten een paar dagen vrij van school om hun grootouders in Canada te bezoeken. Horsting was erg van streek tijdens dat telefoongesprek. Begrijpelijk natuurlijk."

Hij keek op zijn horloge. „Heb je al een besluit genomen, Til? Anders moet ik even naar een collega."

„Och, natuurlijk ga ik naar die mensen toe," zei Til. „Ik ken ze ook nauwelijks, ook al omdat ik het gewoon te druk heb voor sociale contacten met mijn buren, maar als ze het nu van een wildvreemde arts moeten horen, dat lijkt me toch ook niets. Waren er nog bijzonderheden, Jaap? Ze zullen misschien allerlei vragen stellen."

Jaap Schilder schudde ontkennend het hoofd.

„Hij was in de war, dat zei ik al. Het was niet eens zo'n kort gesprek, maar hij vertelde wel drie keer hetzelfde. Je weet hoe zoiets kan gaan, hij moest het bericht zelf nog verwerken, neem ik aan."

Til, die later met Rikkie op de uitkijk stond, zag even over half-acht een taxi voor het huis van de buren stoppen.

„Ik moet hen toch de tijd geven hun jas uit te trekken, vind je niet?" vroeg ze aan Rikkie, die ineens onderdrukt begon te snik-ken.

„Hè toe, liefje," zei ze zacht, ze wilde maar dat Jaap haar de kamer had uitgestuurd, toen hij haar kwam vragen de boodschap over te brengen, nu zat ze met een huilend kind. Fout, Til, dacht ze meteen. Je kunt Rikkie niet in een glazen kastje zetten. Erge dingen moet ze ook leren verwerken.

Ze liet Rikkie alleen en ging naar de vestibule om haar jas aan te doen, dat was ook voor dat kleine eindje naar de deur van de buren wel nodig, want het motregende en het was koud en guur. Toen ze bij de Horstings had aangebeld, zag ze dat de vuurdoorn naast de voordeur weer had losgelaten van het latwerk waaraan grootvader hem had vastgemaakt. Ze had hem na een storm in het voorjaar zelf ook alweer eens steviger bevestigd. Het touw was niet sterk genoeg geweest, ze had dat groene bindband moeten nemen.

Dergelijke futiliteiten ging je bedenken, als je iets moest gaan doen waarvan je niet wist hoe je het moest aanpakken. De deur werd door mevrouw Horsting opengemaakt.

„Dag, mevrouw Van Voorst," zei ze vriendelijk maar verbaasd, „u hier? Kwam u zomaar even langs voor een praatje offe… zijn er problemen? Ik hoop, dat u het niet erg hebt gevonden dat we Wolters nog wat coniferen hebben laten planten bij het zwembad."

„Nee, natuurlijk niet, mevrouw. U laat de tuin zo prachtig verzorgen. Daar ben ik alleen maar blij mee. Mag ik even binnenkomen?"

„Jazeker, alleen, wacht u even. Ja, komt u maar vast binnen, ik hang zo uw jas op."

Til begreep dat ze niet erg gelegen kwam. Had ze misschien beter eerst kunnen opbellen?

Mevrouw verdween door de huiskamerdeur en daar hoorde Til haar op luide fluistertoon zeggen: „Andries, gauw, doe je gebit in en knoop je vest dicht, mevrouw van hiernaast is er."

Til deed extra lang over het uittrekken van haar jas en ging toen voor de spiegel staan en schikte wat aan haar haar. „Heeft u een goede reis gehad?" vroeg ze, toen mevrouw Horsting weer in de hal kwam.

„Och, u wist dat we weg waren?"

Til antwoordde hier niet direct op, ze liep achter mevrouw Horsting naar binnen, waar meneer Horsting haar al tegemoetkwam.

„Nou," deed hij joviaal, „dat gebeurt niet vaak dat u ons de eer aandoet hier te komen. Gaat u zitten, daar bij de haard maar, daar zult u vroeger wel dikwijls hebben gezeten."

„Inderdaad," bevestigde Til, ze zon ondertussen op een manier om met haar boodschap voor den dag te komen.

„Ik was er net aan toe iets te zetten. Wat mag het zijn, koffie of thee?"

„Ik zou liever eerst met u willen praten," zei Til.

„Ik wist dat u vandaag uit was, omdat dokter Schilder bij u aan de deur is geweest. Hij was hier om u iets te vertellen. Hij vroeg me dit in zijn plaats te doen, omdat hij vanavond een vergadering moet leiden. Uw zoon heeft namelijk uit Boston opgebeld…"

„Koert?" ze zeiden het allebei tegelijk.

„Waarom belt hij ons niet?" vroeg meneer.

„Omdat er iets niet goed is, Andries, begrijp dat dan toch. Is er iets met het kleintje, mevrouw?"

Til keek in mevrouw Horstings angstige ogen. „Nee," zei ze, „nee, dat is het niet."

„Met zijn vrouw en de meisjes is alles goed, ze hebben ons pas nog gebeld uit Toronto," viel meneer haar in de rede, hij zei het bijna bezwerend, alsof hij hoopte, dat dat nog helpen zou al voelde hij dat het onheil in die richting gezocht moest worden.

„Toen was het ook nog goed met hen," zei Til, „maar nu niet meer."

„Is het héél erg?" fluisterde mevrouw hees.

„Zeg het dan, zeg het dan toch," drong meneer Horsting geprikkeld aan, „met wie van hen is er iets aan de hand?"

Til keek weg van de twee paar angstig vragende ogen en staarde naar de schouw van de open haard, die grootvader zelf ontworpen had, toen ze zei: „Hun vliegtuig is op de thuisreis neergestort, er waren geen overlevenden."

Toen ze haar jobstijding eenmaal had uitgesproken, had ze zichzelf weer in bedwang en werd de ter zake kundige verpleegster. Ze dacht eraan, dat meneer en mevrouw Horsting hier in de plaats betrekkelijk vreemd waren en dat ze, als zij straks weg was, niemand zouden hebben om tegenaan te praten. Ze zou Sil bellen. Sil was te allen tijde bereid haar vertaalwerk een ogenblik te laten rusten om zo'n karwei op te knappen. Ze bood aan koffie te zetten, kreeg daarop geen antwoord, maar ging toch naar de keuken. Toen ze later terugkwam en hen de koffie voorzette, zaten ze samen op de bank, dicht naast elkaar, heel klein en heel stil allebei.

Het leek of ze in het kwartier, dat ze in de keuken was geweest, gekrompen waren. Ze huilden niet. Ze zaten daar maar stil met knipperende ogen.

„Drinkt u eens," zei ze, „soms knap je weleens een beetje op van koffie."

„Dank je, kind, dank," zei mevrouw. „Ze waren toch zo blij met het kleintje. Wat moet daar nou van worden, zo zonder moeder? We moeten er direct naartoe."

„Mijn meiden," fluisterde meneer Horsting schor, „dat ik mijn twee mooie meiden nou nooit meer zal zien. Daar staan ze, daar op de schoorsteen."

Hij wees naar de foto en barstte toen in tranen uit.

HOOFDSTUK 5

Als ik het nu goed begrijp is uw dochter de nacht dat u hier dienst hebt, altijd alleen in huis, nu uw buren in Amerika zijn. Is dat nu wel verstandig? Het huis ligt helemaal alleen, als ik het me goed herinner," zei meneer Hiemstra op een ochtend.

„Dat is zo," zei Til, „maar we hebben onze maatregelen wel genomen. Mevrouw Zomers, de huisgenote van mevrouw Peters slaapt die nacht in ons huis, zolang meneer en mevrouw Horsting weg zijn. Ze komen trouwens na nieuwjaar terug."

„Nemen ze dat kleine kind mee?"

„Ik weet het niet, meneer Hiemstra, ze vertellen me zulke dingen niet. Ze bellen soms op en dan gaat het over de post en de planten. Meer niet."

„U hebt het er zeker nog druk mee?"

„Niet erg. Mijn dochter zorgt voor die dingen, het ongeluk heeft diepe indruk op haar gemaakt. Ze zou wel van alles voor hen willen doen, zegt ze."

„Zeker een erg gevoelig meisje?"

„Ja, nogal."

Meneer Hiemstra was die ochtend spraakzamer dan anders. Til had het gevoel, dat het de inleiding was tot iets belangrijks. Misschien zou hij er weer op aandringen dat ze hier meerdere dagen per week kwam werken, maar dat kon niet. Het bemiddelingsbureau had de dienst op een bepaalde manier ingedeeld en daar kon niet van afgeweken worden.

„Mevrouw Van Voorst," zei hij toen, „ik zou graag eens vertrouwelijk met u praten."

„Dat kan. Zal ik eerst nog een tweede kopje koffie voor u inschenken, of wilt u daar liever mee wachten?"

„Die koffie heeft geen haast," weerde hij af, „die komt straks wel.

Gaat u er nu eens makkelijk bij zitten en niet zo op het puntje van uw stoel. We hebben alle tijd. De werkster komt vanmiddag, ze kan alles in huis opruimen wat nodig is. U hoeft alleen maar voor mij te zorgen en ik heb alles wat ik nodig heb."

Hij schraapte zijn keel en zei toen, terwijl hij zich wat verlegen afwendde. „Ik heb gehoord dat u er weleens over heeft gedacht te hertrouwen," en zonder haar antwoord af te wachten vervolgde hij, „ik heb ook van andere verpleegsters gehoord dat u een vriend had en dat dat nu uit is en daarom heb ik de vrijmoedigheid gekregen eens met u te praten. Ik denk vaak over u. Het moet voor u niet prettig zijn zo op ongeregelde tijden buitenshuis te moeten werken. Voor uw dochtertje moet het bijvoorbeeld wel heel ongezellig zijn. Ik zou u een voorstel willen doen om een veel prettiger leven te krijgen, als u daarop ingaat. U weet dat ik al verschillende particuliere verpleegsters voor dag en nacht heb gehad en dat ze het geen van allen konden volhouden, omdat het leven hier te eentonig is. Ze spreken, behalve met mij, met geen mens en ze kunnen de deur niet uit, omdat ik hen de hele dag nodig heb en 's nachts ook nog, zoals u weet. Als u nu eens met uw gezin hier kwam wonen en we zouden er een verpleegster bij nemen, die op tijd haar vrije uren en dagen heeft, dan zou u alleen maar voor me hoeven zorgen, als zij vrij is. Dacht u ook niet dat we op zo'n manier wel iemand in dienst zouden kunnen houden?"

Ze beantwoordde zijn vraag met een tegenvraag.

„Wat zou ik de hele dag moeten doen, meneer Hiemstra? Ik vind het helemaal niet erg te moeten werken, ik houd van mijn werk, ik vind het interessant en afwisselend. De werktijden zijn soms een bezwaar, maar er zijn altijd plus- en minpunten, dat is nu eenmaal zo. En zoals u het voorstelt, zou u twee particuliere verpleegsters hebben en dat kost handenvol geld."

„Geld heb ik wel," zei hij, „mijn vrouw is dood en kinderen zijn er niet. Ik heb tijdens mijn ziekte zoveel vrouwen leren kennen, maar ik heb er geen ontmoet aan wie ik mijn geld liever zou willen besteden dan aan u. U zou hier de vrouw des huizes zijn en kunnen ontvangen wie u maar wilt. Mijn kennissen van vroeger zouden misschien ook weer meer bij me komen, omdat ik in u dan een charmante gastvrouw heb. Uw kinderen zouden mijn huis als het hunne kunnen beschouwen. Ik zou weer leven en vrolijkheid om me heen hebben, dan is de prijs van twee particuliere verpleegsters niet te hoog. Zeg niet direct nee, mevrouw Van Voorst, denkt u er eens over."

Dit moet ik meteen afwerken, dacht Til resoluut, hoe eerder dit plannetje uit zijn hoofd is, hoe beter.

Ze stond op. „Ik hoef er niet over na te denken," zei ze. „Ik weet zeker dat ik niet op uw voorstel kan ingaan. Ik wil in mijn eigen huis blijven wonen en mijn werk blijven doen zoals ik het nu doe. U hoeft niet te proberen aan mijn besluit te tornen. Maar ik vind het wel een grote eer dat u me zo'n voorstel hebt gedaan," voegde ze eraantoe. „En nu ga ik uw tweede kopje koffie halen."

Meneer Hiemstra's houding was voor de rest van de dag koel. Til was blij, toen het tien uur was en ze naar huis kon gaan.

Toen Addie de volgende ochtend tegen twaalf uur aankwam, wist Til, dat het niet zomaar een koffiebezoekje was.

„Meneer Hiemstra heeft in jouw plaats een andere verpleegkundige gevraagd," zei ze. „Ik werd vanmorgen door het bureau opgebeld om jouw plaats in te nemen. Ik heb laatst gezegd, dat ik er nog wel een nachtdienst bij wilde hebben en nu krijg ik de jouwe. Ik heb het gevoel dat ik je het brood uit de mond stoot."

Til moest lachen.

„Ja, zo noemen ze dat," zei ze. „Ik zou het me maar niet aantrekken.

279

Of jij nu bij hem komt of een ander, mij wil hij toch niet meer hebben."

„Wat is er eigenlijk gebeurd?" vroeg Addie.

Toen Til het verhaal verteld had, zei ze: „Ik dacht al dat het zoiets was. Ik geloof trouwens dat het wel zijn bedoeling was om met je te trouwen. Op die manier praatte hij tenminste over je."

„Stel je voor! Je gebruikt toch een huwelijk niet om maar onder dak te zijn."

Addie glimlachte. „Jij niet," zei ze, „daarom wilde hij iemand zoals jij."

„Och, ben je mal, dat kan hij toch niet ruiken. Ik ben benieuwd waar ik nu terechtkom, heb jij er iets van gehoord?"

„Daarvoor kom ik juist," zei Addie, „anders had ik je wel opgebeld.

Hiemstra schijnt tegenover andere verpleegkundigen ook over je gesproken te hebben alsof jullie al in het huwelijksbootje zaten en daar is op het bureau over gepraat. Geen rook zonder vuur, zeggen ze daar, ze zal wel aanleiding hebben gegeven. We kunnen genoeg verpleegkundigen krijgen, die die problemen niet veroorzaken."

„Dus… dus… ze gooien me eruit?"

Til voelde zich wit wegtrekken van ontsteltenis. Ze leunde achterover in haar stoel en sloot even haar ogen. „Dat is niet waar," zei ze zacht, „het bestaat eenvoudig niet."

Maar ze wist dat het wél bestond, want bij het handjevol verpleegkundigen dat geregeld dienst deed, hing altijd de dreigende boodschap van, 'niet meer nodig' boven het hoofd. Iedereen nam altijd met alles genoegen om vooral niet als 'moeilijk' gebrandmerkt te worden om zo in slappere tijden of bij meer personeelsaanbod er het eerst uitgegooid te worden.

Addie zei: „Onze geëerbiedigde cheffin Maartje Roelofsen, is een jaloerse tante, dat weet je. Ze zou er ook wel, net als jij, leuk uit willen zien en zo jong willen zijn als jij en een paar leuke kinderen willen hebben zoals Ewout en Erica. Wat dat betreft heb je alles tegen en mag je blij zijn dat je het daar nog zo lang hebt uitgehouden. Maar ze gooit je er niet direct helemaal uit, je mag mevrouw Roggers houden en nu meneer de Vos van Duin beter is en je meneer en mevrouw Donders hebt gekregen, laat ze je die ook houden. Bij een echtpaar zal ze wel niet zo gauw problemen maken, zei ze, meneer Donders is trouwens te oud."

„Ze lijkt wel niet goed wijs," bracht Til uit, ze was van de eerste schrik bekomen, nu ze hoorde dat ze voorlopig haar andere twee patiënten zou houden.

Die schrik maakte nu plaats voor ergernis.

„Zou tegen zo'n willekeur nu echt niets te doen zijn?" vroeg ze.

Addie haalde haar schouders op. „Ik neem aan van niet. Dit uitzendbureautje is haar eigen onderneming. Zij heeft de relaties en kan zo voor patiënten zorgen. Het is haar zaak of ze iemand neemt of niet. Ze doet niets tegen de wet, daar zal ze wel voor oppassen. Ik zou maar niet te erg in zak en as zitten. Als je zonder komt te zitten, vinden we wel wat anders voor je. We zetten overal onze voelhoorns uit. Dat je meneer Hiemstra kwijt bent is toch geen drama voor je, je was immers toch van plan een dag minder te werken, nu je je huis hebt verhuurd."

„Dat is zo," bevestigde Til, „maar die twee dagen, die ik overhoud kan ik echt niet missen. De kinderen kosten veel, zolang ze studeren..."

„We vinden best werk voor je," verzekerde Addie haar weer. „Sil denkt er net zo over. Zo'n bureau als van Maartje Roelofsen is natuurlijk makkelijker, maar alleen vinden we het ook wel, als het moet."

„Aardig van je om me dat allemaal te komen vertellen," zei Til. „Je had het net zo goed op zijn beloop kunnen laten."

„Zég, kom nou! We zijn toch vrienden!" deed Addie verontwaardigd. Ondanks die bemoedigende woorden voelde Til dat haar positie erg verzwakt was. Ze wist nu dat ze van de ene op de andere dag zonder werk zou kunnen komen. Het gaf haar een onveilig gevoel.

Die zaterdag kwam Ewout onverwacht uit Amsterdam over.

„Waar kom jij ineens vandaan," begroette Rikkie hem. „Waren al je sokken en shirts soms vuil?"

„Een leukerd ben je, hoor! Mag ik niet meer in mijn eigen ouderlijk huis komen om mijn moeder en mijn lieve zusje te verrassen? Je wordt slank, zeg, trim je nog steeds?"

Rikkie kreeg een kleur als vuur. „Nee, ik trim niet, ik heb nu een baantje. Ik maak 's morgens voor schooltijd een kapsalon schoon. Daar word je blijkbaar ook slank van."

„Geweldig, zeg! Je ziet er goed uit. Waar is moeder?"

„Ze meet haar slaapkamer op om te zien of ze daar een zit-slaapkamer van kan maken voor een bejaarde dame, die ze misschien ooit in huis wil nemen. Praat het plan maar uit haar hoofd, als je naar boven gaat. Het lijkt me niks."

„Kon je wel zo lang bij Léonie weg?" plaagde Til, toen ze haar zoon had begroet. „Waarom heb je haar eigenlijk niet meegebracht? Of is het nog niet zover met jullie?"

„O, ja, het is prima tussen ons en ze zal het fijn vinden met u kennis te maken. Ik ben vorige week bij haar thuis geweest, dat wilden haar ouders graag."

Ewout was op Tils bed gaan zitten en vouwde zijn handen tussen zijn knieën. Zo zat hij altijd, als er problemen waren.

„Vertel het maar, Ewout, wat is er gebeurd?"

Hij zuchtte. „Eigenlijk is er niets gebeurd, ik ben alleen een beetje geschrokken. Ik dacht dat ze bij Léonie thuis een boerderij hadden, dat heb ik u, geloof ik, al eens verteld. Ze woont eigenlijk in Duitsland, even over de grens, maar ze is zo Hollands als wat."

„Hebben ze dan geen boerderij?" vroeg Til.

„Die hebben ze wel, maar het is geen gewone boerderij. Ze wonen op een kasteel met torentjes en een gracht en echte gewelven en zo. Nogal indrukwekkend. Het wordt helemaal door haar familie bewoond. Haar ouders wonen in het hoofdgebouw, haar broer zit met zijn gezin in een soort aanhangsel. Hij zet later het bedrijf voort. Ik geloof dat het hele dorp zowat aan hen toebehoort."

Hij zuchtte weer diep. „En daar ben je niet blij mee," begreep Til.

„Nee," zei hij, „niet erg. Maar Léonie kan het natuurlijk niet helpen. En zulke mensen moeten er natuurlijk ook zijn, maar ik had het liever niet gehad."

„Ik zou me er maar niet druk om maken," vond Til, „jullie kennen elkaar nog maar zo kort. Er kan nog van alles gebeuren."

Hij keek naar haar op, beledigd bijna. „Er kan inderdaad nog veel gebeuren," zei hij, „maar Léonie en ik blijven samen."

„Dan zul je toch over dat kasteel heen moeten stappen," vond Til. Hij keek weer voor zich, nog steeds met zijn handen tussen zijn knieën.

„Als dat maar alles was," zei hij zorgelijk. „Kom er maar mee voor de dag, dat lucht op," noodde Til.

„Léonie is katholiek," zei hij, „en dat ik dat niet ben, daar heb ik al het nodige over moeten horen van haar ouders."

Til zei een poosje niets, ging toen naast hem op bed zitten en sloeg haar arm om hem heen.

„Dat lijkt me een heel wat groter probleem dan dat haar ouderlijk huis wat groter is uitgevallen dan je had gedacht."

Hij keek haar aan.

„U vindt het ook niet prettig, hè?"

„Nee," zei ze eerlijk, „helemaal niet. Je had ook niet anders van me verwacht natuurlijk. Maar ik zeg wel tegen je, dat het je eigen leven is."

Hij zoog zijn bovenlip even in en dacht na.

„Dat is tenminste reëel," zei hij toen, „maar háár ouders stellen wetten en dat maakt me kriebelig. Als ik ooit met Léonie wil trouwen, zal ik katholiek moeten worden."

„Ben je dat niet van plan?"

Hij mompelde iets onverstaanbaars.

Til legde haar arm vaster om zijn schouder, ze schoof wat naar hem toe. „Wat moet dat allemaal moeilijk voor je zijn," zei ze zacht.

„Léonie's ouders zijn echt wel aardig en eigenlijk heel gewoon," vertelde hij. „Als je ze zo ontmoet, zou je niet zeggen dat ze zoveel achter zich hebben. Ze konden ook best een gewone welgestelde boer en boerin zijn. Wat ik ook dacht dat ze waren, toen ik hen voor het eerst ontmoette. Hoe aardig ze ook zijn, als je later met hun dochter wilt trouwen, maken zij de dienst voor je uit. Walter is de oudste en enige zoon, Léonie is op twee na de jongste van de acht kinderen.

Ze waren allemaal thuis, toen ik kwam. Walter en de vier oudere zusjes zijn getrouwd, ze hadden hun man en kinderen bij zich. Allemaal schoonzoons met klinkende namen en goeie banen. En toen kwam ik, berooid eerstejaarsstudent, vrijetijdsverhuizer annex klusjesman en protestant.

Gelukkig had Léonie me, vlak voor we aankwamen, een foto van het huis laten zien, dus helemaal onvoorbereid was ik niet. Toen ik aan het grote gezelschap werd voorgesteld, met de kinderen en het personeel meer dan vijfentwintig mensen, voelde ik me als een paasos, die naar de keuring gaat. We gingen al gauw daarna aan tafel. Er is een aparte eetzaal, Léonie en ik mochten gelukkig wel naast elkaar zitten. Na het eten verspreidde het gezelschap zich in alle windrichtingen en ik werd door Léonie's ouders meegevraagd naar de salon, een enorm grote hoge zaal met zware kasten tegen de muren en veel schilderijen, kroonluchters aan de plafonds en onder die kroonluchters overal zitjes mét makkelijke stoelen. Wij zaten bij de haard, die niet brandde, ik had een rechte ongemakkelijke stoel, de ongemakkelijkste in de hele salon zo te zien en het was er ook een beetje koud. Ze hadden de zaal voor zo'n gesjochten jongen als ik zeker maar niet te lang voorverwarmd. Léonie's vader zei, dat hij van iedereen alleen maar goeds over mij en mijn familie had gehoord, maar wat niet wegnam, dat ik toch niet bij Léonie paste. Dat kwam omdat ik niet katholiek was en dat het nu waarschijnlijk nog niet zo moeilijk zou zijn een eind aan onze relatie te maken. Dat ik mezelf en Léonie dan heel wat verdriet zou besparen en dat het dus voor beide partijen het beste zou zijn."

„En wat zei je daarop?" vroeg Til.

„Ik zei, dat het geloof voor ons allebei een ernstige zaak was en dat ik me onder leiding van een pater was gaan verdiepen in het katholieke geloof en dat Léonie hetzelfde deed met het protestantse geloof bij een dominee."

„En toen?" vroeg Til vol spanning.

„Nou, dat ik zelf moest weten wat ik deed, maar dat wat Léonie deed nutteloos was en zelfs gevaarlijk.

Ze zou daardoor alleen maar verontrust kunnen worden. Als ik werkelijk van haar hield, moest ik haar vrijlaten, dan had ze ook niets bij een dominee te zoeken. Ik vroeg toen, hoe ze tegenover me zouden staan, als ik katholiek werd. Ze zeiden, dat ze me dat niet wilden aanraden, omdat ik toch nooit echt bij hun gezin zou horen en dat Léonie daardoor van haar familie zou vervreemden waardoor ze ongelukkig zou worden.

Dat was zo'n beetje het eind van het gesprek. We gingen toen met zijn drieën naar de keuken, een grote woonkeuken, heel modern en van alle gemakken voorzien. Daar zat Léonie met een paar zusjes. We hebben daar thee gedronken en iedereen was weer heel aardig tegen me, ook Léonie's ouders. Later zijn we nog wat gaan wandelen en toen ben ik door Léonie per auto naar de trein gebracht en zij is teruggegaan naar haar ouders."

„Wat zegt Léonie ervan?" vroeg Til na een korte pauze.

„Ze is heel laconiek. 'Mijn ouders vinden, dat ze dat tegen je moeten zeggen, omdat ze van me houden', zegt ze. Maar ik vind, dat we gewoon door moeten gaan, ook omdat we van elkaar houden."

„Dat klinkt toch heel positief, zou ik zeggen."

„Dat is het ook, mam, maar het is toch niet fijn voor Léonie. Je merkt het niet aan haar, maar ze zal er best verdriet van hebben. Ze is zo op haar familie gesteld. Ze zijn zo met elkaar verbonden."

Til keek van opzij naar het stille wat bleke gezicht van haar zoon. Ze zou hem dit verdriet zo graag afnemen of verlichten, maar hier was geen hulp voor te bedenken.

„Ik zou graag iets zeggen waar je wat aan hebt," zei ze, „maar je vervalt in zo'n geval altijd in gemeenplaatsen. Zoiets als: 'niets is volmaakt in de wereld' of 'verdriet over iets schijnt er altijd te moeten zijn'. Daar heb je weinig aan. Het enige dat ik je kan aanbieden is, dat je bij mij altijd je hart kunt uitstorten, al is het midden in de nacht. En Léonie zal ik met open armen ontvangen. Al ken ik haar dan alleen nog maar van een ontmoeting bij de drogist, in de tijd dat ze bij haar tante logeerde bij wie jij de dakgoten hebt schoongemaakt. Door alles wat je over haar hebt verteld, ben ik al een beetje van haar gaan houden."

„Lief hoor, mam," zei Ewout en hij raakte even haar arm aan. „Léonie wil dat we gaan samenwonen, als ik straks mijn kamer weer af moet staan. Ik kan er immers maar tijdelijk wonen. Wat vindt u daarvan? Zouden we dan haar ouders niet gruwelijk tegen ons in het harnas jagen?"

Die ouders doen nu letterlijk alles om het stel in elkaars armen te drijven, dacht Til. Zij wenste op dit moment net zo goed als Léonie's ouders, dat die twee elkaar nooit van zijn leven hadden ontmoet, maar als ze hem dat zou zeggen, zou ze hem alleen maar van zich verwijderen.

„Ik zou er nog maar even mee wachten," zei ze, „je studie zou er misschien onder kunnen gaan lijden."

„Nee," zei Ewout beslist, „daar is bij Léonie geen kans op. Ze doet alles volgens een bepaald schema en daar wordt niet van afgeweken. Ze wil ook per se haar studie afmaken."

„Dat is natuurlijk iets waar je erg blij om mag zijn," zei Til opgelucht. Ze had al visioenen van een afgebroken studie gehad, maar gelukkig was die vrees ongegrond.

„Enfin," besloot Ewout, „u weet nu hoe de zaken staan. We moeten maar zien. Hoorde ik het goed van Rikkie, wilt u iemand in huis nemen?"

Til nam de centimeter op waarmee ze de kamer had gemeten. „Als de gelegenheid zich voordoet," zei ze vaag, „zou ik dat misschien wel willen doen, maar niet voor altijd. Er zijn weleens bejaarden, die na een ongeluk of een ernstige ziekte een poosje moeten opknappen. Zoiets zou ik weleens willen proberen, het is weer eens wat anders dan buitenshuis werken."

Ze dacht, ik vertel hem niets over de problemen met het bemiddelingsbureau, dat kind heeft genoeg aan zijn eigen besognes.

Maar Ewout had een soort ingebouwde radar ten opzichte van haar problemen, hij keek haar nadenkend aan.

„Je ziet er niet zo fit uit als anders, mam, kun je niet eens een keertje met vakantie gaan?"

„Och," weerde ze af, „waar zou ik naartoe moeten?"

Vakantie! Hoe kort was het nog maar geleden, dat een dergelijk plan ook bij haar was opgekomen. Ze hoefde er nu niet over te prakkiseren, ze zou heel wat kosten op een lager pitje moeten zetten.

„Hoe gaat het met uw verplegingen?" vroeg Ewout. „Heeft u nog altijd dezelfde patiënten?" Ze zei het maar meteen, nu hij het op de man af vroeg: „Meneer Hiemstra is afgevallen en daar krijg ik voorlopig geen andere voor. Maar ik was toch van plan wat te minderen, nu het huis verhuurd is, weet je wel?"

„Dan hebt u nu dus meer tijd om te rusten, misschien knapt u nu weer gauw op."

„We zullen ons best doen," zei ze.

„Wilt u dan zo'n herstellende patiënt op uw eigen kamer laten slapen?" vroeg hij. „Vindt u het niet naar uw bed uit te moeten voor een vreemde?"

Ze lachte. „Ik ga in jouw bed slapen," zei ze, „dat is ook niet zo'n erg vreemd bed. Voor een kamer met balkon en aangrenzende badkamer zoals deze, kan ik meer geld vragen. Als ik het doe, wil ik het ook goeddoen."

„Maar dan kunt u niet meer buitenshuis verplegen," ontdekte hij pienter.

„Kunt u die andere verplegingen dan zomaar afzeggen? U hebt weleens gezegd, dat u daar misschien niet meer aan bod komt, als u er een poosje mee zou willen ophouden."

Ze stond op en nam weer de centimeter, die ze had neergelegd.

„De kans bestaat dat ze op een dag geen verplegingen meer kunnen krijgen bij dat bureau," zei ze toen zo onverschillig mogelijk alsof het een wissewasje betrof, „de spoeling wordt namelijk steeds dunner, maar dat is niet erg hoor! Als ik zo af en toe een herstellende zieke in huis neem, kom ik er ook wel, maak je maar geen zorgen. Zullen we Rikkie eens opzoeken? Je hebt vast wel trek in iets, trouwens. Hoe laat leven we eigenlijk?" Ze zag dat hij haar nog even nadenkend aankeek, maar hij vroeg niets meer.

De dag voor Kerstmis kwam hij weer en bleef tot na nieuwjaar. Léonie was de kerstdagen bij haar ouders geweest en bracht de jaarwisseling met Ewout en Til door.

Ze kreeg zo volop de gelegenheid met haar aanstaande schoondochter nader kennis te maken. Ze was blond, blauwogig, klein en knap, ijverig en zo vlug als water. Echt een kind uit een groot gezin, dacht Til. Ergens in haar deed er iets pijn, omdat ze wist dat deze twee altijd elkaars zijde zouden kiezen. Als het goed ging tussen hen, tenminste. Twee geloven op één kussen, daar slaapt de duivel tussen.

Maar het was een oud gezegde en er was zo veel veranderd in de wereld. Misschien dat het geen opgeld meer deed?

Ze sloeg het drietal gade, haar beide eigen kinderen en het vreemde eendje in de bijt. Ze hoorde hoe Léonie met haar lieve zachte stem beslist zei: „Rikkie is vrij van corvee, nu ik er ben, ik was af. Ze moet morgenochtend weer vroeg in haar werkhuisje zijn."

Op een dag, dacht Til, zou Ewout katholiek worden, met zachte hand door Léonie bestuurd. Ze wist het zo zeker alsof het haar gezegd was. Het was beter je bij het onvermijdelijke neer te leggen.

Of was dat niet zo? Deden ouders als van Léonie het misschien toch beter? Had ze Léonie hier met de jaarwisseling niet naartoe moeten halen? Ze zag de stralende toegedane blik waarmee Ewout naar haar keek. Onzin dacht ze, ik heb gedaan wat mijn hart me ingaf en er is toch ook iemand die dat bestuurt.

Ze voelde zich ineens weer een beetje blij, iets wat ze sinds het afscheid van Rob niet meer geweest was.

Het ging goed met de kinderen, Ewout studeerde serieus en Rikkie had een goed kerstrapport, ze kon haar, 'werkhuisje' zoals Léonie het genoemd had, aanhouden. Ze moest tevreden zijn en ze was dat ook, al waren nu de financiën in gevaar gekomen.

Wat was het goed dat het met Rob niets geworden was. In alle opzichten was het beter, ze pasten eenvoudig niet bij elkaar.

Ik moet ook nooit meer aan iets beginnen, dacht ze. Ik ben er immers voor de kinderen en het duurt nog zo lang voor ze op hun bestemming zijn. Er kan nog zoveel gebeuren. Ik moet mijn handen vrij hebben en niet gebonden zijn door een partner, die zijn eisen stelt. Dat had ze wel geleerd tijdens haar relatie met Rob.

Toen Rikkie weer naar school ging, belde mevrouw Horsting op om te vertellen, dat ze thuiskwamen en dat ze de baby meenamen en een poosje bij zich zouden houden.

„Ik heb erop aangedrongen, dat mijn zoon meekomt," zei ze. „Hij gaat dan later met zijn schoonzuster, die voor het kind wil zorgen, terug naar Boston. Ze is een oudere zuster van zijn overleden vrouw en twee jaar geleden weduwe geworden. Ze wil een tijdje voor het kleintje zorgen, is dat niet heerlijk? Op de bank waar mijn zoon werkt, dringen ze er ook op aan, dat hij verlof neemt zoals de bedoeling was voordat het ongeluk gebeurde. Ik hoop, dat hij het doet, maar ik heb er een hard hoofd in, mevrouw Van Voorst, hij is zo onverschillig geworden.

Hij kijkt nog niet naar het kind om, ik maak me daar erg ongerust over."

„Dat komt wel weer terecht," stelde Til haar gerust, ze was
meteen helemaal de verpleegkundige, die dit soort zaken meer
bij de hand heeft gehad. „U moet daar maar niet te zwaar aan tillen."

„Dat zei de dokter ook al, maar ja, u weet er alles van, je kunt je
gedachten niet op commando stilzetten."

„Nee," zei Til, „dat is zo."

Ze durfde geen eind aan het gesprek te maken, hoewel ze wist,
dat elke tik mevrouw Horsting veel geld kostte. Misschien was
het wel zo, dat ze gewoon even met iemand praten moest en dat
de kosten daartegen opwogen.

„Hoe gaat het met uw man?" vroeg ze daarom maar.

„Ook niet best," zei ze. „Hij zit maar triest voor zich uit te staren
en zegt niets. Hij is gelukkig niet zo opstandig als Koert, maar
dat zwijgen werkt zo op iemand, vindt u niet?"

„U hebt nu gelukkig weer iets om naar uit te zien, u gaat terug
naar huis. Rikkie heeft de planten goed verzorgd, alles staat er
prachtig bij. Ik ben gisteren net even wezen kijken."

„Och, dat is fijn! Weet u, als de grote zaken je uit de hand lopen,
kunnen kleine dingen dikwijls troostend werken. Ik verlang
naar mijn planten en naar mijn tuin. Nu ja, eigenlijk is het uw
tuin, maar ik denk eraan als de mijne. De toverhazelaar moet nu
onderhand gaan bloeien, is het niet? Had u niet gezegd, dat de
uwe altijd zo vroeg bloeit?"

„Dat is waar, maar ik heb nog niet gekeken. U moet u maar laten
verrassen."

Ze eindigde het gesprek.

Later zei Rikkie: „Dat de baby meekomt, zeg! Zouden ze wel willen, dat ik er zo af en toe op pas? Weet je dat ik nog nooit een
poosje een baby van dichtbij heb meegemaakt?"

„Dat is waar," ontdekte Til, „we hebben geen familie of kennissen met kleine kinderen. Misschien kun je je schade bij de
buren inhalen, maar ik heb geen idee hoe lang het kind daar
blijft. Het kan net zo goed een paar dagen als een paar weken
zijn. En wat je ook doet, ik vind alles best, als je schoolwerk er
maar niet onder lijdt."

„Wees daar maar niet bang voor," zei Rikkie bijna verontwaardigd, „ik weet heus wel dat ieder jaar langer naar school gaan u handenvol geld kost. Ik kijk wel uit."

Rikkie was wat stug en dikwijls in zichzelf gekeerd, maar ze had over haar al net zo min te klagen als over Ewout.

Net toen ze alles zo zonnig begon te zien en ervan overtuigd was dat alles best terechtkwam, belde Maartje Roelofsen.

„Hallo, Til," zei ze, „ik moet je, jammer genoeg, een paar heel vervelende mededelingen doen. Ten eerste dat mevrouw Roggers gisteravond is overleden en ten tweede dat het echtpaar Donders een huishoudster in dienst heeft genomen en ons bureau niet langer nodig heeft. Het is heel naar voor jou, maar voor het bemiddelingsbureau ook een hele slag, ineens twee patiënten weg, dat begrijp je."

Til stond naast haar bureautje, ze voelde een verlammend gevoel bij haar rug omhoog kruipen. Ze sloot even haar ogen, grabbelde achter zich naar de bureaustoel, die daar moest staan, ze deed haar ogen weer open, legde de hoorn neer, enkele seconden maar, en nam hem toen weer op. Terwijl ze ging zitten, zei ze: „Wat ga je nu doen, Maartje? Verdeel je het werk, dat er nu nog is onder ons, zodat we allemaal wat minder te doen krijgen, want ik heb nu niets meer."

„Ik was dat niet van plan, Til," kwam onmiddellijk het resolute antwoord. „Ik moet rekening houden met de financiële draagkracht van de anderen. Je weet het zelf wel, neem nu bijvoorbeeld Addie Peters, die helemaal voor zichzelf moet zorgen en ook geen leeftijd meer heeft dat ze makkelijk ergens in vaste dienst komt, om maar te zwijgen over Olga en Dientje, die gescheiden zijn en geen alimentatie hebben, zelfs niet voor hun kinderen. Het is echt voor mij een 'must' om sociaal bezig te zijn in dit opzicht, dat begrijp je wel. Jij hebt het pensioen van je man en je weduwenpensioen en niet te vergeten dat prachtige huis, dat je van je grootvader hebt geërfd. Je zit toch gebeiteld bij de anderen vergeleken, of niet soms?"

Maartje wachtte haar antwoord niet af, praatte in een adem door over de moeilijke plicht, die op haar rustte de anderen ook van het zware verlies op de hoogte te brengen.

„Ik wens je verder echt het beste, Til," eindigde ze het gesprek.

„Ik raad je aan wat aan onbetaald maatschappelijk werk te gaan doen. Iemand als jij, die nu zoveel vrije tijd heeft, is daar bijna toe verplicht, vind je zelf ook niet?"

Til had al haar zelfbeheersing nodig om niet woedend uit te vallen.

Ze zou er niets mee bereiken en het had ook geen nut te proberen Maartje tot andere gedachten te brengen.

„Ik zie nog wel," zei ze, „bedankt voor je telefoontje."

Nu ja, dat laatste was absurd, dat wist ze wel, maar het was in ieder geval beter dan een woedeuitbarsting. 'Je zit gebeiteld met je pensioenen en dat prachtige huis', dacht ze, toen ze de hoorn had neergelegd. Het mocht wat! Ze had inderdaad een mooi huis, maar er stond een hypotheek op en er waren nog belastingschulden. Om dat allemaal te betalen moest je wel een bepaald inkomen hebben. Het pensioen, dat ze van Joost had, was heel klein, omdat hij nog maar enkele jaren bij het bedrijf werkte, toen hij overleed.

Voordien was hij zelfstandig adviseur geweest en dat had geen pensioen opgeleverd. Als eerst opa's belastingschulden maar betaald waren, dan zou het wel lukken.

Was ze er eigenlijk niet heel wat beter aan toe geweest, als ze het huis verkocht had, zoals meneer Horsting dat zo graag wilde? Maar gedane zaken namen nu eenmaal geen keer. Ze moest Jaap Schilder, hun huisarts nog maar eens aan zijn jas trekken voor een verpleging. Hij kon ook bij collega's informeren. En anders zou ze een hogere hypotheek moeten nemen om de belastingschulden te kunnen betalen. Die hogere rente moest ze dan wel ergens kunnen verdienen.

Zomaar ineens helemaal geen werk meer, het was onvoorstelbaar. Ze kwam maar langzaam haar verslagenheid hierover te boven.

HOOFDSTUK 6

Meneer en mevrouw Horsting kwamen begin januari met de baby uit Amerika terug. Ze waren vergezeld van hun zoon en zijn schoonzuster, die voor de baby zorgde. Ze hadden in een trieste optocht hun intrek genomen, later op de dag had Til opgebeld en gevraagd of ze iets voor hen kon doen.

Mevrouw bedankte haar voor de goede zorgen voor het huis tijdens hun afwezigheid. De huishoudelijke hulp kwam nu iedere dag in plaats van enkele dagen per week, ze konden zich uitstekend redden.

„Mijn zoon was van plan een dezer dagen bij u langs te komen om u te bedanken voor uw bemoeienissen," eindigde ze. „Hij was van plan u daarover van tevoren op te bellen, want we weten hoe bezet u bent."

Die woorden klonken Til nog in de oren. Ze had het maar zo gelaten. Het kon immers best zijn, dat ze over enkele dagen weer werk had. Ze was gewoon wat verwend met Maartjes bemiddelingsbureau. Als je freelance werk deed liep je nu eenmaal het risico zo af en toe zonder te zitten.

Zo, dat was de juiste instelling, niet treuren of zeuren maar gewoon verdergaan. Ze had een advertentie geplaatst en ze moest afwachten of daar iemand op kwam. Jaap Schilder had gezegd, dat hij bij collega's zou informeren. Haar vrije tijd zou ze gaan benutten om kasten en laden op te ruimen.

Ze had Rikkie het onaangename nieuws natuurlijk wel moeten vertellen. Ze was een beetje geschrokken van de paniek, die dat bij het kind had teweeggebracht.

„Mam, is dat niet verschrikkelijk?" had ze gevraagd. „We kosten immers zoveel, Ewout en ik. Zal ik van school gaan? Ik kan best een baantje krijgen, in een winkel of zo."

Dat had haar wakker geschud. Ze was helemaal verkeerd bezig geweest. Wat had ze weinig vertrouwen! Bij de eerste de beste tegenslag maar bij de pakken gaan neerzitten, het was eigenlijk geen manier. Rikkie was natuurlijk zo van streek, omdat ze zelf paniek uitstraalde. Ze zat gebeiteld, had Maartje Roelofsen gezegd en dat was ook zo bij anderen vergeleken. Ze was nog lang niet aan hongerlijden toe.

Het hielp, als je jezelf eens onder handen nam, constateerde ze. Koert kwam een week nadat zijn moeder over zijn komst had gesproken, bij haar. Hij belde niet vooraf op, zoals ze had verondersteld, hij stond ineens onaangekondigd voor haar op de stoep.

„Ik zag u uw auto wegzetten," zei hij, „schikt het u, als ik even binnenkom?"
Toen hij in de kamer zat, moest ze denken aan hun eerste ontmoeting bij de verhuur van het huis. Wat was er in die tussentijd veel gebeurd! Hij had toen zo enthousiast over zijn gezin verteld, dat ze nog zo'n ouderwets gezin waren en zo blij waren met de komst van de baby. En nu had hij alleen nog maar die baby.
„Ik wil u graag persoonlijk komen bedanken, voor ik weer terugga naar de VS," begon hij. „U bent op de achtergrond een reuze steun voor mijn ouders, al ontmoet u elkaar weinig. Het feit, dat u er bent, is zo geruststellend voor hen. We vonden het ook erg fijn, dat uw dochter Erica zich zo af en toe met de baby heeft bemoeid."
„Ze heeft het graag gedaan, ze vindt kleine kinderen leuk, zegt ze," antwoordde Til. „Ze zal het jammer vinden, dat u weer weggaat en de baby meeneemt. Het moet voor u een prettige oplossing zijn dat uw schoonzuster zolang voor haar kan zorgen."
„O ja," zei hij, hij trommelde op de leuning van zijn stoel en keek van haar weg. Er viel een pijnlijke stilte.
Wat zal ik nu weer eens zeggen, dacht Til. Anders had ze nooit moeite met haar woorden, ook niet in omstandigheden als deze. Het hoorde toch zo'n beetje bij haar beroep.
„Die dochter van u is een aardig meisje," nam hij toen het woord. „Ze doet me veel aan mijn oudste denken. Toen ze daar zo met de kleine Isabel bezig was en me meneer Horsting noemde, zei ik ineens tegen haar: 'Zeg maar Koert tegen mc, zo noemden mijn dochters me ook.' Ik zei het zomaar, spontaan, zonder erbij na te denken. Ik ga immers weg en ik zie haar misschien nooit meer terug. Haar mond viel open van verbazing.
'Als ik dat maar kan,' zei ze, 'maar als u het graag wilt, zal ik het zeker proberen.' Maar het gaat haar uitstekend af en zo noemen we elkaar nu bij de naam, uw dochter en ik."
Til glimlachte.
„Het verwondert me niet dat ze het moeilijk vond. Doordat we de laatste zes jaar zo dicht bij grootvader hebben gewoond en veel bij elkaar over huis kwamen, zijn de kinderen eigenlijk ook een beetje door hem opgevoed. Onwillekeurig drukt dat een stempel, ze zijn wat conventioneler dan andere kinderen, dat

valt me weleens op. Opa, noemden ze hem, maar in werkelijkheid was hij hun overgrootvader en dat betekent toch een verschil van drie generaties."

Hij knikte begrijpend.

„Ja, ja," zei hij.

Het viel haar op dat hij veranderd was sinds de eerste keer dat ze hem had ontmoet. Er waren rimpels om zijn wat dichtgeknepen ogen, hij zag eruit als iemand die slecht sliep. Ze had ineens het gevoel dat ze hem iets aardigs moest zeggen, iets bemoedigends.

„Als het allemaal maar eerst een jaar geleden is, dan gaat het beter, dat zult u zien," zei ze.

Hij keek haar nu vol aan. „Ja?" vroeg hij. „Ik hoop het," zei hij toen, „maar een jaar duurt nog zo lang en ik moet deze tijd ook door."

Ze knikte overtuigd en ze sloot als om haar woorden kracht bij te zetten even haar ogen. „Ja," zei ze, „dat is zo en je kunt er geen dag en zelfs geen uur van overslaan. Je moet ze allemaal door en dat is het erge. Dat kun je alleen weten, als je het zelf ook hebt meegemaakt."

„Ja hè?" vroeg hij bijna gretig, „zo is het. Het is precies zoals u zegt.

En na dat jaar zal het nog niet meevallen, ben ik bang. Je leven is toch geschonden. Maar u bent erin geslaagd een nieuwe relatie met iemand op te bouwen en dat moet een groot geluk voor u zijn na al die jaren."

„Ik? Een relatie?" vroeg ze even niet-begrijpend en toen dacht ze pas aan Rob. In de tijd dat zijn ouders het huis van haar huurden was Rob er immers geweest. Ze glimlachte even, wonderlijk dat ze dat zomaar vergeten kon.

„Die vriendschap is allang van de baan," zei ze toen. „Die heeft niet lang geduurd. Het was de eerste en de laatste en het zal ook wel de enige blijven. Je moet lange armen hebben om een vrouw met twee bijna volwassen kinderen te kunnen omarmen."

„En zijn armen waren te kort," begreep hij.

„Of wij waren te omvangrijk," zei ze, „maar het ging in ieder geval niet. Ik ben er achteraf blij om. Die ervaring heeft me geleerd dat ik nooit meer aan zoiets moet beginnen. Ik wil graag dat mijn kinderen een goede opleiding krijgen en dat kost veel geld, waarvoor ik hard moet werken. Dan kun je niet verwachten dat er ook nog eens een intieme relatie met iemand ontstaat. Dat kan niet, daar is toch immers geen tijd voor."

Hij knikte, terwijl hij haar nadenkend aankeek.

„Mijn moeder is weleens bang, dat u te hard werkt," zei hij.

Nu lachte ze even, ze hoorde zelf dat het sarcastisch klonk en hij hoorde het ook; dat zag ze aan de veranderde uitdrukking op zijn gezicht.

„Weet u waarom ik lach?" vroeg ze. „Omdat dat wat uw moeder heeft opgemerkt niet meer opgaat, want ik heb geen werk meer. Op het ogenblik heb ik niets te doen."

En ineens vertelde ze hem van meneer Hiemstra, die met zijn voorkeur voor haar had gemaakt, dat ze in ongenade was gevallen bij Maartje Roelofsen van het bemiddelingsbureau.

Hij luisterde geïnteresseerd en hij scheen er een ogenblik zijn eigen narigheden door op de achtergrond te kunnen dringen.

„En nu?" vroeg hij.

„Even freewheelen," zei ze. „Ik ben gelukkig al over de ergste schok heen. Ik was ook wel verwend door dat vaste werk. Als je free-lance werkt moet je er gewoon mee rekenen dat je zo af en toe zonder zit. Ik krijg wel weer wat. Er zijn altijd oudere mensen, die na een ziekte of een ongeluk ergens weer helemaal op hun verhaal moeten komen. Voor zulke mensen heb ik een advertentie gezet. Ik neem dan zo'n patiënt in huis. Dat is wel wat onvrij, maar het betaalt goed en daar gaat het me om met twee studerende kinderen. Nee, ik kom er wel uit."

Ze glimlachte hem toe.

„Ik had u iets aardigs en bemoedigends willen zeggen en nu zit ik u over mijn eigen perikelen te vertellen."

„Het leidt even af," zei hij. „U zult zich nog wel herinneren dat dat het beste is wat je gebeuren kan."

Hij keek op zijn horloge en stond op.

„Mag ik u als ik weer in Boston ben, zo af en toe eens bellen om u te vragen hoe u vindt dat het met mijn ouders gaat? Zelf zullen ze me namelijk altijd verzekeren dat het uitstekend gaat, maar ik hoor het graag bevestigd door een ander."

„U kunt me altijd bellen," zei ze. „Ik zorg dat ik op de hoogte blijf."

Diezelfde avond kreeg ze een telefoontje van Jaap Schilder.

„Ik geloof dat ik nu iets voor je heb," zei hij. „Je moet zelf maar zien wat je ermee doet, als je de mensen maar helpt. Het gaat om een bejaard echtpaar, hij heeft een poosje geleden zijn enkel gebroken en zij zit sinds enkele dagen met haar pols in het gips. Ze hebben echt niet genoeg aan alleen huishoudelijke hulp. Het beste zou zijn, als je ze allebei een poosje in huis zou kunnen nemen. Denk je, dat je wel een echtpaar zou kunnen hebben? Wat ruimte betreft, bedoel ik."

„Vast wel," antwoordde Til meteen vlot. Ze had immers niet voor niets de meubelen van grootvader bewaard. Ze kon een zitkamer van haar slaapkamer maken en op Rikkie's kamer konden makkelijk twee bedden staan. Rikkie kon zolang het kamertje beneden nemen, waar nu gewassen en gestreken werd. Het was de ruimte, die het huis van grootvader vroeger met het hunne verbonden had. Ze had de toegangsdeur dichtgemaakt, toen ze het huis had verhuurd.

„Overleg maar met hen, ik zal je hun adres geven," zei Jaap. „Ze zullen wel blij zijn met je komst, want ze zitten gewoon omhoog."

Mevrouw Damsteeg deed haar zelf open, toen ze op het opgegeven adres aanbelde. Ze was een tengere dame met spierwit haar, Til schatte haar midden zeventig.

„U bent mevrouw Van Voorst," begroette ze Til.

„Wat ben ik blij, dat u er bent, want zo kan het niet langer. Over zes weken kan het gips er bij mij weer af, zou u ons zolang kunnen hebben? Dat lijkt me gewoon het eenvoudigste. Mijn man is gewend helemaal verzorgd te worden en nu hij met die gebroken enkel haast niet lopen kan, kan hij zelf helemaal niets meer doen. Het is gewoon gevaarlijk, als hij 's nachts zijn bed uit moet. Ik kan wel doen alsof ik hem kan vasthouden, als hij uitglijdt, maar ik kan hem niet houden, ik voel me zo onhandig met dat zware gips. Ik ben gewoon bang. Ja, we zijn wel een mooi stel samen met die gipsklompen. Het zou geweldig zijn, als u ons door deze tijd heen zou willen helpen. Dokter Schilder dacht dat u er wel raad op zou weten."

En Til wist raad. In minder dan geen tijd had het verhuisbedrijf waar Ewout geregeld klusjes opknapte, de meubelen van de kamers verplaatst. Diezelfde dag was het echtpaar Damsteeg bij Til onder dak, moe en tevreden. Het is of ik hier met vakantie ben, zei mevrouw.

Meneer was inderdaad iemand, die verzorging behoefde. Hij was al slecht ter been geweest voor hij zijn enkel brak, hij zou in de toekomst een heupoperatie moeten ondergaan.

Til dacht beschaamd aan de zorgen, die ze zich had gemaakt over haar inkomen. Zolang ze het echtpaar Damsteeg in huis had, zou er meer binnenkomen dan ooit het geval was geweest toen ze voor het bemiddelingsbureau werkte. Ze had nu wel dag en nacht de zorg voor twee mensen, maar mevrouw Damsteeg was een zelfstandig type, dat niet gauw hulp inriep, als het niet nodig was. Het leek haar toe dat ze geboft had.

Een nadeel was, dat ze Ewouts kamer niet vrij had kunnen houden.

Als hij nu thuiskwam zouden er noodvoorzieningen getroffen moeten worden. Maar ze wist, dat hij begreep dat het niet anders kon. En als hij kwam, kon hij immers in zijn eigen kamer slapen, zij ging dan naar beneden op de bank in de zitkamer. Als Léonie meekwam, kon ze bij Rikkie op de kamer.

Ewout kwam zomaar midden in de week aanzetten, ze zag meteen aan zijn gezicht, dat hij iets op zijn hart had.

Ze vroeg hem er niet naar. Uit ervaring wist ze dat hij het makkelijkst praatte, als hij zelf begon.

Heel erg ernstig was zijn probleem niet, veronderstelde ze, hij deed zo enthousiast over haar twee nieuwe patiënten. Zolang hij nog zo blij kon zijn over opgeloste problemen van haar, zouden zijn eigen moeilijkheden wel meevallen.

„Mam," zei hij bij het tweede kopje thee ineens, „Léonie's ouders willen u een bezoek brengen. Ik geloof dat ze een beetje bakzeil halen. Léonie heeft hen eigenlijk voor het blok gezet. We willen gaan samenwonen. We willen dat niet zomaar, van de ene dag op de andere, maar we willen ons officieel verloven. En dan trek ik bij Léonie in. Zoals u weet ben ik mijn kamer kwijt, die was immers maar voor tijdelijk. Ik zit nu in een klein hokje dat ik ook weer tijdelijk heb kunnen krijgen."

Til roerde nadenkend in haar thee, het leek haar ineens nog maar zo kort geleden dat hij in de wieg lag en dat ze samen met Joost naar hem had staan kijken en dat ze gezegd had: „Je kunt je haast niet voorstellen dat zoiets kleins later een volwassen mens wordt."

En nu, amper negentien jaar later, wilde hij al zo'n belangrijk besluit nemen.

Wat zou Joost tegen hem hebben gezegd, vroeg ze zich af. Ze kon er zich geen voorstelling van maken, want toen Joost leefde, speelde dit nog niet voor hen, toen waren het ook andere tijden. Toen zij zich verloofden kwam samenwonen niet voor als algemeen aanvaard.

Ze bleef in haar thee roeren, toen ze hem vroeg: „Als je nu een heel mooie kamer kon krijgen, met alles erop en eraan, of een vrij flatje, zoals Léonie, zouden jullie dan ook zo gauw gaan samenwonen?"

Hij knikte resoluut van ja.

„U denkt dat de woningnood ons naar elkaar toedrijft, maar dat is niet zo. We zijn zeker van elkaar, mam, echt waar. We willen maar niet zo bij elkaar in bed stappen, we willen dat met een soort ceremonie, met een verloving, we willen dat de mensen weten dat we bij elkaar horen."

„Heb je al enig idee wat Léonie's ouders hiervan zullen zeggen?"

„Léonie's oudere zuster heeft het ook zo gedaan," antwoordde hij.

„Haar ouders hebben alleen wat moeite om mij te accepteren."

„En het geloof? Vormt dat geen struikelblok meer?"

Er verscheen een koppige trek op zijn gezicht.

„Daar komen we samen uit, mam, begint u daar nu alstublieft niet over. We hebben aan de tegenstand van Léonie's ouders genoeg."

Toen vermande Til zich.

„Ik weet dat jullie die zaak allebei heel serieus nemen, daar wil ik het niet over hebben. Ik wil jullie alleen vertellen, dat ik faliekant tegen jullie plan ben om samen te gaan wonen. Ik begrijp niet hoe je het in je hoofd krijgt. Dat jullie je willen verloven, kan ik me begrijpen, als je zo zeker van elkaar bent als je zegt, maar ga dan na verloop van enige tijd trouwen. Ik neem aan dat

Léonie's ouders daar niets op tegen zullen hebben, als ze goedvinden, dat jullie gaan verloven."

„Maar ik ben nog niet eens twintig," bracht Ewout hier ineens weer kleintjes tegenin. „Dat is toch veel te jong om te trouwen."

„Ik vind je altijd te jong om samen te wonen," antwoordde Til beslist, „gewoonweg om het feit dat ik tegen samenwonen ben. En in je hart denk je er zelf ook zo over, zo heb je dat thuis tenminste geleerd."

Ze zeiden beiden lange tijd niets.

Ik heb het natuurlijk niet goed aangepakt, dacht Til, Joost zou het anders hebben gedaan.

„Ik zal Léonie's ouders natuurlijk graag ontvangen," zei ze ten slotte na een lange stilte.

Ze kwamen 's middags om één uur, toen Til bij het echtpaar Damsteeg de overgordijnen van de slaapkamer dichtdeed voor een middagslaapje. Om drie uur zou ze haar patiënten wekken voor een kopje thee. Zo waren ze dat al bij haar gewend.

Til moest aan Ewouts woorden denken, toen ze Léonie's ouders zag, een welgestelde boer en boerin, zo zagen ze er inderdaad uit. Ze waren allebei dik en klein van stuk, middelblond haar en glimmende rode wangen. Mevrouw Van Cossel was net zo groot als Léonie en meneer stak hoogstens een half hoofd boven haar uit. Ze leken een beetje op elkaar.

„Zo, prettig met u kennis te maken," zei mevrouw Van Cossel, toen ze Til de hand drukte.

Meneer zei: „Het werd de hoogste tijd, dat het er eens van kwam. De jongelui hebben snode plannen, vindt u niet? Ze willen zich gaan verloven."

„Inderdaad," beaamde Til, „en al zo gauw."

„Ik hoor dat u ook niet helemaal zonder bedenkingen bent," merkte hij op.

„Och Albert, laten we het daar nu niet over hebben," vond zijn vrouw voorzichtig, „mevrouw Van Voorst kan er immers ook niets aan doen."

„Dat is waar," beaamde Albert, „maar ik heb hun wel gezegd dat ze het samen niet makkelijk zullen krijgen. Dat is mijn plicht, vindt u niet?"

Er verzette zich iets in Til tegen de uitspraak van deze parmantige man. Waarom was hij er zo van overtuigd dat haar jongen het moeilijk zou krijgen met Léonie? Maar dat kon ze hem niet zeggen, ze moest vriendelijk en aardig zijn, net als Léonie's moeder, dat leek haar beter voor Ewout.

Ze zei, terwijl ze charmant naar Albert opkeek. „Als mensen moeilijkheden voorspellen, hebben ze het bijna altijd bij het rechte eind, gelooft u zelf niet? Een leven is zelden zonder problemen en natuurlijk worden die Ewout en Léonie ook niet bespaard."

„Kijk, dat vind ik nu ook," viel Léonie's moeder haar bij. „Wij hebben de jongelui gewaarschuwd en dat zult u waarschijnlijk ook hebben gedaan, en daarmee is onze taak af."

„De dames zijn het gelukkig helemaal met elkaar eens," zei Albert, terwijl hij Tils charmante blik met een vriendelijke glimlach beantwoordde.

„Clementine, kind, vertel jij dan eens aan mevrouw Van Voorst hoe je je de verloving van de jongelui had voorgesteld. En als we dan eens begonnen met elkaar te tutoyeren? Dat maakt het allemaal nog wat gezelliger, vindt u niet?"

„We dachten het maar gewoon te doen zoals bij onze andere dochters," begon Clementine, „heel eenvoudig een receptie bij ons thuis. Wat drankjes en daarbij hapjes; die onze juffie zelf klaarmaakt. Ze is daar een kunstenares in, niet Albert?"

Albert beaamde dit, terwijl hij zijn zakdoek te voorschijn haalde waarmee hij zijn glimmende voorhoofd afveegde.

Til begon ineens te geloven dat ze ook tegen dit bezoek hadden opgezien, net als zij. Het was alsof ze haar daardoor naderkwamen.

„Daarna," vervolgde Clementine, „schuiven de jongeren langzaam naar de keuken, waar ze koffie krijgen, voor de ouderen wordt dat in de salon geserveerd door Jakob. Jakob is ons factotum, hij zorgt voor de paarden en hij repareert alles wat stuk gaat, maar hij kan ook aan tafel bedienen. Die man is voor ons zijn gewicht in goud waard."

Het gesprek kabbelde voort, ontspannen en gezellig.

Til had bij de koffie warme worstenbroodjes, die luid geprezen werden; ook de warme amandelbroodjes van de beste bakker uit het dorp gingen met smaak naar binnen.

Wat zet je iemand om één uur voor, had Til zich afgevraagd. Ze wilden beslist niet komen lunchen, omdat dat haar te veel werk zou bezorgen, nu ze het zo druk had met haar beide patiënten. In de veronderstelling dat ze toch wel honger zouden hebben na de lange autotocht, had ze voor warme broodjes bij de koffie gekozen. Een drankje sloegen ze af.

„Het maakt zo moe midden op de dag en we moeten nog zo'n eind terug," zei Albert. Ze dronken een kopje thee, die Til tegen drie uur voor haar patiënten ging zetten en daarna stapten ze op.

„Ik vind dat we er een aardige collega-schoonmoeder bij hebben gekregen," complimenteerde Albert Til bij het afscheid.

Ze lachten alledrie om het grapje en ook wel een beetje van opluchting, omdat het bezoek zo goed verlopen was.

„Ik hoor natuurlijk graag welk deel van de kosten voor het feest ik voor mijn rekening mag nemen," zei Til nog.

„Het verlovingsfeestje en de bruiloft zijn helemaal voor onze rekening. Dat is in onze familie gebruikelijk, als er een dochter gaat verloven of trouwen," antwoordde Albert wat stijfjes.

Til kleurde tot achter haar oren, ze voelde zich terechtgewezen. Toen ze weg waren, dacht ze natuurlijk het langst over die terechtwijzing na en minder over de aardige dingen, die gezegd waren. Over een eventueel samenwonen van Ewout en Léonie was niet gesproken. Had ze er wél over moeten beginnen? Ze geloofde van niet, het had geen zin.

Als zij en Léonie's ouders het ergens over eens waren, dan was het wel over dit punt. Ze moest er nog eens met Ewout over praten, dat was beter. Maar of het helpen zou?

Het geluid van de rinkelende telefoon leidde haar aandacht af. Mevrouw Horsting belde op.

„Ik hoorde vandaag dat mevrouw Damsteeg een ongeluk heeft gehad en met haar man bij u in huis is. Dat is nu ook toevallig dat ze samen bij u terecht moeten komen. Ik ken mevrouw Damsteeg heel goed van de vrouwenvereniging, ziet u. Zou het schikken, als ik straks even langskom om een bloemetje te brengen?"

„Vast wel," zei Til. „Ik zal het voor alle zekerheid even gaan vragen en dan bel ik u terug."

Terwijl ze naar boven liep, kreeg ze een idee. Mevrouw Horsting had er vorige week over geklaagd, dat haar man maar de hele dag thuis zat te piekeren en nergens naartoe wilde.

„Vroeger wandelden we samen heel wat af," had ze verteld, „en als ik mijn werk in huis deed, ging hij naar de bibliotheek of naar de sociëteit, maar nu zegt hij dat overal de aardigheid voor hem af. Is het een wonder dat hij 's nachts geen oog dichtdoet en maar ligt te draaien? Hij schaakte vroeger zo graag, maar sinds we hier zijn komen wonen heeft hij daar nog niemand voor kunnen vinden. Dat is vooral nu erg jammer, want het zou misschien het enige zijn, dat hem zou afleiden."

Stel nu eens dat meneer Damsteeg schaakte, dat zou toch voor beide partijen geweldig zijn.

Haar patiënt keek eerst wat bedenkelijk, toen ze hem haar plan ontvouwde. „Ik heb ooit geschaakt," zei hij, „maar dat is jaren geleden. De man zal er niet veel aan hebben met zo'n kruk te spelen."

„Alles is beter voor hem dan niets," vond zijn vrouw, „en je doet er een goed werk mee, als je maakt dat hij een ogenblik dat verschrikkelijke ongeluk uit zijn hoofd kan zetten."

Dat ging de goede kant uit, dacht Til. Maar ze moest nu niet verder aandringen. Ze had hem op een spoor gezet, de rest moest hij zelf doen.

„Denkt u er maar eens over en bepraat het dan met mevrouw Horsting. Ze belde me zo-even op om te vragen of het gelegen komt u een bloemetje te brengen."

„Maar natuurlijk," zei mevrouw Damsteeg meteen, „wat aardig van haar. En zulke mensen kun je toch niets weigeren, zeg nou zelf, Jan."

Jan zei dat hij het nog eens in beraad zou houden, maar de volgende dag kwam meneer Horsting al bij hem schaken.

„Een reuze oplossing," verzuchtte mevrouw Damsteeg dankbaar tegen Til. „Ik wist echt niet meer wat ik de hele dag met die man van mij aan moest. Hij kan immers nog in geen weken de deur uit."

Toen Koert Horsting een paar dagen later uit Amerika opbelde om Til te vragen hoe het met zijn ouders ging, kon ze hem in ieder geval melden, dat zijn vader dagelijks bij haar patiënt op bezoek kwam en hem schaken leerde.

„Ik kan niet zeggen hoe me dat oplucht," zei Koert. „Ik had een zwaar hoofd in vader, hij was nergens meer toe te bewegen en nu heeft hij weer een beetje contact met de buitenwereld. Moeder redt zich makkelijker, ze is ook veel reëler dan vader."

„Hoe gaat het met u?" vroeg Til. „Valt het erg tegen?" Er was even een stilte aan de overkant van de lijn.

„Ja," zei hij toen, „het valt bar tegen. Maar dat had u zeker wel verwacht? U kent het immers zelf."

„Ja," zei ze en ze dacht: als je je dan verbeeldt dat je er een beetje overheen komt, val je voor je het weet weer in de diepste put. Door een onnozele kleine aanleiding soms.

„Het moet tijd hebben," zei ze, een belachelijke gemeenplaats, ze voelde het zelf, maar ze wist op deze afstand niets anders te zeggen.

„Mag ik nog eens bellen?" vroeg hij.

„Maar natuurlijk," zei ze grif, „u belt maar. U weet het, ik ben praktisch altijd thuis, nu ik hier twee patiënten heb."

Ze belde mevrouw Horsting de volgende dag over het telefoongesprek met haar zoon. „Dat hij in zijn eigen narigheid nog zo over zijn vader nadenkt," zei ze verrast, „dat zal mijn man goeddoen. Hij was altijd erg op zijn vader, weet u. Die twee hebben samen wat opgetrokken. Zei hij nog iets over Isabel? O, dat niet, dus. Zijn schoonzuster zorgt goed voor haar. Het kind, haar eigen moeder zou haar dat niet kunnen verbeteren. Weet u," zei ze en ze liet haar stem geheimzinnig een paar decibels dalen, zodat Til even moeite had om haar te verstaan doordat de telefoon kraakte, „weet u, ik vraag me weleens af of het maar niet het beste zou zijn, als hij met die Lucie trouwde. Ja, niet op stel en sprong, maar over een jaar of zo. Lucie heeft zelf geen kinderen en haar man is nu ook al een paar jaar dood. Ze is wel wat ouder dan Koert, een jaar of vijf, denk ik, maar ja, of dat nu op die leeftijd zo erg is? Zou u het ook niet een goede oplossing voor alledrie vinden?"

„Misschien wel," deed Til voorzichtig. Moeder is reëler, had Koert gezegd en daar leek het wel op.

De verlovingsreceptie vond plaats in de paasvakantie. Tils vriendin Sil viel in om voor het echtpaar Damsteeg te zorgen.

Til en Rikkie reden die ochtend vroeg weg om tegen elf uur bij de familie Van Cossel te zijn, zoals was afgesproken.

Toen ze in het dorpje waar Léonie woonde, aankwamen en een kasteel zagen oprijzen midden in het dorp en vlak bij de kerk, van het kerkplein gescheiden door een ophaalbrug over de gracht, zei Rikkie. „Vraag eerst maar eens of het hier wel is, mam. Het staat zo stom, als je bij wildvreemde mensen aankomt."

Maar Til stuurde haar overjarige Volkswagen resoluut over de ophaalbrug.

„Het is hier, Rikkie," zei ze beslist. „Ewout heeft me er een foto van laten zien. Hij zei trouwens dat het vlak bij de kerk was en dat klopt ook."

„Alle beren," mompelde Rikkie, „het zweet staat me al in mijn handen, mam, jou niet?"

„Nou en of," zei Til uit de grond van haar hart.

„En de hele week al, als je het precies wilt weten."

Mevrouw Van Cossel huppelde met kleine pasjes de trap af, toen Til voor het bordes stopte.

„Wat fijn dat jullie zo heerlijk vroeg zijn," begroette ze hen. „Ik zei vanmorgen nog tegen Albert wat jammer dat Til niet de avond van tevoren kon komen. Je weet maar nooit hoe je onderweg wordt opgehouden. En is dat nou je dochter? Heel fijn om kennis met je te maken, Rikkie. Ja, ik weet dat je eigenlijk Erica heet, maar iedereen noemt je Rikkie, zegt Ewout en daarom zullen wij dat ook maar doen. Ik hoop dat we met elkaar een heel fijne dag hebben, hartelijk welkom hoor."

De ontvangst kon niet hartelijker en vriendelijker zijn, dat moest Til toegeven.

De hal was groot, maar toch huiselijk ondanks de geschilderde portretten, die geen stukje van de muren onbedekt lieten. Albert nam na de begroeting zelf hun jassen aan en hing ze op in de aangrenzende garderobe.

„Heerlijk dat jullie zo vroeg zijn," zei Clementine weer, „nu kunnen jullie uitgebreid kennismaken met onze kinderen en hun aanhang. Kom maar mee, ze zijn allemaal in de salon, Ewout en

Léonie zijn er natuurlijk ook. Ze zullen zo blij zijn jullie te zien."
„Dag, mam," zei Ewout, hij kwam als eerste op hen toe in de
salon, die hij haar beschreven had, toen hij door zijn aanstaande schoonouders onder handen was genomen. De salon was
niet huiselijk, ondanks de acht kinderen met hun partners en
kinderen en een huilende baby in een wieg, want de salon was
een zaal met levensgrote schilderijen en gobelins aan de wand,
gestucadoorde vergulde engeltjes aan het plafond en een
immens grote schouw waar je in staan kon en waar enorme
houtblokken in brandden. De diverse bankstellen waren waarschijnlijk met het oog op de receptie wat aan de kant geschoven. De vloer was van glimmend parket, voor het grootste
gedeelte bedekt met tapijten.
„Willen jullie even de rest van het huis zien?" vroeg Albert, toen
Til en Rikkie de vele handen en handjes geschud hadden.
Na de salon maakte de keuken de meeste indruk op Til. Hij was
enorm groot met een koepelvormige raampartij waardoor een
schitterend uitzicht op de omliggende landerijen ontstond. Het
vertrek was zo modern ingericht als een keuken maar zijn kon,
uitgerust met spierwitte meubelen en alle mogelijke apparatuur.
In het midden stond een tafel, die plaats bood aan minstens vijfentwintig personen.
„We hebben dit zo laten maken, omdat het praktisch is," lichtte
Albert toe.
„Zo kunnen we met ons allen een hapje in de keuken eten. Als
er niets bijzonders is, eten we hier trouwens altijd, dan blijft de
eetkamer schoon en dat spaart weer werk. We moeten in huis al
even efficiënt zijn als in ons bedrijf. Het is de enige manier om
zo'n gebouw te bewonen. Het is nu vierhonderd jaar in de familie en dat legt ons de verplichting op het vol te houden. Gelukkig
voelt onze zoon Walter ook veel voor traditie en hij is boer met
hart en ziel."
Toen later de receptie begon en ze daar met Rikkie naast het
verloofde paar stond, leek het Til of Ewout hier verdwaald was
en toch was hij een van de hoofdpersonen van de feestelijke
gebeurtenis.
Er dromden steeds meer mensen naar binnen, ze werden door
de grote zaal als nietige stofjes opgenomen. Til voelde 's avonds

aan de pijn in haar rechterhand dat er veel belangstelling was geweest.

Ze waren wat stil op de terugweg, Rikkie en zij. Til liet de gebeurtenissen van de dag aan zich voorbijgaan.

Vlak voor ze weggingen had Ewout haar verteld, dat hij een nieuwe kamer had gevonden. Zou het plan om te gaan samenwonen van de baan zijn? Ze hoopte het maar.

„Het was net een film, mam," stoorde Rikkie haar in haar overpeinzingen. „Ik vond Ewout een van de beste acteurs, u niet? Hij stond er zo huiselijk bij."

Til glimlachte.

„Je hebt gelijk," zei ze, „het had inderdaad iets van een film."

Later keek ze nog lang naar Joosts foto, die in de huiskamer op het dressoir stond. Hij werd er in haar ogen steeds jonger op, het was haar nu of Ewout haar uit de omlijsting aankeek, terwijl ze nooit gevonden had dat hij op zijn vader leek.

HOOFDSTUK 7

Til had veel steun aan mevrouw Horsting. Ze vroeg mevrouw Damsteeg dikwijls op een kopje koffie of vroeg haar mee om boodschappen te doen, als de mannen schaakten.

Mevrouw Horsting drong er nogal eens op aan, dat Til er even tussenuit ging, zij zorgde dan dat haar patiënten niets tekortkwamen.

Meneer Horsting kwam bijna iedere dag meneer Damsteeg opzoeken, een tegenbezoek hadden ze uitgesteld tot meneer Damsteegs voet over enkele weken uit het gips mocht.

Op een ochtend, toen ze elkaar op de trap ontmoetten, zei mevrouw Horsting tegen Til: „Onze zoon is gisteren plotseling uit Amerika teruggekomen. Hij moet een week lang op het hoofdkantoor in Amsterdam werken en hij komt 's avonds naar ons toe. Het gaat helemaal niet goed met hem, hij ziet er zo slecht uit. Ik ben bang dat die jongen 's nachts geen oog dichtdoet. Hij is ook zo opstandig!" zei ze hoofdschuddend. „Hij vraagt zich maar steeds af, waarom het hem allemaal moet treffen, maar daar krijgt hij immers toch nooit antwoord op. Hij heeft het te goed gehad, kind, hij heeft nooit ook maar met een zweempje tegenslag te maken gehad. Alles lukte hem, na een onbezorgde jeugd, een goed huwelijk, gezonde kinderen, een uitstekende baan, noem maar op, kreeg hij alles zoals het in het boekje staat en dan ineens alles weg. Hij kan het niet verwerken."

„Bijna alles," verbeterde Til, „hij heeft Isabel toch nog, én zijn ouders, niet te vergeten."

Mevrouw Horsting zei mistroostig: „Dat telt hij allemaal niet, hij denkt alleen aan wat hij niet meer heeft. Ik geloof, dat hij naar dat kind nooit omkijkt, weet u dat?" zei ze toen op bijna fluisterende toon, ze keek om zich heen alsof ze bang was dat iemand anders haar woorden had gehoord.

„Och, zou dat echt waar zijn?" vroeg Til. „Dat kan toch haast niet, het lijkt misschien maar zo."

„Ik hoop het," verzuchtte mevrouw Horsting, „we moeten maar afwachten."

Een paar dagen later stond Koert bij haar op de stoep.

„Mag ik even binnenkomen?" vroeg hij.

Toen hij tegenover haar zat, zag Til zelfs bij het licht van de kleine schemerlampen dat zijn moeder gelijk had, hij zag er inderdaad slecht uit. Hij was mager geworden en er lag een geërgerde, of was het een ontevreden, trek op zijn gezicht.

„Ik hoorde tot mijn genoegen dat u erin geslaagd bent patiënten te krijgen," begon hij, „en eigenlijk profiteren mijn ouders hier ook van. De beide echtparen halen elkaar, als het ware, uit het isolement. Ik ben daar erg blij om, dat begrijpt u."

„Dat kan ik me voorstellen," knikte Til, „ik vind het ook fijn dat ze elkaar een beetje opvangen. Er komt nog wel meer bezoek bij de familie Damsteeg, maar dat is toch incidenteel, en de schaakuurtjes van de heren, zijn vast. Ze kijken er allebei naar uit, dat kun je zo echt merken."

„Och ja," zei hij, „de oude lui komen wel over het verlies heen, gelukkig. Ze hebben hun kleinkinderen niet dikwijls bij zich gehad, omdat ze zo ver weg zaten, dat scheelt natuurlijk."

Hij zegt het alsof hij het hun misgunt, dat ze wat afleiding hebben, dacht ze.

„En hoe gaat het met uzelf?" vroeg ze. Hij haalde zijn schouders op.

„Wat zal ik ervan zeggen," zei hij.

„En met het kleintje?"

„Iedereen maakt het goed," zei hij toen lichtelijk agressief. „Mijn ouders, mijn dochter en niet te vergeten, mijn schoonzuster. Ik heb haar jarenlang bij wijze van spreken, met haar hoofd in de schoot zien zitten. Vanaf de dag, dat haar man overleed. Maar sinds ze bij mij in huis is en voor de baby zorgt, zingt ze het hoogste lied. Weet u, dat ik dat niet kan uitstaan? Ik kan haar wel op haar hersens timmeren, als ik haar hoor zingen en tegen de baby hoor brabbelen...

En als ze da... enfin, laat ik maar zwijgen, het is allemaal abnormaal van me, ik moest overborrelen van dankbaarheid, omdat ze zo goed voor mijn kind zorgt. En wat nog veel erger is, ik haat dat kind soms ook. Ik haat het enige wat me overgebleven is, hoort u dat?"

Hij sloot zijn ogen en hamerde een paar maal met zijn vuist op zijn voorhoofd.

„Ik vind u helemaal niet abnormaal, ik kan het me best begrijpen," zei Til toen. „Weet u, het hoort er allemaal bij."

Hij haalde zijn hand van zijn voorhoofd en keek haar aan.

„Nee," zei hij „Je meent het niet! Had jij dat dan ook. Wie haatte je dan?"

Het ontging haar niet dat hij haar plotseling tutoyeerde.

„Wie ik haatte," zei ze nadenkend, „ik geloof, de hele wereld. Maar ik haatte vooral echtparen. En niet alleen mensen, die bij elkaar hoorden, maar ook dieren. Ik draaide mijn hoofd om, als ik bijvoorbeeld twee zwanen in de vijver gezellig samen rond zag zwemmen. Zwanen blijven hun hele leven bij elkaar, zeggen ze. Maar dat gaat allemaal over," probeerde ze hem gerust te stellen, „op een dag zie je in dat niet iedereen zijn partner kan doodslaan, omdat jij er geen meer hebt. Echt, dat komt ongemerkt, op een dag voel je dat je het weer aankunt. Ik heb pas de verloving van mijn zoon meegemaakt, bij zijn meisje thuis. Haar ouders stonden samen met hun kinderen gelukwensen in ontvangst te nemen en ik stond daar alleen met mijn dochter. Ik dacht er wel even aan en ik voelde me ook wel een beetje kaaltjes, maar ik was toch blij dat mijn dochter naast me stond. Zo gaat dat, ineens kun je weer blij zijn met wat je wel hebt."

Hij keek haar onderzoekend en weinig vriendelijk aan, toen staarde hij voor zich uit. „Misschien dat het ooit anders wordt," zei hij, „maar ik kan het me nu nog niet voorstellen."

Hij zweeg een poosje en toen vervolgde hij: „Ik kwam hier natuurlijk bij u om over mijn ouders te praten, maar ik kwam ook nog voor iets anders. Mag ik u vragen of u weer nieuwe patiënten in het zicht hebt als het echtpaar Damsteeg naar huis gaat?"

„Nee," zei ze, „ik kan moeilijk gaan werven zolang zij nog niet beter zijn. Eerst gaat het gips bij meneer eraf en een paar weken later wordt het bij mevrouw van haar pols gehaald. Dan kan de dokter zo ongeveer zeggen wanneer ze weer voor haar eigen huishouding kan zorgen. Op dat moment kan ik pas naar ander werk uitkijken. Misschien duurt het even, voor ik iemand krijg, maar dat is niet erg, dan kan ik even uitblazen. Dit is natuurlijk een hele drukte, twee patiënten geven veel werk."

„Zou u wel ander werk willen hebben," vroeg hij toen. „Geen zieke mensen, bijvoorbeeld."

Ze lachte.

„Gezonde mensen hebben me niet nodig, ik ben te duur voor gezelschapsdame."

„Ik dacht niet aan volwassenen, ik dacht aan kinderen, met name aan één kind, aan het mijne. Ik weet, dat u niet goedkoop bent, ik weet wat een patiënt u per dag betaalt: dat heeft mijn moeder me verteld. De prijs zou voor mij geen bezwaar zijn. De zaak is als volgt: ik kan mijn schoonzuster niet veel langer in huis houden. Ik weet dat ze zich illusies maakt, die ik nooit kan honoreren. Ik wil niet hertrouwen en zeker niet met haar en al helemaal niet om het kind. Ik ben dus verplicht voor het kind naar een andere oplossing uit te zien en daarom had ik aan u gedacht."

Til sloeg haar armen over elkaar en keek hem vol aan.

„Ik weet niet of ik dat wel doe," zei ze. „Daar moet ik eerst eens heel erg over nadenken. Zo'n kind zou mijn leven radicaal veranderen, het is niet te vergelijken met het werk dat ik nu doe."

„Het is werk dat u gewend bent, u hebt toch twee kinderen opgevoed?"

Ze snoof laatdunkend.

„Ja, honderd jaar geleden," zei ze, „en nu is alles anders."

„Och wat! Als u het doet zoals u het vroeger hebt gedaan, ben ik tevreden. Uw zoon ken ik niet, maar u hebt een aardige dochter."

„Nou ja, ik ben met u eens, dat dat nog wel zou gaan. Je doet in zo'n geval gewoon wat je hart je ingeeft en dan lukt het meestal ook wel. Maar iets anders is, dat je je toch aan zo'n kind gaat hechten en dat is natuurlijk fout. Dat kind hoort bij u en u zit dan in Amerika, als ik het goed begrijp."

„Inderdaad, daar heb ik mijn werk."

„Er zit voor mij een groot risico in," vond ze, „als ik er eenmaal aan begin, zit ik eraan vast. Ik vind dat u op het ogenblik niet in staat bent beslissingen voor lange tijd te nemen. U kunt bij wijze van spreken morgen vertrekken en nooit meer terugkomen en dan zal ik me verplicht voelen voor het kind te blijven zorgen tot het volwassen is. U kunt ook weer hertrouwen en het kind niet bij u willen hebben en dan kunt u me die enorme som misschien niet meer betalen en ik kan geen patiënten in huis nemen, omdat ik voor het kind moet zorgen. Ik noem maar een paar mogelijkheden op. U moet het eerst met uzelf weer eens worden en als u zover bent, zult u het kind niet meer willen missen. Zij hier en u in Amerika, dat zal u dan het verschrikkelijkste lijken dat er bestaat."

Hij keek strak naar de grond.

„Over het geld hoeft u zich nooit zorgen te maken," zei hij, „ik kan zoveel vooruit betalen, als u maar wilt. Laten we zeggen dat ik u ieder jaar een jaar vooruit betaal. Vroeger had ik een goed salaris, maar mijn mogelijkheden waren beperkt. Dit kon ik niet, dat weer wel. Na dat ongeluk is er geld uitgekeerd.

Het ligt voor de hand dat ik dat voor de opvoeding van Isabel gebruik. U zult dus nooit bang hoeven te zijn dat u uw geld niet krijgt. U moet toch enigszins kunnen begrijpen dat het voor mij een onhoudbare toestand is mijn schoonzuster in huis te hebben," zei hij toen met klem. „Ik verkeer toch in een soort noodsituatie! Ik kan toch zomaar geen wildvreemde in huis halen, als ik mijn schoonzuster wegstuur? Als Isabel hier mag komen, is ze goed verzorgd en nog dicht bij haar grootouders ook. Doet u het dan, laten we zeggen voor een jaar. Doet u het alstublieft, ik smeek het u."

Til stond op. „Ik wil er nog over nadenken," zei ze, „maar u moet er niet op rekenen. Uw moeder zei, dat u deze week nog in het land bleef. Welnu, aan het eind van de week zal ik het u zeggen."

„Kan het niet eerder?" vroeg hij. „Ik heb anders helemaal geen tijd meer om andere maatregelen te treffen."

„Dat is waar," gaf ze toe, „laten we zeggen dat u het overmorgen van me hoort."

Toen hij de deur uit was, wist ze wat haar antwoord zou zijn, ze deed het niet. Ze begon er gewoon niet aan, zo'n klein kind zou haar leven te ingrijpend veranderen.

Diezelfde avond werd ze opgebeld door een zekere mevrouw Tromp.

„Mevrouw Van Voorst," begon ze, „ik heb van een kennis uw adres gekregen en die had het weer van mevrouw Damsteeg. Ik weet dat u nu om het zomaar te zeggen 'vol' zit en dat u mij er op het ogenblik niet bij kunt hebben, maar zou ik bij u op de wachtlijst mogen om te zijner tijd de plaats van het echtpaar Damsteeg in te nemen? Ik hoorde dat u eigenlijk het liefst een dame alleen hebt."

Nieuwe patiënten door recommandatie, dacht Til verheugd. Wat enig! Wat was ze toch dom geweest om zo in de put te zitten, toen Maartje Roelofsen haar die kool stoofde. Het leek wel of het werk haar als gebraden ganzen in de mond vloog. Nou ja, schroefde ze onmiddellijk bescheiden haar optimisme terug, ze had mevrouw Tromp nog niet. Ze moest maar niet te vroeg juichen.

„Voor we verder iets afspraken, moet ik u eerst een vraag stellen," zei ze zakelijk, „bent u op de hoogte van de kosten?"

„Ja hoor," klonk meteen het opgewekte antwoord. „U vraagt net zoveel als in een bejaardentehuis en daar moet ik het toch ook zelf betalen. Wilt u niet eens bij me komen praten?"

Til maakte een afspraak voor de volgende dag, als de heren schaakten en mevrouw Damsteeg met mevrouw Horsting ging winkelen. Ze trof mevrouw Tromp aan in een huis met hoge grote kamers en gangen. Het was er koud en het rook er naar vocht.

„Ik heb al jaren last van reuma," vertelde ze, toen ze in een goed gemeubileerde maar sombere kamer tegenover elkaar zaten, „maar het is het laatste jaar veel erger geworden. Ik zal u maar precies vertellen hoe het is: ik heb me laten inschrijven bij een bejaardentehuis, toen ik mijn handen al bijna niet meer kon bewegen. Toen is er iemand van de indicatiecommissie geweest, die me vertelde dat ik misschien niet eens meer voor een bejaardentehuis in aanmerking kom. Ik zit nu al meer dan een halfjaar op bericht te wachten."

Til keek naar de stijve vingers met de dikke knobbels. Behalve dat zag ze er eigenlijk nog wel goed uit.

„En hoe gaat het er nu mee?" vroeg ze. „Heeft u veel pijn?"

„Het gaat me slecht," antwoordde ze met een van pijn vertrokken glimlach, „en ik heb veel pijn, ja."

„Zit u altijd zo in de kou?" vroeg Til om zich heen kijkend.

„Anders niet, maar deze winter heeft de verwarming het heel slecht gedaan, nog slechter dan vorig jaar. Eigenlijk moet er een nieuwe ketel komen, maar omdat ik me nu toch had laten inschrijven, vond ik het wat zonde die verwarming nog te laten repareren."

„O juist," zei Til. Ze dacht: wat heeft ze eraan of ik hier nu, 'o foei toch' zit te roepen. Het was allemaal gebeurd en het was niet meer terug te draaien.

Mevrouw Tromp moest geholpen worden, dat was duidelijk.

„Wat zegt de huisarts ervan?" informeerde ze verder.

„Ik heb geen huisarts meer. Dokter Dassen is vertrokken, zoals u misschien weet en met zijn opvolger dokter Fraas, kan ik niet opschieten, hij is me te jong. Hij zegt bij iedere klacht: dat komt omdat u een dagje ouder wordt, mevrouw Tromp. Alsof ik dat niet weet! Aan zulke praatjes heb ik niets, ik heb hem dan ook weggestuurd."

„Mag ik mijn huisarts dokter Schilder vragen of hij u een keertje wil bezoeken? Ik ken hem heel goed, ik ben nog met hem op school geweest. Hij zal u zeker bevallen. Als u bij mij thuis komt, wordt hij automatisch uw huisarts."

„Als u het zegt, zal het wel goed zijn," zei mevrouw Tromp volgzaam.

„Stuurt u hem maar. En kunnen we dan nu afspreken, dat ik bij u kom?"

„Eerst komt dokter Schilder nog even bij u praten en dan nemen we een beslissing. Hij komt zo gauw mogelijk en dan hoort u weer zo gauw mogelijk van mij."

Bij de deur zei Til nog: „Heeft u een elektrisch kacheltje? Ja? Zet u dat dan op het kleinste kamertje dat u heeft en gaat u er dicht bij zitten. Kou is heel slecht voor uw kwaal, maar dat weet u misschien zelf ook wel."

Mevrouw Tromp knikte bevestigend.

„Ik weet het, mevrouw Van Voorst. Mijn zoon, die in Japan woont schrijft me ook steeds: 'moeder, zorg dat je het warm genoeg hebt, kou is zo slecht voor je'. Maar ja, ik verwachtte immers iedere dag bericht van het bejaardentehuis, dat begrijpt u."

Jaap Schilder belde de volgende dag al op en vertelde dat hij mevrouw Tromp een bezoek had gebracht.

„Je kunt haar te zijner tijd rustig in huis nemen, Til," zei hij. „Ze is nog goed ter been, het zijn hoofdzakelijk haar handen, die de dienst gaan weigeren. Ze kan ze nauwelijks bewegen, op het ogenblik. Maar ze zit ook allang in de kou heb ik begrepen. Ik denk dat jij haar met baden en massage nog wel wat kunt oplappen. Ze heeft zichzelf een beetje verwaarloosd. Er is nog best eer aan haar te behalen voor je. Ze heeft maatregelen genomen om haar huis te verkopen. Ik geloof dat haar zoon uit Japan overkomt om dat definitief te regelen, als er een koper gevonden is."

Til wreef in haar handen, ze had voor maanden werk in het vooruitzicht. Wat een gerust idee.

Ze vertelde het verhaal 's avonds aan tafel aan Rikkie. Ze vermeldde terloops ook dat Koert Horsting haar gevraagd had voor de baby te zorgen, maar dat ze daarvoor zou bedanken.

„Hè ma, toch," deed Rikkie teleurgesteld, „had je nu niet veel liever zo'n klein kind gehad dan zo'n oude dame."

„Nee en ja," zei Til toen. „Oude dames verplegen is mijn werk en daarvoor kan ik veel geld aannemen en dat geld heb ik nodig om van te leven, maar om me voor zo'n klein kind zo zwaar te laten betalen, vind ik bloedgeld. Voor niets of voor een redelijk bedrag kan ik het niet doen, omdat ik voor veel geld een oude dame kan nemen. Voor allebei zou ik geen plaats en geen tijd hebben."

Rikkie keek nadenkend voor zich uit.

„U hebt natuurlijk gelijk," zei ze toen, „maar toch vind ik het sneu voor Koert. En ik vind het zelf ook jammer, ik vind het zo'n leuk kind, die Isabel."

„Het zou pas sneu voor hem zijn, als ik het wel deed, terwijl hij daar in zijn eentje in Boston zit te kniezen," zei Til snibbig. „Er is volgens mij maar één oplossing, een verzorgster of voor mijn part een verpleegster in huis nemen, die voor het kind zorgt, dan kan hij er in zijn vrije tijd mee optrekken. Dat zal hem goeddoen."

„Een verpleegster, mam?" grinnikte Rikkie, „die vragen toch immers bloedgeld? Of kan dat in Amerika wel?"

Til haalde geërgerd haar schouders op.

„Dacht je dat ik het allemaal zo leuk vond? Hij komt vanavond het antwoord halen, ik zie ertegenop als een dief tegen het hangen, ik wou dat ik maar meteen nee had gezegd."

Toen ze hem die avond binnenliet, zag ze direct dat er iets in zijn houding veranderd was. Hij had nu iets gelatens over zich, het was of de scherpe kantjes van zijn gram wat afgesleten waren.

„Ik neem aan dat uw antwoord negatief is," zei hij voor ze nog iets had kunnen zeggen. „Ik heb daar de afgelopen dagen al mee gerekend. Het was van belang, omdat er voor mij plotseling heel veel veranderd is. Eerst hoorde ik van mijn benoeming als mededirecteur op het hoofdkantoor in Amsterdam. Dat was positief en ik moet zeggen dat ik dat, tot mijn verwondering, ook als zodanig heb ervaren. Ik dacht namelijk dat niets me meer blij kon maken. Waarschijnlijk om dat voordeel weg te werken kwam de uitslag van mijn medische bedrijfskeuring. Er mankeert van alles aan: te lage bloeddruk, hartritmestoornissen en een maagzweer. Ik moet eerst op de helling voor ik in Amsterdam kan beginnen. Het advies luidt: mijn verlof opnemen dat ik nog tegoed heb en mijn verstand op nul zetten, u kent dat wel," eindigde hij zijn verhaal.

Ze knikte schuldig.

„Het spijt me zo dat ik u niet helpen kan," zei ze, „maar mijn eigen werk zou er helemaal door in het honderd lopen. Ik heb weer een nieuwe patiënte, ze komt als meneer en mevrouw Damsteeg weg zijn."

Zo, dat was eruit, gelukkig maar.

„Hoeft u nu niet meer naar Boston terug?" informeerde ze toen. „Dat wel, ik moet mijn werk daar overdragen en dat neemt enkele maanden in beslag. Zo lang moet mijn gezondheid het nog uithouden. Eén november moet ik in Amsterdam beginnen, dan is mijn verlof om. Ik hoop dat ik er tegen die tijd weer bovenop ben. Ik heb medicijnen voor die maagzweer. Ze schijnen bij iedereen gauw te helpen, ik hoop dat het bij mij ook het geval is. En dan heb ik iets gekregen om te slapen. Ik heb me voorgenomen om dat als ik weer werk, alleen in de weekends te gebruiken, hoewel ze zeggen dat het weinig nevenwerkingen heeft."

„Tja," zei Til, ze zat hier tegenover een geblutste en geslagen man, er welde ineens een verlangen in haar op hem toch op de een of andere manier te helpen. Kwam dat nu alleen maar omdat ze zich met zieken en herstellenden in haar element voelde? Ze wist het niet en ze dacht er op dat moment ook niet verder over na.

„Misschien maakt het idee dat u niet in Amerika hoeft te blijven alles een beetje makkelijker," opperde ze.

Hij keek voor zich uit, naar een onbestemd punt in de verte.

„Dat zal zeker zo zijn," zei hij. „Boston is voor mij vol herinneringen, die pijn doen. Ik ben heel dankbaar dat ik hier in Holland de kans krijg opnieuw te beginnen. Als ik er met mijn gezondheid tenminste weer bovenop kom. Ik heb nog nooit iets gemankeerd, ik had er helemaal geen erg in, dat er iets mis was."

„Iedereen mankeert weleens iets. Hoe doet u het nu met Isabel?" Hij haalde zijn schouders op.

„Och ja," zei hij, „die paar maanden dat ik daar nog ben, blijft alles bij het oude. Zolang houd ik het nog wel uit en voor die korte tijd loont het ook niet nog iets overhoop te halen. Mijn schoonzuster gaat weer naar haar eigen huis, als ik straks voorgoed naar Holland ga. Ik neem Isabel mee. Ze komt voorlopig bij mijn ouders, maar Schilder zegt dat dat zo niet kan blijven. Moeder is te oud voor zoveel rompslomp, zegt hij en dat is ook zo. Als ik eerst maar weer gezond ben, zie ik wel weer verder. Ik kom hier voorlopig bij hen wonen. Ik doe er hen een groot plezier mee en de afstand van hier naar Amsterdam is dagelijks best te rijden."

„Als Isabel bij uw moeder is, kan ik natuurlijk altijd hand- en spandiensten verrichten," bood ze aan.

„Heel vriendelijk van u. Ik ben blij met alles wat me aangeboden wordt."

Til kauwde even nadenkend op haar lip en toen flapte ze eruit: „Waarom zet u straks niet gewoon een advertentie voor een verzorgster voor Isabel? Ik denk dat u op de voorwaarden, die u in uw hoofd heeft, aan iedere vinger van uw hand een goede opvang voor Isabel kunt krijgen. Hier in deze plaats, bedoel ik. Dan hebt u haar straks toch in de buurt, als u in Amsterdam werkt en voor uw ouders is het veel eenvoudiger."

Hij fronste zijn voorhoofd en keek nadenkend voor zich uit.

„Ik weet eigenlijk niet waarom ik dat niet doe," zei hij toen. „Straks zal ik er misschien wel toe gedwongen worden. U wilt misschien weten waarom ik het juist aan u heb gevraagd?"

Hij keek haar aan. „Misschien wel omdat u één van de weinige vrouwen bent, die het op die voorwaarden juist niet willen."

Ze haalde licht haar schouders op, toen hij weg was. Hij moest het zelf maar uitzoeken, trachtte ze zichzelf voor te houden.

En dat zei ze later ook nog eens tegen Rikkie, toen ze vertelde hoe ze met hem gevaren was.

„Zit er toch niet zo over in, mam," vermaande ze, „het is toch je goed recht om nee te zeggen. En dat heb je gedaan en daarmee is de kous af. U hebt toch uw hand- en spandiensten aangeboden voor als Isabel straks bij haar grootmoeder is? Nou, dat is toch al wat! Ik wil ook wel een beetje helpen voorzover mijn huiswerk het toelaat. Straks, in de examenklas, zal ik wel even moeten blokken. Maar goed dat mevrouw Verhey van de kapsalon een hulp voor de hele dag neemt, nu ze een baby verwacht. Ik zou dat schoonmaken volgend jaar toch niet meer iedere ochtend kunnen volhouden."

Gelukkig maar, dacht Til. Ze had het kind erom bewonderd dat ze het zo lang had volgehouden. Iedere ochtend om zes uur opstaan, behalve zondag en maandag, het was warempel geen kleinigheid.

„Wanneer stop je daar?" vroeg ze.

„Over een maandje of zo, denk ik. Ik kan weer bij de bloemist komen voor zaterdag en woensdagmiddag. Dat doe ik voorlopig wel. En in de zomervakantie willen ze me vaker hebben."

„Heb je nog vakantieplannen?" informeerde Til.

„Als ik bij de kapsalon weg ben, zal ik weleens zien. Heel misschien gaan we met een paar lui uit de klas van de zomer naar Griekenland. Achmed en zijn meisje gaan dan ook mee."

„Hè, heeft Achmed een meisje?"

„Nou en of," vertelde Rikkie, „zij is een Perzische. Haar vader heeft die nieuwe tapijthandel in de Kerkstraat. Het is dik aan tussen die twee."

Dan was er tussen Rikkie en hem dus nooit wat geweest, concludeerde Til. Dan had Ewout toch gelijk gehad. Zij had zich daar stiekem wel zorg over gemaakt. Ze moest dat nu eens als een schoolvoorbeeld van nutteloos piekeren zien en er iets van leren.

Ze sloeg haar dochter van opzij gade, zoals ze daar naast haar op de bank de krant doorbladerde. Ze was het laatste jaar veranderd, knapper geworden. Addie en Sil hadden het ook al opgemerkt. Ze gaat veel meer op Ewout lijken, had Sil gezegd. Zou ze nog steeds 'slapen' zoals Ewout haar zo geruststellend verzekerd had, toen ze zo'n voorkeur voor Achmed aan de dag legde?

Ze was nu bijna zeventien. Toen zij zo oud was, was er al iets tussen Joost en haar geweest. Alleen haar grootvader had ervan geweten, hij was altijd haar vertrouwensman geweest. Aan wie zou Rikkie haar geheimen of problemen toevertrouwen, als ze ze ooit kreeg? Zeker niet aan haar, haar moeder. Hoe moest je het vertrouwen van je dochter winnen? Of was dat niet nodig, was het allemaal goed, zoals het nu was?

Rikkie keek van haar krant op.

„Mam, je piekert weer," zei ze. „Schaam je. Denk je er nu soms nog over Isabel in huis te nemen? Het kan toch immers helemaal niet, u hebt er gewoon geen plaats voor. Je kunt zo'n kind toch niet in de la van het dressoir leggen of zo?"

„Nee, nee," zei Til haastig, „ik dacht daar helemaal niet meer over.

Isabel is voorlopig onder de hoede van haar tante en meneer

Horsting zal het wel druk hebben met het overdragen van zijn werk. Die paar maanden zijn zo om en dan zien we wel verder. ,Ik heb er nog wel over gedacht de tussendeur naar de beide huizen weer open te maken, dan zou Isabel voor ons makkelijker bereikbaar zijn. Maar het nadeel is, dat we dan jouw kamer weer verliezen, daar is immers de verbinding naar het andere huis. Daar moet je altijd door. Nee, daar schieten we niets mee op. We moeten afwachten tot meneer en mevrouw Damsteeg het huis uit zijn. Mevrouw Tromp heeft maar één kamer nodig en dan kun jij weer terug naar je eigen kamer."

„Duidelijk hoor, mam, je dacht helemaal niet meer over Isabel," smaalde Rikkie plagend. „Maar als u mevrouw Horsting straks een beetje met haar gaat helpen, help ik mee. En zeg nu niet dat ik daar geen geld voor aan mag nemen, want dat was ik ook niet van plan. Voor onze buren doen we alles gratis, het is gewoon bij de huur inbegrepen."

Til keek haar dochter bevreemd aan.

„Mam, toe," zei ze, „je kijkt zo verschrikt, ik plaag je maar een beetje."

„Vind je dan, dat ik wel geld moet aannemen?" vroeg ze.

Rikkie haalde haar schouders op. „Ik weet het niet meer hoor, ik vind, geloof ik wel, dat u overdrijft met het per se niet te willen. En dat waarschijnlijk alleen, omdat die familie het slachtoffer is geworden van een ongeluk. Meneer Damsteeg heeft zijn enkel gebroken en mevrouw haar pols, allebei ongelukken waarvoor u betaald krijgt. Ik zie niet in dat u voor Isabel voor niets moet rennen."

Til dacht aan de wanhopige blik in Koert Horstings ogen. En toch is er verschil, dacht ze en ik weet zelf niet waarom. Ze keek op de klok en stond op. Het was al laat, de hoogste tijd om voor meneer en mevrouw Damsteeg te gaan zorgen.

Toen Koert eenmaal naar Amerika was, vertrok de kater, die ze toch had overgehouden door te weigeren voor Isabel te zorgen, langzaam weg. Via zijn ouders kwamen er goede berichten over hem.

„We krijgen de indruk, dat hij zich langzamerhand in de omstandigheden weet te schikken, vertelde zijn moeder een week of zes later, „zijn gezondheid gaat goed vooruit. Hij kan ook beter met zijn schoonzuster overweg, waarschijnlijk omdat hij nu weet dat zijn verblijf daar een aflopende zaak is. Tegen de tijd dat hij thuiskomt, moeten we zien, dat we hier een goede huishoudster krijgen. Ik geloof dat we daarmee alle problemen wel kunnen oplossen, dacht u niet?"

„O ja," viel Til enthousiast bij, „dat is een reuze idee van u! Natuurlijk, dat is de oplossing."

„Ik verheug me echt op de komst van de kleine Isabel," zei mevrouw Horsting blij. „Zolang wij leven, zal ze niet veel aandacht tekortkomen, denk ik. Koert is daar namelijk erg bang voor, maar daar kan hij zelf immers ook veel aan doen door wat meer naar het kind om te kijken. Maar dat zal nog wel komen, denkt u niet?"

„Och, natuurlijk," meende Til, „anders zou hij zich toch niet zo druk om haar maken."

Het was intussen hoog zomer geworden. Het echtpaar Damsteeg was allang vervangen door mevrouw Tromp. Ze zat met mooi weer veel in de tuin in de zon en koesterde haar gezwollen vingers, die mede door Jaap Schilders voorgeschreven therapie en Tils goede zorgen beter beweegbaar werden. Ze was erg verdrietig, toen er op een dag bericht van de indicatiecommissie kwam met de boodschap dat ze niet meer geschikt was voor een bejaardentehuis, maar door haar vergevorderde invaliditeit alleen nog maar in aanmerking kwam voor een verpleegtehuis.

Til trachtte haar op te monteren.

„U verwachtte toch zelf niets anders," zei ze. „U hebt me zelf verteld, dat u er zo slecht aan toe was, toen die meneer is geweest. U kon geen vork of kopje meer vasthouden, weet u nog wel? Dat is nu toch allemaal aan het veranderen en het wordt iedere dag nog beter. We gaan straks, in overleg met dokter Schilder een herkeuring aanvragen. U zult eens zien wat er dan uit de bus komt. Ten eerste loopt u als een kievit, bij wijze van spreken dan, want uw benen hebben nooit iets gemankeerd en nu kunt u ook al alleen eten. Tenminste bijna, een kopje vasthouden gaat alleen nog wat moeilijk."

„Ik ben in het ziekenhuis zo achteruitgegaan in de tijd dat ik wachten moest tot ik bij u in huis kon komen," huilde ze.

Til zuchtte, dat was nummer twee, die zich slachtoffer voelde, na Koert met zijn Isabel voor wie ze geen plaats had.

„Een ziekenhuisopname was toen echt het enige dat erop zat," zei Til. „Dat weet u zelf ook wel. Dokter Schilder heeft nog moeite genoeg gehad om u in een ziekenhuis te krijgen. U kon immers ook niet langer thuis blijven."

„Dat weet ik allemaal wel," zei ze, „maar een verpleegtehuis lijkt me zo verschrikkelijk. Het lijkt me zo erg om met zoveel vrouwen op een zaal te moeten liggen, als je weet dat je nooit meer een eigen kamer zult kunnen krijgen. Dat je daar tot aan je dood moet zijn en dat dat nog zo lang duren kan."

Til sloeg haar armen om haar patiënte heen.

„Toe, mevrouw Tromp," suste ze, „daar ziet het nu toch helemaal niet meer naar uit. Probeer daar nu eens even aan te denken, dan wordt u vanzelf een beetje blij en dankbaar, echt waar. Ik heb vanmorgen een heel stapeltje nieuwe bibliotheekboeken voor u meegebracht. Ik zal ze halen en dan zoekt u er de leukste uit en gaat fijn zitten lezen. U moet niet te veel met uw handen oefenen, dat is ook niet goed. Ik geloof, dat u vanmorgen meer dan een uur bezig bent geweest. Als u zich nu wat rust gunt, dan werken die oefeningen nog na. Zo, lekker met uw handen in de zon en de parasol boven u, zodat uw hoofd in de schaduw blijft."

„Ik ben zo bang dat ik hier ineens weg moet. Daar droom ik soms van, weet u dat?"

„Och, mevrouw Tromp! Ziet u me daar voor aan?"

„Nee, nee, dat niet, maar mijn huis is nog niet verkocht en als dan mijn geld opraakt, waar moet ik u dan van betalen? Dat is iets, dat me bezighoudt."

Til zuchtte, het was een variant op een oud thema.

„U moet dat idee echt van u afzetten, mevrouw Tromp, dat heb ik u al meer gezegd. U hebt immers nog voor meer dan een jaar geld op uw bankrekening om mij te betalen? Tegen die tijd is uw huis wel verkocht en mocht dat niet het geval zijn, de notaris heeft u toch bij zijn laatste bezoek gezegd, dat u, als dat geld op is, gewoon een hypotheek op het huis moet nemen. U hebt altijd uw eigen financiën gedaan en u weet best, dat u er niet slecht voor staat, u hebt toch ook nog een pensioen."

Mevrouw Tromp legde haar kromme, misvormde hand moeizaam op Tils arm.

„Ik weet het allemaal wel," zei ze, „ik moet natuurlijk ook meer vertrouwen hebben. Maar ja, je piekert wat af op een nacht en dan ineens zo'n rare brief, die je erbij bepaalt dat je niets meer waard bent. Dat is heel erg."

Til streek over haar hoofd. „We praten er niet meer over. We brengen er gewoon verandering in. Met de boeken breng ik u ook nog een heerlijke kop thee. Verheugt u zich daar maar vast op."

Jammer van de brief, dacht ze, terwijl ze het huis binnenliep. Maar ze had hem ook niet achter kunnen houden, het was post, die voor haar patiënte bestemd was en die kon ze niet onderscheppen. Jaap kwam vanmiddag langs, hij zou mevrouw Tromp wel weer wat opbeuren, ze had veel vertrouwen in hem. „U doet de planten na," had hij de vorige keer geschertst, „u krijgt warempel weer knopjes, dankzij de zorgen van mevrouw Van Voorst."

HOOFDSTUK 8

Op een dag in de laatste week van september kwam Rikkie uit school met het laatste nieuws over de buren.

„De huishoudster is gisteren hiernaast aangekomen, mam. Ik heb haar net gesproken. Je weet niet wat je ziet, ze is heel modern gekleed en beeldschoon opgemaakt."

„Dat kan toch," vond Til, „daar is niets op tegen. De familie Horsting heeft haar aanbevolen gekregen door de notaris, vertelde mevrouw me. Ze had zijn vader verpleegd en dat had ze geweldig goed gedaan, zei hij. Waar heb je haar gesproken?"

„Nu net, toen ik uit school hiernaartoe liep en zij de tuin uitkwam." Rikkie zette haar boekentas naast zich neer en trok het kopje thee, dat Til had ingeschonken over de tafel naar zich toe. „Hè lekker, daar heb ik zin in, zeg! Ik denk dat ze wel zo oud zal zijn als jij, dat moet tenminste wel, want ze heeft een zoon van twintig en een dochter van zeventien en dan nog een jongen van veertien. Ze wonen alledrie bij haar man, want ze is gescheiden.

321

Zij woont bij hem om de hoek en ze ziet haar kinderen bijna iedere dag, behalve de oudste, want die studeert in Leiden. Als ze werkt zoals nu, ziet ze hen een hele tijd niet, maar ze belt ze wel iedere dag op."

„Nou, je bent goed ingelicht," vond Til, „heeft ze dat allemaal voor het tuinhek uit de doeken gedaan?"

„Ja hoor, ik hoefde niet eens wat te vragen, het kwam er zo uit. Ze komt ook bij u, zei ze. Ze vindt het leuk om kennis met u te maken, dan heeft ze wat meer aanspraak, zegt ze."

„O, lieve tijd," zei Til.

„U zult haar best aardig vinden," meende Rikkie, „en ze ziet er echt prachtig uit. Niet knap, maar prachtig en ze lijkt me lief. Ik kan me best voorstellen dat ze de vader van de notaris goed heeft opgepast."

„Ik laat me graag verrassen," zei Til, „we wachten het maar af. Moet jij morgen weer naar skiles op de kunstpiste?"

Rikkie knikte.

„Nou en of," zei ze, „het is enig. Dit is al mijn vijfde les en het gaat steeds beter. Hebt u die nieuwe trui na het wassen nog gestreken?"

„Ga je daar zo mooi naartoe?" informeerde Til, ze herinnerde zich, dat Rikkie vorige keer zelfs naar de kapper was geweest. „En moet je morgenochtend soms weer eerst naar de kapper?"

Ze kleurde tot aan haar oren.

„Ik dacht dat u er blij om zou zijn dat ik aan mijn uiterlijk ga denken. Die meisjes zien er allemaal leuk uit en dan wil ik er niet voor onderdoen. Met skiën hebben we natuurlijk oude kleren aan, want je slijt vreselijk op die borstels van de piste, als je eens een keer valt en een eind naar beneden dweilt."

„Ik vind het fijn, dat je aandacht aan je uiterlijk besteedt," zei Til, „dat weet je wel en je kunt het immers allemaal zelf betalen. Ik kijk straks nog even naar die trui, ik geloof dat hij heel goed is geworden. Kom je morgen laat thuis? Ewout zou misschien langskomen, maar het kan zijn dat hij vanavond nog komt en dan blijft hij slapen. Hij heeft in het weekend weer een verhuisklusje."

Ze had de woorden nog maar net uitgesproken, toen er een geel lelijk eendje voor het huis stopte.

„Daar is hij al," zei Rikkie, „het lijkt erop, dat meneer zich een auto heeft aangeschaft."

„Welnee, die auto is van Léonie," wist Til, „ze heeft hem van haar vader gekregen."

De begroeting was hartelijk. Er waren veel vragen en veel heen en weer gepraat, want ze hadden elkaar in een hele tijd niet gezien. Zo kwam het, dat het Til pas opviel hoe tobberig hij eruitzag, toen Rikkie naar haar kamer was gegaan en ze tegenover hem aan tafel zat.

„Er is iets, hè, Ewout," vroeg ze.

Hij sloeg zijn ogen neer en knikte stom.

„Kom jij hier om het te vertellen?"

„Ook," zei hij. „Als ik morgen geen verhuizing had gehad, was ik ook gekomen."

„Is er soms iets met Léonie? Hebben jullie ruzie?"

Hij plantte zijn ellebogen op tafel, steunde zijn hoofd in zijn handen. „Er is wel iets met Léonie," zei hij toen, „maar we hebben geen ruzie.

Zij is vandaag ook naar haar ouders gegaan."

„O," zei Til, ze schonk hem thee in, die ze extra voor hem had gezet.

Ze kreeg ineens bange voorgevoelens, maar ze had geen idee in welke richting ze het probleem moest zoeken.

„Ik heb een taart gebakken," zei ze. „Hij was eigenlijk voor morgen bestemd, maar nu nemen we hem vandaag al. Het is een mokkataart waar jij zoveel van houdt. Ik zal een lekkere grote punt voor je afsnijden, daar zul je van bijkomen."

Hij liet haar begaan, zat nog steeds met zijn hoofd in zijn handen.

Toen ze weer zat en de taartpunt voor hem stond, begon hij te praten.

„Léonie verwacht een baby, moeder," zei hij.

De woorden bleven lang in de kamer hangen.

„Maar kind," zei ze toen, „maar kind toch."

Het was niet alleen of de kamer om haar heen ronddraaide, maar of de hele wereld op zijn grondvesten schudde.

„Dat het ons net moest gebeuren," zei hij met een doffe snik. „Met ouders zoals Léonie heeft. Dat hele theater weer op dat kasteel, met al die mensen, als we straks gaan trouwen, ik moet er onder deze omstandigheden niet aan denken. En ik moet nog jaren studeren en ik heb geen rooie cent."

„Kind," zei ze weer, „later denk je er anders over."

Hij keek op, ze zag zijn betraande ogen.

„Gelooft u dat?" vroeg hij. „Ik kan het me nu nog niet voorstellen.

Wat had u het vroeger makkelijk, moeder, u en vader. Er kwam soms weleens ergens een kind, maar dat waren uitzonderingen. Mij zou dit in uw tijd niet overkomen zijn," zei hij beslist. „Wij zijn door grootvader en u opgevoed zoals u bent opgevoed, ouderwets. Met gevoel voor gehoorzaamheid en gezag. Ik merk dat aan andere jongens, ze lachen weleens om me. Ze zullen er ook om lachen dat mij dit juist gebeurt."

Til was de eerste schok inmiddels te boven gekomen, het onwezenlijke gevoel was weggetrokken, maar de klap was hard aangekomen.

„Wat zegt Léonie ervan?" vroeg ze.

„Ze is, ja, laat ik het maar heel eerlijk zeggen, ze is er stoïcijns onder.

Ik wil me op dit kind verheugen, zegt ze, het heeft er recht op. Ze wilde ook per se alleen naar haar ouders om het te vertellen."

Til zag Léonie voor zich: klein, maar met vaste hand regerend, zou ze haar zin doordrijven zoals ze dat altijd placht te doen. Zij was er de grootste oorzaak van, dat dit kind op komst was en niet Ewout, dat wist ze zeker. Ewout was behoudend, maar hij liet zich wel door haar meeslepen. Soms geloofde Til dat hij tegen Léonie opzag om haar afkomst, al zou hij dat nooit erkennen. Dat hij haar bijna blindelings volgde, omdat hij, zonder dat hij het zelf wist, aannam dat iemand met de achtergrond van Léonie wel zou weten wat ze deed.

Er welde iets van wrevel tegen haar aanstaande schoondochter in haar op. Ze trachtte het met alles wat in haar was te onderdrukken. Ze wilde er eenvoudig van wégdenken, ze moest van Léonie houden, anders zou ze Ewout immers verliezen.

„Het is flink van Léonie om er alleen op af te gaan," zei ze en ze was tevreden omdat de woorden er zo waarheidsgetrouw uit waren gekomen.

„Ja hè?" vroeg hij met iets van trots, „dat vind ik ook."
„Je zult wel veel steun aan haar hebben," vervolgde ze. Hij knikte bevestigend.
„Ja, dat wel."
„Jullie zullen nu zeker in stilte gaan trouwen?"
„Ik denk het niet, mam. Léonie wil een echte bruiloft. Anders doen we het kind tekort, zegt ze. Later zou ze erachter kunnen komen, dat we geen echte bruiloft hebben gehad, omdat zij onderweg was. Ze is er heel zeker van, dat het een meisje is. Maar ik zie zo tegen al die toeters en bellen van de bruiloft op, mam. Vooral onder deze omstandigheden."
„Tja, jongen…"
Hij zag er zo bleek en van streek uit, ze schoof de taartpunt naar hem toe. „Eet dit eerst maar eens lekker op," moedigde ze hem aan. „Ben je ook niet een beetje magerder geworden?"
Hij leek weer op de kleine jongen van vroeger, toen hij met zijn mond vol antwoordde: „Daar let ik nooit op, mam."
Even was er voor hem alleen maar die taart, hij at hem op met een verzaligde trek op zijn gezicht. Het leek Til, dat dit het eerste was dat hij die dag binnenkreeg.
„Moet ik het Rikkie vertellen?" had ze hem later gevraagd.
„Graag," zei hij, „dan hoef ik het tenminste niet te doen."
Rikkie zat even beteuterd te kijken, toen ze het hoorde.
„Nou zeg," zei ze toen, „dat is ook niet zo leuk. Of laten ze het weghalen?"
„Geen denken aan," zei Til. „Daar is helemaal niet over gedacht zelfs."
„Gelukkig maar, het zou ook niets voor Léonie zijn. Och, die Ewout, nu wordt hij vader en hij is nog niet eens twintig. En ik word tante! Eigenlijk best leuk. En jij dan, mam, jij bent straks oma, stel je voor."
Ja, stel je voor, dacht Til, toen ze 's avonds voor ze naar bed ging in de spiegel keek. Ik word oma. Ze was er niet blij mee. Ze dacht even niet aan de smalle magere schouders van haar zoon waarop straks de druk van het vaderschap zou rusten, ze was ineens helemaal van zichzelf vervuld.
Oma, dacht ze weer, ja, nu is het voor me afgelopen, dit is het laatste. En ze had nog zo graag eerst iets anders gehad, iets voor

zichzelf. In de afgelopen zeven jaar, had heimelijk op de achtergrond van haar gedachten haar één bepaald gevoel staande gehouden, dat zekere weten, dat er eens op een dag nog een geluk zou komen, waarin ze zelf centraal zou staan.

Ze legde haar hoofd voor de spiegel op de toilettafel en huilde bittere tranen van zelfmedelijden.

De volgende morgen las ze zichzelf wel ongenadig de les.

Ze was ondankbaar, zij en haar kinderen waren gezond en nu kwam er een kleinkind bij waarvan ze alleen maar mocht hopen dat het ook gezond zou zijn en dan mocht ze haar handjes dichtknijpen. Vooral omdat ze voorlopig ook nog goedbetaald werk had, terwijl mevrouw Tromp een vrij makkelijke patiënte was, die boven verwachting opknapte.

Rikkie was al naar de kapper geweest, toen ze met zijn drieën aan de ontbijttafel zaten. Zelfs Ewout, die nu toch wel iets anders aan zijn hoofd had, viel het op dat ze er zo gesoigneerd uitzag. Hij zei er niet veel van.

„Nou, nou," merkte hij alleen op terwijl hij haar bekeek, „je hebt je mooi laten maken, zeg."

Rikkie kleurde.

„Mag ik alsjeblieft," snibde ze.

Ze stond eerder van tafel op om haar trein te kunnen halen.

„Doe hem de groeten," zei Ewout toen ze vertrok.

„Bemoei jij je nou maar met je eigen zaken," was haar antwoord, „daar heb je voorlopig je handen aan vol."

„En gelijk heb je," repliceerde hij, maar hij praatte tegen de gesloten kamerdeur, want ze was al verdwenen.

Til keek hem bevreemd aan.

„Heeft Rikkie een vriend?" vroeg ze. „Heeft ze je dat verteld?"

„Nee, natuurlijk niet, moeder, maar dat kun je toch zo zien? Hij zal wel op die skiles zitten. Zo heeft ze zich nog nooit opgetut. Toen Achmed hier altijd over huis kwam, kamde ze soms zelfs haar haar niet eens. Maar er was ook niets tussen hen, dat heb ik u altijd gezegd, weet u wel?"

„We zullen het maar afwachten," zei Til.

„Waarom zou ze ook niet eens een vriendje hebben. Het lijkt me leuk voor haar."

„Misschien komt het maar van één kant," opperde Ewout.

Ze dacht: waar zit ik toch met mijn gedachten en waar blijft mijn opmerkingsgave? Ik heb helemaal nog niet aan een vriendje voor Rikkie gedacht. En toen Ewout zo verslagen vertelde, dat er iets met Léonie aan de hand was, had ze op haar klompen kunnen aanvoelen, dat het over een baby ging. Ze moesten haar tegenwoordig wel alles met neus en vinger beduiden. Ze moest maar eens wat meer op haar omgeving letten en wat minder piekeren en aan zichzelf denken.

„Eet nog wat," maande ze Ewout, „Je kunt het best hebben. Vooral nu je de hele dag weer met die verhuisboel moet sjouwen. Hoe laat moet je er zijn?"

Hij keek op zijn horloge.

„Over een halfuurtje," zei hij. „Als de wagen tenminste op tijd is, hij moet uit Zeeland komen. Het is een heel ingewikkelde driehoeksruil en het moet vandaag allemaal geklaard worden, gisteren is alles ingepakt. Volgende week zaterdag heb ik hier in de buurt weer een klus. Gelukkig, we kunnen nu best wat geld gebruiken."

„Zul je je niet te veel werk op je hals halen?" vroeg ze bezorgd. „Je studie moet nummer één blijven, denk daaraan. Ik zorg wel voor het babyuitzetje en zolang ik werk heb, krijg je iedere maand wat extra."

Ze zag dat hij kleurde.

„Ik ben erg blij met uw aanbod, maar ik schaam me eigenlijk om nog meer van u aan te nemen. U moet er zo hard voor werken."

„Werken is gezond en ik doe het graag, dat weet je wel," zei ze. „Zit daar nu maar niet over in."

Til had de volgende weken moeite om niet aan Rikkie te vragen of Ewouts veronderstelling juist was en of ze op de skiles inderdaad iemand had ontmoet voor wie ze zich interesseerde. Als Rikkie iets niet uit zichzelf vertelde, kreeg je toch altijd nul op het rekest, dat wist ze uit ervaring.

Dus beheerste ze zich. Opvallend was dat Rikkie zich steeds meer moeite voor haar uiterlijk gaf. En niet zonder resultaat, stelde Til met een zekere trots vast. Ze ging zich zelfs met het uiterlijk van haar moeder bemoeien.

„U gebruikte vroeger wel oogschaduw, mam, waarom doet u dat

nu niet meer? Toen u buitenshuis werkte, zag u er trouwens veel leuker uit."

As-je-me-nou, dacht Til, ze kon nu bij benadering beseffen wat een moedereend moet voelen, als ze uit haar klein en onaanzienlijk jong, een zwaan ziet groeien. Ze dacht even na over wat er gezegd was en toen antwoordde ze: „Je kon weleens gelijk hebben, Rik. Weet je, omdat ik nu mijn patiënte thuis heb, schiet ik 's morgens een oude rok en bloes aan, die makkelijk zit onder mijn verpleegstersschort. Ik houd de hele dag hetzelfde aan, omdat ik mevrouw Tromp 's avonds ook nog moet masseren. Maar in het vervolg ga ik me verkleden hoor! En mijn make-upspullen zal ik ook eens nakijken."

Nog diezelfde dag inspecteerde ze haar garderobe en kwam tot de ontdekking dat er best iets bij mocht komen. Woensdagmiddag, als Rikkie vrij van school had, moest ze maar even de winkels langs. Ze liet mevrouw Tromp niet graag alleen thuis, hoewel deze haar dikwijls verzekerde dat ze rustig weg kon gaan.

Om te tonen, dat ze zich wel degelijk gelegen liet liggen aan wat Rikkie gezegd had, trok ze de rok van haar beste mantelpak aan met de daarbij behorende bloes. Beter had ze op het ogenblik niet. De rok was wat kort, ze moest er nodig iets bij hebben, dat langer en zwieriger was, stelde ze vast. Toen ze zich verkleed had, maakte ze zich wat op en ze was lang niet ontevreden over het resultaat. Ze voelde zich eigenlijk een stuk beter, niet meer zo sloverig als de laatste tijd het geval was geweest.

Toch maar goed, als je een dochter had, die je op je tekortkomingen wees!

In het voorbijgaan bekeek ze zich nog eens in de lange smalle spiegel van de vestibule. De rok was eigenlijk langer dan ze eerst dacht, hij viel best mee.

Was iets nieuws eigenlijk wel nodig? Ze kon het geld misschien beter bewaren voor Ewouts gezinnetje. Ze zou eerst haar kleren eens grondig nakijken. Wie weet hoe hard ze haar geld nog voor andere dingen nodig had. Maar ze zou zich voortaan wel weer opmaken en meer zorg aan haar haar besteden, dat scheelde al een heleboel.

Ewout was nog niet terug geweest, omdat het verhuisklusje niet was doorgegaan. Hij had opgebeld en verteld dat het bezoek van Léonie aan haar ouders meegevallen was. Ze hadden gezegd dat ze voorbereidingen voor het huwelijk zouden treffen. Ze kwamen eerstdaags naar Amsterdam om alles nader met hen te bespreken.

Til liet, over haar krant gebogen, al deze berichten de revue nog eens passeren.

Ze moest Léonie opbellen, dacht ze. Het minste was toch, dat ze eens informeerde hoe het kind zich voelde. Ze stelde het maar steeds uit en dat was niet goed. Léonie was nog een beetje een vreemde voor haar, daar moest ze toch verandering in brengen. Sommige moeders hoorde ze weleens zeggen: „Ik houd van al mijn kinderen evenveel, eigen of aangetrouwd, het maakt geen verschil."

Kon dat wel? Til schudde bedenkelijk het hoofd, misschien kon het na verloop van jaren, maar niet zomaar, als het ware op commando. Maar ze moest er wel haar best voor doen. Kon je eigenlijk je best doen om van iemand te gaan houden? Ze had daar nog nooit zo over nagedacht.

Ze werd in haar overpeinzingen gestoord door de bel van de voordeur. Toen ze opendeed, zag ze een fleurige jonge vrouw op de stoep staan. „Hallo," zei ze, „ik ben Constance, de huishoudster van de buren, mag ik even bij je binnenvallen? Met je dochter heb ik al kennisgemaakt, heeft ze het verteld?"

„Kom verder," nodigde Til. „Zal ik dan maar Constance zeggen?" haakte ze in op Constance's jij en jou. „Je weet zeker al dat ik Til heet."

„O nee, kind, geen sprake van, ik hoor hiernaast alleen over mevrouw Van Voorst en verder niet. Je dochter noemt je gewoon mam, net als mijn dochter doet. Weet je dat ze even oud zijn, mijn Eveline en jouw Rikkie? Leuk, hè? O, ik vind kinderen van die leeftijd zalig. Van alle leeftijden, trouwens," voegde ze eraantoe. „Ik heb het hiernaast best naar mijn zin, het zijn enige oude mensen, maar dat ik mijn kinderen zo weinig zie is een groot nadeel. Anders zie ik ze iedere dag, weet je. De jongste twee dan, want de oudste studeert, net als jouw zoon."

Til kreeg geen kans de stortvloed van woorden te onderbreken en knikte maar eens.

Ze zaten nu tegenover elkaar, Constance op de bank en Til in haar eigen lage fauteuiltje.

„Ik voel me sinds gisteren een beetje overbodig hiernaast," ratelde Constance verder. „Dat wil zeggen, als de baby slaapt en dat doet ze bijna altijd, want het is een zoet kind. Ze zijn gisteren uit Amerika gekomen, vader en dochter. Meneer en mevrouw hangen nog steeds aan zijn lippen en willen van alles weten. Hij gaat morgen namelijk weer weg. Op vakantie met een collega en zijn vrouw, die ook verlof hebben. Hij gaat een maandje de wei in, een voettocht maken door het Schwarzwald. Ik zou het Schwarzwald nooit gekozen hebben, als ik iets verdrietigs te vergeten had, jij wel? Vooral niet in het najaar, zoals nu, het is er een beetje somber. Maar, als hij terugkomt, zal ik me weleens met hem gaan bemoeien, de stakkerd. Verschrikkelijk, hè, die twee dochters van hem? O kind, als ik 's nachts wakker word, schiet het me vaak te binnen en dan kan ik er niet meer van slapen. Ik moet er niet aan denken dat mij zoiets zou overkomen, verschrikkelijk! Maar over die Mary van hem lijkt hij me wel heen te komen. Een echt huismoedertje, als ik die foto's van haar bekijk. Dertien in een dozijn, om zo te zeggen."

Hier maakte Constance een pauze om adem te halen en Til kreeg de gelegenheid haar te vragen of ze iets wilde drinken.

„O, dolgraag," zei ze, „ik snak naar een glaasje sherry. Ik heb hiernaast voor de familie thee gezet, maar ik hoopte wel dat ik bij jou iets pittigers zou krijgen."

In de keuken had Til even de tijd over Constance na te denken. Modern gekleed en prachtig opgemaakt, had Rikkie over haar gezegd. Je weet niet wat je ziet!

Dat laatste, dacht Til, daar zat wel wat in. Ze had inderdaad niet zo gauw geweten wat ze zag, toen ze de deur voor Constance opendeed. Ze was heel lang en slank, met een smal gezicht en koperkleurig haar, een lange neus en ogen van een onbestemde kleur, ze lagen diep in hun kassen, die violetkleurig waren opgemaakt. De donkere wimpers en wenkbrauwen en de donker omlijnde ogen gaven haar een aparte charme. Ze kon zich best voorstellen dat Rikkie weg was van haar verschijning.

Toen ze met de sherry binnenkwam, stond Constance bij het raam.

Het viel Til op, dat zij de lange modieuze jeansrok droeg waarnaar ze zelf nog geen uur geleden zo verlangd had.

„Wat heb je een leuke rok aan," zei ze, terwijl ze de sherry op tafel zette.

„Vind je? Ik ben er echt voor bezweken, jóh. Ik heb hem vanmorgen gekocht, toen ik eventjes koekjes moest halen. Hij is nog niet eens betaald, ik heb het op laten schrijven. Zo gauw ik mijn eerste salaris heb ontvangen, ga ik mijn schuld aflossen."

Later, toen ze vertrokken was, bleef de lichte zoete geur van haar parfum nog lang in de kamer hangen.

Ze lijkt op een kleurige vogel, dacht Til. Toen ze in de spiegel keek, kwam ze zichzelf, ondanks haar pas opgebrachte make-up, bleek en kleurloos voor. En haar rok was echt veel te kort voor de mode van nu.

Zo'n lange bloes over de rok, zoals Constance droeg, zou haar ook leuk staan...

Ze wendde resoluut haar hoofd van de spiegel af

Ze kon het zich niet veroorloven alles maar te kopen.

Ze had kinderen en straks een kleinkind voor wie ze zorgen moest.

Het was die avond al tegen tienen, toen er nog gebeld werd.

„Kijk eerst door het luikje," riep ze Rikkie na, die naar de deur ging. Even later kwam ze met Koert Horsting binnen.

„Duizend excuses voor mijn late bezoek," zei hij, „maar ik vond dat ik hier even naartoe moest om u te begroeten en tevens voor een maandje afscheid van u te nemen, mevrouw Van Voorst."

Hij was nog magerder geworden, constateerde Til meteen, en wat grijzer aan de slapen, maar toch maakte hij een gezondere indruk dan de laatste keer dat ze hem had gezien.

„Het gaat, geloof ik, weer wat beter met u," zei ze.

„Ik ben blij dat uw deskundige verpleegstersblik dat vaststelt," zei hij.

„De medicijnen helpen en ik hoop dat ik in de vakantie nog wat bijkom. Een bevriend echtpaar nodigde me uit mee te gaan. Ik was heel blij met de uitnodiging. Ik ga trouwens met een gerust hart weg, nu moeder hulp heeft. Mijn ouders zijn zo in hun nopjes met Constance. U kent haar ook nu ze hier is geweest, lijkt ze u niet een verfrissende persoonlijkheid voor mijn ouders?

Echt iets wat ze op het ogenblik nodig hebben."

„Ik geloof dat ze heel aardig is," zei Til en ze dacht aan wat Constance allemaal over hem had gezegd.

Straks, als hij terug was van zijn vakantie en in Amsterdam aan het werk ging, zou ze zich eens met hem gaan bemoeien, had ze zich voorgenomen. Zou hij een vermoeden hebben van wat hem boven het hoofd hing? Misschien had ze wel gelijk en was dat de juiste remedie voor hem.

„Wat een tref dat u juist vrienden had die zo lang met vakantie gaan." „Hij is een collega van me uit Boston," lichtte hij toe. „Hij is hier ook met verlof. Ik verdenk ze ervan dat ze deze vakantie ook wel een beetje met het oog op mij hebben uitgezocht. Ik ben ze daar natuurlijk erg dankbaar voor."

„Wat geweldig dat er mensen zijn, die zulke dingen nog voor een ander doen," vond Til. „U hebt zodoende mooi gelegenheid u rustig op uw baan in Amsterdam voor te bereiden."

„Inderdaad," zei hij, „hoewel ik toch weinig aan Amsterdam denk.

Vanaf het ogenblik dat ik in Boston mijn werkkring verlaten heb, ben ik de kalmerende medicijnen gaan gebruiken, die me voorgeschreven zijn. Ik ben er niet eerder aan begonnen, omdat ik mijn hersens bij mijn werk moest houden en niet te vergeten bij de weg, als ik in de auto zat. Ik rijd voorlopig niet meer. Ik heb trouwens nog geen auto, dus ik voel me volkomen veilig, als ik wat doezelig ben. Dat spul maakt niet alleen, dat dat wat achter je ligt versluierd, maar ook de toekomst is verder van je af. Alles laat je meer onverschillig. Het is een eigenaardige gewaarwording en het zal straks, als ik de kuur stop, nog niet meevallen weer op eigen benen te staan."

Til knikte.

„Ik begrijp het," zei ze, „dat spul geeft afstand van de dingen. Maar er zal u wel gezegd zijn dat u de kuur langzaam af moet bouwen."

„Inderdaad," bevestigde hij. „Ik was dat alweer vergeten, ik zal de gebruiksaanwijzing nog eens goed nalezen. Bovendien heb ik maar een beperkt aantal tabletten en meer kan ik er niet nemen. Op is op."

„In veel gevallen werkt zo'n kuurtje beslist positief," wist Til. „Ik denk dat het hoofd wat rust krijgt, omdat je gedachten, als het ware, een poos op halve kracht draaien."

„Fijn dat u me zo'n positief perspectief biedt," zei hij. Hij stond op.

„Het is morgen vroeg dag, om acht uur staan mijn medereizigers al voor de deur. Ik ga met vader nog een glaasje wijn op het afscheid drinken en dan naar bed."

Ze begeleidde hem naar de deur.

In de hal boog hij zich naar haar over. Een ogenblik dacht Til dat hij haar ten afscheid een zoen wilde geven, maar hij legde alleen zijn beide handen op haar schouders.

„U houdt hiernaast een oogje in het zeil, nietwaar. Alle dingen ten spijt, inclusief huishoudster en pillen en poeders, ik zal toch alleen maar echt gerust zijn, als ik dat zeker weet."

Ze keek hem aan, maar even. Ze zag in die blik dat wat vrouwen verlangen in mannenogen te zien is en ze verweerde zich ertegen. Ze wilde het negeren; ze wilde ook dat zijn handen haar schouders vrijlieten, maar ze kon er niets tegen doen, dat zoete verlammende gevoel dat over haar kwam, belette haar dat.

„Waarom zijn we nog altijd U voor elkaar?" vroeg hij zacht.

„Rikkie zegt toch allang Koert tegen me en van de huishoudster hoorde ik vandaag dat je Til heet." Ze sloeg haar ogen naar beneden, terwijl hij zijn hoofd naar haar boog.

„Dag," zei hij en hij beroerde met zijn lippen heel zacht haar beide wangen en liet haar los.

„Dag," zei ze.

Ze maakte de deur voor hem open, hij ging weg zonder om te kijken.

Ze deed beneden de lichten uit, Rikkie was al op haar kamer. Ze liep langzaam de trap op, toen ze bovenkwam had ze nog datzelfde lome vertraagde gevoel in haar benen, eigenlijk in heel haar lichaam.

Even kwam nog de vraag bij haar op of mevrouw Tromp alles had wat ze hebben moest, maar ze herinnerde zich dat ze net bij haar was geweest voor Koert kwam.

Koert...

Hoelang was dat met Rob geleden? Maar dat was anders geweest. Ja, de groeten, dacht ze met zelfspot, het is immers altijd anders? Maar in de grond van de zaak kwam het op hetzelfde neer, het bloed ging spreken, je wilde nog wat en er was maar zo weinig kans van slagen, als je allebei zoveel bagage meebracht, kinderen en een hoofd vol herinneringen.

Maar de kinderen zouden altijd wel het zwaarst wegen.

Waar dacht ze eigenlijk aan? Twee kusjes en een vriendelijk woord en ze was al gevloerd. Dat kwam omdat ze hier zo opgesloten zat en praktisch de deur niet meer uitkwam sinds ze patiënten in huis verpleegde.

Constance, die ongeveer even oud was als zij, kende beter het klappen van de zweep. Ze hield zich bezig met iedereen, die dat volgens haar nodig had.

En misschien nam zij Koert voorgoed onder haar hoede. Bij Constance in therapie zou Koert haar in de kortste keren vergeten zijn. Zij was immers niets vergeleken bij een vrouw van de wereld als Constance.

„Voel eens aan je hoofd, kind," zei ze hardop, „en gebruik je verstand.

Draai jezelf niet verder op, want van elke hoogte zul je weer naar beneden vallen en je weet nog goed dat dat pijn doet. Je bent de kater, die je na de tijd met Rob had, toch nog niet vergeten?" Maar met Rob was het anders, zei een andere stem.

„Onzin," sprak ze streng tegen, „het begint allemaal hetzelfde. Je wilt nog wat, dat is het."

Met haar hoofd op het kussen dacht ze toch weer aan zijn lippen, die haar wangen hadden beroerd, het zacht rasperige gevoel van zijn baard, die tegen de avond alweer wat borstelig aanvoelde.

Gedachten zijn tolvrij, dacht ze doezelig.

De volgende morgen belde Ewout op. Hij vertelde dat de huwelijksdatum was vastgesteld. Léonie's moeder zou haar opbellen en haar vragen of ze tijd had een bezoek aan hen te brengen.

„Zou tante Sil nog wel een dagje bij u willen komen om mevrouw Tromp te verzorgen?" vroeg hij bezorgd. „Met de bruiloft moet u haar ook al een dag vragen. Als u moeilijk weg kunt, moet u dat Léonie's moeder zeggen, hoor. Haar ouders hebben best begrip voor uw werk."

„Ik zal Sil meteen bellen, dan kan ik mevrouw Van Cossel vertellen hoe ik ervoor sta. Als Sil twee keer een dag wil oppassen, neem ik de uitnodiging aan en anders moeten we maar zien. Misschien willen ze weer hier komen en anders moeten we de zaken maar telefonisch regelen."

Ze dacht: wat is er eigenlijk van mijn kant te regelen? Ik moet overal ja en amen op zeggen, er zit toch niets anders op.

„Ik kom morgen weer naar huis, mam," zei Ewout, „dat verhuisklusje gaat morgen eindelijk door. Maar ik heb u nu vast opgebeld, omdat ik dacht, dat u eerst met tante Sil wilde praten voor mevrouw Van Cossel belde."

„Fijn, zeg. Heel attent van je, dat je daaraan hebt gedacht. Je hebt zeker nog niet warm gegeten als je komt? Ik zal op je rekenen."

's Avonds, toen Rikkie al naar bed was, zat ze met Ewout televisie te kijken. Na het nieuws draaide hij de knop om en zei: „Gezellig, mam, zo'n avondje met u."

„Je laatste vrijgezellenavond in je ouderlijk huis waarschijnlijk," zei Til. „We moeten er maar niet tragisch over doen, vind je wel? Je bent toch echt gelukkig met Léonie, als ik dat zo bekijk."

„Dat ben ik ook," zei hij grif. „Echt mam, dat ben ik. Ik had het allemaal graag een beetje anders gehad, pas een huwelijk, als ik was afgestudeerd en zo, maar dat is nu eenmaal niet anders. Haar ouders en haar hele familie zijn echt aardig tegen me. Ze vormen samen een clan en het is toch wel fijn, als je merkt, dat ze je daarin willen opnemen. Weet u, je hebt de indruk, dat ze allemaal op elkaar kunnen terugvallen, als er problemen zijn, en dat geeft een soort gevoel van geborgenheid. Het lijkt me iets waarom je te benijden bent. En dan neem je de rest ook makkelijker op de koop toe."

„Je redenering is heel verstandig," vond Til. „Ik ben blij, dat je het zo ziet. Heeft het katholieke geloof nog problemen opgeleverd voor je huwelijk?"

Ze zag dat hij kleurde, er vloog een verdrietige trek over zijn gezicht.

„Ik kan niet katholiek worden, moeder, ik kan het gewoon niet, nu tenminste nog niet. We trouwen wel in de katholieke kerk. Dat schijnt te kunnen, ook al blijf ik protestant."

Och kind, dacht ze, je bent nog zo jong en eigenlijk is je jeugd al een beetje voorbij. Er waren kleine lijntjes bij zijn mond, lijntjes van volwassenheid. Er kwamen tranen voor haar ogen, ze voelde ze op haar wangen glijden. Hij zag het en kwam naar haar toe.

„Hè mam, wie zei er zo-even ook weer, dat we maar niet tragisch moesten doen?"

Hij haalde zijn handen door haar haar en maakte er een ragebol van.

„Je gaat toch zo naar bed," zei hij, „niemand ziet het."

HOOFDSTUK 9

„Erica heet je dus," zei Dolf Riemersma en hij keek Rikkie peinzend aan, er was een klein spotlachje in zijn ogen.

„Een heideplantje dus," vervolgde hij, „een toepasselijke naam voor je."

„Waarom?"

„Omdat de hei langzaam maar zeker uitsterft en omdat van jouw soort ook maar weinig meer over is."

„Wat voor soort?"

Hij zag in haar blik de openlijke verering voor hem plaatsmaken voor een kokette uitdaging; hij vond het wel vermakelijk.

Dolf Riemersma was enkele jaren geleden als econoom afgestudeerd en sindsdien werkzaam op een accountantskantoor, had op dezelfde borstelbaan skilessen genomen als zij. Hij had haar na afloop van de les altijd een lift naar haar bushalte gegeven en dit was hun laatste les geweest. Ze hadden met nog een aantal cursisten na afloop samen koffiegedronken en ze waren met zijn tweeën overgebleven omdat Rikkie door de koffiedrinkerij haar bus had gemist en een poosje op de volgende moest wachten. Dolf had vanaf de eerste les al aandacht aan haar geschonken, maar dat ze nu een vol uur hier met hem kon zitten beschouwde ze als een buitenkansje.

„Tja, wat voor soort," herhaalde hij, „dat is moeilijk te zeggen. Daarvoor zou ik je wat beter moeten leren kennen, in ieder geval behoor je tot het ongeplukte soort."

„Een ongeplukt heideplantje dus," besloot ze.

„En misschien wel in een potje."

„Dat zou kunnen," bevestigde hij, zijn ogen waren nu spottend in de hare.

„Je was de beste van de cursus," zei ze toen, „waarom heb je vroeger nooit geskied?"

„Heel eenvoudig," zei hij prompt, daar was geen geld voor. Ik heb met een beurs gestudeerd en die ben ik nu aan het afbetalen."

„Bij ons zal er ook geen geld voor zijn geweest, neem ik aan," zei Rikkie. „Of misschien was grootvader, die zich veel met onze opvoeding heeft bemoeid, toen mijn vader er niet meer was, wel te ouderwets om aan skivakanties te denken. Nu heb ik er zelf voor gewerkt en een bedrag bij elkaar gespaard. Ik denk dat ik me voor de kerstvakantie voor een jongerenreis opgeef. Dat lijkt me wel. Op de cursus waren immers allemaal stellen. Ze gaan met elkaar naar Fügen. Eén meisje heeft me nog wel gevraagd of ik met hen meeging, maar ik voelde er niet veel voor er als derde bij te bungelen. Op school gaat er niemand, ze willen allemaal voor het eindexamen werken."

„En jij niet? Ben je zo'n knappe bol?"

„Niks hoor," zei ze meteen, „maar ik heb altijd mijn huiswerk goed bijgehouden, omdat ik beslist niet wil zakken. Mijn moeder moet hard voor mijn broer en mij werken en hoe eerder we met een opleiding klaar zijn, hoe beter."

„Is je broer al klaar?"

„Nee, dat duurt nog even, hij studeert medicijnen. Volgende maand hebben we een bruiloft, hij gaat trouwen. Zijn meisje studeert ook medicijnen."

Hij hoorde nauwelijks wat ze vertelde, die broer van haar interesseerde hem maar weinig en dat meisje al helemaal niet.

„Zeg," zei hij, „als wij samen ook eens iets in Fügen zochten voor de kerstvakantie, wat zou je daarvan zeggen? Ik wil veertien dagen weg. Ja, ik zeg samen, maar geheel vrijblijvend hoor! Maak je over mij geen illusies, ik begin nergens aan voor ik mijn studie heb afbetaald en een enigszins gesettled man ben."

Het klonk niet aardig, ze kreeg er een kleur van.

„Wat zou ik me voor illusies maken, zeg! Wat denk je wel?"

Ze had even gesteigerd, maar met zijn geoefende charmante blik had hij haar zo weer in de ban. „Dat is dan afgesproken," zei hij, „we gaan met vakantie samen op stap. Als je me zegt wat ik kan uitgeven, als ik een kamer bespreek, kan ik daar rekening mee houden."

Ze noemde het bedrag, dat ze had gespaard.

„Maar er moet nog wel honderd gulden af voor het cadeau voor het bruidspaar," herinnerde ze zich.

„Voor dat bedrag kun je heel wat doen," vond hij. „Ik had aan een goed hotel gedacht. Ik zal zorgen, dat er genoeg overblijft voor de andere kosten als skischool, skiliften en drankjes en dan bespreek ik die vakantie. Je hoort nog van me."

Bij de bushalte, waar hij haar zoals altijd afleverde, zei hij: „Je moet me wel het geld overmaken, want het is tamelijk kort dag, ik zal meteen moeten betalen. Ik bel je als ik weet wat de kosten zijn. Je kunt met mij meerijden tegen betaling van de helft van de benzinekosten."

„Akkoord," zei ze. De bus reed op dat moment juist voor, hij reikte haar haar tas aan en ze stapte in.

Hij wuifde nog even tot ze uit zijn gezichtsveld verdwenen was. Rikkie soesde weg in de bus, heerlijk zwevend voelde ze zich. Stel je voor, veertien dagen met Dolf op vakantie! En dan de hele reis met hem samen in de auto. 's Morgens zou ze al met hem aan het ontbijt zitten en knapperige broodjes eten met warme koffie.

't Kwam zeker omdat ze honger had, dat haar dat nu te binnen schoot. En 's avonds zouden ze dineren bij kaarslicht! Nu ja, misschien was haar geld niet voldoende voor een hotel met kaarslicht, maar dat zag ze dan wel weer. Zeker was dat ze al die tijd met Dolf samen zou zijn. Ze zouden skiën leren en après-ski plegen en koffiedrinken en wandelen en wat niet allemaal! Veertien hele dagen lang, het kon niet op. Wat een vooruitzicht, het was als een sprookje.

Thuis had ze nog diezelfde dromerige blik in haar ogen. Til zag het wel, maar ze wachtte zich er wel voor iets te zeggen, laat staan iets te vragen. Aan tafel zei ze terloops, dat ze met alle cursisten met de kerstvakantie naar Fügen ging.

„Met zijn allen?" vroeg Til. „Dat is leuk, zeg! Wintersport met een heel stel moet erg gezellig zijn. Uit ervaring weet ik dat natuurlijk niet, want ik ben nooit naar de wintersport geweest. Dat was vroeger nog lang niet zo, 'in' als nu. We zouden er trouwens ook geen geld voor hebben gehad. Maar voor jou is het wat anders, jij hebt van je zelfverdiende geld zo fijn gespaard. Ga je nog iets nieuws kopen?"

Rikkie trok haar wenkbrauwen op.

„Misschien," zei ze, „ik moet eerst weten wat de reis precies kost."

„Dat is verstandig," vond Til. „Hoe gaan jullie? Met de bus of met de trein?"

Even een moeilijk moment. Rikkie voelde intuïtief aan, dat de argeloosheid van haar moeder zou omslaan in waakzaamheid, als ze zei dat ze met Dolf meereed. Ze zou er dan misschien ook nog uitpeuteren, dat ze met zijn tweeën gingen en niet met de hele groep en dan zou ze oneindig gaan zeuren. Gevaarlijk terrein dus.

„We gaan met auto's," zei ze, „en iedereen rijdt met iedereen mee.

Hoe precies, dat zien we allemaal nog wel."

Zo, daar had ze zich aardig uitgekletst, en er was niet eens zo veel onwaars bij. Vervelend natuurlijk, dat gedraai, maar moeder moest zich ook niet overal mee bemoeien. Als ze iets kwijt wilde, zou ze dat wel uit zichzelf vertellen. Ze was oud genoeg om haar vakantie zelf te regelen. Ze gooide het gesprek handig over een andere boeg.

„Ik heb beloofd vanavond op Isabel te passen," zei ze. „Kan ik na tafel meteen gaan? Morgen was ik dan helemaal alleen af, dan kunt u doen wat u wilt."

„Prima," zei Til. „Heb je Constance al gesproken? Hoe gaat het hiernaast eigenlijk?"

„Wel goed, geloof ik. Alleen wil Constance graag af en toe naar haar kinderen, ze heeft mij gevraagd die avonden op Isabel te passen. Ik krijg er wel voor betaald en dat neem ik aan ook. Ik zeg het u maar vast."

„Waarom ook niet?" deed Til verbaasd. „Van zulke dingen heb ik toch nog nooit wat gezegd?"

„Nou ja, ik dacht soms. Isabel is immers het slachtoffer van een ongeluk en u wilde ook niet voor haar betaald worden. Koert betaalt Constance dubbel en dwars en als ik voor haar oppas heb ik ook best recht op een paar stuivers en die betaalt zij mij dan weer."

Til zat even zonder weerwoord.

„Och," zei ze toen, „je moet de dingen niet uit zijn verband halen. Ik vind het heel normaal dat je betaald wordt. Met mij was het destijds wat anders. Kinderen opvoeden is mijn werk niet, ik verpleeg zieken. Enfin, ik heb het er al eens met je over gehad. Ik beweer heus niet dat iemand niet betaald hoeft te worden voor werk dat veroorzaakt wordt door een ongeluk. Bij mij lag de situatie anders."

„Best, mam, ik snap het wel. Ik plaag ook wel een beetje. Ik ga nu dan maar."

Haar list was gelukt, haar moeder was helemaal van het chapiter vakantie afgeleid.

Til was er getuige van, dat Dolf Rikkie opbelde. Ze volgde in grote lijnen het telefoongesprek, omdat ze in de kamer stond te strijken.

„Goed ik maak je het bedrag over, hoorde ze Rikkie zeggen. „Ja, op de cent af. Ja, ik ben het er helemaal mee eens."

„............"

„Ik neem de bus zoals altijd en jij vangt me bij dezelfde halte op. Ja, ik neem de eerste bus, dat kan nooit missen. Oké, tot ziens, Dolf"

Dolf heet hij, dacht Til. Bah, wat een nieuwsgierig mens was ze toch.

Maar ja, je wilde toch wel wat meer weten. Hij kwam haar niet eens afhalen. Moest dat kind straks, een paar dagen voor Kerstmis eerst dat eind met een bus. De eerste bus was toch altijd al zo koud. Ze zou Rikkie wel voorstellen haar te brengen. Nu maar niet direct met dat voorstel komen. Dat kon zelfs de laatste dag nog. Enfin, het was van zijn kant niet erg aan, anders zou hij wel voorgesteld hebben haar af te halen. Moest ze daar nu blij om zijn of niet?

Nee, ze was er niet blij om, ze gunde Rikkie op haar leeftijd ook weleens een echt vriendje. Was dat wel zo? Moest ze niet blij zijn voor iedere dag dat dat niet zo was? Hoe gauw was Ewout niet met zijn Léonie in de zorgen gekomen?

Wat was het moeilijk grote kinderen te hebben!

Ze kregen nu algauw de bruiloft.

Ze was een dagje bij Léonie's ouders op bezoek geweest. Sil had haar werk toen waargenomen.

Ze had een leuke dag gehad op het kasteel, het waren heel aardige mensen. Ze hadden de komst van Léonie's baby heel makkelijk opgevat.

„Het gaat in het leven nu eenmaal weleens anders dan we het zelf plannen," had haar moeder gezegd.

„Dat kind komt ook wel groot," had haar vader gezegd. „Als het maar gezond is, dan zijn we er straks net zo blij mee als met elk ander kleinkind. En Léonie weet wat we van haar verwachten, naast het kind komt de studie op de eerste plaats. We staan erop dat ook zij haar studie afmaakt. Wij maken haar dat financieel mogelijk en Ewout en Léonie moeten zich aan het schema houden, dat wij voor hen hebben gemaakt. Denk niet dat we rijk zijn, Til," had hij eraan toegevoegd, „want dat zijn we niet! Maar we helpen al onze kinderen naar behoefte en we zijn dankbaar dat we dat kunnen doen."

„Dat is heel fijn voor Léonie," had Til gezegd.

„En natuurlijk ook voor Ewout," had ze er stotterend achteraan gezegd. Wat had ze beter kunnen zeggen?

Als het over geld ging, zweeg ze maar het liefst. Ze kon niet meer doen dan ze al deed en ze had er ook geen idee van welke voorzieningen Léonie's ouders wilden treffen om Léonie zowel als Ewout rustig af te kunnen laten studeren. Ze zou het allemaal wel zien.

„En nu een wandelingetje in de tuin, Til?" vroeg mevrouw Van Cossel. „Zullen we dan met ons drietjes gaan, man?"

O ja, het was heel gezellig geweest. Ze had inzicht in hun dagelijks leven gekregen. Alles liep, zoals in elk normaal groot gezin, ordelijk en geregeld. De behuizing was alleen wat groter, maar daarvoor was dan ook veel huishoudelijke hulp aanwezig. Daarin lag het verschil.

Op de dag van het huwelijk voelde Til zich net als met de verloving, een vreemde eend in de bijt. Ze kende niemand van de vele, vele gasten, zeker het dubbele aantal van de gasten op de verlovingsdag. Het huwelijk werd ingezegend in de kerk tegenover het kasteel. De kleine kerk, vroeger de huiskapel van het kasteel, was propvol. Er stonden nog drommen mensen buiten, die de dienst vanaf die plaats volgden.

Het was gelukkig droog.

Til keek naar haar zoon, die daar naast Léonie geknield lag tijdens de inzegening, zijn hoofd bedekt door de hand van de priester.

Ewout had nieuwe schoenen aan.

„Ze zijn afgeprijsd, mam, het stiksel liet wat los. Ik heb ze toch maar genomen en even laten repareren. Het scheelde zoveel in prijs, schoenen zijn zo verschrikkelijk duur."

Onder die schoenen hadden kleine rode plakkertjes gezeten, als teken van de tweede keus. Ewout had ze eraf gehaald, maar ze hadden toch lichter gekleurde ronde moeten achterlaten. Til vond het een raar gezicht. Ze had tijdens de hele ceremonie geen oog van die rondjes af. Onzin natuurlijk, trachtte ze zichzelf voor te houden. Wat maakten die rondjes uit op een dag als vandaag. Niemand lette erop behalve zij. Het waren onheilige gedachten. Ze moest zich liever bij de dienst bepalen.

Léonie was een stralende bruid. Ze maakte er helemaal geen geheim van dat de baby op komst was en ze sprak er onbevangen over.

„We verheugen ons er zo op," zei ze herhaaldelijk.

Til deed haar best voor deze houding waardering op te brengen, maar het viel haar moeilijk. Ik ben oud en ouderwets, verweet ze zichzelf, ik moest blij zijn dat ze het zo opvat, nu het toch eenmaal zo is. Ze trachtte heimelijk uit Rikkie's gezichtsuitdrukking op te maken hoe zij erover dacht, haar gezicht verried geen mening en ze zweeg over het onderwerp in alle talen.

Ik wil toch contact met mijn kinderen houden, dacht ze lichtelijk wanhopig. Hoe doe je dat? Wat doe ik fout, dat ik het niet of althans naar mijn zin veel te weinig heb? Ze was op een zaterdagmiddag bij Léonie op de flat geweest. Rikkie had in die tijd voor mevrouw Tromp gezorgd. Ze was alleraardigst door Léonie ontvangen, echt bijzonder hartelijk, ze mocht niet anders zeggen, maar ze was er, 'op bezoek' geweest, meer niet.

Of hoorde dat zo met aangetrouwde kinderen? kwam het omdat

het allemaal zo gauw was gegaan, omdat Ewout als het ware de lucht van de nestwarmte van het ouderlijk huis nog aan zich had, toen hij zijn bruiloft al moest voorbereiden?

Ze wist het niet en ze kon er met niemand over praten. Zulke dingen besprak je misschien alleen met je man. Het vreemde was dat ze met de verloving Joost nog wel had gemist en nu nauwelijks meer aan hem dacht. Dat zou wel komen, omdat er zoveel in haar leven gebeurde. Iedere dag was er weer iets anders waar ze haar hoofd over breken moest.

Ze overdacht dit terwijl ze aan het bruiloftsdiner zat, tussen Léonie's ouders in, tegenover het bruidspaar. Het was zo aardig van hen dat ze deze tafelschikking hadden gemaakt. Ze deden zo roerend hun best haar als een van de belangrijkste personen bij dit feestelijk gebeuren te betrekken.

„Kom Til," zei haar gastheer, „proef eens van de bordeaux uit Léonie's geboortejaar, ik zal je nog eens inschenken. Je hoeft immers vanavond niet meer te rijden. Weet je dat we bij de geboorte van al onze kinderen wijn hebben ingeslagen voor hun huwelijksfeest?"

„Wat een leuk idee," zei Til en nipte aan haar glas.

Ze ving een blik van Ewout, die haar toeknikte, ze keek naar Rikkie iets verder aan de tafel, naast Walter, de zoon des huizes. Ze waren in een druk gesprek gewikkeld, Rikkie lachte om iets wat hij had gezegd.

Dit is een bruiloft, dacht ze, een féést, ik moet blij zijn. Ik heb er immers alle reden voor. Het maakt niets uit dat Joost en ik bij de geboorte van onze kinderen niet eens geld hadden om een wijnvoorraad voor hun bruiloft aan te leggen, laat staan dat we eraan gedacht hebben. Hier gaat alles anders. Ik moet proberen te genieten van het feit dat Ewout in zo'n hecht en goed gezin trouwt. Ze nipte nog eens van haar glas en glimlachte naar haar gastheer.

Hij knikte haar geruststellend toe en sloot daarbij even zijn ogen.

„Het komt allemaal best in orde," zei hij.

Natuurlijk kwam het goed, Ewout maakte immers best de indruk dat hij gelukkig was. Ze moest vertrouwen hebben, het was schandalig, dat ze dat zo weinig had. Wat kwam het eropaan, dat ze hier in de uitsluitend door kaarslicht verlichte zaal van Ewouts schoonouders zat waar de vergulde engeltjes aan het plafond met pientere heldere oogjes op haar neerkeken, waar de glanzende bloemen van het witte damast door het kaarslicht in de kristallen glazen weerspiegeld werden, waar de zilveren schalen (echt zilver, mam, maar ze horen bij het Huis en ze zijn later allemaal voor Walter) aangereikt werden door Jakob, die ze bij haar vorige bezoek in de stallen bezig had gezien, maar die nu zijn eeltige handen in witte handschoenen had gestoken. Het ging hier allemaal anders toe dan bij andere mensen, maar je kon er immers even gelukkig om zijn.

Toen ze de volgende dag weer thuis waren en Sil vertrokken was, zei Rikkie. „Nou mam, dat is weer even wennen, hè? Wat lijkt het hier nu klein! Allemensen, wat was dat een bruiloft, zeg! Weet u wat ik zo raar vond? Met de verloving was het net of ze het allemaal speelden, net een film, maar nu was alles echt. Zelfs Ewout paste erin, hij acteerde niet meer zoals de vorige keer. Zou dat nu komen, omdat ze hem helemaal geaccepteerd hebben?"

„Inderdaad, het was anders," bevestigde Til verrast. „Dat jij dat ook zo aanvoelde! Ik dacht nog wel dat ik het me had verbeeld." Het moest allemaal wennen, dacht ze en daar had je tijd voor nodig.

Misschien dat dat met Léonie en haar ook zo zou gaan. Als ze elkaar wat beter kenden, zou er misschien een soort band tussen hen kunnen groeien.

„Als mevrouw Tromp straks weg is, want volgens de specialist is ze over enkele maanden wel zover dat ze naar een bejaardentehuis kan, dan wil ik weer werk buitenshuis zoeken. Dat vind ik toch prettiger," merkte Til op. „Ik geloof dat ik van dat altijd thuis moeten zijn een beetje een kluizenaarster wordt."

„Kluizenaarster is zo erg nog niet," vond Rikkie, „maar je wordt zo'n piekeraarster, mam, dat is veel erger."

Je hebt goed praten, dacht Til, maar zo eenvoudig heb ik het nu ook weer niet. De rinkelende telefoon leidde haar gedachten in andere banen.

„Ja, hallo, Til, met Constance. Ik zag je auto staan en zodoende weet ik, dat je weer thuis bent. Heb je een leuke bruiloft gehad?"

„Ja, dank je, heel geslaagd. Wat attent van je om te bellen."
„Nou ja, ik had natuurlijk toch wel van me laten horen, maar ik bel eigenlijk over iets anders. Zou Rikkie vanavond weer een keertje kunnen oppassen, wat denk je?"
„Het lijkt me het beste, als je het haar zelf even vraagt, ze is net de kamer uitgegaan. Zal ze je even terugbellen?"
„Als dat zou kunnen, dolgraag. Weet je, Koert is gisteren van vakantie thuisgekomen en nu valt hij natuurlijk in een gat, dat snap je. Ik wil hem even opvangen door ergens een hapje met hem te gaan eten. En dat kan natuurlijk wat uitlopen, vandaar dat ik weer een beroep op Rikkie doe, snap je?"
„O juist," ze hoorde hoe koel, nee hoe bevroren haar stem klonk.
„Daar komt Rikkie weer binnen, ik geef je haar, dan kun je het meteen vragen."
En tot haar dochter.
„Constance voor jou. Of je vanavond kunt oppassen."
Rikkie accepteerde het buitenkansje grif.
„Prima hoor! Ja, ik kan best om zes uur al komen, want ik sla een keertje met eten over. Het was gisteren allemaal zo lekker, ik heb schandalig veel gegeten."
„Je vindt het niet erg om alleen te eten, hè, mam?" vroeg ze later. Even nadat Rikkie naar de buren was gegaan, zag Til in de schemering de auto van Horsting senior met aan het stuur Constance en naast haar Koert, langs haar huis rijden. Ze was expres voor het raam gaan staan om dat te zien gebeuren. Omdat ze niet wist welke kant ze uit zouden gaan, had ze maar vijftig procent kans gehad hen te zien.
Ze zette de nagels in haar handpalmen en beet op haar lippen. Mens, wat mankeert je, dacht ze. Ga naar boven, ga voor mevrouw Tromp zorgen en stel je niet aan. Ze dwong zich om de avondboterham voor haar patiënte klaar te maken. Ze sierde de maaltijd op met een slaatje waar ze een paar garnalen op deed en een hardgekookt ei, die ze eigenlijk de volgende dag pas zouden eten. Mevrouw Tromp boft maar bij mijn ingezakte stemming, dacht ze wrang.
Ze bracht het blad met eten naar boven en werd daar beloond met een uitroep van vreugde.

„Wat heb ik daar een zin in," juichte mevrouw Tromp. „Je kunt soms toch zo'n trek hebben in iets hartigs, vindt u niet?"
Til glimlachte haar toe.
„U moet het altijd zeggen, als u trek in iets hebt, dat weet u wel," zei ze. „Ik vind het zelfs prettig, dan hoef ik niets voor u te verzinnen."
„Een verrassing vind ik altijd nog het fijnste," zei ze. „Heb ik u al verteld dat mijn zoon een poosje hier komt? Hij wikkelt dan meteen de verkoop van het huis af. We hebben een goede koper, dus we kunnen tevreden zijn. Hij laat wat meubelen uit het huis opslaan, die ik straks nodig heb en wat hij nog kan gebruiken, de rest wordt ook verkocht. Het zal een hele rust zijn, als dat achter de rug is. Ik verheug me echt op het weerzien, dat kunt u begrijpen."
„Wat fijn voor u," zei Til, en ze praatte nog even over de zoon, zijn vrouw en twee kinderen. Die kwamen niet mee, ze zouden pas 's zomers komen.
Ik ben niet echt geïnteresseerd, dacht Til en ik hoop, dat ze het niet merkt.
„Eet u smakelijk, mevrouw Tromp," zei ze tot slot. „Tot straks aan de koffie."
Beneden ging ze weer voor hetzelfde raam staan waardoor ze zo-even Constance en Koert in de auto had gezien. Ze staarde in de donkere tuin, die schaars verlicht werd door de lamp bij de voordeur en de straatlantaarn op de stoep.
Wat kan het me schelen wat Constance met hem doet, dacht ze. Hij moest nodig eens een behandeling hebben, had ze gezegd. Welnu, daar was ze onverwijld aan begonnen, de eerste avond na zijn thuiskomst al. Wat had zij daarmee te maken? Wat kon het haar schelen? Constance was geroutineerd, Koert zou er best van opknappen en misschien in minder dan geen tijd over zijn verdriet heen zijn. Nou, dat was toch mooi? Dat was de bedoeling, ze moest reëel zijn.
Ze trachtte haar gedachten een andere wending te geven, maar het lukte niet. Ze was verdrietig en ze voelde dat haar ogen vochtig werden.
Ook dat nog!
En waarom?

346

Enfin, ze moest de koe maar bij de hoorns vatten en eerlijk tegenover zichzelf zijn: ze wilde met alles wat er in haar was, dat ze die aardige kleurig geverfde Constance hier nooit had gezien, want dan zou Koert, dat wist ze bijna zeker, vanavond bij haar gekomen zijn. Maar nu zat ze alleen en had het toekijken.

Ze knipte de televisie aan, keek niets ziend naar het scherm.

Denk eens aan Rob, hield ze zichzelf voor. Die ellende wilde ze toch niet weer? Dat was toch een regelrechte ramp geweest waarvan ze maandenlang een kater had gehad?

Ze draaide een andere zender op, zag weer niet wat er uitgezonden werd. Dat met Rob had niets met Koert te maken natuurlijk. Ze wilde niets serieus meer. Alleen maar een beetje praten met iemand, die aardig tegen haar was.

Iemand als Koert, dacht ze, die haar aangekeken had met iets in zijn ogen, dat ze herkend had. Ze wilde niets ernstigs, niets blijvends, onder geen voorwaarde, maar ze verlangde naar iemand die haar aankeek omdat ze een vrouw was en hij een man…

Ze schrok van haar eigen gedachten.

„Kind," zei ze hardop, „weet je dat zulke onzin voor een vrouw als jij het gevaarlijkste is dat er bestaat? Je wordt straks wel oma, maar je bent toch nog te jong voor zulke gedachten. Je beefde immers al bij zijn afscheidskusjes? Op een dag zul je blij zijn met Constance, omdat ze hem van je heeft overgenomen, omdat ze je voor erger heeft behoed. Zo zit dat."

Ze pakte de televisiegids en bladerde hem door, keek naar wat er die avond gebracht werd. Ze moest en zou die late film zien, en dan haar aandacht erbij houden, alsjeblieft. Van slapen kwam immers niets. Sinds Koert vertrokken was, was er geen avond voorbijgegaan, dat ze niet aan hem had gedacht. Ze was ingeslapen met het heerlijke, zekere gevoel, dat hij over een poosje weer voor haar zou staan en haar weer zou aankijken als toen. Ja, ja en de rest…

Ze kon het nu allemaal wel vergeten. Maandag ging ze wol kopen voor de baby van Léonie en Ewout en dan zou ze gaan breien op eenzame avonden als deze.

Dat was heel wat beter.

Ze zag Koert die maandagmorgen terug, toen ze allebei op weg waren naar de garage, de heg tussen hen in.

Het regende een beetje en er stond een harde wind, hij had de kraag van zijn regenjas hoog opgezet, zijn haren waaiden over zijn voorhoofd.

„Dag Til, hoe gaat het?" zei hij. „Ik was nog zo graag even naar je toe gekomen, maar er kwam zoveel op me af dit weekend. Gisteravond heb ik er nog over gedacht, maar ik durfde niet meer, het was al zo laat. Met de kinderen ook alles goed, geloof ik? Ik hoorde dat tenminste van mijn moeder, en Rikkie heb ik natuurlijk ook al gesproken."

„Het gaat ons allemaal uitstekend," zei Til, ze trachtte tevergeefs haar haren bij elkaar te houden.

Ze voelde zich oneindig onverzorgd in haar oude regenjas en helemaal nog niet opgemaakt.

„En hoe is het met jou?" vroeg ze toen.

Ze keken elkaar enkele seconden aan, ze zag zijn vermoeide ogen, nee, erg goed ging het hem niet.

Hij aarzelde met antwoorden, glimlachte mat.

„Je kent het wel," zei hij toen, „soms gaat het redelijk en ineens is het weer een puinhoop. De vakantie ben ik aardig doorgekomen, ik had geweldig gezelschap, maar als het gewone leven dan weer voor je opdoemt, tja, dan heeft het zijn uitvallen. Ik verlang naar mijn werk, dat wel. Ik ben nu op weg naar de trein. Dit zal mijn eerste werkdag in mijn nieuwe baan worden."

„Je werk zal je vast goeddoen," zei Til. Ze hoorde zelf dat het een tamme gemeenplaats was, maar wat kon je anders zeggen, hier in de loeiende wind met regen die je in het gezicht kletste?

„We moeten elkaar weer eens gauw spreken," zei hij op zijn horloge kijkend, „ik zit nu weer een beetje krap in mijn tijd. Tot spoedig ziens, hoor!"

Hij vervolgde zijn weg en liep het tuinhek door, terwijl zij naar de garage ging om de bloembollen te halen, die nodig in de grond moesten. Ze deed haar werk als een robot, helemaal niet met haar gedachten erbij door de onverwachte ontmoeting.

Later, toen ze weer in huis was en haar verwaaide haren en haar roodaangelopen gezicht kritisch in de spiegel bekeek, schudde ze misprijzend het hoofd tegen zichzelf. Ik gedraag me als een meisje van zestien, dacht ze.

Die man zit in zak en as en heeft echt geen aandacht aan mijn onverzorgde uiterlijk besteed. Als mevrouw Tromp haar koffie heeft gehad, ga ik naar het dorp om wol voor mijn kleinkind te kopen.

Voor ze haar voornemen ten uitvoer kon brengen, kwam Constance aan.

Ze zag eruit zoals je er met dit weer hoort uit te zien, dacht Til, een fleurige lakjas in een modische kleur blauw met een bijpassend hoedje en knalgroene laarzen. Haar make-up was als altijd kleurig, en volmaakt opgebracht.

„Wat zie je er leuk uit," zei Til spontaan. „Ondanks de regen zo was- en kleurecht als het maar kan, zelfs je make-up is niet doorgelopen."

„Vind je mijn jas leuk?" vroeg ze verrukt. „Ik heb hem net gekocht, zie je, hij paste zo goed bij mijn hoedje. Dat hoedje had ik, moet je weten. Is het niet stom-toevallig, dat je dan een jas in exact dezelfde kleur krijgt? En dan mijn laarzen, vind je ze niet beeldig? Die heb ik al een poosje, maar het is nu zo'n leuke combinatie, hè? Zo 'in'. Komt het gelegen, dat ik even blijf kletsen? Kind ik moet gewoon een andere lucht inademen, ik heb een punthoofd van alles. Mevrouw Horsting past op Isabel, ik ben vanmorgen al vroeg weggegaan om boodschappen te doen, vandaar die nieuwe jas."

„Ontdoe je en kom verder," nodigde Til uit. Wat kan ik anders, dacht ze. Ze is toch immers ook echt aardig, al is ze wat apart.

„Ik zei je al, ik krijg een punthoofd," vervolgde Constance, toen ze in de kamer op de bank zat. „Ja, dolgraag een kopje koffie, zeg, heerlijk. Ik loop wel met je mee naar de keuken, dan kunnen we ondertussen doorpraten. Ja, ik krijg er wat van hiernaast," vervolgde ze, met haar hand in haar zij op één been leunend. Die pose moest ze in de spiegel bestudeerd hebben, dacht Til. Ze weet vast dat ze er zo uitziet als een fotomodel, zó op één been en dan met die hoge hakken en zo kaars-rechtop.

„Je vindt het niet erg, dat ik mevrouw Tromp eerst even haar koffie breng?" vroeg Til.

„Ga gerust je gang, zeg. Zal ik onze koffie vast binnenbrengen?" Toen Til terugkwam, zat ze alweer in de kamer met de kopjes voor zich op tafel.

„Nou," zei ze, „het begon vrijdagavond, toen Koert thuiskwam al direct met tranen. Het hele gezin weende, Koert inclusief, geloof ik. Maar dat is een veronderstelling, ik heb het niet gezien, maar hij heeft in ieder geval niet gelachen, dat weet ik zeker. Ze vierden dus het weerzien met hun van vakantie terugkerende zoon in een huilbui. Weet je, dat je daar als buitenstaander heel weinig aan kunt doen? Ik heb ze maar een lekker soepje gegeven en allemaal een paar dunne sneedjes brood. Koert ging al vroeg naar bed, hij zat onder de medicijnen, dat zag ik wel. Die zal dus wel geslapen hebben. Ik heb meneer en mevrouw ook maar een tabletje aangeraden, ze hebben ze in huis, gelukkig. Ze zijn ook vroeg naar boven gegaan. De zaterdag verliep eveneens in mineur. Gelukkig vonden ze het een goed idee dat ik met Koert een hapje ging eten. Nou, dat was best gezellig hoor. Als ik hem wat vaker alleen heb, komt hij wel los. Daar heb ik geen hard hoofd in," ze glimlachte eerst mysterieus en schudde toen haar haren naar achteren.

„Kind, hij heeft het al van me te pakken hoor. Dat dacht ik wel, want ik zag bij de eerste blik, dat hij mijn type is en dan is het meestal wederkerig. Enfin, ik wil hem niet te hard aanpakken in zijn omstandigheden, want dan weet je weer niet waar je uitkomt. Ik moet op het ogenblik echt geen man, die helemaal bezeten van me is. Ik heb er nog geen zin in, zie je. En zeker niet in iemand zoals hij, die zo in zak en as zit. Als zo iemand eenmaal losbreekt, berg je dan maar."

„Ja," zei Til, „dat zou best kunnen. Wil je nog een kopje?"

„O, dolgraag. Wacht, ik ga weer met je mee. Ik vind het toch zo heerlijk dat ik bij jou even een woordje kwijt kan. Vertel eens, hoe gaat het met het pasgetrouwde paar? Hoe vind je het om een schoondochter te hebben? Vind je het wel echt leuk, dat Ewout zo jong getrouwd is?"

„Och ja, wat wil je?" zei Til. „Ik heb het liever dan dat ze samenwonen."

„Dat samenwonen is juist om uit te proberen of het bevalt," vond Constance. „Ik moet je zeggen, dat ik niets liever wil dan dat mijn kinderen nog een poosje wachten met trouwen. Hoewel het me enig lijkt kleinkinderen te hebben, jou niet?"

„Jawel," misschien was Constance al hoog en breed vertrokken, als bij Ewout en Léonie de baby werd geboren. Ze had in ieder geval geen zin Constance over de op handen zijnde geboorte in te lichten.

„Neem jij je eigen kopje mee," vroeg ze.

In de kamer snetterde Constance nog een poosje door. Over haar kinderen, maar ook over al haar veroveringen en deed daarbij uitgebreid uit de doeken hoe onweerstaanbaar ze voor mannen was.

„Heb jij op het ogenblik geen vriend?" vroeg ze toen.

„Nee," zei Til, „op het ogenblik niet. Zo'n verpleging in huis vraagt veel van je. Ik zou niet veel tijd voor hem hebben."

Constance knikte vol begrip.

„Zo'n baantje als ik hiernaast heb, valt ook nog niet eens mee. Het kind is een dotje en die grootouders zijn lieve mensen, maar ze zijn soms zo diep in de put over dat verlies. Vooral nu Koert er weer is. Toen hij met vakantie was, had ik weleens de indruk, dat ze het een poosje konden vergeten."

„Tja..." zei Til, ze sloeg Constance peinzend gade. Vat vol tegenstrijdigheden, dacht ze. Mevrouw Horsting had gezegd: „Ze is zo lief voor ons en ze zorgt zo goed voor Isabel, ik hoop maar dat ze een poosje bij ons blijft. Ik ben benieuwd hoe Koert haar vindt, hij kan soms zo eigenaardig doen. Dat hebben we gezien met zijn schoonzuster. Ze was als een moeder voor Isabel, maar hij zei dat hij stapel van haar werd. Hij kan zich dat niet blijven permitteren, hij zal zich wat moeten aanpassen aan zijn personeel."

Tils gedachten werden onderbroken door de bel van de voordeur.

„Ik ga even kijken," zei ze, „het zal het bezoek voor mevrouw Tromp zijn."

„Dan ga ik er meteen vandoor," zei Constance, achter Til aanlopend.

„Fijn, dat ik bij jou stoom heb kunnen afblazen. Ik verheug me zo op de feestdagen, kind! We hebben eerst een dolle sinterklaasavond met de kinderen en hun aanhang en dan komt de kerst. Zalig gewoon. Ik heb ze hiernaast er al op voorbereid dat ik eerste kerstdag weg ben. De dag daarvoor natuurlijk ook. De kinderen en hun vrienden en vriendinnen komen bij me eten en de avond voor de kerst versieren we met ons allen de boom.

Tweede kerstdag zijn ze allemaal bij mijn ex en zijn vrouw. Dan gaan ze naar een restaurant; dat kan er daar af, zie je, maar ik moet ons eigen feestpotje koken. Ik doe het graag, hoor, ze helpen me allemaal zo geweldig. Wat doe jij met kerst?"

„Ik zie nog wel," zei Til. „Bedankt voor je bezoek, het was erg gezellig."

Ze liet Constance uit en mevrouw Sanders, de vroegere buurvrouw van mevrouw Tromp kwam binnen.

Ze kwam trouw iedere week een poosje praten. Til maakte van het bezoek van mevrouw Sanders gebruik even naar het dorp te gaan. Ze kocht daar de wol voor het babytruitje en bleef aarzelend voor een damesmodezaak staan. Naar binnen gaan of niet? Ze wendde zich af. Niet doen was beter; de verleiding zou te groot worden, ze zou misschien meer geld uitgeven dan ze zich kon veroorloven. En waarvoor had ze nieuwe kleren nodig? Wat ze had was goed genoeg voor haar omstandigheden. Ze had toch geen tijd om uit te gaan zolang mevrouw Tromp in huis was.

De sinterklaasversiering in de winkels herinnerde haar eraan, dat ze voor cadeautjes voor de kinderen moest zorgen. Ewout en Léonie zou ze een pakje sturen en met Rikkie en mevrouw Tromp zou ze een pakjesavond organiseren.

Voor Rikkie was het niet alles om met haar moeder en een oude dame samen sinterklaas te vieren, maar Rikkie paste zich in dit opzicht aan. Ze begreep, dat het erbij hoorde mevrouw Tromp iets te bieden op zo'n avond.

Gelukkig maar.

Met de kerst zou ze met mevrouw Tromp alleen zijn, ze kauwde bedenkelijk op haar onderlip, voor het eerst zou ze zonder Ewout en Rikkie kerstfeest vieren. Hoe zou Constance reageren, als haar dat eens overkwam? Positief, geloofde ze. Constance had een soort blijmoedigheid over zich waarom ze haar een beetje benijdde.

„Als mijn man heel verdrietig is, gaat ze weleens even mij hem op schoot zitten," had mevrouw Horsting haar verteld, „en dan troost ze hem. Een ander zou je dat kwalijk nemen, maar ze is dan zo roerend voor hem, ja, ze heeft een hart van goud."

Til zuchtte, ze was maar een gewone tobberige huis-, tuin- en keukenmoeder en ze zou er niet over denken bij wie dan ook

troostend op schoot te springen. Ze moest zich niet vergelijken met Constance, die een geest had als kwikzilver en eruitzag als een tot in de puntjes verzorgd fotomodel en zelfs elegant op hoge hakken liep, als ze met vuilnisemmers sjouwde.
Ze moest ervoor oppassen dat Constance haar geen minderwaardigheidscomplex bezorgde. Ze was al meer dan veertig jaar zichzelf geweest en dat moest zo blijven. Ze mocht niet toelaten, dat iemand daar verandering in bracht.

HOOFDSTUK 10

De dag voor sinterklaas belde mevrouw Horsting op en vroeg of ze even mocht komen praten. Haar stem klonk zo timide, dat Til meteen begreep dat er iets bijzonders was.
Mevrouw Horsting viel met de deur in huis.
„Ik ben ten einde raad," zei ze, „waar ik allang bang voor was, gaat nu gebeuren: Constance gaat weg. We vinden het zo verschrikkelijk, mijn man en ik, ik kan u niet zeggen hoe erg we het vinden."
„Hoe komt dat zo?" vroeg Til. „Zijn er problemen geweest?"
Ze had de afgelopen weken weinig contact met het buurhuis gehad.
Rikkie had een paar keer op Isabel gepast, toen Constance vrij was en zelf had ze het erg druk gehad doordat mevrouw Tromps zoon een week in Holland op bezoek was geweest. Hij had in het dorp in een hotel gelogeerd en hij had zijn moeder dagelijks bezocht. Mevrouw Tromp had ook een paar keer met hem buitenshuis gegeten. Ze hadden haar daarbij uitgenodigd, maar Til had bedankt.
„Geniet u nu met uw zoon van die uitstapjes," had ze gezegd, „dan kunt u me er later, als hij weer weg is, over vertellen. Dat is voor u allebei veel leuker."
Til had het gevoel gehad, dat ze best blij waren met haar weigering, de uitnodiging was maar een beleefdheidsfrase geweest.
Ze had die vrije avonden gebruikt om een paar bezoeken bij haar kennissen af te leggen. Addie en Sil had ze schromelijk verwaarloosd, het was echt tijd geweest dat ze hen eens opzocht.

Constance was niet meer op het tapijt verschenen, dat had ze een hele rust gevonden. Ze had het buurhuis maar een poosje links laten liggen. Als er problemen waren, zouden ze zich wel melden, was haar stelling en nu ze daar mevrouw Horsting tegenover zich had, bleek ook dat dat waar was.

„Problemen?" herhaalde mevrouw Horsting, „wat heet problemen?

Ik denk, dat Constance het zich een beetje anders bij ons had voorgesteld. Wij zijn oude mensen en Isabel is een klein kind, allemaal wel aardig voor een poosje, maar zo'n jonge vrouw als Constance wil ook weleens iets anders natuurlijk. Het was zo aardig geweest, als ze wat met Koert uit had kunnen gaan. Ook zo goed voor hem, echt iets dat hem zou afleiden, op andere gedachten zou brengen. En wat doet die jongen? Hij blijft in Amsterdam en laat ons alleen voor Isabel opdraaien. Dat gaat toch niet aan? Daar zijn we toch te oud voor? Eerst kwam hij het weekends nog thuis, maar nu blijft hij helemaal in Amsterdam. Wat moet hij daar in zijn eentje zitten kniezen? Snapt u het? Nou ja, vanavond komt hij dan thuis, omdat het morgen sinterklaas is en per gratie blijft hij dan tot maandagmorgen, omdat sinterklaas toevallig op zaterdag valt. Maar nu is Constance er niet, ze komt maandag pas terug. Dinie, onze hulp, vervangt haar gelukkig voor het grootste deel, want het zou voor mij te zwaar zijn de verzorging van de baby helemaal op me te nemen."

„Ik begrijp het," zei Til en ze dacht: zou die slimme Koert zo zijn behandelingen ontlopen, die Constance hem had willen geven? Waarom leek de kamer nu plotseling veel gezelliger dan zoeven? Had de zon de hele morgen al geschenen of was hij nu pas doorgebroken? Ze had het niet kunnen zeggen. Wel wist ze dat ze zich nu veel opgewekter voelde, maar tegelijkertijd had ze ook met mevrouw Horsting te doen. Wat ze zei was waar, Koert liet haar, nu Constance verstek liet gaan, voor Isabel opdraaien en dat viel op haar leeftijd niet mee. Nu de kleurige vogel dreigde weg te vliegen, kon ze zich best voorstellen dat de stilte hen uit de verte al aangaapte als een afgrond. Constance mocht dan een aparte manier hebben om met mannen om te gaan, ze kweet zich uitstekend van haar taak mensen plezierig bezig te houden.

Koert was daar blijkbaar niet van gediend, maar zijn ouders wel. „Het is moeilijk voor mij er iets van te zeggen," zei ze na enig nadenken, „ik ken Constances motieven voor haar vertrek niet. Ik heb haar de laatste tijd niet meer gesproken. Maar ik heb een voorstel, zou u er misschien iets voor voelen sinterklaasavond hier te komen? Ik ben alleen met Rikkie en mevrouw Tromp. Ewout en Léonie willen hun eerste sinterklaas thuis vieren. We zouden het met ons allen gezellig kunnen maken. Misschien voelt uw zoon er ook voor hier te komen. Deze dagen zijn voor hem natuurlijk extra moeilijk."

„En voor ons dan?" zei de anders altijd zo beheerste mevrouw Horsting heftig. „Wat denkt u dat het voor ons betekent, voor mijn man en mij? Koert moet ook eens aan ons denken. Wat was ik anders altijd druk voor sinterklaas! Er gingen enorme pakketten naar Amerika, omdat je dan het gevoel had dat ze allemaal dichter bij je waren. Weken van tevoren deed je je inkopen en zat je te piekeren wat die moest en die. En nu? Koert heeft me uitdrukkelijk verboden bij hem met cadeautjes aan te komen. En om voor de kleine meid iets te kopen heeft toch ook nog geen zin. Wat dacht u, we zitten deze dagen net zo goed met lege handen als hij, maar hij denkt alleen aan zichzelf."

„Helpt het dan niet, als u dat zegt?" vroeg Til.

Mevrouw Horsting veegde met haar zakdoek over haar ogen, ze huilde niet, maar ze was rood en vlekkerig tot in haar hals. Ze haalde mismoedig haar schouders op.

„Hij komt steeds met hetzelfde verhaal, hij wil door niemand lastiggevallen worden, zoals hij dat noemt. Met zijn schoonzuster was het destijds van hetzelfde laken een pak. Als een vrouw het woord tot hem richt, denkt hij al aan bijbedoelingen en hij wil zich niet laten inpalmen, zegt hij. Maar hij vergeet dat hij water bij de wijn zal moeten doen, zolang hij nog zo'n klein kind heeft, dat verzorgd moet worden. Hij jaagt iedereen het huis uit."

„Ik zou u graag willen helpen, maar ik weet niet hoe," zei Til.

„Och kind, daar kom ik ook niet voor, pardon, mevrouw Van Voorst, bedoel ik, u ziet er ook nog zo jong uit," verontschuldigde ze zich.

„Ik zou het fijn vinden als u me Til wilde noemen. Rikkie tutoyeert Koert op zijn voorstel al vanaf het begin van de kennismaking. Van de weeromstuit zijn Koert en ik elkaar ook bij de naam gaan noemen."

„In Amerika ben je gauw jij en jou met elkaar," vond mevrouw Horsting. „Mijn man en ik zullen je graag Til noemen, hoor. Fijn dat je het hebt voorgesteld. Ik schaam me een beetje dat ik hier heb zitten klagen over mijn zoon, maar je moet het weleens even kwijt, hè? Mijn man is na het ongeluk wat zwaarmoedig en huilerig. Hoe meer afleiding hij heeft hoe beter en Constance is zo goed in het verzinnen van afleiding. Behalve zijn schaakavonden met meneer Hiemstra heeft hij niet veel om handen. Nu ja," besloot ze opstaand, „iedereen is te vervangen, zullen we maar zeggen, ook Constance. We moeten maar zien hoe het loopt. Ze laat ons niet van de ene dag op de andere in de steek, zegt ze, maar na één januari wil ze graag vrij zijn. Ze vindt dat ze haar kinderen te weinig ziet, als ze bij ons blijft. Dat zal wel een van de redenen zijn, maar de voornaamste lijkt me, dat ze zich hier verveelt, zoals ik al zei. Ze had het zich anders voorgesteld, met Koert en zo. En dat kunnen we ons best begrijpen."

Het leek Til verstandig hier maar niet op te antwoorden.

„Komt u dan met sinterklaas? vroeg ze, toen ze mevrouw Horsting uitliet.

„Mag ik je lieve uitnodiging even in beraad houden? Mijn man zal wel heel graag komen en ik ook, maar ik moet er eerst met Koert over praten, als hij niet meegaat, kunnen we niet weg."

„Dat begrijp ik volkomen," antwoordde Til naar waarheid. „Ik hoor het dan nog wel."

Ze had Koert niet meer gezien na hun vluchtige ontmoeting op het tuinpad. Ze had hem zoveel mogelijk uit haar gedachten gebannen in de veronderstelling dat hij opging in Constances gezelschap en nu bleek hij haar juist te ontvluchten. Ze vond het helemaal niet onplezierig! Ze schudde misprijzend het hoofd over zichzelf, het was onvolwassen van haar zo te reageren, zoiets van ik niks, jij lekker ook niks. Ze deed beter aan praktische dingen te denken. Ze had de kans morgen drie gasten meer te krijgen, ze moest de bakker bellen om de bestelling groter te maken. De kans dat ze niet zouden komen was klein en anders kon ze de banketletter nog dagenlang bewaren en de overtollige worstenbroodjes stopte ze in de diepvries.

Ze kreeg diezelfde ochtend nog een telefoontje van mevrouw Horsting, ze had Koert op de bank opgebeld en hem gevraagd wat hij van de uitnodiging dacht. Hij had gezegd dat hij heel graag zou komen, hij verheugde zich erop.

„En mag ik dan nog iets zeggen, Til?" vroeg ze.

„Ik denk haast dat het overbodig is om erop te attenderen, maar omdat het allemaal nog maar zo kort geleden is, wilden we liever niet bij het uitpakken van jullie cadeautjes zijn. Als we een kopje koffie bij je mogen drinken, zijn we al heel blij."

„U hoeft niet bang te zijn," verzekerde Til haar, „ik heb een paar aardigheidjes gekocht voor mevrouw Tromp en natuurlijk ook voor Rikkie. Die pakjes pakken we allemaal uit voor u komt. Mag ik u tegen halfnegen verwachten? Schikt u dat? Als u liever iets later wilt komen, is het ook goed. En maakt u zich geen zorgen over Isabel, we gaan gewoon af en toe bij haar kijken en het babyfoontje neemt u mee. Dan kan er weinig gebeuren, zou ik denken."

„Heerlijk, kind, wat heb je alles fijn voor ons geregeld. Heel erg veel dank voor je uitnodiging, hoor!"

Til knikte tevreden, toen ze de telefoon had opgehangen. Ze kon zich voorstellen hoe opgelucht mevrouw Horsting zich voelde, dat ze op zo'n beladen moment als sinterklaasavond niet met twee verdrietige mannen alleen in huis hoefde te zitten.

Rikkie begroette het plan ook positief.

„Leuk mam, dat Koert ook komt," zei ze. „En meneer Horsting vind ik zo'n lieve man. Ik denk dat het komt, omdat hij vindt dat ik een klein beetje op zijn kleindochter Christine lijk, dat hij zo aardig tegen me is. Dat vind ik soms wel benauwend, omdat je eigenlijk op die manier doorgaat voor iemand die er niet meer is."

„Probeer er maar overheen te stappen," raadde Til haar aan, „ze hebben het om deze tijd van het jaar natuurlijk extra moeilijk. Als de feestdagen maar voorbij zijn, dan vrolijken ze misschien allemaal weer wat op."

Ze keek eens van opzij naar haar dochter, er lag zo'n dromerige blik in haar ogen. Ze was ook stiller dan gewoonlijk. Zou ze zich nu zo op die vakantie verheugen? Raar kind toch eigenlijk, waarom praatte ze er dan niet over? Als je iets leuks in het vooruitzicht had, lag het toch voor de hand dat je er eens over sprak?

Ze wilde dat misschien niet doen, omdat ze bang was zich te verraden in verband met die jongen, dat begreep ze wel, maar ze kon haar eigen moeder toch wel zeggen dat ze hem erg aardig vond! Of was ze daar mis mee. Deed je dat juist niet tegenover je moeder? Nou ja, zijzelf had het vroeger niet gedaan, maar moeders waren toen anders, ouder, ouderwetser...

Toen moest Til ineens om zichzelf lachen.

„Mens, kom tot jezelf," zei ze hardop, „verbeeld je niet zoveel. Jij bent in Rikkie's ogen net zo oud en ouderwets als jij je moeder vroeger vond. Er is maar één jammer aan de hele situatie en dat is, dat die jongen nooit iets van zich laat horen. En dat vindt Rikkie ook en daarom zegt ze niets over hem."

De stemming was die sinterklaasavond uitstekend.

Meneer en mevrouw Horsting ontdekten algauw gemeenschappelijke kennissen met mevrouw Tromp, meneer Horsting genoot het meest van die verhalen.

„Straks ontdekken we, dat we familie van elkaar zijn," grapte hij, hij lachte die avond verschillende keren opgewekt.

Koert liet zich ook van zijn beste kant zien, vond Til. Er was geen sprake van een afwijzende houding waarover zijn moeder zo geklaagd had. Hij toonde veel belangstelling voor Rikkie's eindexamen en hij vroeg wat ze van plan was te gaan doen. Het baarde Til dikwijls zorgen, dat ze daar nog geen idee over had. Misschien kon Koert haar een richting aan de hand doen waaraan ze nog niet had gedacht.

De avond verliep uitstekend, alleen tegen het einde dreigde er een kink in de kabel te komen. Het was toen Horsting senior zei, terwijl hij vergenoegd naar Rikkie keek. „Vind je ook niet, Koert, dat ze wat weg heeft van Christine en ook wel iets van Susan, ze zit wat leeftijd betreft ook net tussen hen in."

Er viel even een doodse stilte.

Rikkie was zichtbaar onaangenaam getroffen. Daar had je het weer, die vergelijking met iemand, die er niet meer was. Nu maar liefst met allebei. Ze voelde ze, als het ware, naast haar staan, alsof ze even waren teruggekomen...

Ze zag meneer Horstings verbouwereerde gezicht, hij zag eruit alsof hij het liefst zou gaan huilen.

„Och vader…" begon mevrouw Horsting bezwerend.

Toen deed Rikkie iets waarvoor Til haar dochter had kunnen omhelzen, ze sloeg haar armen om Horsting senior heen en gaf hem een zoen.

„Geeft niks hoor," zei ze. „Ik ga even naar Isabel kijken en zal ik dan de drankjes uit de keuken halen, mam? Of drinken we allemaal wijn?"

„Goed dat je het zegt," haakte Til op deze afleidingsmanoeuvre in, „ik heb er nog niet naar geïnformeerd. Koert, zeg jij het eens, wat wil je drinken, wijn of liever iets pittigers. Er hoeft gelukkig niemand te rijden vanavond."

Ze namen allemaal wijn en Koert praatte met zijn vader over de alcoholcontroles, die de politie in Amsterdam had gehouden.

Til herademde, de situatie was gered.

Zondagavond, toen Rikkie bij een meisje uit haar klas was, belde Koert aan.

„Ik had je ook telefonisch kunnen bedanken voor de prettige avond, die je ons gisteren hebt bezorgd, maar ik ben zo egoïstisch om het persoonlijk te komen doen, dan ben ik er even uit," begon hij.

„Het was een fijne avond, dat ben ik helemaal met je eens," zei ze. „Kom verder."

„Stoor ik niet?" vroeg hij, en zijn gezicht kleurde op. „Dat treft dan goed, want ik wilde eigenlijk eens met je praten over de nesten waar ik me heb ingewerkt."

„Heb je al iets gedronken?" vroeg ze, toen ze in de kamer tegenover elkaar zaten.

Hij stak afwerend zijn handen omhoog.

„Alles al gehad," zei hij, „blijf rustig zitten, zonde van de tijd. Thee en koffie kan ik overal krijgen. Het gaat over Constance, je hebt van moeder zeker al gehoord dat ze weggaat?"

Til knikte bevestigend en ze voelde dat ze hem nieuwsgierig bekeek. Niet belangstellend dacht ze hard tegenover zichzelf, maar nieuwsgierig.

„Je moeder is er niet gelukkig mee, heb ik begrepen."

„Dat is juist, want ze komt er lelijk door in de problemen, dat

begrijp ik ook wel. Tenminste zolang er geen plaatsvervangster voor haar is. Maar die is toch wel te vinden, wat denk je? Of ben jij ook zo voor Constance geporteerd, zeg het maar eerlijk."
Til grinnikte.
„Als dat zo is, ga je zeker een deur verder?" veronderstelde ze. Hij glimlachte zuurzoet met haar mee.
„Til," zei hij toen, „ik wil het vader en moeder niet allemaal vertellen, vooral ook omdat ze haar allebei graag mogen, maar je hebt er gewoon geen idee van hoe dat mens zich aan me opdringt. Ik word er stapel van."
„Misschien bedoelt ze het goed," probeerde Til nog schijnheilig, „ze wil je misschien alleen maar wat troosten."
„Och, schei toch uit," weerde hij af, „ik ken deze typen al uit de tijd, dat ik helemaal niet getroost hoefde te worden, ze verzieken huwelijken. Nu is daar bij mij geen gevaar meer voor, maar het neemt niet weg, dat ik toch niet op haar avances wil ingaan, mijn hoofd staat er niet naar. En al was dat wel het geval, nee, dan nog niet, dan zocht ik wel wat anders. Punt. Ander onderwerp. Ik moet zien dat er een nieuwe hulp komt. Moeder beschuldigt me van onverantwoordelijk handelen. Wat ik ook op Constance tegen heb, ik had moeten zorgen dat ik op goede voet met haar bleef. Om haar en om Isabel, zegt ze. Ze is gewoon kwaad op me, dus daar moet ik wel het nodige aan doen. Het ontbreekt er nog maar aan, dat ze me met Isabel buiten de deur zet."
Til sloeg hem kritisch gade.
Misschien zegt hij dit om te maken, dat ik me toch nog ga opwerpen om voor Isabel te zorgen, flitste het door haar heen. Waarom doe ik het eigenlijk niet, dacht ze. Dan zou er minder kans zijn dat er een andere Constance kwam, die meer succes bij hem krijgt dan deze. Dat gevaar zou dan afgewend zijn. Gevaar? Was zo iemand een gevaar voor haar? Ze zat weer op de verkeerde golflengte, het werd de hoogste tijd, dat ze aan haar teleurstelling met Rob dacht. Om herhaling te voorkomen. Koert knapte zichtbaar op, het werk deed hem blijkbaar goed. Over een poosje zou hij weer de oude zijn. Och, helemaal de oude niet, ze wist dat dat niet kon, maar toch iets wat ervoor door moest gaan. Hij zou waarschijnlijk op een dag met een

nieuwe moeder voor Isabel aankomen en ondertussen was zij zich aan zijn kind gaan hechten en had haar fantasie de vrije loop gelaten met betrekking tot hem. Nee, Til, je zit helemaal verkeerd, poot strak houden, dat weke gevoel onderdrukken en geen gezeur.

„Het lijkt me het beste dat je zo gauw mogelijk een advertentie zet voor een hulp," zei ze. „Zo moeilijk zal die nu ook weer niet te krijgen zijn."

„Ik heb moeder voorgesteld Dini in te schakelen. Ze werkt nu twee middagen in de week bij moeder. Haar man zit in de ww, ze zal er best voor voelen hele dagen bij ons te komen. Ze is heel aardig voor Isabel en ze kan goed met kinderen overweg, ze heeft er zelf drie."

„En wat zegt je moeder ervan?"

Hij haalde zijn schouders op.

„Ze zegt dat het maar een halve maatregel is, dat Dini niet lang genoeg uit haar gezin kan om helemaal voor Isabel te zorgen zoals Constance dat deed. Ik vind dat geen argument. Ik kom dan natuurlijk iedere avond thuis, zodat ik 's nachts voor het kind kan zorgen, als dat nodig mocht zijn."

Til keek nog steeds kritisch.

„Denk je echt dat iemand met jouw functie iedere avond op tijd thuis kan zijn om voor een kind van amper een jaar te zorgen?"

„Die enkele keer dat ik niet op tijd ben, zou moeder haar kunnen opvangen," meende hij. „Of Dini zou voor een keer wat langer kunnen blijven. Ze hoeft dan toch alleen maar met een brei-kous of zo in de buurt van Isabels kamer te zitten. Het kind slaapt als regel om die tijd."

„Zolang Rikkie nog thuis is, kan ze ook weleens oppassen, dat weet je wel. Ze maakt immers nu ook wel haar huiswerk in de kamer naast die van Isabel," merkte Til op. „Het zou misschien toch wel iets voor Dini zijn."

Ze zag zijn gezicht opklaren.

„Dus het lijkt jou ook wel wat? Als ik dat tegen moeder zeg, gaat ze er vast anders over denken."

„Als voorlopige maatregel lijkt het me niet kwaad," temperde ze zijn enthousiasme. „Als Isabel straks wat groter is, verandert er natuurlijk veel. En Rikkie gaat na haar eindexamen het huis uit, dat is dan ook weer een invalster minder."

Het viel haar op dat hij haar vorsend aankeek.

„Ik hoop dat het maar voor tijdelijk hoeft te zijn," zei hij.

Ze voelde zich ongemakkelijk worden onder zijn blik, ze keek van hem weg.

„Voor tijdelijk lijkt het me zo kwaad nog niet," zei ze, „dat kun je uit mijn naam, gerust tegen je moeder zeggen."

„Fijn, dat zal ik zeker doen. En hoe gaat het met jouw werk? Blijft mevrouw Tromp nog lang bij je en heb je al iets anders op het oog?"

„Ze wacht op advies van de indicatiecommissie. Zoals je misschien weet was ze afgewezen voor een bejaardentehuis en bleef haar alleen nog een verpleegtehuis over, daarom is ze hier gekomen. Maar ze is hier, wonder boven wonder, enorm opgeknapt en nu zal ze wel geschikt worden bevonden voor een bejaardentehuis. Ze kan zich weer helemaal alleen redden, al doet ze er lang over, maar daar heeft niemand last van. Ik heb nog nooit zo'n makkelijke patiënte gehad als zij. Het komt misschien ook omdat ze zo gemotiveerd is, ze wil zich weer een plaatsje verwerven, al is dat dan in een bejaardentehuis. Ze heeft al een huis op het oog, waar ze verschillende kennissen heeft en waar een appartement vrij is. Ze gaat er dikwijls op bezoek en ze kijkt echt naar de dag van de verhuizing uit."

„Wat ga jij dan doen?"

„Weer iets anders zoeken, natuurlijk," zei ze. „Ik heb straks immers twee studerende kinderen. Daarvoor komt heel wat kijken. Maar voor Rikkie het huis uit is, neem ik niets anders meer aan. Die paar maanden van luxe neem ik eraf en dan zoek ik werk buitenshuis. Misschien in een heel andere plaats. Het lijkt me wel aardig eens helemaal ergens anders te zijn."

Hij knikte en sloeg haar nog steeds aandachtig gade.

„Wat kijk je toch naar me," zei ze en ze voelde dat ze kleurde. Hij lachte.

„Vind je het vervelend?" vroeg hij. „Het is prettig om naar je te kijken."

Ze liet het maar zo, ook al omdat ze door zijn volgende vraag werd afgeleid en tot nadenken werd gezet.

„Ik zie wel in dat je werk veel voor je betekent," merkte hij op, „maar als je nu eens niet voor je gezin hoefde te zorgen, wat zou je dan het liefst doen? Toch die verpleging in een andere plaats?"

„Die luxe speelt op het ogenblik niet en nog in geen jaren, want de studie van de kinderen duurt nog zo lang. Maar als ik het geld niet nodig had, zou ik een dag of twee in een ziekenhuis hier in de buurt gaan werken en voor de rest van de tijd wat lezen en mijn huis op orde houden voor als de kinderen zo af en toe zouden komen. Ewout is nu getrouwd en zal niet vaak meer komen, Rikkie natuurlijk wel, als ze straks studeert. Maar nogmaals, in een ziekenhuis werken als parttime-verpleegster betaalt gewoon te weinig, die luxe kan ik me niet permitteren."

Hij stond op. „Ik begrijp het," zei hij. „Ik ga moeder vertellen dat je mijn plan nog zo gek niet vindt. Ik heb, eerlijk gezegd, al met Dini gepraat, ze voelt veel voor mijn voorstel. Ik heb haar gezegd dat het van moeder afhangt of het doorgaat."

„Succes dan maar," wenste ze hem.

Dini werd al heel snel ingeschakeld, want de volgende dag belde Constance op en vertelde dat ze griep had en niet meer terugkwam.

„Daar zijn we mooi af," zei Koert later. „Dat heb ik goed aangepakt." Constance's vertrek werd niet alleen betreurd door Koerts ouders, Rikkie vond het ook jammer, dat ze weg was.

„Zoals Constance, mam, zo zou ik graag willen zijn," zei ze. „Wat trekt je nu zo in haar aan?" vroeg Til.

„Alles," zei Rikkie, „ik vind haar gewoon lief en mooi en, ja, elegant.

Ik denk dat alle mannen haar geweldig vinden. Nou en dat zou mij ook wel lijken. Ze kan vast iedereen krijgen, die ze hebben wil en dat lijkt me zalig."

„Och wat," deed Til snibbig, „dat denk je maar. Natuurlijk kan ze niet iedereen krijgen, hoe kom je daar nu toch bij? En ze kan niet eens iedereen houden, dat blijkt wel, want ze is immers gescheiden."

„Hé, mam, je lijkt wel een beetje jaloers."

„Ik jaloers?" vroeg Til, „niks hoor."

Wel geweest, dacht ze, maar nu niet meer.

„Ik bewonder jou ook hoor, mam," zei ze toen om wat ze zoeven gezegd had wat te verzachten. „Net zo goed."

Til begon te lachen.

„Malle meid," zei ze. „Je hebt zin in je vakantie, hè?" stapte ze op een ander onderwerp over. „Je kijkt steeds zo verlangend in het prospectus van je hotel."

„Ik heb er ontzettend veel zin in," bekende Rikkie, „maar als ik eraan denk, heb ik toch een soort wroeging. U zit hier al die feestdagen helemaal in uw eentje. Nou ja, met mevrouw Tromp dan, maar dat is zakelijk. Ziet u er niet erg tegenop?"

„Vreemd genoeg niet zo erg als ik anders tegen de feestdagen heb opgezien," liet ze zich ontvallen waarop Rikkie haar met open mond aanstaarde.

„Dat vind je misschien vreemd," zei ze, „maar het is zo. Op die dagen heb ik altijd het meest je vader gemist. Het lijkt of het nu minder erg is, de tijd doet natuurlijk veel. Het scheelt ook, dat ik mijn werk heb, dat gewoon doorgaat. Mevrouw Tromp is wat haar karakter betreft een makkelijke patiënte, maar ik heb veel werk met haar. Drie keer per dag massage en gymnastiekoefeningen, daar gaat veel tijd in zitten. Het proefdieet, dat dokter Schilder voor haar heeft samengesteld vraagt ook nogal wat extra werk, ze kan niet met de pot mee-eten. Al die dingen zo over de hele dag verdeeld, maken dat de tijd vlug omgaat. Een dag is zo voorbij."

„Fijn, dat u het gezegd hebt, nu weet ik dat," zei ze.

„Zwijmel jij maar rustig in je vakantieverlangens weg," moedigde Til haar aan, „aan mij hoef je echt niet te denken. Trouwens, Ewout en Léonie komen samen nog een paar dagen logeren. Ze wisten nog niet precies wanneer, maar dat is ook weer een gebeurtenisje waarnaar ik kan uitkijken."

„Fijn," zei Rikkie weer. Och, ze verlangde zo naar haar eerste grote reis alleen. Toen eindelijk de dag van vertrek aanbrak, stond ze veel te vroeg gepakt en gezakt op de bus te wachten. Ze wilde er niet van horen dat Til haar wegbracht. Ze had stampvoetend gezegd, dat ze als een volwassen mens alleen op reis ging en daarmee uit.

Dolf Riemersma stond haar aan de bushalte op te wachten.
„Mooi zo," zei hij, „tot zover klopt de reis, we kunnen op tijd
starten.
Heb je het koud, ik geloof warempel dat je klappertandt."
„Een beetje," lachte ze, „het was nog zo koud in de bus. En hij
was tjokvol, ik had nog net een staanplaatsje bij de deur en
daar tochtte het zo. Maar dat is nu verleden tijd, in jouw BMW
is het vast lekker warm. Ik heb me er de hele busreis al op verheugd."
„Kijk eens aan," zei hij. „Ik wil vooral in het begin stevig door-
rijden," vervolgde hij. „Niet steeds een koffiestop, dan zijn we
er vanavond bijtijds. Om een uur of twee kunnen we wel ergens
wat gaan drinken."
„Ik heb van alles bij me," zei ze, „broodjes en koffie en een flesje sinas en misschien nog wel veel meer. Ik weet niet precies
wat moeder allemaal ingepakt heeft."
„Dat zien we dan wel," zei hij.
Hij was vrij zwijgzaam en zij vond dat best. Ze had zo mooi de
gelegenheid haar gedachten de vrije loop te laten. Zo af en toe
keek ze eens naar hem. Hij had een fijnbesneden profiel,
scherp afgetekende donkere wenkbrauwen en blauwe ogen.
Hij zag er echt Hollands uit, ondanks het feit dat hij net zulk
donker haar had als Achmed. Die Achmed! Wat had hij haar
vaak voorgesteld er samen op uit te trekken, zoals zij nu met
Dolf. Hij was nu stevig bevriend met dat Perzinche meisje.
Gelukkig maar voor hem. Misschien paste ze ook wel beter bij
hem dan een Hollandse. En Dolf paste beter bij haar. Ze had
altijd meer gevoeld voor iemand die al wat ouder was, en dat
was Dolf. Zeker achter in de twintig, schatte ze.
Ze moest ineens aan Constance denken. Zij zou in haar plaats,
zeker de macht hebben gehad Dolf hopeloos verliefd te maken.
Dolf had haar alleen maar meegevraagd om te skiën, dat
begreep ze goed. Ze zat hier zo onpersoonlijk naast hem als het
maar kon zijn. Hij had net zo goed een mud aardappelen kunnen vervoeren. Eerder zou ze daar niet zo zwaar aan hebben
getild, maar sinds ze zo vaak met Constance had gepraat, voelde ze zich tekortschieten in een bepaald opzicht.
Ze hadden al uren gereden, toen hij ineens zei: „Wat ben jij

heerlijk stil, prinses. Ik was een beetje bang dat je me de oren van mijn hoofd zou babbelen, maar ook in dit opzicht val je me mee. Vertel me eens iets over jezelf. Eens kijken, wat weet ik allemaal van je? Je zit in de laatste klas gymnasium en je doet volgend jaar eindexamen. Je moeder werkt als verpleegkundige en je hebt een broer, die getrouwd is en medicijnen studeert. Klopt dat allemaal? Ja, hoe vind je me, zo allemaal uit mijn hoofd."

„Fantastisch," meesmuilde ze, ze schurkte zich in haar stoel. Het was een heerlijke fauteuil, heel zacht en heel verend. Prinses, had hij tegen haar gezegd, zo voelde ze zich ook.

„Vul je levensroman eens wat verder aan," nodigde hij. „Ben ik echt de eerste met wie je op stap gaat? Echt nooit een vriendje gehad? Niet stiekem zonder dat moeder ervan wist?"

Het klonk haar beledigend in de oren, ze vond dat ze er wat tegenover moest zetten.

„Denk dat nou maar niet," zei ze hoog, „ik ben jarenlang met Achmed, een Turkse jongen bevriend geweest."

„Ha, ha," zei hij, „zo, die kleine prinses! En wist je moeder dat? Waar sliepen jullie, bij hem of bij jou thuis?"

„Slapen!" Rikkie gilde het bijna aan. „Zeg, ben je nou helemaal betoeterd, we sliepen samen niet. Waar zie je me voor aan?"

„Ik maakte maar een grapje," zei hij. „Nee echt, Erica, natuurlijk dacht ik niet dat het echt waar zou zijn. Maar het is altijd zaak even te informeren, als je van plan bent een poosje in elkaars gezelschap te zijn. Je kunt op het ogenblik niet voorzichtig genoeg zijn," vervolgde hij ernstiger.

„Dat weet je toch ook wel. Wisselende contacten schuw ik als de pest. En jij ook, begrijp ik wel, wees dus niet boos."

„Ik ben helemaal niet boos."

„O, wat zei ze de dingen schutterig en onbeholpen.

Constance zou hem anders gepareerd hebben, daar was ze zeker van.

Het was misschien maar beter niet aldoor aan Constance te denken, ze ging zich dan hoe langer hoe knulliger voelen.

„Weet je wat," vervolgde hij opgewekt, „we stoppen bij de volgende Raststätte en dan bied ik je daar een heerlijke lunch aan. Wat zeg je daarvan?"

„O, geweldig."
Na de lunch was hij veel spraakzamer dan eerst. Dat onaange-
name nasmaakje van zijn opmerking over Achmed en haar trok
er helemaal door weg.
Ze stopten nog een keer om koffie te drinken.
„Laat die thermosfles van je moeder maar dicht," had hij
gezegd. Tegen zes uur waren ze op de plaats van bestemming.
Het was een veel mooier hotel dan ze zich had voorgesteld,
Rikkie keek haar ogen uit. Dolf zette de koffers uit de wagen,
ze werden weggehaald door een man in een groene overal.
„Ga jij maar vast naar de kamer om je spulletjes uit te pakken,
dat vind je waarschijnlijk prettiger," zei hij. „Hier is de sleutel,
kamer vijftig moet je hebben. Je ziet me zo wel, ik slaap graag
bij het raam, als je er niets op tegen hebt."
Onvoorbereid als ze was drong de zin van zijn woorden eerst
niet tot haar door. De vreemde omgeving, voor het eerst in een
hotel, het had er allemaal mee te maken. Ze liep achter de man
aan, die haar koffers droeg, maar allang voor hij verdwenen
was en haar koffers naast die van Dolf in het gangetje van
kamer vijftig had gezet, had ze lont geroken. Het verwonderde
haar niet meer dat kamer vijftig een tweepersoonskamer was,
bedoeld voor hen beiden, voor Dolf en haar.
Dolf wilde bij het raam slapen, had hij gezegd.

HOOFDSTUK 11

„Til, we hebben dankzij jou zulke prettige kerstdagen gehad,"
zei mevrouw Horsting. „Nu ja, voorzover dat dan mogelijk was
onder de gegeven omstandigheden. Je zit natuurlijk vol herinneringen, speciaal op zulke dagen. Vooral omdat het ook nog
maar zo kort geleden is."
Mevrouw Horsting stond klaar om naar het dorp te gaan, ze
hadden elkaar op het tuinpad ontmoet. Til was op weg naar de
garage om hout te halen. „Het was voor mij ook fijn," zei Til.
„Eerst tilde ik er niet zo zwaar aan dat de kinderen allebei weg
waren met de feestdagen. Het viel me, toen het bijna zover was,
wel tegen. Ik vond het fijn dat u op de uitnodiging voor een

etentje bij mij inging. Voor mevrouw Tromp was het ook een onverwacht evenement. Ze schrijft er hele verslagen over naar haar zoon in Japan."

„Kan ze dan nog schrijven met zulke handen?" vroeg mevrouw Horsting belangstellend.

„Ze typt. Dat doet ze al jaren, met één vinger en het gaat nog vrij vlug ook."

„Bewonderenswaardig hoor. En ze is ook zo opgewekt. Gelukkig maar voor jou. Ik ga gauw verder, want ik houd jou maar op. Vertel me alleen nog even waarmee ik jou nu eens een plezier mag doen. Is er iets wat je graag wilt hebben? Ik ga toch naar het dorp, dan breng ik het meteen voor je mee."

„Er is iets," zei Til, „maar u hoeft het niet mee te brengen. Het is iets heel anders. Ik zou overmorgen graag een middag weg willen, een bezoekje aan mijn zoon en schoondochter. Ze belden net op dat ze voorlopig niet kunnen komen logeren, omdat Léonie het rustig aan moet doen van de dokter, ze verwacht een baby. Als u, als ik weg ben, dan een beetje op mevrouw Tromp zou willen letten. Ze kan zich alleen redden, maar meer ook niet. Met handen als de hare is een ongelukje gauw gebeurd, ze moet op iemand terug kunnen vallen, dat begrijpt u."

„Prachtig," zei mevrouw Horsting, „ik vraag haar op de thee, dat breekt haar dag dan weer een beetje. Of zullen we haar een hele middag uitnodigen?"

„Nee, echt niet nodig. Ik wilde morgen tegen één uur weggaan, ze slaapt dan eerst en daarna zou een theevisite haar natuurlijk heel welkom zijn. Maar belt u haar daar liever eerst even over op, want ik kan dat natuurlijk niet voor haar beslissen. Als ze weet dat ze u altijd telefonisch bereiken kan, zal ze gerust zijn als ik weg ben. Tegen de avond hoop ik weer terug te zijn."

„Ik doe alles wat je wilt met alle plezier," zei mevrouw Horsting bereidwillig.

„Geweldig," zei Til dankbaar, „nu hoef ik mijn vriendin niet lastig te vallen. Ik mag haar in noodgevallen altijd inschakelen, maar daar maak ik natuurlijk het liefst zo weinig mogelijk gebruik van."

Toen mevrouw Horsting haar weg vervolgde, liep Til naar de

keuken, bedacht toen dat ze naar buiten was gegaan om houtblokken voor de open haard te halen en keerde op haar schre-
den terug.
Ze was een beetje ongerust na het telefoongesprek met Ewout
en Léonie vanmorgen. Eerst had ze Ewout aan de telefoon
gehad, maar hij was onderbroken door Léonie.
„Echt niets aan de hand hoor moeder," had ze gezegd. „Ewout
is erg bezorgd, maar daar is helemaal geen reden voor."
Misschien viel het mee. Ze waren de kerstdagen bij Léonie
thuis geweest, misschien wat te veel drukte en iets gegeten dat
verkeerd gevallen was. Die buikpijn kon een heel onschuldige
oorzaak hebben. Arme Ewout. Zulke zorgen zou je op je negen-
tiende nog niet moeten hebben. Fout, lieve Til, corrigeerde ze
zichzelf onmiddellijk. Houd nu liever eens op met je zoon zo te
beklagen. Er zitten ook best leuke kanten aan het leven waar
hij zo plotseling is ingerold. Begin nu eens met aardig aan
Léonie te denken, en vooral niet verwijtend zoals je meestal
doet. Als je wilt dat dat meisje van je gaat houden, zul je er zelf
toch ook wat voor moeten doen. De situatie waarin ze zitten
hebben ze samen bewerkstelligd. Ewout is nergens toe
gedwongen, bedenk dat vooral.
Ze stapelde de houtblokken, die ze uit de garage had gehaald, in
de ruimte onder de open haard, ze veegde met een doek het ergste stof weg. Het waren gezellige dagen geweest met kerst en
niet alleen door het etentje bij haar thuis op eerste kerstdag
maar ook door het soupertje de volgende dag bij de Horstings.
Koert had voor het eten gezorgd, hij had het meeste kant en
klaar besteld en hij had zich ontpopt als een uitstekende gastheer. Het was hem blijkbaar gelukt zijn herinneringen op de
achtergrond te schuiven en opgewekt te doen. Hij had zich roerend om mevrouw Tromp bekommerd, haar aandacht geschonken alsof ze zijn eregast was. Hij kon verschrikkelijk charmant
zijn.
Til liet de stofdoek vallen en duwde haar nagels in haar handpalmen, o, wat had ze stomme gedachten in haar malle hoofd!
Ze werd oma, Oma! En dan hoorde je geen vlinders meer in je
buik te voelen, als je aan een charmante man dacht. Na het
soupertje waren mevrouw Tromp en zij naar huis gegaan. Koert

was naar haar toe gekomen, toen zijn ouders naar bed waren gegaan.

„Ben ik erg onwelkom?" had hij gevraagd. „Ik kan nu niet alleen zijn, ik heb het gevoel dat ik gek word. Wat denk je, kan ik twee van die kalmerende tabletten ineens innemen?"

„Hoeveel heb je er vandaag al op?"

„Nog geen één, al een paar dagen niet. Ik probeer er zoveel mogelijk af te blijven."

„Wacht dan nog even," had ze gezegd. „We kunnen wat praten, ik zal de haard aanmaken, een vuur maakt rustig. Misschien gaat het je dan beter. Je kunt maandag weer aan het werk, dat is toch een prettig vooruitzicht."

„Ik heb meer nodig dan werk," had hij gezegd en toen was hij op de bank voor de haard neergevallen en was in huilen uitgebarsten met zijn handen voor zijn gezicht.

Ze had wijn gehaald en twee glazen ingeschonken en ze tussen hen in op tafel gezet.

„Drink maar eens wat," had ze hem aangemoedigd, „je hebt de hele avond niets anders gehad dan mineraalwater."

„Maar dan kan ik die tabletten niet meer nemen," had hij bedenkelijk in het midden gebracht, „ik word zo ellendig in mijn kop, als ik die medicijnen samen met alcohol gebruik."

„Dan moet je nu kiezen," had ze gezegd, „je moet het zelf weten." Hij had voor de wijn gekozen.

Later had hij haar in zijn armen genomen en haar gekust, ze had zich tegen hem aan genesteld. De uren waren voorbij gegleden. Hij was pas naar huis gegaan, toen de volle bak met hout leeg was en het vuur in de haard gedoofd.

Ze had die nacht gesoesd en gedoezeld, haar hoofdkussen in haar armen, dicht tegen zich aangetrokken en ze had aan hem gedacht. Verboden gedachten, die later in de harde werkelijkheid alleen maar ontevreden maakten...

En nu stond ze hier met haar nagels in haar handpalmen gedrukt en staarde naar de open haard, die koud was en afwijzend. Ze keek om zich heen, de schrale winterzon bescheen de kringen, die de wijnglazen op de lage tafel hadden gemaakt, het gaf haar het gevoel van een kater.

„Mag ik morgen terugkomen," had hij gevraagd.

Ze schudde in herinnering misprijzend het hoofd. Waar moest dat naartoe? Ze was een volwassen mens en heel goed bij, ze wist drommels goed waar dit op uitlopen zou.
En wilde ze dat? Ze wilde het, graag zelfs, maar aan de andere kant toch ook weer niet. Straks zou Rikkie weer thuis zijn en ze zou onmiddellijk merken wat hier gebeurde.
Door Rob had ze destijds een verwijdering van haar kinderen gehad.
Ze hadden haar een beetje laatdunkend en niet onwelwillend bekeken, maar waardering hadden ze er niet voor kunnen opbrengen. Rob had ze nog op een zekere afstand kunnen houden, maar dat zou haar bij Koert niet lukken. Hij was een heel andere persoonlijkheid, eisender en vastbeslotener.

Het telefoontje van Ewout en Léonie had haar helemaal uit haar droomwereld gehaald vanmorgen. Ze was weer bij de harde werkelijkheid bepaald, de kinderen hadden haar nodig. Overmorgen zou ze zich ervan overtuigen hoe hard ze haar nodig hadden.
En nu verloor ze zich warempel weer in mijmeringen. Ze moest opschieten en het huis aan kant maken. Het was heel aardig om wat sociaal werk te doen in de vorm van een kerstmaaltijd voor je buren, die een moeilijke tijd doormaakten, maar ze moest wel zorgen, dat ze er zelf niet door onder de voet werd gelopen.
Vanavond, als Koert terugkwam, zou ze hem meteen zeggen waar het op stond.
Dat probeerde ze, toen hij haar bij zijn komst in de huiskamer naar zich toe wilde trekken.
„Koert," zei ze en ze vond zelf dat het heel flink klonk en ook wel zakelijk, „we kunnen hier niet mee doorgaan. Als de aardigheid eraf is, komt de werkelijkheid in de vorm van een enorme kater van eenzaamheid weer naar je toe, je kunt er beter niet aan beginnen."
Hij was niet zo onder de indruk van haar betoog, dat hij haar losliet, hij lachte even.
„Til, het ontbreekt er nog maar aan, dat je zegt, dat je je niet aan me wilt gaan hechten. Of wilde je dat soms zeggen? Net als met

de verzorging van Isabel, die je niet op je wilde nemen, bang als je was om je aan haar te hechten. Waarom zouden we ons niet aan elkaar hechten Til, en samen verdergaan? We passen toch geweldig goed bij elkaar?"

„Zeg geen onzin," weerde ze af, „je weet niet half waar je aan begint.

Ik moet er altijd voor mijn kinderen zijn, ik kan geen nieuwe relatie met iemand aangaan. Mijn partner zou tekortkomen, hopeloos tekort. Geloof dat nu. Ik heb me gisteravond mee laten slepen, dat geef ik je toe, maar vanmorgen bleek me al meteen dat ik op het verkeerde spoor zat. Ewout belde me op, Léonie is ziek. Ik moet er zo gauw mogelijk heen om te zien wat ik voor hen kan doen. Ik hoorde aan Ewouts stem dat hij me nodig heeft. Ik zou liever eerder naar ze toe zijn gegaan, maar vandaag komt dokter Schilder voor mevrouw Tromp, het is zijn vaste dag, dat bezoek kan ik niet afzeggen en morgen moet ik met mevrouw Tromp naar de polikliniek."

Hij knikte geduldig.

„Ik heb het allemaal al van moeder gehoord," zei hij, „maar ik zal je eens iets zeggen dat je eigenlijk wel had kunnen weten. Je hebt me eens verteld dat je bevriend bent geweest met iemand, die je kinderen er niet bij kon hebben. Zijn armen waren te kort, zei je toen heel dichterlijk, hij kon jullie niet allemaal tegelijk omhelzen. Mijn armen zijn precies van pas, Til. Ze zijn ervoor gemaakt. Ik heb liefde genoeg voor jou en je kinderen en aangetrouwde kinderen en kleinkinderen en noem maar op. Ze zijn een beter medicijn voor me dan al die rotpillen, die ik zo af en toe slik. Eigenlijk had jij me hierop attent moeten maken. Je weet zoveel van verzorgen en verplegen, is het nooit in je opgekomen, dat ik jou en je kinderen op het ogenblik het hardst nodig heb?"

Ze probeerde uit zijn dwingende greep los te komen. „Laat me even zitten, Koert, dan kan ik beter uitleggen wat ik bedoel," zei ze.

„Als ik naast je mag zitten," stelde hij als voorwaarde. Ze bracht hier maar niets tegenin.

„Kijk," begon ze, „ik kan je al direct vangen op je eigen woorden: je zegt dat je mij en de kinderen op het ogenblik hard nodig hebt. Maar wie zegt je, dat dat over een poosje ook nog zo is? Misschien ontmoet je algauw een aardige alleenstaande vrouw, die alle tijd voor je heeft en dan wens je mij en mijn kinderen misschien naar het andere eind van de wereld. Je moet in zulke belangrijke zaken niet zo gauw besluiten."

„Oké," zei hij, „wat mij betreft, wil ik het onderwerp best even laten rusten als ik de gelegenheid maar van je krijg te bewijzen, dat ik gelijk heb. Heb ik het goed dat je overmorgen naar Amsterdam wilt? Mag ik met je meerijden, ik ben immers vrij tot 2 januari. Ik heb nog steeds geen auto zoals je weet. Zet mij ergens af, als je bij je kinderen op bezoek gaat, ik heb nog wel wat op de bank te doen. Later treffen we elkaar weer ergens en rijden samen terug. Is dat een goed idee of niet?"

Ze aarzelde met antwoorden, door grote twijfel bevangen.

„Dan wilde je toch gewoon doorgaan? Denk je dan niet, begrijp je dan niet dat je straks misschien het gevoel hebt, dat je niet meer terug kunt…" hakkelde ze onsamenhangend.

Hij had willen zeggen, dat hij ook helemaal niet terug wilde, maar dan zou hij in herhaling vervallen.

„Je kunt me nu niet afschepen," zei hij vastbesloten. „Ik heb er recht op je te bewijzen, dat ik gelijk heb en dat kan ik niet, als ik je nooit meer mag zien. Zal ik nu de haard voor je aanmaken?"

Ze sloeg hem peinzend gade, toen hij bezig was de blokken op elkaar te stapelen.

Zo bereiken mensen dus hun doel, dacht ze, zo tegen de stroom in toch doorroeien. En hij wilde mee naar Amsterdam voor de gezelligheid. Ze ging verzitten en leunde nu achterover tegen de rug van de bank.

Straks zou hij zijn armen weer om haar heen slaan om troost te zoeken, om de demonen van eenzaamheid en verdriet, die hem ieder ogenblik weer bespringen konden, op een afstand te houden. Waarom waren de feestdagen zonder de kinderen eigenlijk toch nog wel prettig voor haar geweest? Toch alleen maar, omdat hij in de buurt was geweest? Ze moest dat zichzelf liever toegeven.

Toen ze die bewuste dag bij het flatgebouw waar Ewout en

Léonie woonden, aankwam, kwam ze Ewout bij de hoofdinggang tegen. Hij was zo in gedachten verdiept, dat hij haar voor zich uit de voordeur in liet gaan zonder haar te herkennen. Ze trok zijn aandacht door hem strak aan te kijken. Het was alsof hij wakker schrok, toen hij haar opmerkte.

„Mam," zei hij, „bent u hier? Ik, nou, ja, ik verwachtte u hier natuurlijk niet."

„Ik wilde jullie verrassen. Ik was bang, dat Léonie drukte zou maken voor mijn bezoek, als ze vooruit wist dat ik kwam. Hoe gaat het?"

Hij sloeg zijn ogen neer.

„Slecht," zei hij. „Léonie moet rusten van de dokter, ze heeft een vloeiing gehad. Ze is gisteren bij de specialist geweest."

„Kind toch! Waarom heb je niet even gebeld? Ik moet zoiets toch weten?"

Hij haalde zijn schouders op.

„Och, mam," zei hij, „we komen om in de belangstelling. Ja, dat klinkt onaardig, maar ik weet me niet goed raad met alles. Ik ben zo bang voor Léonie's gezondheid en voor…" weer dat schouderschokken. „Gaat u maar mee naar boven," zei hij toen. „Gisteravond is meteen een nichtje van Léonie gekomen. Ze was net zonder werk, ze is kinderverzorgster."

Ze stapten in de lift, tegelijk met een jongeman, die Ewout even toeknikte, voor Til een aanwijzing maar geen vragen meer te stellen. In de flat kwam hen een jong meisje tegemoet: Ewout stelde haar voor als Millie, het nichtje van Léonie.

„Dat zal Léonie een verrassing vinden," zei ze, „we zijn net aan de koffie. Drinkt u ook een kopje mee?"

„Dolgraag," antwoordde Til naar waarheid, er was niets waarnaar ze op het ogenblik zo verlangde als naar sterke koffie.

En toen werd ze begroet door Léonie, die haar met twee stralende ogen in een weliswaar wat bleek gezichtje, toelachte.

„Wat leuk, mam!" zei ze hartelijk. „Dat u die hele reis voor ons gemaakt hebt, terwijl u zelf zo druk bent. Wat ziet u er leuk uit!"

Allemaal positieve geluiden, Til wist niet goed wat ze ervan denken moest.

„Gaat u gezellig dicht bij me zitten," noodde Léonie. „Hebt u het al gehoord?" vroeg ze toen met een geheimzinnig gezicht. „Heeft Ewout het u nog niet verteld? Nee, ik zie het al, u weet nog van niets. Ewout is er ook nog zo beduusd van. We krijgen een tweeling, mam, leuk hè? De primeur in de familie, ik ben er zo trots op als een aap."

Tils mond viel open van verbazing en dat behoedde haar voor voortijdige uitspraken. Ze keek Ewout aan, die aan het voeteneind van Léonie's bed stond en keek toen weer naar Léonie, ze zag twee bleke kindergezichtjes, één met stralende donkere ogen en de andere met iets van wanhoop in zijn blik. Dat laatste maakte dat ze zichzelf onmiddellijk weer in de hand had. „Maar dat is groot nieuws," zei ze. „Wat fijn, Léonie, dat je er zo blij mee bent."

„O ja," zei ze, „heel, heel erg blij. En vader en moeder ook. Je lacht je naar, ze kwamen allebei direct in het geweer. Moeder zorgde meteen dat Millie hier kon komen, ze blijft bij ons tot minstens een jaar na de geboorte. Het trof zo goed, dat ze juist vrijkwam uit haar vorige verzorging. Daar hadden ze een drieling, nota bene, dus hier krijgt ze wat je noemt een makkie. En vader is meteen achter een huis aangegaan, want het wordt hier nu al krap met Millie erbij, straks na de geboorte, passen we er helemaal niet meer in. Ik verheug me zo op de verhuizing, Millie zorgt voor alles! En moeder komt natuurlijk ook even helpen. U eet straks toch mee, hè?" ratelde ze verder. „We eten rollade, dus dat is makkelijk. Daar kun je altijd een paar plakjes meer van afsnijden. Ik heb de aardappelen vanmorgen al geschild, maar ik schil er gewoon een paar bij, als Millie ze me straks even aangeeft. Dat ik mijn bed niet meer uit mag, is wel iets waaraan ik even moet wennen. Maar ik leef de voorschriften stipt na, dat begrijpt u. Stel je voor, er staat zoveel op het spel, daar kun je je geen grapjes mee veroorloven. Vertelt u nu eens over de kerstdagen, waren ze niet erg saai zonder Rikkie?" Til vertelde van de buren, die op bezoek waren geweest en van de tegenuitnodiging de tweede kerstdag samen met mevrouw Tromp. Ondertussen wierp ze tersluiks een blik op Ewout, die daar maar aan het voeteneind van het bed zat, met neergeslagen ogen.

Hij stond op.

„Ik ga die paar aardappelen schillen," zei hij, „het is zo'n gedoe, als die hele bak weer naar je bed moet en je krijgt, ondanks de gummie-handschoenen, misschien toch vuile handen. Allemaal weer extra werk. Ik zal ook een krop sla wassen, dat verruimt ons groentebestand. Ik ben zo weer terug, mam. Wilt u nog koffie?"

Eigenlijk was het allemaal geweldig, dacht Til, maar ze moest niet te veel doordenken. Niet er steeds over nadenken wie er voor de kosten, die er nu gemaakt werden voor de tweeling, moest opdraaien.

Natuurlijk deden Léonie's ouders dat. Het was immers beter nergens naar te vragen, als het bij Ewout en Léonie over geld ging. Straks, als Rikkie het huis uit was en mevrouw Tromp naar het bejaardentehuis, dan zou ze proberen enkele maanden achter elkaar te werken. Overal in het land waar zich maar een verpleging voordeed, zou ze in kunnen springen en dan meer kunnen verdienen dan met een of twee patiënten bij haar in huis. De stookkosten zouden dan vervallen en haar levensonderhoud werd tot een minimum gebracht. Als ze bij andere mensen in huis was, had ze immers haast niets nodig.

„We hebben een kaart van Rikkie gehad," vertelde Léonie. „Wat leuk voor haar dat ze nu voor het eerst met wintersport is! Later kunnen we misschien weleens met zijn allen gaan. Zou u ook wel een weekje weg kunnen?"

„Vast wel," zei Til, hoewel ze dacht: daar komt immers toch niets van, ik heb wel wat anders aan mijn hoofd. Hoe zou Rikkie het in haar vakantie hebben?

Ze had twee keer een kaart van haar gehad met een paar regeltjes erop, dat alles goed ging. Echt Rikkie, om niet uit te weiden over alles wat ze meemaakte. Ze zou het toch wel naar haar zin hebben? Enfin, ze kwam over enkele dagen alweer thuis, de dag na nieuwjaar. En natuurlijk zou Rikkie zich uitstekend vermaken, ze moest nu echt niet overal leeuwen en beren op haar pad zien. En met Léonie en Ewout viel het toch ook allemaal mee.

Ze dacht daar toch weer anders over, toen ze tegen vieren afscheid van Léonie nam en Ewout met haar meeging naar beneden om haar naar de taxistandplaats, die dicht bij de flat was, te brengen. Koert had de auto meegenomen naar de Bank waar hij het een en ander te doen had. Ze zouden elkaar in een café in de buurt ontmoeten. Hij ging daar met de auto heen en zij met een taxi.

Ze liep nog even met Ewout mee naar de bergplaats in het souterrain van de flat, waar Ewout haar een paar fauteuils wilde laten zien waarover ze eerder gesproken hadden.

„Léonie wil ze laten overtrekken, maar het komt zo duur," zei hij, „we kunnen beter nieuwe kopen en deze bij Léonie thuis bewaren tot we meer geld hebben."

In haar hart was Til het met Ewout eens, toen ze de fauteuils zag, maar ze zei: „Léonie wil het zo graag, vind je het leuk, als jullie dat stofferen van mij cadeau krijgen? Zoek maar een mooie stof uit, echt iets dat bij Léonie's andere meubilair past, dan zijn ze weer voor jaren netjes."

Ewout zakte in een stoel neer, zijn hoofd in zijn handen verborgen. „Mam," zei hij, „het vliegt me soms allemaal zo aan! Ze zijn aardig, Léonie's ouders, echt waar, maar zo bedillerig en bedisselend. Mijn dochter moet een groot huis, mijn dochter moet hulp hebben, mijn dochter, altijd mijn dochter, en dan voel ik me zo klein, ik kan immers niets bijdragen! Nu ja, dat is niet helemaal waar, want ik verdien wel wat en ik krijg van u, maar bij de Van Cossels moet alles zo in het groot! Ik kon echt een heel aardig huisje krijgen, dat eerst onbewoonbaar was verklaard, maar door een jongen, die ik ken weer helemaal is opgeknapt. Hij trekt eruit, omdat hij een jaar naar India gaat en wij konden het heel voordelig huren, maar vader Van Cossel zegt nee en dan is het uit. Nu moeten we straks in een huis, dat hij voor ons huurt, nieuwbouw, een huis met twee verdiepingen. En Millie bezwaart me natuurlijk ook, maar dat kan bijna niet anders, want u begrijpt, dat ik keihard wil studeren en het werk bij het verhuisbedrijf wil ik ook blijven doen. Dat kost allemaal tijd en Léonie moet natuurlijk ook goed verzorgd worden. Als die kinderen er nu maar eenmaal zijn! Ik ben soms zo bang, mam, ze ziet er zo teer uit. En dan een tweeling!" Het laatste klonk als een noodkreet.

Ze ging naast hem staan en sloeg haar arm om hem heen. „Je redt het wel," zei ze.

„Maar ik voel me zo bezwaard," zei hij. „Vader Van Cossel heeft zo'n aparte manier om je te helpen. Zoiets van: denk erom, dat je hard studeert, want denk niet, dat we rijk zijn. Wat jullie nu opmaken, gaat later van Léonie's erfdeel af, anders kan ik dat niet tegenover mijn andere kinderen verantwoorden. Ik begrijp best, dat hij dat zo doet, maar ondertussen bedisselt hij wel hoeveel kosten we moeten maken. Ik vind het idee om nu alvast van Léonie's erfdeel te moeten leven, afschuwelijk. Ik voel me een parasiet."

Til knikte begrijpend en stond op.

„Probeer toch maar de uitgaven zoveel mogelijk in de hand te houden," adviseerde ze. „Je moet hier even doorheen, daar is niets aan te doen. We moeten nu gaan, want Koert zit op me te wachten."

„Ik denk dat je de hele dag wel van koffie en thee bent voorzien," zei Koert, toen ze elkaar troffen, „ik zou me kunnen voorstellen dat je niets meer wilt gebruiken."

„Ik heb zelfs warm gegeten," vertelde ze, „nee, de inwendige mens is voldoende versterkt."

„Ik heb met een collega geluncht," vertelde hij, „en onderwijl hebben we allerlei probleempjes doorgesproken. Zullen we dan nu maar meteen naar huis rijden?"

Voor ze instapten keek hij haar onderzoekend aan.

„Was het geen prettige dag?" vroeg hij.

Ze keek twijfelend.

„Het was een fijne dag," zei ze toen, „maar vol problemen."

„Zal ik dan maar rijden?"

„Gaat dat?" vroeg ze. „Ja, in de stad heb je zonet ook al gereden. Ik heb me later eigenlijk pas gerealiseerd dat dat riskant was. Je hebt het in geen tijden gedaan."

„Ik slik al dagenlang niets," stelde hij haar gerust, „en autorijden verleer je nooit. Als je je aan me durft toevertrouwen, ik doe het graag."

„Ik vind het heerlijk om gereden te worden," bekende ze.

Toen de stad achter hen lag, plaagde hij: „Nu kun je fijn verder piekeren, hè?"

„Piekeren is eigenlijk het woord niet," zei ze na enig nadenken, „ik probeer een bevredigende oplossing te vinden, maar ik ben bang dat die niet bestaat."

Toen vertelde ze van de tweeling en de op handen zijnde verhuizing en van Léonie, die waarschijnlijk al die maanden zou
moeten liggen, van het grote huis, dat vader Van Cossel op het
oog had en van Millie, die tot minstens een jaar na de geboorte
van de tweeling was aangenomen en van Ewouts bezwaren
tegen het luxueuze leven, dat hij min of meer door zijn schoonouders kreeg opgedrongen. „Maar ik zie geen andere oplossing," eindigde ze ten slotte. „Léonie moet nu alles zo makkelijk
mogelijk hebben, des temeer kans is er dat de tweeling gezond
en wel op de wereld komt."

„Zo zullen Léonie's ouders er ook over denken," meende Koert.
„Ik begrijp best, dat je je een beetje zorgen maakt over Ewout,
die zich zo in het nauw gedreven voelt, maar eigenlijk zijn het,
als ik het eerlijk mag zeggen, een beetje luxe zorgen. Ze worden
met hun tweetjes in de watten gelegd om Léonie en haar kinderen er goed doorheen te krijgen. Sommige mensen moeten
zich door armoede heenslaan en Ewout zal deze tijdelijke luxe
moeten verdragen. Heb je hem er eigenlijk wel op gewezen hoe
blij hij mag zijn, dat er zo voor hen gezorgd wordt?"

Ze zweeg even.

„Dat heb ik niet gedaan," zei ze toen, „maar je hebt gelijk, ik zal
daar de volgende keer zeker de nadruk op leggen. Nu zie je
eens hoe het gaat, als je alleen je kinderen moet opvoeden.
Niemand oefent kritiek uit of corrigeert je en daardoor worden
ze eenzijdig opgevoed met wie weet hoeveel nadelige gevolgen
van dien."

„Als ik je nu zeg dat ik bereid ben daar onmiddellijk verandering in te brengen, ben ik bang dat ik er hier, midden op de
autoweg, uitgezet word," meesmuilde hij.

„Waag het dan ook niet," kaatste ze terug, ze voelde in het donker zijn hand naar de hare tasten.

Hij hield die vast, toen hij hem gevonden had, zijn hand op haar
knie.

Ze sloot haar ogen, leunde met haar hoofd achterover, luxe
zorgen, had hij gezegd, soesde ze. Misschien was het zo, misschien moest Ewout nu flinker zijn en zijn luxe dragen als een
last, die hij liever van zich af wilde schudden. Van die kant

had ze het nog niet bekeken. Wat was het heerlijk om gereden te worden, hoe lang was het al geleden, dat haar dat was gebeurd?

Heel lang, wist ze, met Rob had ze altijd zelf gereden. Ze werd slaperig van de warmte in de wagen en van het gevoel van veiligheid dat haar doorstroomde.

Ze sliep in en werd pas wakker, toen Koert voor haar huisdeur stopte.

„Denk je eraan," zei mevrouw Horsting de volgende dag aan het ontbijt, „dat vader en ik vanavond al vroeg naar de familie Damsteeg gaan? We zijn te eten gevraagd."

„Ik heb het al in orde gemaakt met de oppas," zei Koert terwijl hij een lepel pap naar Isabels mond bracht. Het kind sloeg enthousiast met haar armen om zich heen en maaide bijna de lepel uit Koerts hand.

„Pap... pap... brrr..."

Isabel was in het stadium, dat ze één woord goed kon zeggen en het voor alles gebruikte, zowel om haar instemming als om haar afkeer duidelijk te maken, alleen de intonatie verschilde.

Maar als ze het lachend kirde, met haar mond gespleten tot aan haar oren en haar vader aankeek, verbeeldde Koert zich dat ze 'papa', zei en dat het woord uitsluitend en alleen voor hem bedoeld was.

„Toch geloof ik dat Christine en Susan al meer konden zeggen, toen ze zo oud waren als Isabel," merkte zijn vader op.

Koert hoorde zijn moeder zuchten, hij wist dat ze bang was dat zijn vader verdrietige gedachten met deze woorden bij hem zou oproepen. Maar hij constateerde dat het hem niet meer zo door de ziel sneed als eerst, wanneer er iets over zijn andere kinderen werd gezegd. Zou hij een klein beetje veld winnen?

Eens op een dag zou hij toch over hen moeten kunnen praten zonder dat hij een prop in zijn keel kreeg.

„Kom, pop, mondje open."

Of zou hij straks weer in de muil van de wanhoop geklemd zitten waaruit hij zich met veel moeite weer vrij kon maken, maar dan wel de rest van de dag nodig had om zijn wonden te likken? Niet denken nu, niet doordenken. „Hap, schat, wat dacht opa wel? Jij kunt al net zo goed praten als je zusjes, toen ze zo oud

380

waren als jij, maar je laat het nog niet merken, hè? U moet haar 's morgens, als ze net wakker is, maar eens horen, dan komt er al veel meer uit," wendde hij zich tot zijn vader.

„Ja, zo gaat het," viel zijn moeder hem bij, „het lijkt wel of ze eerst in hun eentje oefenen en opeens komt alles er tegelijk uit."

Moeder wil over het zere punt heen praten, dacht Koert. Lief van haar.

„Wat die oppas betreft," zei hij, „dat hebben we heel makkelijk opgelost. We hebben gisteren de verbindingsdeur tussen de beide huizen opengemaakt. Het kan alleen maar zolang Rikkie er niet is, want die bewuste deur komt op haar kamer uit."

„Er is toch boven nog een kamer vrij," merkte zijn moeder op. „Zou ze niet willen ruilen? Het lijkt me toch makkelijker voor jullie, als het kind op die manier altijd bereikbaar is."

„We zullen wel zien," zei Koert, „ik hoop natuurlijk op een betere oplossing. Welke, dat zullen jullie wel al begrepen hebben."

Zijn ouders keken elkaar een ogenblik zwijgend aan.

„Ja, dat zou mooi zijn," zei zijn vader toen.

„Het zou zelfs heel mooi zijn," bevestigde zijn moeder, „het beste wat je zou kunnen gebeuren, want het leven moet toch weer verdergaan. Enfin, we zullen het maar afwachten."

„Zo is dat," vond Koert. „Hap, pop."

„Pop, pop... grrrr..."

„Hoorde je dat, moeder, nou zei ze duidelijk pop, hoorde jij het ook, Koert?" vroeg zijn vader verheugd.

Ik ben er nog lang niet, dacht Koert mismoedig ineens, waarom kan ik nu wel huilen, omdat mijn vader zo verheugd is over de vorderingen van het enige kleinkind dat hem is overgebleven? Ik ben er nog op geen stukken na, zolang het me zomaar bespringt van het ene ogenblik op het andere.

HOOFDSTUK 12

Het was de dag voor oudjaar. Koert was tegen zevenen door de tussendeur Tils huis binnengegaan. Hij wist dat ze om deze tijd mevrouw Tromp haar laatste massage gaf, tegen acht uur zou ze beneden komen, verkleed en wel. Vanwege mevrouw Tromp ging alles op de klok.

„Ik moet met die dingen op tijd zijn," placht Til te zeggen, „want ze kijkt er de hele dag naar uit. Ze deelt op die drie behandelingen per dag haar tijd in."

Hij legde de blokken zorgvuldig op het stapeltje aanmaakhout in de haard, hij verheugde zich er nu al op, dat het vuur straks knapperig zou branden. Een haardvuur werkte zo troostend, het was alsof iemand je een hand reikte. Hij stak een lucifer aan en zag even later de tongen vuur om het hout lekken, het kleine aanmaakhout knapte en de grote blokken sisten een beetje. Zou het wel droog genoeg zijn? Hij zou morgen weer een hoeveelheid blokken in de ruimte onder de haard leggen, dan konden ze vast wat vóórdrogen. Hij liep naar de keuken, deed water en koffie in het koffiezetapparaat. Hij moest nu proberen er niet aan te denken, dat Til hun relatie op een dag verbreken kon. Hij moest gewoon genieten van het ogenblik.

Hij moest eigenlijk al blij zijn dat er weer ogenblikken waren dat hij genieten kon. Hij keek op zijn horloge, nog even, en dan zou hij het apparaat inschakelen.

Toen hij in de kamer terugkwam, was Til daar al.

„Ik heb nog even naar Isabel gekeken," zei ze, „wat is het toch een dot, hè? Net een bazuinengel met die dikke hamsterwangen."

Hij kwam naar haar toe en glimlachte naar haar.

„Een beetje eerbiediger over mijn dochter, alsjeblieft," zei hij.

„Dit is eerbiedig," vond ze, „een bazuinengel is een hoge kwalificatie en ze hebben echt hamsterwangen, dat zie je op alle schilderijen."

Ze bleef even handenwrijvend voor de haard staan.

„Wat heerlijk warm is het hier al," zei ze, „ik heb zo'n blij gevoel." „Ja?" vroeg hij. „Echt waar?" zijn stem sloeg over van ontroering.

„Wil je het dan niet zo houden?"

Nog steeds in de vlammen starend zei ze zacht: „Ja, ik wil het graag zo houden. Ik geloof dat het wel gaan zal, met jou en met Isabel samen. En dan later, als mevrouw Tromp weg is, een part-timebaan in een ziekenhuis in de buurt. Ik kan niet helemaal zonder mijn werk, Koert, maar dat begrijp jij geloof ik wel."

„Ik zou niet anders willen," zei hij, „ik kan me jou als alleen maar huisvrouw ook nauwelijks voorstellen. We moeten toch iets houden om over te kunnen praten? En Dini vangt Isabel wel op. Haar man gaat volgende week weer aan de slag. Ik heb een plaats voor hem kunnen bemachtigen op onze Bank hier in het dorp. Hij was bij zijn vorige werkgever een heel goede admini-stratieve kracht, hij is ontslagen wegens bezuinigingen."

„Wat fijn voor dat gezin, dat hij weer werk heeft," zei Til. „Ze zijn je zeker wel dankbaar?"

„Die man verdient het," vond Koert. „Hij hoeft me helemaal niet zo dankbaar te zijn, we hebben een goede kracht aan hem. Hij staat gelukkig ook helemaal achter Dini's werk. Moeder wil haar natuurlijk ook graag als hulp houden, maar ik denk niet dat dat een bezwaar is."

„Dat regelen we wel," zei Til.

„Wanneer wil je trouwen?" vroeg hij.

„Tja, wanneer," zei ze. „Wat mij betreft, kan het op een achtermiddag. Jij wilt er toch ook geen tamtam van maken, wel?"

Hij sloeg zijn arm om haar schouder.

„We zijn het ook in dit opzicht eens," zei hij.

„Dan zien we nog wel wanneer het ons het beste uitkomt." Hij zuchtte diep.

„Je hebt me met deze beslissing erg gelukkig gemaakt, Til," zei hij bijna plechtig. „En jij? Heb je nog steeds een, 'fijn gevoel'?"

Ze nestelde zich tegen hem aan. „En of," zei ze, „het kan alleen nog maar fijner worden door koffie en die ga ik nu voor ons inschenken, ik ruik ze al. Laat me even los, als je wilt."

Het was al tegen twaalven – even tevoren hadden ze Koerts ouders thuis horen komen – toen ze plotseling in huis een geluid hoorden.

Koert fronste zijn wenkbrauwen.

„Zeg nu niet, dat dat mijn ouders zijn, die door Rikkie's kamer jouw huis zijn binnengedrongen. Dat moet wel de eerste en ook de laatste keer zijn."

Hij zei het verontwaardigd, terwijl hij opstond en naar de deur liep. Die ging open voor hij erbij was en tot hun beider onuitsprekelijke verbazing stond daar niet een van Koerts ouders in de deuropening, maar Rikkie in levenden lijve.

„Kind, wat doe jij hier?" riep Til. „Je zou toch pas volgende week thuiskomen? Kind toch, je ziet er helemaal niet goed uit, ben je ziek? Wat is er met je?"

Rikkie viel, met haar jas nog aan, in een stoel neer.

„Er is helemaal niets met me," zei ze, „maar ik vond er niets meer aan. En toen er een plaats in een bus vrijkwam door iemand die ziek werd en niet naar huis kon, toen ben ik teruggegaan, dat is alles. Ik ben moe, ik ga naar bed, als u er niets op tegen hebt."

Til was opgestaan.

„Onzin, Rikkie, je wilt vast eerst iets eten of drinken. Waar heb je zin in, zeg het maar."

„Ik heb nergens zin in," zei ze koppig, „ik wil naar bed. Welterusten, allebei."

Ze had zich al omgedraaid en liep naar de deur.

„Ik ga even met je mee," zei Til. „We hebben namelijk de tussendeur naar het andere huis opengemaakt om af en toe naar Isabel te gaan kijken, snap je?"

Rikkie draaide zich om, keek van Til naar Koert. „Alleen om Isabel?" vroeg ze schamper. „Dat zal wel, u hoeft me echt niets wijs te maken, mam. Ik kom ongelegen, dat heb ik heus wel gemerkt. Mijn kamer gebruikt u om uw vriendje makkelijk in huis te laten. Stiekem gedoe, hoor! En ons maar opvoeden, 'in het nette' hè? Nou, het spijt me verschrikkelijk, dat ik zo onverwacht binnenviel."

„Rikkie," zei Koert toen, „mag ik je erop attent maken, dat je zulke dingen niet tegen je moeder kunt zeggen?"

„O nee?" vroeg ze zich naar hem wendend, „dacht je dat werkelijk?

In deze voze rotte wereld mag iedereen alles en dan mag ik het ook, hoor je dat? En nu ga ik naar mijn kamer en moeder hoeft niet met me mee, de toegang tot haar liefdesnestje kan ik zelf wel op slot draaien. Welterusten."

De klap van de deur waardoor Rikkie verdween, klonk Til als een zweepslag die haar net gemist had, in de oren.

„Het is mijn kind," zei ze toonloos, „maar deze voorstelling vind ik voor jou het ergste. En dat na alles wat je hebt meegemaakt."
„Onzin," zei hij meteen, „dit zijn de perikelen van een opgroeiend gezin. Je moet niet vergeten dat ik daaraan gewend ben en dat ik me ertegen opgewassen voel. Die vakantie is natuurlijk een vervelende ervaring voor haar geweest, anders was ze niet eerder teruggekomen. Nu is ze moe en daardoor ook nog kribbig... Als ze morgen weer wat uitgerust is, ziet ze de dingen zonniger. Dat gaat zo met zulke meisjes. En met ons allemaal trouwens."
„Als er maar niets ernstigs gebeurd is," zuchtte Til. „Ze kan wel op de een of andere manier misbruikt zijn, of misschien heeft ze zich vrijwillig in het een of andere avontuur gestort, dat achteraf tegenviel. Ze kan wel zwanger zijn, wie weet."
„En wie weet verwacht ze ook een tweeling, net als Léonie," vulde Koert schamper aan. „Zie je nu zelf niet dat je doordraaft?"
Toen ging Til aan de eetkamertafel zitten, legde haar hoofd op haar armen en barstte in snikken uit.
„Ik heb te veel aan mezelf gedacht," snikte ze, „aan ons... aan jou. Ik houd me in mijn gedachten te weinig met hen bezig, ik schuif hun problemen maar van me af om mijn eigen prettige gedachten te hebben en dat is fout! Fout, hoor je? Met Ewout is het ook veel erger dan je denkt. Jij noemt het luxe zorgen, maar als ze je de grond inwerken komen ze net zo hard aan als huis-, tuin- en keukenzorgen, als je dat maar weet."
Hij ging tegenover haar aan tafel zitten, dwars op een stoel, met zijn benen recht voor zich uit.
Toen ze haar tranen droogde, zei hij: „Dus jij gelooft dat je kinderen ermee gediend zijn, als je hier in je eentje aan hen gaat zitten denken en al hun problemen en probleempjes onder de loep neemt?"
„Ik weet het niet," zei ze, „maar dat ze allebei in de vernieling zitten is duidelijk. Ik had niet zo gauw tot een huwelijk moeten besluiten.
Laten we het in ieder geval een poosje uitstellen, Koert."
Ze hief haar roodbehuild gezicht naar hem op.
Hij zei even niets en toen zuchtte hij diep. Hij stond op.

„Ik geloof, dat voor jou hetzelfde geldt als voor Rikkie, eerst een nachtje slapen en dan verder zien, je bent ook moe. Ik kan nu beter naar huis gaan."

Iets in zijn manier van spreken maakte dat ze oplettender naar hem keek. Ze zag de plotseling vaalbleke kleur van zijn gezicht, de moedeloze blik in zijn ogen, hij stond daar met afhangende schouders als de personificatie van het verdriet.

Ze stond ook op.

„Voel je je niet goed?" vroeg ze dringend. „Zie je wel, ik dacht het al, zoiets is nog te veel voor je. Och, wat een ellende allemaal."

Hij kneep even zijn ogen dicht, rechtte zich, hij stak zijn handen in de zakken van zijn tweedjasje, toen hij langzaam en nadrukkelijk zei:

„Nee, Til, dat is het niet. Al had je twaalf kinderen met problemen, ik zou ze allemaal spelend aankunnen, maar waar ik niet tegen kan, dat is je dreigement je van me terug te trekken. Jij en je kinderen zijn mijn reddingsboei waaraan ik me vastklem. Die problemen neem ik op de koop toe, en heel graag zelfs. Ik zal je wat bekennen: al heel gauw na het ongeluk ben ik aan jou gaan denken, terwijl ik je toch maar een paar keer had ontmoet. Schandalig, hè, als je pas je vrouw en twee kinderen verloren hebt? Maar toch is het zo. En daarom kon niemand goed bij me doen, mijn schoonzuster niet, Constance niet en nog een paar, die hun best hebben gedaan. Jou wilde ik en niemand anders. Misschien kun je nu enigszins bevroeden hoe het me te moede is nu ik je weer dreig kwijt te raken. Om, om niets, om een hersenschim, dat verzeker ik je."

Hij keek op zijn horloge. „Ik moet weg," zei hij kort. „Het wordt de hoogste tijd om naar Isabel te gaan kijken."

Hij kuste in het voorbijgaan vluchtig haar voorhoofd. „Het zou jammer zijn, als je nu échte fouten ging maken," zei hij, zijn stem klonk kunstmatig beheerst.

Hij ging de voordeur uit en stond een ogenblik op de stoep, toen liep hij in de kraag van zijn colbert gedoken het tuinpad af. Het was koud en een beetje mistig, de afkoeling deed hem goed, hij kon nu beter denken. Hij zou straks, als hij thuiskwam, weer zijn tabletten nemen.

Hij wist uit ervaring dat ze maakten, dat hij afstand kon nemen. Hij zou ze misschien moeten slikken tot hij weer aan het werk kon gaan en dan zou hij wel weer zonder kunnen, het werk zou hem afleiden en moe maken. Hij kon zich niet veroorloven weer in dat diepe donkere gat weg te zakken, hij moest aan zijn ouders denken, hij kon ze niet met Isabel opschepen. Hij rilde even in zijn te dunne kleding. Hij moest nu naar binnen gaan, naar Isabel, haar zachte geurende aanwezigheid zou hem een beetje troosten, al had hij dan nu ook andere troost nodig. Ze rook zo lekker, naar zeep en naar heel jong warm leven, naar iets liefs en teers. Hij had de laatste tijd pas ontdekt, dat die dingen een geur hadden. Hij moest vóór alles flink zijn, dat zouden die tabletten hem mogelijk maken. Hij verlangde naar de diepe slaap, die de medicijnen hem zouden geven.

Hij zag licht onder zijn kamerdeur branden. Het bevreemdde hem, want hij was er zeker van, dat hij het had uitgedaan. Misschien dat zijn ouders nog binnen waren geweest en het vergeten hadden. Hij ging naar binnen en zag, dat de deur van Isabels kamer openstond. Hij zag Rikkie, nog helemaal aangekleed, aan Isabels ledikantje zitten.

„Zo, zei hij, „zijn mijn oudste en mijn jongste dochter elkaar aan het troosten?"

Hij zei het zonder erbij na te denken, in een opwelling, misschien ook omdat de wens de vader van de gedachte is.

Rikkie stond op en legde haar vinger tegen haar mond. „Ze slaapt," zei ze.

„Huilde ze? Ben je daarom naar haar toe gegaan?"

Rikkie liep achter hem aan naar zijn kamer, sloot de kamerdeur van Isabel. „Nee," zei ze, „ik ben hier, omdat ik naar jou toe wilde. Je zei dat van die oudste en jongste dochter, ga je met haar trouwen?"

Hij keek haar aan en wendde toen met een gelaten gebaar zijn hoofd af.

„Ik heb het haar gevraagd en ze heeft het me beloofd," zei hij, „maar ze heeft er alweer spijt van, omdat ze bang is, dat dat wat er met jou is gebeurd, voorkomen had kunnen worden, als ze me die belofte niet had gedaan."

„Echt iets voor mam. Wat sloom. Natuurlijk heeft dat er niets mee te maken en er is helemaal niets met me gebeurd."

„Dat dacht ik al," zei hij, „en dat heb ik haar ook gezegd. Ik dacht dat je alleen niet zo'n prettige vakantie had gehad en dat je nu moe bent en eigenlijk hoort te slapen."

„Ik ben hier gekomen om je te zeggen dat het me spijt wat ik gezegd heb."

Hij knikte.

„Dat weet ik dan nu," zei hij.

„Vergeef je het me? Het was heel rottig en gemeen, maar dat komt omdat ik de wereld ook heel rottig en gemeen vind, zie je."

„Ik vergeef het je," zei hij, „en als je me nu nog even uitlegt waarom je de wereld ineens zo rottig en gemeen vindt, dan weet ik dat ook."

„Je maakt er een grapje van," deed ze vinnig, „maar de wereld is echt heel voos en corrupt en..."

„Ja," zei hij, „het zal moeilijk voor je zijn nog meer synoniemen te vinden, dat begrijp ik. Maar laat ik je verzekeren, dat ik nog nooit zo ver van een grapje heb afgestaan als vandaag. Vertel me maar liever wat er gebeurd is, dat lucht op. Ga eens makkelijk in die stoel daar zitten en doe je ogen dicht, als je het me vertelt. Ik luister."

„Zo'n drukte hoef ik er niet van te maken," zei ze terwijl ze in de aangewezen stoel ging zitten, „ik ben beduveld en dat is gauw verteld. Ik ben ertussen genomen en dat zal me nooit meer gebeuren. Ik haat mannen, Koert en het zal lang duren voor ik er weer een vertrouw."

Hij zei maar niet, dat hij ook tot het gewraakte soort behoorde. Hij sloeg haar gade, toen ze daar zo tegenover hem zat, met verwarde haren en van woede fonkelende ogen, haar benen in de strakke jeansbroek over elkaar geslagen. Hoe lang was het al geleden dat zijn Christine zo in een vertrouwelijk gesprek bij hem had gezeten en haar hart bij hem had uitgestort! Er krampte iets in zijn borst, hij boog zich naar haar over en hij zei: „Vertel het maar, kind, dat zal opluchten."

„Het is zo stom gegaan," begon ze een traan wegvegend die ineens over haar wang liep. Iets in zijn stem had gemaakt, dat ze ineens huilen moest. „Ik was met hem op skiles op de borstelbaan. Omdat er allemaal stellen waren en wij de enigen, die alleen kwamen, bracht hij me altijd met zijn auto naar de bus na afloop van de les. De laatste keer stelde hij voor samen met vakantie te gaan. Het leek me geweldig, want ik vond hem erg aardig. Ik vond het ook een geweldige eer met hem mee te mogen, hij was al ouder, eind twintig denk ik, en hij zag er erg leuk uit. Hij besprak die vakantie en ik stuurde hem het geld. Ook al link natuurlijk, want ik kende hem verder helemaal niet, maar dat kwam wel in orde, behalve dat hij voor ons een tweepersoonskamer had besteld. Dat ontdekte ik pas, toen me mijn kamer werd gewezen. Ik had dus helemaal geen eigen kamer, ik moest hem delen met hem. En hij deed alsof dat de gewoonste zaak van de wereld was."

„En toen?" vroeg hij.

„Toen niks. Hij had me eerst naar de kamer laten gaan, hij dacht dat ik het wel prettig zou vinden om alleen te zijn, als ik mijn koffer uitpakte. Ja, zo gevoelig was hij wel. Hij zei wel, dat hij het liefst bij het raam sliep. Ook nog pretentieus dus, je houdt het niet voor mogelijk, maar het is zo. Enfin, ik heb mijn koffers helemaal niet uitgepakt, ik heb mijn spullen meegenomen en ik ben naar de receptie gegaan. Daar stond hij ook en ik zei hem, dat ik er niet over piekerde met hem op één kamer te slapen en dat hij moest zorgen, dat ik een kamer alleen kreeg. Nu, die was er niet. De hoteldirectie kon er ook niets aan doen, ze bemoeiden zich niet met ruzie tussen Geliebten. Mijn reisgenoot ging naar boven, waarschijnlijk om zijn koffers uit te pakken en hij liet mij alleen bij de receptie staan. Ik was machteloos. Hij had zo laconiek gedaan, net alsof hij er niets mee te maken had. Ik zag meteen dat ik van hem niets hoefde te verwachten. Ik heb hem nooit meer teruggezien. Het hotel heeft me nog schappelijk behandeld, ik kreeg het geld voor de maaltijden terug en nog een paar tientjes omdat ik de kamer niet zou gebruiken. Ze hadden die nacht een andere kamer voor me, maar ik moest wel maken dat ik de volgende morgen voor twaalf uur weer weg was. Het vvv heeft me de volgende dag aan een andere kamer geholpen, in een dorp in de buurt. Ik wilde niet in hetzelfde dorp zitten als hij en de andere lui van de skiles, want ze zaten allemaal in hetzelfde dorp. Ik kon niet gaan skiën, ik had alleen maar geld voor die kamer en een beetje om van te eten. Ik moest immers genoeg geld voor de terugreis overhouden. Per bus was het goedkoopste.

Ik ben de hele tijd druk geweest een terugreis te krijgen. Er kwam een plaats in de bus vrij doordat er iemand ziek werd en per vliegtuig naar huis ging.

Toen ik wist wanneer ik terugging, kon ik mijn geld indelen. Ik ben toen een keer lekker gaan eten, want ik had een verschrikkelijke honger. Later moest het natuurlijk weer kalm aan, maar op het laatst ga je wennen aan een lege maag. Nu zou ik niet eens iets lusten, ik word al misselijk als ik aan eten denk. Dat zal ook wel door de busreis komen."

Toen ze uitverteld was hoorde ze hem diep zuchten.

„Kind," zei hij, „waarom niet een telefoontje naar mij? Wij waren toch al zulke goeie vrienden?"

„Ja," zei ze, „daar heb ik niet eens aan gedacht. Ik wilde wel zo gauw mogelijk terug, maar dat lukte gewoon niet. En mam wilde ik niet bellen, ze is altijd zo gauw in paniek. Ze denkt altijd dat het nog erger is dan je zegt. Je mag het haar wel vertellen, maar blaas het niet te erg op, anders zeurt ze zo, als ik weer eens weg wil."

Ze droogde de laatste restjes van haar tranen met de rug van haar hand weg en keek hem aan.

„Je vindt me zeker een grote gans?" vroeg ze.

„Ik? Nee, helemaal niet, ik vind je geweldig en ik denk dat je moeder heel trots op je is. Alleen begrijp ik niet, dat je niet direct met de trein bent teruggekomen. Dat was wel duurder dan de bus, maar dan had je toch je verblijfkosten uitgespaard…"

Hij zag dat ze kleurde.

„Dat is zo," zei ze toen, „maar ik schaamde me eerst om met hangende pootjes naar huis terug te komen, ik had eigenlijk tot het bittere eind willen blijven, maar ik kon deze bus krijgen en ik was niet zeker van een reisgelegenheid na nieuwjaar en mijn geld werd steeds minder en minder. Nou, en zodoende."

„Ik kan het me wel begrijpen," zei hij. „Kom, laten we wat melk voor je gaan warmen. Dat is op zo'n lege maag als de jouwe het beste voor de nacht."

Til was na Koerts vertrek naar Rikkie's kamer gegaan en had aangeklopt, maar geen gehoor gekregen. Rikkie kon koppig zijn, dacht ze.

„Welterusten dan," had ze gezegd, „ik ben erg blij dat je weer thuis bent hoor."

Had ze echt niets beters kunnen bedenken?

Ze had beter helemaal niet naar haar toe kunnen gaan. Rikkie had zich schandalig gedragen. Maar ja, wie weet wat het kind had meegemaakt. Misschien was de ontdekking dat er iets was tussen Koert en haar net de druppel geweest, die de emmer had doen overlopen. Onzin, dacht ze toen weer geërgerd, dat gaf haar nog niet het recht zulke dingen te zeggen. Misschien had ze gewoon ruzie gehad met haar reisgenoten en was ze daarom weggegaan. Koert kon weleens gelijk hebben, misschien was er toch niets ergs voorgevallen...

Ze had Koert ook niet zo weg moeten laten gaan, hij had er weer zo triest uitgezien. Wat had hij ook weer gezegd? Al heel gauw na het ongeluk ben ik aan jou gaan denken... jou wilde ik en niemand anders... En dat terwijl zij op het laatst ook aan niemand anders meer kon denken dan aan hem. Wat was ze jaloers geweest op Constance en wat was dat onnodig geweest. En in haar zorg en verwarring om Rikkie had ze de onmogelijkste dingen tegen hem gezegd. Onterecht natuurlijk, want wat er ook met Rikkie gebeurd mocht zijn, het had niets te maken met haar verhouding met Koert.

Al redenerend met zichzelf was ze naar bed gegaan waar ze de slaap niet kon vatten. Na eindeloos heen en weer gedraai deed ze het licht maar weer aan en ging op de rand van haar bed zitten.

Het leek wel of ze een beetje overspannen was, dacht ze toen. Zo had ze tenminste wel gehandeld.

Als ze eerlijk was, moest ze toegeven, dat de laatste weken haar wel een beetje zwaar op de maag lagen.

De verpleging van mevrouw Tromp was zwaar al was het nog zo'n prettige patiënte, ze had de laatste weken Rikkie gemist, die heimelijk nog heel wat hand- en spandiensten verleende en dan de zorgen om Ewout en Léonie... Luxe zorgen had Koert ze genoemd, daar zat iets waars in. Wat liep je toch gauw vast in je eigen gedachten, als je ze niet met iemand kon uitwisselen. Maar dat kon ze nu immers, ze kon alles met Koert bespreken. Ze had niet zulke nare dingen tegen hem moeten zeggen. Vervelend was dat.

Midden in haar berouwvolle overdenkingen rinkelde de telefoon.

Iets met Léonie misschien? Wie kon haar ver na middernacht nog bellen? Ze moest zich vermannen om de hoorn op te nemen en toen was daar Koerts geruststellende stem.

„Ik was net in de keuken en zag het licht nog bij je branden, schrok je van de telefoon?"

„Een beetje," zei ze naar waarheid, „maar ik ben zo blij dat je belt, nu kan ik je tenminste meteen zeggen dat ik onmogelijk tegen je ben geweest, het spijt me zo."

„Dat is een pak van mijn hart," zei hij, „en zó onmogelijk was je nu ook weer niet. Rikkie zorgde inderdaad voor een hele consternatie. Ze is bij me geweest en we hebben een poosje zitten praten. Ze heeft geen prettige vakantie gehad, maar ze heeft zich er meesterlijk doorheen geslagen, ik vertel het je nog weleens. Zelf zal ze het het liefst zo gauw mogelijk willen vergeten, neem ik aan."

„Is er iets heel naars gebeurd?" Koert proefde de spanning in haar stem.

„Helemaal niet, ze is teruggekomen, zoals ze gegaan is, wat dat betreft kan ik je geruststellen. Ze is alleen een ervaring rijker en een illusie armer."

„O."

„Er is echt niets om over te piekeren, schat. Ze heeft voorgesteld om morgen naar haar oude kamer te verhuizen, zodat wij de doorgang naar Isabels kamer vrij hebben. Verder heb ik haar gevraagd of ze er zin in zou hebben na haar eindexamen met ons met vakantie te gaan, met jou en mij."

„En wat zei ze?"

„Dat haar dat geweldig leek. Ze zou dat veel liever doen dan met een jongerenreis mee, wat ik haar eerst voorstelde. Ze heeft voorlopig haar bekomst van alleen met vakantie gaan."

„Ik gaf er wat voor, als we morgen aan de dag al konden vertrekken," zei Til, „maar ik moet eerst mevrouw Tromp nog aan het bejaardentehuis afleveren en Rikkie moet nog voor haar examen werken."

Hij lachte. „Ik ben blij, dat je er zin in hebt," zei hij. „Ik moet voor die tijd ook nog wel het een en ander verzetten. Ik moet me daar in Amsterdam waarmaken. Ik voel me overal tegen opgewassen, als ik maar weet dat we samen verdergaan, Til."

„Ja," zei ze, „we gaan samen verder, daaraan hoef je nooit meer te twijfelen."

Hans de Groot-Canté

Floortje raakt de zon

HOOFDSTUK 1

„Floor, is die vent met de nieuwe buitenbanden al geweest?"
Deze kreet was niet bedoeld voor een man, zoals iedereen
gedacht zou hebben, die in de grote vuile garage vol auto's, was
binnengekomen. En de enigszins verstikte stem, die van onder
een oude Mercedes vandaan kwam, zou de bezoeker ook geen
opheldering gegeven hebben. Onder dit oude vehikel uit staken
twee vuile overalpijpen en een paar grove sokken. De maat van
de oude sandalen waarin deze textiel gestoken was, leek belachelijk klein. „Stommeling, ze liggen buiten, bij de pomp," dat
was het lieflijke antwoord, dat door de Mercedes erboven werd
afgedimd. Even later riep dezelfde jongen weer: „Ik zie ze niet,
Floor." Een korte, onderdrukte krachtterm en dan schoven de
broekspijpen verder naar voren en even later stond er een
kwiek smal figuurtje met grote bruine ogen en een mal vuil wit
petje op het hoofd. Maar de onthulling liet niet lang op zich
wachten. Floor rukte het petje af en een vloed van lang blond
haar viel op de smerige overal en het pittige meisjesgezicht met
de grote bruine ogen keerde zich vol verontwaardiging tot de
jongen.
„Moet ik dan ook alles doen als Karel er niet is? Je hebt toch
ook ogen?"
Met haar mouw veegde Floortje Postma over haar warme
gezicht en ze werd er niet bepaald schoner op. Mopperend
begon ze naar de bewuste banden te zoeken. Ze bewoog zich
elegant door haar vettige omgeving, kleine drieëntwintig jarige
Floor, die tegen de wil van pa en ma in, haar diploma's voor
automonteur gehaald had en nu dit allesbehalve vrouwelijke
beroep met succes uitoefende. Behalve de baas, die bijna nooit
kwam, waren ze met z'n drieën de hele dag in touw om allerlei
mankementen aan auto's op te sporen en te repareren.
Karel was al vergrijsd in z'n vak, Floortje werkte nu twee jaar
in deze Haarlemse garage en Piet, de leerling, was pas een
maand bezig om zich met de praktijk van het autovak te
bemoeien. Karel en Floortje vonden hem niet bepaald een succes, maar de jongen was gewillig en goed personeel lag niet dik
gezaaid. Na gewezen te hebben waar de bewuste banden lagen,
liep Floor naar het kleine, vrij schone keukentje achter de

werkplaats, waste haar handen met zeep en Vim en begon koffie te zetten. De baas zou wel weer niet komen, maar Karel wel en een kop koffie was toch wel het minste, wat ze hier mochten hebben. Tussen de middag naar huis gaan was er ook niet bij op gezag van de baas. Er mocht eens een klant komen... Ze woonde zelf op een kamer, want haar ouders woonden niet in Haarlem, maar in Aalsmeer en dat op en neer reizen werd allemaal te vermoeiend.

Floor had een oude, uitgewoonde kamer op de kop getikt, 's avonds at ze een hapje in de stad en verder at ze maar veel fruit om toch aan haar vitaminen te komen. Op haar kamer kon ze wel koffie en thee zetten en 's avonds dromden vaak oude schoolkameraden, waarvan er al velen netjes getrouwd waren en kinderen hadden, naar Floor toe. Ze ging veel uit, naar de bioscoop of dansen, samen met een oude vriendin. Ze had weleens een jongen aan de hand gehad, maar na een paar maanden had ze al gemerkt, dat ze niet echt verliefd was en ze had de relatie meteen verbroken. In de garage noemden ze haar 'de oude vrijgezel', maar mooie Floortje kon om die woorden hartelijk lachen. Met rappe handen zette ze drie kommetjes op een blad, goot intussen water op de sterke koffie en na een kwartier brulde ze vanuit de keuken:

„Is Karel er?" Piet schreeuwde terug: „Allang!"

„Koffie!" werd er door Floor teruggeschreeuwd. Even later zaten ze gedrieën op de wrakke krukjes, die hen tot zitplaats moesten dienen. „Zit er nog wat eetbaars in het trommeltje van de baas?" vroeg Piet brutaal.

„Jij blijft met je vieze vingers uit die trommel; die is voor de klanten." Karel maakte een grootmoedig gebaar: hij haalde z'n portemonnee te voorschijn en gaf de jongen vijf gulden. „Hier, haal maar wat gevulde koeken aan de overkant. Het is tenslotte van dat armetierige novemberweer!" Piet vloog naar het kleine bakkertje en was in een ommezien terug. Floor schonk de koffie nog eens op en toen ze aan hun tweede kom met koek zaten, ging de deur open en kwam de baas binnen. Hij liep regelrecht door naar de keuken. Hij was een imponerende verschijning, lang, grijzend.

„Wordt hier zó gewerkt, als ik er niet ben?" was zijn commentaar.

Floortje schoot uit haar slof: „Wat weet u ervan? Wij hebben de hele morgen hard gewerkt en dan is een kleine koffiepauze toch waarachtig wel geoorloofd. Karel heeft getrakteerd van zijn eigen geld, dus maakt u zich niet ongerust." In zichzelf brommend verdween hij naar z'n kantoortje. Op het ogenblik dat ze besloten weer aan het werk te gaan en Floor de kommen in de gootsteen zette, kwam meneer Van Zwieten weer terug. „Ik wil jullie nog even meedelen dat we morgen een nieuwe chef-monteur krijgen. Ik heb een uitstekende kracht weten te pakken te krijgen en ik heb alle hoop, dat jullie dan harder gaan werken."

Floortjes ogen sproeiden vuur: „Ik werk altijd hard en ik beschouw uw uitlating als een persoonlijke belediging. En mocht die chef me niet bevallen, dan kan ik overal terecht." De baas wierp haar slechts een superieure blik toe en verdween weer naar het kantoor. Mopperend liep Floor naar de werkplaats; ze zei tegen Karel: „Deze rotkar krijg ik vóór twaalven af en dan heb ik hard gewerkt." Ze kreeg geen antwoord en meneer Van Zwieten verdween inmiddels weer via de garage naar buiten, Floor legde zich behaaglijk onder de Mercedes en hervatte de reparatie. Die hele natte koude novemberdag had ze de smoor in. Klokslag vijf uur verliet ze de garage, stapte in haar tweedehands Renault Twingo en reed naar haar kamer. Toen ze daar gearriveerd was, trok ze meteen haar kleren uit, want al liet ze de overal in de garage achter, ze had altijd het gevoel dat haar andere kleren naar olie en benzine stonken. Snel trok ze een helgroene duster aan en verdween met handdoek en zeep naar de douche, waarvan ze gebruik mocht maken. Ze waste zich grondig, droogde het lange blonde haar met een föhn. De dikke trui en de lange broek die ze op de dag gedragen had, legde ze onder in de diepe kast, die haar kamer rijk was. Ze trok schoon ondergoed aan en na rijp beraad stapte ze in een zwarte spijkerbroek en trok een vuurrode dunne wollen trui aan. Ze maakte zich wat op en kamde het lange schone haar uit. Sieraden deed ze nooit aan. Het was immers lastig en gevaarlijk bij het werk en nu was ze het dragen ervan helemaal ontwend. Floortje keek op haar wekker, het was bij zessen en dus trok ze het witte nylonbontjasje aan en even later slenterde ze de stad in. Ze liep naar het oude vertrouwde kleine restaurant waar je voor een klein bedrag een maaltijd kon krijgen, als je maar nam wat de pot schafte. Toen ze binnenkwam, keek ze eerst naar de kaart waar het maal van vandaag op stond. Ha! Kapucijners met spek! Ze hing haar jasje weg en klom op een barkruk. Ze groette de vele bekende gezichten en bestelde eerst een kop koffie. Wim Mertens, die in een van de grootste boekhandels van Haarlem werkte, kwam naast haar zitten en gaf haar een daverende klap op de schouder. „Ha, die Floor! Heb je vandaag geen wiel vergeten aan te draaien?" Het was het geijkte mopje, waar Floor nauwelijks meer op reageerde.

„Zeur niet," zei ze alleen. „Ik heb honger en dorst."

„Dat hebben wij allen rond deze voedertafel," merkte hij op. Er werd gelachen en gepraat en Floor dronk vast haar koffie op. Toen het grote bord kapucijners met spek voor haar neergezet werd, viel ze eropaan als een hongerige wolf. Hoofdschuddend zat Wim naar haar te kijken. Ze voelde zijn blik en terwijl ze stug door at, zei ze: „Mankeert er iets aan me?"

„Je eet als een dokwerker," zei hij droog. De anderen barstten in lachen uit.

Floor was niet uit haar evenwicht te krijgen. „Misschien ben ik hier de enige, die vandaag gewerkt heeft," was haar droge commentaar. „Nee, zulk werk zou ik niet moeten," zei Wim misprijzend, „en dat jij als behoorlijk ontwikkelde jonge vrouw in zo'n smerige omgeving dergelijke arbeid verricht... nee, dat kan ik niet begrijpen." Ze keek spottend naar hem op. „Er is wel meer in dit leven, dat jij niet begrijpt en of ik nou zo verschrikkelijk ontwikkeld ben... Ik heb de havo en de benodigde technische diploma's. Maar ben je dan een intellectueel?

Ik voel me dat beslist niet. En waarom zou ik geen auto's repareren? Het is in deze tijd ontzettend verantwoordelijk werk, maar dat snap jij natuurlijk niet, boekenwurm." Floortje keek met bliksemende ogen, maar iedereen was zo enthousiast over dat 'boekenwurm', dat ze zich maar weer op haar bord concentreerde. Het meisje dat bediende kwam vertellen dat er als dessert pudding was. Het hele koor riep: „Dat cement moeten we niet, geef maar koffie." Floortje trok het meisje nog net aan haar schort: „Ik wel pudding, graag zelfs." Onder hoongelach verorberde ze het door iedereen versmade gerecht en bestelde weer koffie. Ze leunde behaaglijk over de toonbank. Het was zalig geweest. Ze zou wel een ordinaire smaak hebben, dat zeiden vader en moeder en haar zuster Lien tenminste ook altijd. Ze had geen smaak wat betreft kleding en eten. Ze stak een sigaret op en bedacht dat ze zich er best bij voelde, dan maar geen smaak.

Kom, ze zou maar eens opstappen en vroeg naar bed gaan. Morgen kwam immers de nieuwe chef-monteur en ze wilde bijtijds in de garage zijn. Ze klom van haar kruk af, trok haar jas aan en zwaaide het gezelschap goeiendag. „Ga je nou al weg?" riep Bob de Klein, een jonge man, die ze 'de verdwaalde student' noemden, omdat hij in Amsterdam studeerde en in Haarlem een kamer had. „Ik moet morgen vroeg op," verklaarde Floortje, maar ze was nog niet bij de deur of de bewuste student stond al naast haar. „Ik breng je even, want ik weet dat je 's avonds nooit met je Twingo komt."

„Wat een zorg," spotte Floor. Het gespannen gezicht van de lange man naast haar maakte dat ze zei: „Ik vind het wel erg attent van je, maar het is echt niet nodig. Blijf jij nou hier – ik ben binnen een paar minuten thuis."

HOOFDSTUK 2

De volgende morgen liep Floors wekkertje om halfzeven ratelend af. Met een dwalende hand zette ze het geval stil, bleef nog een moment liggen, maar sprong dan overeind.

De nieuwe chef-monteur kwam immers vandaag! Ze zou maken er vóór halfacht te zijn. Ze waste zich en trok de zwarte ribfluwelen werkbroek aan en daarop een schone zwarte coltrui, want de regenvlagen tegen het raam deden niets goeds vermoeden. Tussen de bedrijven door zette ze thee en smeerde twee boterhammen; ze maakte het brood klaar, dat ze mee moest nemen, trok het bed weer in de plooi en waste de paar spulletjes af die ze had vuilgemaakt. Om tien over zeven had ze haar oude zwarte winterjas aan, rende de trap af naar beneden en even later startte de Twingo. Precies tien voor halfacht opende ze met haar sleutel de garage. Piet en Karel waren er nog niet, maar de baas zat al heel uitsloverig in z'n kantoortje.

Anders kwam hij niet voor negen uur, maar vandaag moest hij laten zien wat ie waard was.

Ze opende even de deur van het kantoortje en riep alleen: „Morgen, meneer."

Ze trok haar overal aan, plantte het malle petje op haar hoofd en stopte zorgvuldig haar schone haar eronder. Haar schoenen zette ze op de kapstok en ze trok de vuile dikke sokken aan met de bijpassende sandalen. Even keek ze op de lijst, die de baas 's avonds altijd neerhing en waarop ze konden lezen welke wagen voorrang had en wat er waarschijnlijk aan mankeerde. Een donkerblauwe bejaarde Opel had dit keer voorrang, ze las de lijst van mankementen en ze mompelde in zichzelf: „Gooi dat kreng weg en ga op de fiets."

Toch moest haar stem nog vrij luid zijn geweest, want een onbekende mannenstem antwoordde: „Maar wij handelen niet in fietsen." Verschrikt keek Floor om. Bij de deur naar de garage stond een grote donkere man. Zijn ogen waren bijna zwart en het donkere haar krulde welig tot een lengte die de baas bijna niet zou goedkeuren, schoot het door Floor heen. De man liep naar haar toe, stak z'n hand uit: „Ik ben Pim Verhoeven, de nieuwe chef-monteur en ik neem aan dat u de enige vrouwelijke monteur hier bent?"

Ze legde haar hand in de zijne en zei: „Ik ben Floortje Postma. Bent u al op het kantoor geweest?" Hij grinnikte. „Inderdaad, en toen u de baas groette, zag u me niet eens, want ik zat achter de deur."

„Sorry," mompelde Floortje. Ze gaf een vakkundige schop tegen de linkervoorband van de gewraakte Opel. „Maar het is toch bijna een wrak?" Haar stem klonk een beetje smekend.

Pim liep om de wagen heen. Dan zei hij: „Hij lijkt erger dan ie is én al denk je bij jezelf: 'man, neem de fiets', dan wéét je dat die Opel-man beslist niet de fiets neemt, maar een oude auto en als wij zo'n geval dan nog veilig maken, zijn we een soort sociale werkers. Zó moet je het zien." Floortje keek hem aan. „Zo heb ik deze gevallen nooit bekeken," erkende ze en haar stem klonk een beetje verlegen. Ze kreeg niet de tijd om verder nog een woord met hem te wisselen, want Karel en Piet kwamen binnen, werden door de baas voorgesteld en gezamenlijk werd de nieuwe werkverdeling besproken. Om tien uur was de baas alweer weg en Floortje besloot als gewoonlijk koffie te gaan zetten. Terwijl ze druk in het keukentje bezig was, hoorde ze achter zich iemand binnenkomen, toen ze omkeek zag ze de nieuwe 'chef'. Zijn zwarte ogen lachten haar toe. Hij hield een grote banketbakkersdoos omhoog.

„Omdat ik hier vandaag voor het eerst ben, trakteer ik." Floortje glimlachte. „De baas ergert zich altijd als we een koffiepauze houden."

„Dat is natuurlijk waanzin," zei hij kort. „Daar hebben we eenvoudig recht op." Even later joelde Floortje: „Jongens... koffie!"

„Wat een zaligheden," zei Floor toen ze de grote mokkapunten uit de doos viste en er voor ieder één op een schoteltje vleide. „Ze zijn gewoon te mooi om op te eten," en met waar welgevallen bekeek ze het culinaire kunstwerk.

„Nou, jij kunt er nog best iets bij gebruiken," merkte Karel vaderlijk op. „Je lijkt wel een stopnaald." Pim wierp een meer vakkundige blik op Floor en zei: „Floortje is precies goed en nog geen honderd mokkapunten maken haar dik." Ze lachten allemaal, maar Floor zag iets in de ogen van Pim, dat ze niet begreep. Was het een vraag? Ze verdiepte zich er maar niet verder in, waste de kopjes om en sleutelde verder aan de oude Opel. Af en toe kwam Pim eens kijken en toen hij ineens zei: „Je bent een verrukte goeie monteur; jij doet beslist niet voor een man onder," voelde Floor zich wonderlijk blij. Ze antwoordde alleen snibbig:

„Waarom zou ik?" Ze keken elkaar even aan en barstten toen beiden in lachen uit.

Pim vervolgde: „Ik wilde je nog iets vragen over iets heel anders. Ik heb gehoord dat jij de enige bent van de mensen hier die op kamers woont. Ik kom hier ook niet vandaan en ik heb ook een behoorlijk onderdak kunnen huren; mijn vraag is: „Hoe doe jij met warm eten? Ik neem aan dat je niet voor jezelf kookt, want daar heb je geen tijd voor en hospita's die het voor een kamerhuurder doen, zijn schaars gezaaid. Ik moet dat nog allemaal voor mezelf regelen en…"

„Maak niet zoveel woorden vuil aan zoiets eenvoudigs," vond Floor nuchter. „Waar woon je?" Pim noemde de straat. „Nou, dan is het heel simpel. We wonen beiden vlak bij een klein oud restaurant, waar je moet eten wat de pot schaft, maar waar je dan ook belachelijk weinig betaalt. Er komen veel studenten en andere werkende jonge mensen, het is er erg gezellig, gemoedelijk en helder. De maaltijden zijn echt goed."

Pim glimlachte blij. „Gaan we vanavond samen eten? Dan wil jij mij misschien een beetje introduceren."

„Dat is best," vond Floor. „Ja, maar ik kom je halen," hield hij aan.

Ze noemde het adres en zei alleen: „Kwart voor zes sta ik klaar." Ze plukte bijna een onwillige ruitenwisser van de onmogelijke auto en begon het ding door een nieuwe te vervangen. Ook Pim begon weer aan zijn werk en Piet zorgde er wel voor, dat de radio schalde. Precies vijf uur trok Floor haar overal uit en hing 'm op het haakje. Karel was zoals gewoonlijk al eerder weg en Piet had z'n jas al aan. Alleen Pim stond nog zwaar te bomen met de baas. „Tot morgen allemaal," riep Floor terwijl ze naar de deur liep.

Maar Pim liep snel mee en deed de deur voor haar open. „Tot kwart voor zes," zei hij zacht. Ze knikte alleen bevestigend en stapte toen in haar Twingo. Toen ze op haar kamer beland was, voelde ze zich vreemd nerveus. Belachelijk eigenlijk... Ze was waarachtig weleens meer met een mannelijk persoon uit geweest. En in dit geval betrof het alleen maar samen eten uit een soort noodzaak. Nadat ze zich gewassen had, besloot ze zich maar zo nuchter mogelijk te kleden. Ze trok een schone spijkerbroek aan en daarop een zwarte coltrui. Ze maakte haar gezicht op en kamde het lange haar. Ze kon het niet laten om toch een paar goudkleurige oorringen in te doen. Ze pakte het witte jasje en liep dan op haar gemak naar beneden. Toen ze de buitendeur geopend had, zag ze de helblauwe Ford van Pim al staan. Hij zat nog achter het stuur en keek op z'n horloge. Rustig liep Floor naar de wagen toe en opende het portier. Ze knikte hem vriendelijk toe. „Mooi op tijd, allebei," vond ze. Hij keek haar verrast aan. „Je... je ziet er fantastisch uit." Floor knikte ongeduldig. „Ik heb honger, starten!"

In de kleine gezellige eetgelegenheid stelde Floor de vrienden aan Pim voor, dan kroop ze behaaglijk op een kruk en jubelde: „Jongens, wat zalig, we eten zuurkool!" Het hele koor schaterde het weer uit, want Floor vond elk gerecht 'zalig' en altijd weer toonde ze een geweldige honger. Wim Mertens lichtte Pim in over Floors geeuwhonger. Pim keek haar nog eens opmerkzaam aan en zei dan droog: „En toch moet ze meer eten, ze mag best wat molliger worden." Floor wierp hem een ijskoude blik toe en viel dan op haar zuurkool aan.

Nadat ze de laatste kruimel van haar bord geschrapt had, wreef ze zich behaaglijk over haar maag en ze zei: „Jongens, dit had ik nu echt nodig. Ik voel me herboren." Pim had een bezorgde trek op z'n gezicht toen hij zich weer tot haar wendde: „Ik trakteer op een goed dessert. Zeg maar wat je hebben wilt." Maar Floor lachte hartelijk: „Het is erg aardig van je, maar ik betaal altijd alles voor mezelf en bovendien lust ik vandaag alleen nog koffie."

Ze stak haar hand op en wenkte naar het dienstertje, dat haar meteen begreep. Pim zat wat verlegen te kijken en bestelde tenslotte ook maar koffie. Floor rekende af en zei tegen Pim: „Als jij hier nog wat wilt blijven hangen, ga je je gang. Ik ga altijd bijtijds naar huis."

Pim schoot van zijn kruk af. „Nee, ik ga mee... even afrekenen." Buiten in de wagen vroeg hij: „Zullen we nog wat omrijden of ergens heen gaan?"

„Spaar me," zei Floor eerlijk. „Ik kan echt 's avonds geen auto meer zien, ook niet om in te zitten. Weet je wat? Rijd je wagen tot voor mijn deur, dan lopen we nog een blokje om, hebben we kans een snuf'je benzinevrije lucht in te ademen." Toen ze een paar minuten later naast elkaar voortliepen, vroeg Pim haar honderduit over haar ouderlijk huis en haar opleiding. „Ik snap niet dat een meisje ooit zin heeft in een vakopleiding zoals jij gehad hebt," zei hij peinzend. Floor slingerde haar armen in de lucht. „Ik wijk nu eenmaal van het geijkte patroon af," zei ze zacht. „Die typisch vrouwelijke banen hebben mij hooit aantrekkelijk geleken... Ik weet niet wat dat in me is. Ik wil altijd een beetje anders dan een ander. Mijn ouders en m'n zuster Lien vinden mij ordinair en vreemd. Soms merk ik weleens iets van begrip bij m'n vader, maar hij heeft een kwekerij in Aalsmeer en is soms bijna dag en nacht in touw. Ik kom niet zo vaak thuis, het lijkt wel of ik geen familie ben. Maar ik vermaak me hier best. Ik ga vaak naar de bioscoop met de een of andere vriendin en ik lees veel en dan moet je niet vergeten, dat we lange zware werkdagen hebben, dus ik duik meestal vroeg m'n mand in." Pim pakte haar hand. „Zo, dan loop je niet zo te slingeren. Nou, mijn verhaal is vrij kort. Ik ben dertig jaar en ik heb twee officiële verloofdes versleten. Maar de één vond, dat ik teveel naar benzine en smeerolie stonk, ook al had ik me drie keer gedoucht en de tweede – ik was bijna met haar getrouwd – wel, zij wilde dat ik bij haar vader in de zaak kwam. Die vader bezat een enorme garage en er was wel werk voor me geweest. De bedoeling was alleen dat ik later troonopvolger zou worden, want de man had geen zoons en ik kreeg het gevoel dat Ria – zo heette ze – me daarom het liefst tot man had. Ik wil niet onder het regime van een schoonvader staan; ik heb haar dat uitgelegd, maar toen toonde ze haar ware aard en zo loop ik nu alweer bijna twee jaar als eerbare vrijgezel rond. Ik heb nog weleens een vriendinnetje gehad om een avondje mee uit te gaan, maar niets serieus."

„Nou, dat weten we dan van elkaar," lachte Floor. „Ik wil nu echt naar huis, anders kan ik morgenochtend niet uit mijn bed komen."

„Goed, Floortje," antwoordde hij zacht. „Ga jij aanstaande zaterdag naar Aalsmeer?"

„Nee, hoezo?" Haar stem klonk verbaasd.

Aarzelend zei hij: „Je vindt het misschien gek klinken omdat we elkaar amper kennen, maar zou je zaterdagavond met me uit willen? Ergens een stukje eten en daarna dansen of bioscoop. Dat mag jij kiezen."

Floortje keek hem in het donker een beetje verbaasd aan. Dan zei ze: „Het is eigenlijk alweer ontzettend lang geleden dat ik gedanst heb, daar zou ik wel zin in hebben. Laten we dan niet in een duur restaurant gaan eten, maar in ons gewone 'kattekroegje'."

„Nee," zei Pim beslist. „Dat is een beste gelegenheid voor elke dag in de week, maar ik wil ook weleens iets bijzonders en als je meegaat, vind je het best gezellig."

„Nou, goed dan," stemde ze toe, „maar praat er niet over op het werk; ze kletsen meteen." Hij beloofde het en na een stevige handdruk verdween Floor achter haar huisdeur. Toen ze eenmaal in bed lag, moest ze steeds maar weer aan de grote donkere man denken. Ze vroeg zich af wat er aan de hand was, dat ze zijn beeld maar aldoor voor ogen had. Ten slotte werd ze zo moe, dat ze sliep voor ze er erg in had.

HOOFDSTUK 3

Het werd vrijdagavond, en Floor stopte om kwart voor vijf haar loonzakje veilig in haar tas en schoot even later in haar jas. Pim stond naast haar bij de kapstok en fluisterde: „Ik kom je morgenavond om vijf uur halen." Ze keek hem verbouwereerd aan. „Ik zie je toch vanavond in onze etenstent?"
„Natuurlijk, maar ik weet niet of ik dan de kans heb, vast met je af te spreken." Ze knikte dat ze het begreep. „Maar ik kom je straks natuurlijk halen voor onze gewone maaltijd," fluisterde hij weer zacht. Ze glimlachte. „Dan had je het toch onderweg kunnen zeggen?"
„Weet ik, maar ik vind het prettig om het nu vast zeker te weten."
„Dan weet je het bij deze zeker," fluisterde Floor terug en verdween na een zwaai aan iedereen. Die avond liep ze nogal zwijgzaam met Pim naar hun eethuisje. Dat 'samen-eten' betekende voor haar alleen maar een beetje gezelligheid. Het uitgangetje van morgen woog haar veel zwaarder. Ze kon zichzelf wel een draai om haar oren geven. Ze was toch waarachtig weleens meer met een man uit geweest, waarom liep ze er nu voortdurend aan te denken? Hij pakte tijdens het lopen een ogenblik haar hand en Floor voelde een vreemde trilling door haar hele lichaam. Ze keek naar hem op en hun ogen ontmoetten elkaar. Ze zeiden niets en een ogenblik later keek ze weer voor zich uit. Het meest merkwaardig vond Floortje het feit, dat ze niet haar gewone trek in eten had. Toen ze dan ook op haar kruk aan de etensbar zat en haar lievelingsgerecht rode kool op haar bord was geschept, nam ze maar een paar hapjes en schoof het bord dan weg. „Eet jij niet meer?" klonk het in koor.
Floor voelde zich kleuren; ze zei: „Ik heb vandaag niet veel trek, mag ik?"
Ze merkte dat Pim, zonder dat de anderen het hoorden, een bordje soep voor haar bestelde. Zwijgend at ze het bord leeg,

bestelde dan zelf nog koffie. Ze gaf Pim een wenk, dat ze zo snel mogelijk wilde afrekenen en hij at vlug door. In een recordtijd stonden ze weer op straat. Heel losjes sloeg hij z'n arm om haar schouders. „Wat heb je, Floortje? Moeilijkheden?" Haar eerste impuls was om zijn arm van zich af te schudden, maar ze deed het niet. „Er zijn geen moeilijkheden," antwoordde ze, „ik had zomaar geen zin in machtig eten." Tot huis toe bleef zijn arm om haar schouders; bij Floors huisdeur gekomen, liet hij haar los. „Tot morgen vijf uur, Floor." Meteen liep hij door en Floortje stond een paar minuten later voor de spiegel en bekeek haar gezicht nauwkeurig. Nee, ze zag niet bleek, haar ogen glansden en toch was er wat. Ze dacht aan de donkere ogen van Pim en op dat moment besefte ze dat ze voor het eerst van haar leven echt verliefd was. Ze klemde haar handen om de rand van de vaste wastafel... Dat was toch niet mogelijk, dat zij, de nuchtere Floor, echt verliefd was. Ze had altijd haar vriendinnen uitgelachen als ze haar verliefde verhalen opdisten, want ze was zelf nooit verdergekomen dan een oppervlakkige flirt. Weer bekeek ze haar gezicht in de spiegel... Nee, ze was niet meer de kwajongensachtige Floortje... Er was iets bij gekomen. Ze keerde zich af. Ze moest zich geen illusies maken. Op de eerste plaats kon Pim enorm tegenvallen en verder was verliefd zijn niet hetzelfde als houden van iemand.

Toen ze in bed lag, woelde ze nog lang eer de slaap kwam. Hoewel het zaterdagmorgen was, was ze vroeg wakker en ze stond meteen op. Ze ruimde haar kamer op en waste wat ondergoed uit in de bak van de vaste wastafel. Ze hing het te drogen op een rekje op het balkon. Toen ze haar kamer gestoft en gezogen had met behulp van de stofzuiger van haar hospita, zag Floor eigenlijk pas goed wat een ongezellig vertrek ze bewoonde. Er stond niets aan meubilair dat van haarzelf was. Ze had er ook nooit voor gespaard. Het enige persoonlijke was de grote foto aan de muur van een poes, die ze vroeger bij haar ouders bezeten had. Floor besefte dat ze toch eigenlijk niet in deze kamer thuishoorde; ze maakte plannen over kleinigheden die ze vast eens zou gaan kopen om een 'eigen' gezicht aan haar huis te geven. Ze haalde wat boodschappen: brood, suiker en koffie en keerde dan weer een beetje lusteloos naar huis terug. Maar omstreeks een uur of drie werd Floor rusteloos.

Ze moest zich mooi gaan maken voor haar avond met Pim. Besluiteloos stond ze voor haar klerenkast, die niet bepaald vol was. In een overmoedige bui had ze eens een dun wollen broekpak gekocht. Ze had het nooit aan durven trekken, want de kleur was zachtgeel, doorweven met gouddraad. Het geheel gaf een beeldschoon effect en het stond meesterlijk bij haar goudkleurige haren en bruine ogen. Resoluut pakte ze het uit de kast en legde het op haar bed neer. Nee, het was nog smetteloos en ze bezat nog goudkleurige sandaaltjes met een hakje waarop ze best zou kunnen dansen. Floor liep naar de badkamer en waste haar haren. Een halfuur later dansten de blonde krullen tot op haar schouders. Ze trok het pakje aan en begon haar gezicht zorgvuldig op te maken. Een iets getinte crème, lipstick die naar het oranje zweemde en zachtgroene oogschaduw. Toen ze klaar was, deed ze de ringen weer aan haar oren en haar voeten schoven in de sandaaltjes, die ze daarna zorgvuldig vastgespte. Ze betreurde het nu dat ze geen lange spiegel bezat. Ze ging op haar bed staan om in de spiegel van de wastafel te zien of de broekspijpen netjes vielen. 'Zo moet het maar', zei ze in zichzelf. Ze had alleen geen geschikt tasje, peinsde ze. Ze zocht in al haar laden en vond eindelijk een klein zwart fluwelen tasje, dat moeder haar eens gegeven had, jaren geleden. Ze had het toen een belachelijk vod gevonden en het was nu misschien wel antiek geworden, maar het was het meest geschikte wat ze had. Ze stopte er haar poederdoos in, de lipstick, een kammetje, een zakdoekje en haar portemonnee. Ze bedacht dat het eigenlijk niet nodig was om geld bij zich te steken, maar de onafhankelijke Floor kwam weer boven. Ze wist toch helemaal niet, hoe de avond zou verlopen? Als ze ergens weg wilde, waar het haar niet beviel, dan moest ze over geld beschikken. Langzaam tikte de wekker naar vijf uur. Om twee minuten voor de afgesproken tijd trok ze het witte nylonbontjasje aan. Ze keek naar beneden naar de zachtgele broekspijpen. Moeder zou de combinatie zeker ordinair vinden en ze gaf zichzelf toe dat een andere combinatie beter gestaan zou hebben. Maar voor die ene keer kon ze zich geen nieuwe winterjas permitteren. Het moest maar en als Pim haar niet 'gekleed' genoeg vond, nou dan maar niet. Ze trok de deur achter zich dicht en ze liep meteen bijna tegen Pim op. „Dag lieve Floortje," zei hij zacht. Floor trachtte verbaasd te kijken en zei alleen: „Dag Pim." Hij hield het portier voor haar open en sloot het zorgvuldig. Vóór ze weg reden, zei hij: „Er is een leuke nieuwe gelegenheid in Noordwijk geopend – het hele jaar – we kunnen er wat eten en er is een dansvloer, uitzicht op zee. Hoe denk jij daarover?" Ze keek hem lachend aan: „Daar denk ik bijzonder goed over." Even was zijn hand op de hare.

„Dan gaan we." Het mistte een beetje, maar Pim reed veilig en Floortje vond het wel gezellig. Soms keek ze naar zijn strakke mannelijke profiel en dan deed haar hart een beetje vreemd. Ze dwong zich zoveel mogelijk op de weg te kijken. Het bleek toch een chiquer gelegenheid te zijn dan Floor gedacht had en ze was blij toen ze de nylon jas uit had. In de garderobe kamde ze het gouden haar, schminkte haar lippen en in een ogenblik was ze weer bij de wachtende Pim. Hij legde met een bijna adorerende blik in zijn ogen, zijn handen op haar schouders. „Je bent beeldschoon, Floortje. Ik heb geen verstand van vrouwenkleren maar dit pakje is voor jou speciaal weggelegd." Ze glimlachte. „Het was slechts een onbezonnen uitverkoopje en het ligt al maanden... ik heb het nog nooit gedragen."

„Ik ben dankbaar dat ik er dan voor het eerst naast mag lopen," antwoordde hij. Floortjes hart hamerde, toch keek ze hem een beetje verbaasd aan. Pim was nu een totaal andere man als in de garage. Dan snauwde hij vaak en was er geen spoor van tederheid in hem te bespeuren. En nu was hij gevoelig en haar helemaal toegedaan. Hij pakte haar arm en leidde haar naar de eetzaal. Er was een tafeltje in een hoek bij het raam besproken. Floor keek naar buiten en hoewel het donker en mistig was, verbeeldde ze zich de zee te zien, in ieder geval hoorde ze het geruis door alle andere klanken om zich heen. „Wat ben je stil," stootte Pim haar aan. Floor keek hem verlegen aan. „Sorry, ik probeerde de zee te zien." Ze dronken een glaasje vooraf en bestudeerden de spijskaart. Floor gaf er een duwtje tegen. „Phf, ik snap er niks van. Ik eet nooit zo duur, bestel jij maar wat. Alleen niet te veel alsjeblieft." Hij lachte beschermend. „Ik zoek wel wat voor je uit, kleintje." Van niemand zou ze het woord 'kleintje' genomen hebben, maar nu kreeg ze er een gelukkig gevoel van. Zwijgend rookte ze een sigaret en de hele romantische sfeer van het eetzaaltje met vrolijke mensen, mooi damast op de tafeltjes en brandende kaarsen liet ze over zich heen gaan. Terwijl ze op het eten wachtten, lag zijn arm om haar schouders en Floor had niets meer te wensen. Ze spraken maar weinig, keken elkaar af en toe eens aan. Na het kopje mokka, stelde Pim voor in de aangrenzende zaal te gaan dansen en twee uur lang danste Floor tot ze zich in een stoel liet neervallen en zei:

„Nou heb ik geen benen meer Pim, ik kan niet meer."
Glimlachend keek hij op haar neer.

„Blijf jij even uitrusten, dan ga ik afrekenen." Toen Pim verdwenen was, stonden er onmiddellijk een paar kandidaten klaar om verder met haar te dansen, maar ze weigerde. Ze gaf geen commentaar, maar ze wist dat het niet was, omdat ze te moe was. Dromerig keek ze naar de ronddwarrelende mensenmassa en toen Pim bij haar terugkeerde, stond ze meteen op. In de garderobe hielp hij haar in het witte jasje en even later waren ze in de novembermist.

„Ik ruik de zee," riep Floor enthousiast. „Zullen we even langs het strand?" stelde Pim aarzelend voor, „of kan dat niet met je schoentjes?"

„O, dat geeft niks," zei Floor luchthartig.
In het donker liepen ze hand in hand, eerst dóór het mulle zand; dan stonden ze stil bij de waterlijn, die nog flauw verlicht werd door de lampen op de boulevard. En weer was er een arm om Floors schouders, maar dit keer trok hij haar tegen zich aan.

„Floortje, ik heb het gevoel dat ik je al jaren ken en ik kan me mijn leven gewoon niet meer indenken zonder jou. Je vindt het misschien idioot dat ik dit na zo'n korte tijd al tegen je zeg, maar ik ben gewoon bang dat je een ander ontmoet. Floortje, zou je een beetje van me kunnen houden, zou je met mij durven trouwen?" Floortje staarde naar het donkere zand en zei zacht: „Maar je kent me nog niet echt goed. Ik val vast geweldig tegen."

„En ik dan?" vroeg hij zacht. „Zou ik ook tegen kunnen vallen?" In het duister zag hij dat haar gezichtje zich stralend als een bloem naar hem ophief. „Jij mag tegenvallen, want ik voel me zo beroerd als je niet bij me bent."

De omhelzing, die volgde duurde zó lang, dat Pim op een gegeven moment vroeg:

„Krijg je geen koude voetjes, Floortje?" Ze antwoordde hees: „Floortje voelt haar voetjes niet eens meer." Hij lachte als een overwinnaar en tilde haar op. Hij droeg haar naar de auto; een schaarse voorbijganger mocht verbaasd kijken, ze letten er beiden toch niet op. In de beschutting van de auto gespte hij haar sandalen los en wreef haar ijskoude voeten warm en Floortjes handen dwaalden door het dikke krullende haar van de man die ze tot elke prijs wilde hebben. Toen ze eindelijk de terugtocht aanvaardden, was het al ver na middernacht. Pim reed langzaam, want de mist was zwaarder geworden. Toch bleef hij over hun gezamenlijke toekomst praten. „We trouwen gauw, Floor. Ik verdien genoeg en ik weet aan een huis te komen."
„En ik wil geen bruiloft met familietoestanden," zei Floor. „We zijn beiden meerderjarig en we moeten samen avonturen of we er wat goeds van zullen maken. Ik wil geen lange witte soepjurk en cadeautjes en handjes geven en..."
„Stil," zei Pim, „we zijn er." Ze keek hem bijna verschrikt aan, maar hij knikte bevestigend. Hij nam haar in zijn armen en bij het kleine binnenlichtje van de auto keek hij in haar ogen. „Floor, we houden van elkaar – dat hebben we vandaag ontdekt. We zijn moderne mensen en jij bent helemaal vrij op je kamer." Ze knikte. „Je moet alleen niet denken dat ik van dat makkelijke soort ben."
„Dat heb ik geen seconde gedacht en van zo'n vrouw zou ik ook niet kunnen houden."
„Kom mee," zei Floor bijna onhoorbaar. „Ik wil het."

HOOFDSTUK 4

Die hele zondag bleven ze bij elkaar en bespraken alles. Het weer was guur en ze gingen alleen even weg om het huis, dat Pim via een bevriende relatie misschien kon krijgen, van buiten te bekijken. Het was in een nieuwbouwbuurt in een rijtje, allemaal lege kleine eengezinswoningen met grote ramen. Het was of ze stonden te wachten op het geluk en het verdriet van hun toekomstige bewoners. Ze liepen eromheen... er was een klein voortuintje en een kleine achtertuin met een schuurtje, alle huizen hetzelfde. Aan de voorkant stonden eendere huizen en achter keken ze op het schuurtje van de achterburen.

Maar Pim trok haar naar het raam van de woonkamer. „Daar is wat van te maken," zei hij, „het is een behoorlijke ruimte. Ik zal er morgen meteen achterheen gaan." Toen ze al in de wagen zaten, zei hij: „En er is nog centrale verwarming ook." Floortje zweeg. Ze moest het allemaal even verwerken. Ze had eigenlijk nooit gedacht dat ze in zo'n soort huis zou terechtkomen, maar ze zag langzaam de inrichting van de woonkamer voor zich opbloeien. Ze zou een moderne eethoek nemen met een ronde tafel en daar weer een oud persje over en de zithoek, ja een luie mollige bank van een fel oranje kleur. Ze had er laatst eens één zien staan, die niet zo duur was en dan een heel wit laag tafeltje en daarop een grote mooie bak met planten. Voor de ramen geen gewone vitrage en dan… „Slaap je Floor?" Ze glimlachte. „Nee hoor, ik dacht alleen aan onze toekomstige woning."

„En ik dacht aan de trouwdatum. Wil jij nog lang wachten Floortje? Ben je zeker van je gevoel voor mij?" Ze keek hem aan en weer doorstroomde haar dat warme intense geluk. Als deze man zijn armen om haar heen sloeg, was immers de hele wereld goed? „Ik wil ook gauw trouwen."

„Schat, dan ga ik morgen op dat huis af en zodra ik het heb, gaan we het inrichten… ik heb genoeg spaargeld… laat es kijken… over een week of zes zouden we dan getrouwd en wel in ons eigen home kunnen zitten." Ze klemde haar handen om zijn arm. „Ik kan het gewoon niet geloven."

Later op de avond toen ze in het kleine restaurant zaten op hun krukken, bogen ze hun hoofden naar elkaar en spraken ze verder over hun plannen. En terwijl hij genietend z'n koffie opdronk, zei Pim: „En als ik dan thuiskom, sta jij voor het raam en dan ga ik me vliegensvlug wassen en verkleden en dan drinken we samen iets en ondertussen komen er allerlei heerlijke geuren uit de keuken en…"

„Maar… bedoel je dat ik dan niet meer in de garage kan blijven werken?" Floortje keek hem verschrikt aan. Zijn grote sterke arm was om haar heen.

„Natuurlijk niet lieveling. We hebben het financieel niet nodig. Een vrouw thuis, die voor je zorgt en als ze ook nog goudblonde Floortje is, straks met een baby in haar armen… dat is het helemaal. Kun je dat begrijpen?" Ze knikte, haar gedachten gingen ook naar een baby met een eigenwijze donkere krul en bruine ogen. Ja, dan kon je niet in een vuile overal rondlopen, dan zorgde je voor dat kleine wonder. Vóór het zover zou zijn, had ze nog graag blijven werken, maar waarom zou ze woorden maken over zo'n korte tijd?

Ze legde haar hoofd even tegen zijn schouder en alles was goed.

„Floor, heb je vaste verkering?" riep een van de studenten. „Absoluut," antwoordde Floor, „anders leg ik m'n hoofd niet tegen hem aan, dan zou het gewoon onfatsoenlijk zijn." Het hele koor barstte in lachen uit. Pim sloeg zijn arm om haar heen en zei: „En toch mogen jullie gerust weten dat Floor en ik gauw gaan trouwen." Er werd 'hoera' geroepen en Pim moest een rondje geven. Floor voelde zich gewoon zweverig van geluk. Er volgden drukke dagen. Ze gingen het bewuste huis nu vanbinnen bekijken, de benodigde vergunningen kregen ze zowaar meteen omdat de huur van het huis zo hoog lag, dat de eigenaar bang was dat hij veel moeite zou moeten doen om er bewoners in te krijgen. Het weekend daarna gingen ze naar Aalsmeer.

Ze hadden besloten zaterdagsmorgens te gaan. Toen ze wegreden, zei Floor: „Vader en moeder zullen wel meevallen, maar trek je niks aan van de hatelijkheden van m'n oudste zuster. Ze studeert rechten en ze wéét het, als je begrijpt wat ik bedoel." Pim glimlachte.

„Ik trouw met jou en niet met m'n schoonfamilie. Jij boft, dat ik alleen maar een broer in Australië heb."

„Dat klinkt hard, wat je nu zegt." Pim week uit voor een motorfiets die haast had. „Ja, dat weet ik wel, maar je moet niet vergeten dat ik drie jaar was, toen mijn ouders bij een vliegramp omkwamen. Daarna ben ik bij een oom en tante in huis gekomen. Ze waren echt wel goed voor m'n broer en mij, maar ze waren veel ouder dan mijn vader en moeder en ze zitten al jaren in een bejaardentehuis. Soms heb ik het gevoel, als ik er kom, dat mijn oom niet eens precies meer weet wie ik ben. Maar ja, hij is zesentachtig. We gaan er weleens langs, het heeft geen haast."

„Heb jij je nooit erg alleen gevoeld, zo zonder naaste familie?" Hij lachte. „Wat je niet kent, mis je niet. Ik ben vroeg zelfstandig geworden en ik heb altijd plezier in m'n werk gehad." Ze zwegen een poos. „Zie je tegen een confrontatie op?" vroeg hij vrolijk.

Floortje aarzelde. „Een beetje wel. Ze kunnen natuurlijk niets van je zeggen, maar mijn familie zit wel vol commentaar en het feit dat ik geen huwelijksplechtigheid wil met familie en lange jurk... nou daar zal ik wat over moeten horen." Hij legde z'n ene hand over de hare. „Jaag ze niet helemaal in het harnas. Vraag je ouders en je zuster of ze op het gemeentehuis willen komen en daarna met ons willen lunchen. Daarmee is dan de kous af." Floor slaakte een diepe zucht. „Het zal wel moeten." Pim begon langzamer te rijden want ze waren het bordje met 'Aalsmeer' al gepasseerd. Langs z'n neus weg zei hij: „Maandag gaan we naar een stoffeerder, die ik goed ken, hij heeft een hele partij vloerbedekking, die hij voordelig aan kennissen ver-koopt." Enkele ogenblikken later stonden ze stil voor een vrij afgelegen wit huis waarachter zich rijen kassen uit-strekten. „Meest rozen," zei Floor terwijl ze ernaar wees. „Dat was anders wel een overgang voor jou," vond Pim, „van de vrijheid tussen de rozen naar een benauwde stad en een stinkende gara-ge."

„En toch voelde ik me in die garage vrijer," zei ze stil. „Het zou hier vrijer kunnen zijn, maar het was het voor mij niet." Ze stap-ten uit en gingen het tuinhek binnen. Floors moeder stond al in de deur. Ze trok een beetje een weifelend gezicht, want Floor had door de telefoon alleen gezegd dat ze met iemand samen kwam, die bleef logeren. Floor omhelsde haar moeder meer beleefd dan hartelijk.

Ze trok Pim naar voren, stelde hem voor en zei dan: „Hij is je toekomstige schoonzoon, daar valt niet meer aan te tornen." Mevrouw Postma was een lange grijze, haast statige dame. Ze stak haar hand uit en begroette Pim, die zich officieel voorstel-de. Met een tikje ironisch glimlachje op haar gezicht zei ze tegen Floor: „Jij kunt de mensen altijd zo grappig overvallen... ik zou daarom zeggen: komen jullie binnen." Er was een lange koele marmeren gang en even later stonden ze in de grote woonkamer, waarvan het eerste opviel en de grote ramen, die uitzagen op de kassen. Het interieur was mooi, met veel antiek. Toch vond Pim het er niet gezellig. De mensen die erin woon-den, waren koel. Floors vader, een stoere vijftiger met grijzend haar en een gebruind-gegroefd gezicht, begroette hen nog vrij hartelijk.

Lien, de oudste zuster had ijverig zitten breien. Toen Pim haar de hand schudde, kon hij niet begrijpen dat die lange magere seksloze juffrouw een bloedeigen zuster was van Floor. De begroeting tussen de meisjes was kil, beiden waren daar kennelijk aan gewend. Floors vader, die de aankondiging van het huwelijk bij de voordeur niet gehoord kon hebben, begon belangstellend te vragen naar Pims werk. Ze zaten algauw in een technisch gesprek over het voor en tegen van de nieuwste Citroën. Toen mevrouw Postma de koffie had geserveerd, vroeg de oudere man: „En hoe vind jij het nu, jongeman, dat mijn dochter in een garage werkt. Jij hebt als man een prima beroep, maar ik kan er nog steeds niet over uit, dat onze Floortje in een smerige overal aan auto's sleutelt." Pim glimlachte. „Ze is een goede monteur en ik moet eerlijk zeggen dat ze beter in het vak is dan menige man, maar troost U... het zal allemaalgauw afgelopen zijn, want het plan is dat we gauw gaan trouwen."

„Trouwen? Jij met Floor? Daar wist ik niets van."

„Wij weten het ook nog maar kort, vader," suste Floortje. „Maar Pim kon aan een huis komen en omdat we toch willen trouwen, doen we het maar gauw."

„Toestemming komt er niet meer aan te pas," zuchtte haar moeder.

Floor keek haar vrolijk aan. „Jammer hè moeder? Maar je zou toch niks op Pim tegen gehad hebben."

„Je bent veel te jong," sneerde Lien. „Ik ben drieëntwintig en ik weet heus wel wat ik doe. Omdat jij met je achtentwintig lentes altijd maar eenzaam bij pa en ma zit, hoef ik dat toch niet te doen?"

„Meisjes, meisjes," suste vader. Pim begon aarzelend: „We hebben onze plannen allemaal, ook de trouwdatum, al vastliggen. We maken er geen flauwekul van. Geen dure lange jurken, geen recepties. We zouden het erg op prijs stellen als U na afloop van de voltrekking in het gemeentehuis in Haarlem, met ons ergens wilt lunchen. Daarna gaan wij gewoon naar ons eigen huis."

„Wat doe je aan?" kreet haar moeder bijna. „M'n overal , is het nou goed?" spotte Floortje. „Nee hoor, maar ik heb nog een beeldschoon jurkje, ik heb het misschien twee keer gedragen... nou dat doe ik aan en verder zorg ik voor gewassen haar en een keurige make-up."

„En van mij krijg je bloemen." Even was er een warme blik tussen Pim en Floortje. „Nou dat weten we dan," zei vader. „Ik vermoed niet dat we er iets tegenin kunnen brengen."

„Wat wil je ertegenin brengen?" Floor zei het vriendelijk, maar ze voegde eraantoe: „Niet dat we onze plannen daardoor veranderen, maar ik wil het gewoon weten." Haar vader staarde het raam uit naar zijn kassen. „Ik had graag gezien, dat m'n dochter in het wit trouwde."

„Dat snap ik," zei Floor, „maar ik doe het niet. Ik voel er niet voor en het kost een massa geld en je draagt zo'n ding nooit meer."

„Nou maar als ik trouw, ga ik wel in het wit," vinnigde Lien. Floortje stak een plagerig vingertje op. „Als, zei je toch Lientje? Is er een kaper op de kust?" Lien stond op en liep de kamer uit. Met een klap sloeg de deur dicht. „Plaag haar toch niet zo," vroeg moeder en haar stem had een strenge klank. „Dan moet ze maar op kamers gaan wonen in Leiden en niet eeuwig de brave spoorstudente uithangen. Zo leert ze nooit iemand kennen. Jullie moesten haar de deur uitzetten." Pim legde zijn hand op haar mond. „Stil jij, furie. Dat zijn jouw zaken niet." Heel zacht gleed zijn mond even langs haar haren en Floor vlocht haar vingers door de zijne.

Het was een ogenblik stil in de kamer tot vader Postma vroeg: „En mag ik weten wanneer jullie trouwen?"

„Twaalf december," antwoordde Pim. „'s Morgens om elf uur en om halfeen is de lunch. Iedereen gaat met z'n eigen auto, ook de getuigen – een paar mensen uit de garage, waar we werken. Maar de getuigen moeten weer aan het werk, dus we eten met z'n vijven."

„We zullen er rekening mee houden," zei moeder stijfjes. Floor stond op en trok haar vader aan zijn mouw. „Kom pa, laat Pim de kwekerij eens zien. Ik wil zelf ook wel weer eens neuzen." Een beetje verrast stond meneer Postma op. Hij kon alleen niet nalaten te zeggen:

„Als het je zo interesseert... je had hier kunnen werken."

„Weet ik, maar ik wilde zelfstandig zijn." Hij bromde wat en liep

naar de gang om z'n jas te halen; Floor en Pim volgden.
Ze liepen door de kassen en bewonderden de nieuwste variëteiten rozen en anjers. Tot grote vreugde van Floors vader vroeg Pim honderduit. Tijdens de lunch werd de situatie weer een tikje pijnlijk, omdat Lien iets hatelijks zei en omdat moeder hooghartig zweeg. Pim en vader trachtten het gesprek in goede banen te leiden. Toen ze opstonden zei Floors moeder:
„Gaan jullie maar een poosje wandelen, als je zin hebt, Lien helpt mij wel." Ze stonden in een wip buiten en liepen met de armen om elkaar heen de weg af. „Het is anders donders koud," vond Pim. „Jongen, ze willen ons een poosje uit de buurt hebben om samen dit alles te bespreken. Moeder vreet zich gewoon op, omdat ik haar niets vraag over de taak van de huisvrouw of over de inrichting van het huis. Bovendien heb ik nog de euvele moed om eerder te trouwer dan Lien; dat kunnen ze allemaal maar moeilijk verstouwen." Pim voerde haar een genoeglijk café binnen. „Zo, hier is het behaaglijk en je krijgt me hier de eerste uren niet weg."
„Mij ook niet." Eindelijk begon Floor weer: „We moeten onze hele inboedel nog kopen, dat weegt mij wel zwaar. Ik bedoel... ik hoef helemaal geen luxe... maar wat kopen we en waar halen we alles zo gauw vandaan?" Hij stak een sigaret op en wuifde haar bezwaren lachend weg. „Ik steek me heus niet in de schulden Floor. Ik heb een relatie, die in alles doet: stoffering, meubelen, dekens, linnengoed... ik krijg een geweldige korting van hem en jij houdt je spaarcentjes voor jezelf. Dat is gewoon een prettig idee."
Floor kreeg een wat angstig gevoel. „Maar die relatie van jou... heeft die dingen, die ik ook mooi vind? We moeten het toch samen mooi vinden!"
„O kind, die man heeft zoveel. Er is altijd wel iets bij dat je aanstaat en dekens en linnengoed moeten er alleen zijn. Ik slaap even lekker onder een grasgroene deken als onder een oranje." Floor mompelde iets van moderne dekbedden, maar Pim zei: „Nee kind, onder die rotdingen wil ik niet liggen. Bij mij vallen zulke dingen alleen maar op de grond. We gaan maandagavond meteen naar hem toe en dan laat hij ons rustig grasduinen en uitzoeken. We eten samen en daarna gaan we gelijk door. Goed?" Floor knikte, maar ze had het toch een beetje benauwd

over die man, die alles had wat zij in haar eigen huis zou willen. Maar er was een arm om haar middel en het donkere hoofd rustte tegen haar blonde haren en hij fluisterde alle lieve ver- liefde dingen in haar oor, die elke vrouw zo graag hoort. Ze keek in zijn donkere ogen en ze las de oprechtheid van zijn gevoelens en Floor was gelukkig, domweg gelukkig. Ze hadden elk drie glazen thee gedronken en een paar porties bitterballen gegeten. Toen het over halfvijf was, zei Floor: „We zullen eens moeten gaan." Buiten hagelde het en dicht tegen elkaar liepen ze naar het ouderlijk huis. „Waar is jouw slaapkamer thuis?" vroeg hij en trok haar nog dichter tegen zich aan. „De trap op eerste deur links. Maak je maar geen illu- sies, de logeerkamer is nog een trap hoger, op zolder." „Die daal ik af. Ik ben geen kleuter meer." „Lieverd dat weet ik, maar ze hebben nog ouderwetse principes en ik krijg grote heibel…" „Jij krijgt niets. Vergeet niet dat we volgende week al ondertrouwen. Ik ben toch waarachtig geen avonturier. Maak je geen zorgen kleintje… ik wacht wel tot iedereen slaapt en ik kan ontzettend goed sluipen." „Ik houd m'n hart vast," hield Floor vol. Aangezien het zaterdag was, aten ze ook 's avonds brood en Floor deed alleen de vaat. Ze zette koffie en bracht een vol blad naar de kamer. Pa merkte op: „Ze kan nog iets meer dan aan auto knoeien." Floor ging wijselijk niet op z'n woorden in. De televisie werd aangezet en verder werd er weinig gesproken. Af en toe wierp Pim een wanhopige blik naar Floor en dan knipoogde ze maar. Tussen twee programma's in zei Pim tegen haar, luid genoeg dat iedereen het kon horen: „Verdraaid Floor. Ik ben helemaal vergeten dat ik morgenmid- dag een proefrit moet maken met die dure slee… je weet wel die we gisteren praktisch verkocht hebben aan die rijke vent uit Heemstede. Hij kon alleen op zondag en de baas stond erop dat ik met hem meeging." Floor begreep en zei: „Ik was het ook totaal vergeten, dan ga ik wel gelijk met jou terug, want we moeten morgenavond nog wat maten van het huis nemen." Een nederige Floor zei: „Het spijt me moeder, maar dan moeten we echt morgen vóór de lunch weg." „Goed kind…" meer niet. De televisie brandde weer los en ze keken elkaar stiekem lachend aan. Het was misschien wel gemeen, bedacht Floor, maar er was zo weinig hartelijkheid voor Pim en haar, dat ze maar beter zo snel mogelijk weg konden gaan.

Toen de tv zweeg, werden de kopjes en glazen opgeruimd. Pa ging met Pim naar de zolderverdieping om hem zijn kamer te wijzen en Floor waste braaf af. Het hele huis was al stil toen ze geruisloos naar haar oude kamertje liep. Toen ze het licht aandeed, slaakte ze bijna een gil. In haar bed lag een breeduit lachende Pim. Ze sloot haastig de deur en draaide de sleutel om. Bijna onhoorbaar fluisterde ze: „Niks zeggen, je hebt zo'n harde stem."

Hij kreeg een lachbui en stopte z'n gezicht in haar kussen. Dan fluisterde hij:

„We zijn toch geen kleine kinderen. In Haarlem leven we toch ook zoals alle andere jonge mensen met vaste plannen doen? Ik laat me hier echt niet tot pubertje verklaren."

Het gevolg was dat Floor net op tijd in bed dook om haar lach in het kussen te smoren.

„Toch voel ik me echt een ondeugend kind," zei ze even later. „Bén je ook," fluisterde hij.

Alsof er ergens een geheim wekkertje bij haar afliep, werd Floor om vier uur in de morgen wakker. Het was buiten nog pikdonker. Ze schudde aan Pim en fluisterde:

„En nou naar je eigen kamer; ik wil morgenochtend niet met een rel hier beginnen."

Het duurde even vóór hij bij zijn positieven was. Maar onbarmhartige Floor pakte een nat washandje en maakte hem goed wakker. Ze duwde hem een klein zaklantaarntje in de hand, draaide de sleutel om en wees op de gang de weg naar boven. Hij knikte, gaf haar een zoen en nam de trap met drie treden tegelijk. Floor haalde gerust adem toen ze hem zijn eigen deur hoorde sluiten.

HOOFDSTUK 5

De volgende morgen aan het ontbijt nam Floors moeder haar jongste dochter eens nadenkend op. Ze had vannacht wel degelijk een deur gehoord en voetstappen, maar met een bruiloft zo nabij besloot ze wijselijk niets te zeggen. De jeugd van nu was niet haar jeugd, dat besefte ze. Floor hielp haar moeder met het opruimen, haalde de twee bedden boven af, zette gewoontegetrouw koffie terwijl vader in levendig gesprek gewikkeld was met Pim.

Lien lag nog in bed. „Het kind werkt zo hard," legde moeder uit. En Floor die anders daverend zou zijn uitgevallen, hield haar mond dicht. En zo namen ze om twaalf uur vrij hartelijk afscheid. Moeder beloofde, dat ze, als ze tijd had, naar Floors huishouden-in-wording zou komen kijken. Ze stapten in Pims wagen en vader en moeder zwaaiden

het jonge stel na. „Dat hebben we gehad," zei Floor stil. „Ja," zei Pim, „en die ouwe heer van je is echt niet ongeschikt. Je moeder is een beetje stijf, maar ik ken haar niet, want ze zegt zo weinig." Ze maakten er verder een gezellige dag van. Ze gingen ergens eten en 's avonds dansen. Maar toen het twaalf uur was en hij haar naar huis bracht, stuurde ze hem onverbiddelijk naar zijn eigen kamer. „Jongen je weet hoe vroeg ik op moet… je gaat nu naar je eigen home." Hij zag aan haar gezicht dat het ernst was en op de stoep voor de deur nam hij haar in zijn armen. Bijna had ze nog gezegd: 'Blijf', maar daar was ze te verlegen voor. Hij voelde wel dat als hij nog even aandrong, hij zou mogen blijven, maar ook Pim vond ergens, dat ze nu gelijk had. Ze wuifde hem na en verdween dan naar haar kamer. In plaats van onmiddellijk toebereidselen te maken voor de nacht, ging ze in haar duster op de rand van haar bed zitten. Ze besefte hoeveel ze van Pim hield; een warm gevoel doortrilde haar wezen als ze aan hem dacht. Ze moest zich natuurlijk niet helemaal laten overheersen door haar gevoel, bedacht ze. Maar ze hield zo overweldigend veel van hem en ook de gedachte aan de 'bevriende relatie', die hun hele inboedel zou moeten leveren, verschrikte haar niet. Eindelijk ging ze slapen, zorgeloos als een kind. Die maandagmorgen was ze al vroeg in de garage en toen Pim kwam, stak ze alleen een hand op ter begroeting – dat hadden ze samen afgesproken aangezien de pesterijtjes van de anderen niet van de lucht waren sinds ze het grote feit wisten. In de lunchpauze maakten ze een ommetje. Hij pakte haar hand en stopte die in de zak van z'n korte harige jas. De sterke

warme hand om de hare gaf Floor al een geluksgevoel. „Ik heb die relatie van me, die Karelsen, gebeld en we gaan na ons gewone etentje meteen naar hem toe. Hij heeft in het hartje van de stad een kast van een pakhuis... we kunnen dus ons gang gaan." Aarzelend zei Floortje: „Maar er zijn toch dingen die je véél beter kunt opsnorren bij een kleine antiquair of..."
„Ben je mal kind, die lui beduvelen je toch. Je koopt tegenwoordig alleen maar 'modern antiek'."
„Wat een uitdrukking," huiverde Floor, „'modern antiek'..." Ze lachten en spraken er niet meer over, maar Floor was bang voor de producten, die ze die avond in ogenschouw zou krijgen. Het was die avond vrij stil in het kleine restaurant. „Kerstvakantie van de studenten," wist Floor, „die jongens hebben een bruin leven." Toen ze na het laatste kopje koffie op straat stonden, merkten ze dat er een zware mist was komen opzetten. „We kunnen dat kleine stukje beter lopen," vond Pim en dicht tegen elkaar zetten ze koers naar de binnenstad. Voor een groot pand, waarvan de gordijnen voor de geweldige ruiten gesloten waren, stond Pim stil en drukte op een belletje. Binnen werd een groot licht aangeknipt en even later stond meneer Karelsen vóór hen. „Zo jongelui kom binnen, want het is buiten maar niks." Een beetje bedeesd stapte Floor als eerste naar binnen en Pim stelde haar voor. De man bekeek haar eens goed en zei: „Jongen, Pim, dat heb je goed gedaan. Ik zou dezelfde keus gemaakt hebben." Die woorden vond Floor niet prettig, want de man die ze uitsprak, was een kort dik mannetje van onbestemde leeftijd met een geweldige sigaar in z'n mond. Pim zag haar kijken en begreep. Even drukte hij haar hand en knikte haar toe. Ze liepen eindeloze trappen op en arriveerden in een zaal waar allemaal slaapkamerameublementen stonden. Floor ijsde bij het idee dat de man weer iets ordinairs zou opmerken, maar hij hield zich gelukkig wat achteraf en liet hen grasduinen. Floor wees op een witgelakt modern laag bed, waarbij een kleine toilettafel, twee stoeltjes en een krukje plus een vrij kleine linnenkast, hoorden. „Groter kunnen we niet plaatsen," zei ze zacht, „en als we dan voor elk bed zo'n schaapsvacht leggen, zijn we klaar. Het is pretentieloos en met wat persoonlijke kleine dingen maak ik er dan een gezellige kamer van." Pim informeerde naar de prijzen en stem-

de toe. Ze keek hem verlegen aan: „Vind je het erg als ik er roze vitrages bij wil en roze overgordijnen? Kijk dit soort bedoel ik." „Dat doen we... hier zijn de maten Karelsen en jij weet wel iemand die de gordijnen voor ons maakt? We werken samen praktisch tot de laatste dag vóór ons huwelijk, want de baas heeft het zo druk." De man pakte het papiertje aan en knikte. „Komt wel goed jongen, ik noteer het allemaal." Floor werd wat moediger en pakte een felgroen badmatje op. „En deze," zei ze. Het ging met alle spullen best, tot ze op de etage kwamen, waar alles voor de woonkamer moest worden uitgezocht. Een keukenuitrusting met een keukengordijntje hadden geen moeilijkheden opgeleverd. Maar nu keek Floor een beetje radeloos om zich heen.

„Ik weet het niet, moet het echt hier Pim?" Hij maakte een gebaar met vinger en duim en ze begreep dat hij nu ook weer niet zóveel geld had en het slot was dat Pim koos: donkerbruine velours overgordijnen, hagelwitte vitrages, een bankstel van donkerbruin skai met lichte kussens, een zithoek met een bruine ronde tafel en stoelen met gedraaide poten en groene zittingen en twee fauteuils met dezelfde poten en groene hoezen. Een staande schemerlamp met een roze kap. Een boekenrek en een kapstok... het duizelde Floortje. Tot slot besloot Pim een roestbruine harige vloerbedekking door het hele huis te laten leggen, want die was enorm goedkoop. „Ja hè Floor?" En Floortje knikte maar wat. Inwendig toeterde ze tegen zichzelf: 'Wat kan je dat nou schelen? Je trouwt met de man naast je, niet met die gedraaide poten'. Ze liep door naar een afdeling met linnengoed en hier liet Pim haar zelf uitzoeken.

Toen ze dacht dat ze klaar was, werd ze meegetrokken naar de afdeling wasmachines en ijskasten. Vakkundig wees ze een kleine koel-vriescombinatie en een kleine wasautomaat aan. Pim keek vragend en Floortje zei geduldig: „We hebben een verdraaid klein keukentje, vergeet dat niet." Toen ze het pand verlieten, slaakte Floor een geweldige zucht. Ze zei alleen: „Zoiets moet je eigenlijk niet op één avond doen."

„Ach," zei Pim, „dan is het maar gebeurd en morgen gaan ze de vloerbedekking leggen en over drie dagen hangen de gordijnen. Met die Karelsen heb je nooit gezanik. Ik heb 'm weleens geholpen met een wagen en ik weet dat hij me niet beduvelt. Verder is het een gewoon ordinair mannetje, maar we hebben 'm ook niet te beschouwen als een vriend."

„Ik ben moe," zei Floor. Ze waadden door de dichte mist en ze voelden zich als het enige liefdespaar op de wereld. Op Floors kamer gekomen, steunde Pim:

„Het lijkt wel of we aan de vierdaagse meegedaan hebben."

„Wil je koffie of iets sterkers?"

„Iets ontzettend sterks," kreunde hij en toen ze naar de kast liep knelde hij haar vast tegen zich aan. Ze lachte vrolijk. „Ja je bent sterk, ik weet het. Laat me los anders krijg je niks en je mag blij zijn dat ik een fles witte wijn in huis heb, andere alcoholica bezit ik niet." Ze klonken op hun nieuwe inboedel en het was nog vrij vroeg toen het licht uitging. De dag vóór ze trouwde, ging Floor alleen in haar wagentje naar haar nieuwe huis. Ze had nog niet de kans gehad om er alleen iets aan te doen; ze wilde de sfeer van alles op zich laten inwerken. Ze stopte voor hun deur, nummer twaalf van een rij 'doorzonwoningen' van veertien stuks. Ze zag dat Pim het minuscule voortuintje al had omgespit. Op de voordeur was hun naambordje al geschroefd. Ze haalde de sleutel uit haar broekzak en betrad dan heel aarzelend, helemaal alleen, hun huis. Als een braaf kind veegde ze haar voeten op de grote ruige mat. Ze keek rond. Het was een verdraaid klein halletje; er hingen een kleine kapstok en een ovaal spiegeltje, dat ze zelf nog bezeten had in haar ouderlijk huis. Ze opende de crème gelakte deur aan haar rechterhand en ze stond in de woonkamer. In een onbewust gebaar sloeg ze haar hand voor haar mond en er kwam een nevel van tranen voor haar ogen. Wat een ontzettende stoelen! En daar had zij braaf 'ja' en 'amen' opgezegd. Gelukkig had ze haar zin doorgedreven met de grote ronde, naturel kleurige, gevlochten mat onder de eettafel. Zelf had ze het handgeweven naturelkleurige tafelkleed gekocht, omdat ze zo'n geval vergeten waren bij meneer Karelsen. De witte vitrages hingen roerloos en de sigarenbruine overgordijnen hingen stijf en strak. Ze keek even naar het bankstel, maar toen ze zich voorstelde dat Pim op de bank lag te luieren, kwam er een glimlach om haar mond. Ach, de rest kwam vanzelf. Ze ging volgende week planten kopen op de markt en aan de muur hadden ze gelukkig nog niets. Ze liep naar de keuken en schoof het gordijntje van de keukendeur dicht. Haar achterbuurvrouw hoefde nu nog niets te zien. De pannen stonden te wachten, het bestek lag in de keukenla en de twee krukken aan de minuscule eetbar zagen er nog vreemd uit. Ze liep over de roestbruine vloerbedekking, die ook op de trap gespijkerd was, naar de slaapkamer en haar hart sprong op bij het zien van de roze gordijnen. Het gaf zo'n gezellig origineel licht.

Ze opende haar linnenkast. De keurige stapeltjes gaven haar voldoening en achter de andere deur hingen hun kleren. Onderin stonden de schoenen. Alles wat ze morgen niet nodig hadden, was al in het huis aanwezig. Ze had zelfs op het kleine toilettafeltje wat potjes en flesjes neergezet. Ze liep het lege kleine kamertje binnen. Hier was alleen behangen en de onvermijdelijke vloerbedekking lag in de decemberzon te glanzen. Ze had hier geen enkel meubelstukje voor willen hebben, het moest immers het kamertje van hun kind worden.

Ze keek door het kleine raam waarvoor ook een roze vitrage hing. Haar uitzicht bood het vooraanzicht van precies dezelfde huizen als die van hun eigen rijtje. Verschillende ervan waren al bewoond. Je kon dwars door de huizen heenkijken, gordijnen of niet en Floor bleef daar peinzend staan. Hele dagen in deze doorzonkast... zou ze dat volhouden? Ze vermande zich. Ze wilden beiden zo gauw mogelijk een kind en dan waren je dagen immers overvol. De eerste maanden zou ze wel doorkomen, het was immers winter en met de zware gordijnen dicht, had je je eigen veilige nestje zonder vreemde ogen. Ze stond maar niet stil bij de stoelen met de gedraaide poten; diep in haar hart had ze al een klein plan: ze was nogal handig en ze kon die poten afschuren en anders maken, ze kon het hout oplichten en dan vernissen en die groene zittingen, daar kon ze ook wel iets aan doen. Alleen niet meteen, het zou anders zo hatelijk voor Pim zijn. Pim... haar hart stroomde vol geluk. Morgen om deze tijd was ze zijn wettige vrouw en ze zouden hier samen ongestoord zijn. Samen eten, een plaat draaien... echt samen zijn. Vlug wendde ze zich van het raam af. Ze ging gauw naar haar kamer, alles klaarleggen voor morgen. Ze had met Pim afgesproken, dat ze elkaar pas morgenochtend zouden zien als hij haar kwam halen. Ze had een kleine verrassing voor hem: ze zou toch niet trouwen in dat gele jurkje... er moest iets nieuws zijn op zo'n dag en ze had een beeldig zachtgroen jurkje gekocht, dat opgewerkt was met gouddraad, een moderne lange mouw, lage hals. De gouden schoentjes bezat ze al. Van een kennisje had ze een kort zwart bontjasje geleend en ze had er zelf open-gewerkte zwarte handschoentjes bij gekocht. Het lange haar kreeg vanavond een beurt en haar diner, dat ze nu in eenzaam-heid wilde gebruiken, zou bestaan uit bruin brood met toma-ten. Haar radio en cd-speler

stonden hier al, maar ze zou in gezelschap van de krant die ze straks ging kopen haar maal nuttigen. Daarna de toebereidse-len voor morgen treffen en dan vlug naar bed.

En zo gebeurde het allemaal. Toen ze eindelijk in bed stapte, keek ze de nu vrij kale kamer eens goed aan. Elke persoonlijke noot was er weg en om dit verblijf zou ze echt niet huilen. Floortje grinnikte eens in zichzelf, knipte haar leeslampje uit en trok de dekens over haar hoofd.

HOOFDSTUK 6

Floortje had haar reiswekkertje ingesteld en op haar trouwdag liep het ding om acht uur af. Traag opende ze haar ogen... er was vandaag iets heerlijks... ze ging trouwen met Pim! Met één sprong was ze haar bed uit. Ze zette thee en at één bruine boter-ham met boter; dat was genoeg voor een bruid, vond ze. Ze ging gezellig heel uitgebreid wassen en toilet maken.

Eindelijk trok ze het jurkje aan over haar nog niet opgemaakte gezicht. Het was voor haar figuurtje gewoon geschapen had een aandoenlijke winkeljuffrouw gezegd. Floor keek nog eens zorgelijk naar haar gloednieuwe panty en schoof haar voeten dan gauw in de sandaaltjes. Geen ophalen gelukkig. Zorgvuldig maakte ze haar gezicht op: de foundation, een tikje rouge, oog-schaduw in de tint van de jurk en over het geheel een waasje poeder. Tot slot tekende ze nauwgezet de omtrek van haar lip-pen na en de rode lipstick in dezelfde tint als haar nagellak, maakte het geheel af. Het lange gouden haar borstelde ze tot het als een zijden mantel neerviel, een kleine goudkleurige clips hield het haar boven haar ogen iets in bedwang. Ze sloot de gouden armband, die ze van Pim gekregen had, om haar pols en ze besloot verder geen sieraden aan te doen. De trouwring, die nu nog links zat, was voldoende. Ze keek op haar horloge… kwart voor tien. Ze deed een schortje voor en zette wat water op. Ze had behoefte aan een kopje koffie, al was het maar poederkoffie. Ze dronk het kopje heet op zonder een scheutje melk. Braaf spoelde ze alles af, verwijderde het schortje – zou ze morgen wel ophalen – en stak een sigaret op. Floor keek niet meer om naar haar haren of make-up, het moest nu maar goed zijn. Toen ze de peuk in de asbak uitmaakte, hoorde ze de claxon van Pims wagen. Ze ging staan en ze voelde zich ineens doodnervous. Ze stond nog net zo, toen hij met een zwaai de deur opende. Een moment bleef hij staan op de drempel, met in zijn ene hand een prachtig bruidsboeket van roze en witte anjers, bijeengehouden door een vernuftig roze lint. „Floortje," stamelde hij eindelijk. „Je bent nog veel mooier en liever dan ik dacht." Floor zou het liefst in tranen zijn uitgebarsten, maar ze beheerste zich. Ze keek alleen in de geliefde donkere ogen. Pim liep op haar toe. Hij legde het bruidsboeket voorzichtig neer en pakte haar handen. „Ik zal m'n hele leven alleen van jou kunnen houden," zei hij zacht, „en deze woorden zijn voor mij de eigenlijke huwelijksvoltrekking." Ze fluisterde: „Voor mij ook." Hij pakte het boeket op. „Vind je het mooi?"

„Beeldschoon," zei Floor en Pim tastte in een zak van z'n donkere pak „En dit vind ik belangrijker dan de trouwring." Hij gaf haar een klein doosje, kennelijk van een juwelior afkomstig. Floors vingers beefden een beetje en ze hield haar adem in toen ze het opende. Er lag een gouden medaillon in, in de vorm van een hartje – het was bevestigd aan een lange dunne gouden ketting. „Daar komen later de foto's van onze kinderen in," zei hij. Hij pakte het kostbare dingetje uit het doosje en hing het om haar hals en dan was ze in zijn armen en ze stoorde zich niet meer aan jurk of make-up.

„Kom Floortje, we moeten gaan," zei hij eindelijk. Alle nervositeit viel van Floortje af. Ze liep naar de spiegel en werkte zorgvuldig haar make-up nog eens bij en veegde de lipstick van Pims gezicht. Hij hielp haar in het geleende zwarte bontjasje, gaf haar het boeket aan en haar tasje. Hij lachte. „Kom op Floor, denk maar zó: vanavond zijn we samen in ons eigen huis."

Ze glimlachte naar hem en ze liepen de trap af. Floors hospita, die zich anders nooit liet zien, sloeg haar handen in elkaar. „Je bent dan wel geen witte bruid, maar je ziet er beeldig uit. Ik wens jullie beiden vast heel veel geluk."

„Dank u wel," zei Floor, „ik zie u morgen of overmorgen nog, dan kom ik m'n allerlaatste spullen halen. Is dat goed?"

„Ja kind, dat is prima... een gezegende dag samen." Toen de deur achter hen dicht was en Floor naast Pim
in de wagen zat, grinnikte ze op haar oude vertrouwde manier. „Het goeie mens keek me praktisch nooit aan en nou zulke plechtige woorden."

„Ze bedoelt het goed," vond Pim en zette koers naar het raadhuis. Toen ze door de bode naar een soort wachtsalon geleid werden, vond Floor daar haar ouders en zuster, haar baas en nog een stel vrienden. Floor zag dat vader het moeilijk had, maar moeder en Lien waren onverstoorbaar koel. „Je ziet er mooi uit meisje," zei vader, maar moeder knikte alleen maar. Toen hun namen werden afgeroepen, ging het allemaal snel. De ambtenaar van de burgerlijke stand hield een korte toespraak. Pim kuste haar en stak haar ring aan de ringvinger van haar rechterhand; in de verwarring vergat ze bij hem hetzelfde te doen. Ze werden omhelsd door haar ouders en zelfs Lien gaf een kil zoentje. Toen ze in de grote hal van het raadhuis stonden om met de diverse wagens naar het besproken restaurant te gaan, hielp Pim haar in het bontjasje en nodigde royaal nog drie vrienden van het eethuisje uit. „Ga maar achter in onze wagen zitten," zei hij en gezamenlijk liepen ze snel naar de auto. De getuigen, die ten slotte gekozen waren, waren de baas uit de garage en een bevriende studente van Floor. Beiden hadden tevoren al gezegd geen tijd voor de lunch te hebben en Pim vond het een beetje vervelende precaire zaak om alleen met z'n schoonouders en schoonzuster erbij te gaan eten. De vrienden hieven een hoeraatje aan en liepen enthousiast mee. In het restaurant was een grote tafel in een hoek gereserveerd en versierd met kleine orchideeën. Ze begonnen met koffie, toen het obligate glas champagne en ten slotte een eenvoudige maar toch feestelijke lunch.

Floor snakte naar het einde van het etentje. Die vervelende kritische ogen van Lien, de koele blik van moeder en een vader, die het kennelijk nog moeilijk met z'n zenuwen had, irriteerden haar mateloos. Eindelijk was het dan zover. Pim stond op, dankte iedereen voor zijn aanwezigheid en zijn attenties en vertelde dat het bruidspaar nu met onbekende bestemming vertrok. Floor verschoot, maar ze liet het niet merken. Toen ze na het afscheid hand in hand het bordes afliepen en een gedienstige ober de pakjes meedroeg, die ze nog hadden gekregen, zei Floor ongerust: „We gaan toch niet echt weg? Ik wil geen huwelijksreis."

„Stil toch," zei Pim zacht. Hij nam de pakjes over, gaf de ober een flinke fooi en mikte ze achterin de auto. Toen ze wegreden, zei hij: „Stommerdje... hoe zouden we nou een huwelijksreis kunnen maken zonder verder enige bagage bij ons? Ik zei dat alleen maar omdat ik met jou weg wilde, naar ons huis. En als je zegt dat je op huwelijksreis gaat, denkt iedereen dat je niet thuis bent en dat moeten we nou net hebben." Floor zuchtte van opluchting. Ze zwegen beiden tot ze voor hun huisdeur aangekomen waren. Pim stapte als eerste uit, opende de huisdeur en hielp toen Floor attent uit de wagen. Het was behaaglijk warm in huis, want de centrale verwarming brandde. Pim hielp haar uit haar jasje en omklemde haar stevig.

„Welkom in ons huis, liefste." Ze kusten elkaar en Pim ging de cadeautjes uit de auto halen en Floor zocht in haar nieuwe keukenkast naar een grote vaas, die ze wist dat ze bezat. Ze haalde het lint van haar boeket af en rolde het zorgvuldig op, dan zette ze de bloemen in het water. Ze liep met de grote vaas haar woonkamer binnen en zette het geheel op het lage tafeltje bij de bank. Hè, een bloemetje in dit interieur deed al veel, vond ze opgelucht. En morgen ging ze wat van haar persoonlijke dingetjes neerzetten. Ze stond even stil in de kamer en bedacht dat ze nog ergens een origineel wandbordje had – er stond een oude voorstelling uit een verhaal van Dickens op. Pim had gezegd: „De grote dingen hebben we nu. Van al die kleine zaken heb ik geen verstand, dat zoek jij zelf maar uit." Ze liep weer naar de keuken en doorzocht nog eens goed haar voorraadje levensmiddelen. Ze hadden voor vanavond en morgenochtend genoeg brood en boter. In de ijskast lagen vleeswaren. Er was kaas en jam en koffie, thee, suiker... Ze stond alles op haar vingers na te tellen. Hè, ze ging gauw koffiezetten. Van vader en moeder hadden ze een espressoapparaat gekregen en Floor vond dat ze het ding meteen móest inwijden. Ze hoorde de voordeur dichtslaan en ze begreep dat Pim alles had uitgeladen. Hij kwam nieuwsgierig de keuken binnen. „Dat ruikt goed. Ik ga binnen vast een cd uitzoeken." Haar donkere ogen lachten hem toe. „Ik ben zó klaar en dan kunnen we binnen eens even precies kijken wat we nog gekregen hebben, want het is allemaal nog niet goed tof me doorgedrongen." En dan zaten ze samen op de bank, dronken hun espresso en pakten uit. „Een broodrooster van de baas!" riep Floor. „Hoe komt die man erop?"

„Och, dat is gewoon een klassiek cadeautje," vond Pim. „Op zondagmorgen hoor je zo'n ding te gebruiken."

„Meen jij dat?" vroeg Floor verbaasd. „Natuurlijk," was het antwoord. Floor zei er niets meer over – ja, conventionele mensen hadden voor alles een bepaalde dag; voor de was, de stamppot, de broodrooster. Ze was zelf ook min of meer zo groot geworden, maar ze had er altijd dwars tegenin willen gaan.

Waarom op maandag wasdag? Waarom niet op donderdag? Ze besloot er met Pim niet verder over te discussiëren. Het had geen enkele zin en zij zou het huishouden toch zo indelen zoals ze dat zelf wilde. Ze pakten een ontzettend lelijke vaas uit. „Wat een loeder," vond Floor.

„Mooi is ie niet," vond ook Pim. Er kwam nog een asbak, die Pim wel handig vond; maar Floor besloot hem te laten vallen, zodra ze de kans schoon zag. Het was beslist geen aanwinst.

Eindelijk ruimden ze het papier en de spullen op. Ze zaten met de armen om elkaar heen naar een oude cd van de Beatles te luisteren. Floor zuchtte. „Dit is het helemaal," zei ze.

„Wat, lieverd?"

„Alles, een eigen huis met jou en mij erin, een cd waar we allebei gek op zijn. Nee, ik vind het veel fijner dan een commune." Pim schoot overeind. „Waar heb je het nou over? Daar heb je toch geen ervaringen mee?" Zijn ogen stonden ongerust. Floor schaterde.

„Nee, wees maar niet bang. Maar ik heb er genoeg over gelezen en het lijkt me gewoon niet echt gezellig. Ik vind zoiets voor losgeslagen stelletjes, die niet genoeg om elkaar geven en dan is het volgens mij nog geen oplossing." Ineens zaten ze beiden

430

rechtop. De brievenbus klepperde. „De krant!" juichte Floor. „Een historisch ogenblik: voor het eerst ontvangt dit echtpaar in eigen huis de krant." Ze stoof de gang in en wapperde met het gedrukte onheil. „Hier, ga jij maar vast lezen. Ik maak een boterhammetje klaar."

Ze maakte in de keuken een schaal sandwiches en vulde het espressoapparaat weer met water. Later op de avond, toen ze de deur op het nachtslot hadden gedaan, deden ze samen de ronde door hun huis, knipten de lichten uit en een kwartier later lagen ze voor het eerst in het nieuwe bed. Pim deed de leeslampjes uit en Floor lag in zijn armen. 'Dit is het leven', dacht ze, 'die groene zittingen en die draaipoten zijn van geen belang'. Haar armen gingen om Pim heen. Dit was het leven, de rest was maar bijzaak.

HOOFDSTUK 7

Ze waren op de kop af vandaag vijf weken getrouwd bedacht Floor terwijl ze de kleine stofzuiger door de woonkamer joeg. Dat hele zuigen was je reinste waanzin. Er kwam bij hen praktisch geen vuil binnen. Ze hadden geen kinderen, geen dieren… en op dat moment schakelde Floor de stofzuiger uit en ging zitten. Waarom hadden ze eigenlijk niet een dier? Ze wist dat Pim van beesten hield en zij wilde een poes. Gewoon een gezellige poes. Ze keek op haar horloge: nog geen kwart over tien. Tijd zat dus… dat kopje espresso geloofde ze vandaag wel. In de gangkast zocht ze een grote tas met een ritssluiting, trok een oud kort donkerblauw winterjasje aan dat prima stond bij haar lange broek. Ze stak haar portemonnee bij zich en liep de voordeur uit. Ze keek eens opzij en zag dat het huis aan hun linkerkant vandaag bewoond ging worden. Haastig stapte ze in de Twingo en startte richting dierenasiel. Ze zocht een armetierig zwartwit katertje uit, kocht een bak en vulsel, twee etensbakjes en kattenbrokjes. Ze bedacht dat ze verder geen boodschappen nodig had. Want er was nog genoeg boerenkool in huis en ze had nog een hele worst. De melkboer had vanmorgen al voor een toetje gezorgd en volgende week was het Kerstmis, dan wilde ze wat mensen vragen en een beetje fees-

telijk doen. Vol verwachting sleepte ze de tas en de rest het huis binnen. Floor liep met de kleine kat in haar armen naar de woonkamer en legde een oud, gezellig oranje kussen op de grond; lang geleden had ze het zelf voor haar
huurkamer gemaakt. Nu zou het de ligplaats van de poes worden. Ze schoof het kussen dicht tegen de verwarming aan en zette het diertje erop. Het begon meteen te spinnen. Ze
bekeek het kattengezichtje eens goed. Hardop zei ze: „Knoopje heet jij, daar heb je nou eenmaal een kop voor." Knoopje was voorbeeldig. Leerde nog dezelfde dag de weg naar de bak en naar z'n eten. Knoopje had het ware poezengeluk gevonden en Floor voelde zich
ineens niet meer zo alleen. Ze betrapte zich erop dat ze af en toe tegen hem praatte. Hij keek haar dan aan met z'n felgele ogen en zei: 'Mrrauauw'. „Engel," vond Floor. Ze keek op het oude simpele hangklokje dat ze zelf meegebracht had en waar ze te midden van de draaipoten nu dubbel aan gehecht was. Op haar vensterbank bloeide een rij rode en witte
geraniums en ze had altijd bloemen in huis – op de grote tafel en op de kleine tafel. Aan de muur was behalve de klok en het oude bordje nog een antieke, langwerpige prent gekomen. Ze had 'm bij een antiquair gekocht en dankzij haar eigen spaarpot had ze 'm zonder overleg
met Pim meteen in een smal houten lijstje laten zetten. Verder hing er niets aan de muur.
Floor repte zich naar boven en maakte snel het bed op, zuigen en stoffen kwam morgen wel.
Toen Pim om tien voor halfeen kwam eten, had ze de tafel keurig gedekt, de spiegeleitjes waren klaar – kortom alles. Hij omhelsde haar en keek haar onderzoekend aan: „Jij hebt wat uitgekuurd. Ben je naar de dokter geweest?"
„Ik? Waarom?… O dacht je, nee hoor, dat gaat zo
gauw niet. Het is geen bestelling, die je doet, dat kan nog best een paar maanden duren. Dat hoor je zoveel. Nee, we hebben een huisgenoot." Floor wees naar het oranje kussen bij de verwarming, waarop Knoopje lag te slapen of hij nooit iets anders had gedaan. „Hoe kom je aan die poes?" Pim zat al op z'n hurken om het dier te aaien en Floor voelde zich er vreemd blij om.
„Bij een echt thuis hoort een dier," zei ze zacht. „Bij moeder

mocht ik nooit een levend wezen hebben behalve goudvissen en ik haat goudvissen. Kom jongen anders worden de eieren koud en je hebt toch al niet veel tijd." Na die woorden keek Pim ernstig.

„Ja en dat gaat nog beroerder worden. De baas zei vandaag dat het hele personeel niet meer weg mag tussen de middag. Dus dat wordt voor mij van acht tot vijf doorjakkeren en af en toe met een vuile hand een hap nemen, net zoals in jouw tijd." Floor keek even tragisch, dan vermande ze zich, „We doen er weinig aan lieverd. Bij een nieuwe baas moet je het nog maar afwachten en hij betaalt niet slecht en behalve je snipperdagen hebben we drie hele weken vakantie." Hij legde zijn hand op de hare. „Lieve optimist, nou moet je elke morgen brood voor me klaarmaken."

„Ben ik gewend, deed ik voor mezelf altijd," blufte Floor.

„Ik zal je ook een grote thermosfles goede koffie meegeven, want sinds die automaat er is, krijgen jullie daar maar prut." Zijn blik was veelzeggend, maar hij at haastig door. Toen Pim de laatste hap had doorgeslikt, stond hij al naast z'n stoel. „Ik heb een haastklus liefje, ik moet weg." Ze kuste hem teder ten afscheid en zag hoe hij even later wegscheurde met zijn wagen. Ze zuchtte diep en keek op de klok... nog niet eens één uur en dan een hele dag zoek brengen terwijl het eten alleen maar gewarmd hoefde te worden. Ze waste de vaat en ruimde alles op. Ze mikte het natuurkleurige handgeweven schapenwollen kleed weer over de gewraakte tafel en zette de vaas met de goudgele chrysanten erop. Ze bracht Knoopje even naar zijn bak om nog eens extra goed de weg te leren en bedacht toen wat ze met die hele lange middag zou gaan doen. Volgende week was het Kerstmis... ze ging een boom halen en alles wat erop en eraan moest. Je zag 'm al bij zoveel mensen 's avonds branden dat ze beslist niet te vroeg zou zijn. Ze pakte haar privéportemonnee... nee ze hoefde nog niet naar de bank. Even later startte ze de Twingo en het was over drieën eer Floor weer thuis was. Achter in de wagen stond een kleine kerstboom en op de stoel naast haar lag een tas vol zilverkleurige ballen en slingers en kerstboomverlichting. Echte kaarsen waren mooier, maar nu met de poes... nee. Ze laadde alles voorzichtig uit, ook de bak waarin ze het boompje klem kon zetten. In een hoek voor de openslaande deuren naar het mini-tuintje zette ze 'm neer. Ze drapeerde er een grappig gekleurd klein katoenen kleedje aan de onderkant omheen en begon het geval te versieren. Eerst met veel gewurm de kaarsjes en dan de elektrische draden zoveel mogelijk wegwerken en toen het optuigen. Ze voelde zich een béétje blij vanbinnen toen de boom eindelijk in al zijn zilver glansde door de vele lichtjes. Ze zette thee, die ze opdronk terwijl ze een tijdschrift las, dat ze net gekocht had. Toen Pim om halfzes thuiskwam, waren de gordijnen gesloten. In de gang rook hij de boerenkool en binnen wachtte zijn knappe vrouwtje bij de feestelijke kerst-boom. „Dat heb je meesterlijk gedaan," zei hij zacht. „Maar dat geld mag niet van je 'privé', denk eraan en de poes met toebe-horen ook niet. Dat is mijn huishouden."

„Het is ons huishouden, feodale meester," merkte Floor op. Pim trok aan de lange blonde haren. „Weet ik wel, maar ik heb graag dat je het voor heel erge privé-zaken gebruikt." Ze keek hem smekend aan en legde haar armen om zijn nek.

„Dit hoort ook bij mijn 'privé', zelfs als ik een overhemd voor je zou kopen of een spijkerbroek. Nee, je moet mij het geld niet teruggeven, dan zou ik een stukje van m'n zelfstandigheid kwijtraken."

„Goed kind, ik vind het best, maar waar blijft die zelfstandig-heid zoals jij het tenminste noemt, als je eigen geld op is? Je verdient immers niet meer?"

„Heb ik al over gedacht," knikte Floor ijverig. „Dan zoek ik werk wat ik thuis kan doen. Als je fantasie hebt, vind je altijd wel iets."

„En als onze baby komt?"

„Op de eerste plaats komt ie nog niet en als het zover is, kan ik toch makkelijk thuis wat werk doen. In dit nieuwe huis, waarin alles nieuw en glad is, heb ik geen dagtaak. Dat weet je." Pim aaide haar over haar hoofd. „Zoet maar meisje, je doet maar zoals je het zelf het beste vindt."

Even keek ze hem diep in de ogen. „Zoals ik het 't beste vind, daar ben je niet mee akkoord gegaan. Ik had willen blijven werken in de garage en..." Hij trok haar tegen zich aan.

„Ik ben een ouderwetse vent, ja. Ik wil geen vrouw onder de smeerolie. Mijn vrouw moet thuis zijn." Ze omhelsden elkaar en Floor dacht: Wat doet het er allemaal toe, ik heb toch deze man in mijn armen? Ze gingen aan tafel en Floor zei: „We moeten nou eindelijk eens uitmaken, wie we met de kerstdagen te eten vragen. We stellen het steeds uit, want het netelige punt is: wat doen we met mijn ouders en zuster en we hebben ook vrienden."

Pim bood haar een sigaret aan en stak er zelf ook een op. Hij strekte z'n lange benen en zei:

„Als ik je zoveel mogelijk meehelp, is het dan te zwaar om beide dagen mensen te vragen? In dat geval zouden jouw ouders en zuster de eerste dag kunnen komen en we vragen een stuk of vijf vrienden de tweede dag en dan maken we er een lollige boel van."

„Daar heb ik geen hulp voor nodig," weerde Floor verontwaardigd af. „Het ellendige is, dat ze bij mij thuis vast beledigd zijn, dat ik ze niet eerder gevraagd heb en ik heb geen zin in zure gezichten op onze eerste Kerstmis samen en dan krijg ik aanmerkingen van Lien en moeder over m'n spullen en het verwijt dat ik geen hulp gevraagd heb." „Nou daar ben ik ook bij en dat druk ik allemaal de kop in. Bovendien bel ik ze op om ze te vragen en niet jij en dan zeg ik eerlijk, dat we de eerste tijd alleen maar samen wilden zijn en de tweede dag vragen we een stel uit ons oude eethuisje. Weet je wat? We gaan morgenavond daar eten en dan vragen we hen gelijktijdig."

„Een geweldig idee," vond Floor. Ze stond meteen op en ging de tafel afruimen. De eerste dagen van hun huwelijk had Pim braaf afgedroogd, maar daar had ze een eind aan gemaakt. Ze had tenslotte niets anders te doen dan dit piepkleine huishouden.

Terwijl ze de vorken en messen in het hete water liet glijden, hoorde ze hem de kleine tv aanzetten. Ze betrapte zich erop dat ze zuchtte. Pim was verslaafd aan de tv en zij zou het liefst met hem praten... over duizend onderwerpen en een mooie achtergrond cd draaien. Of samen een eind door de vrieskou wandelen en dan gezellig hete chocola maken. Maar Pim zei steevast: 'Ik heb me de hele dag rot gewerkt, en ik ben blij dat ik zit'. En Floor liet het erbij. Ze hield van hem en in een huwelijk was het immers geven en nemen. Ze zette het espressoapparaat aan en toen alles opgeborgen was kwam ze met een blaadje met twee kopjes binnen. „Fijn, kom zitten Floor. Er is straks een reuze film."

„Zeker weer moord en doodslag," zei Floortje zacht.

Hij trok haar naar zich toe. „Het is toch niet écht, gewoon flauwekul." Maar Floor trok zich in een hoekje van de bank terug met haar puzzelboekje, de poes sprong op haar schoot en zo drentelde de avond voorbij. Toen Floortje 's nachts wakker werd en de armen van Pim om zich heen voelde, wist ze dat alles toch goed was. Dit was het voornaamste, die grote lieve man van wie ze oneindig veel hield. De volgende avond nodigden ze de student Bob de Klein en 'boekenwurm' Zeger Mertens uit voor de tweede kerstdag en twee meisjes, Thea van Duyn, die apothekersassistente was en altijd zulke 'moeie benen' had en Rosa Jansen, studente in de wiskunde. Het waren vlotte meisjes en ze vonden het verdraaid gezellig om te komen.

Floor kocht nog wat dennentakken en rood lint en hing hier en daar een decoratieve bundel op.

„Het is gewoon een ander huis geworden," zei Pim toen hij de dag voor Kerstmis thuiskwam. Floor keek een beetje treurig. „Wat is er liefje?" Zijn armen waren om haar heen. „Nou, ik was twee weken over tijd, maar niks hoor en... de dokter zei dat ik maar een kleine kans had om ooit kinderen te krijgen, maar het was niet uitgesloten." Hij kuste haar. „Malle meid, er zijn zoveel jonge vrouwen, die na een paar jaar ineens een baby krijgen. Maak je geen zorgen; bovendien zal ik weleens met die dokter praten. Dan weten we precies hoe we erop staan. En dan... we kunnen altijd een kind aannemen." Maar Floor keek verdrietig. „Ik zal wel een egoïste zijn, maar ik wil een kind van ons samen."

„Lieve schat, je bent nog zo jong. Ik praat na de kerstdagen weleens met die vrijer en lach nou eens tegen me. Tel ik niet meer mee?"

Floors armen waren om hem heen. „Dat weet je wel beter," zei ze zacht. De eerste kerstdag was Floor al vroeg uit de veren. De gebruikelijke spijkerbroek hing ze in de kast en ze trok een vlot donkerbruin jurkje aan. Terwijl ze zich aan de kleine toilettafel opmaakte, ging Pim rechtop in bed zitten. „Draai je es om." Floor gehoorzaamde braaf. „Kom es hier Floortje." Ze stond naast het bed en keek op hem neer. Hij stak zijn handen uit. „Je bent zo mooi; je bent vandaag weer heel anders." Hij trok haar in zijn armen. En na een hele poos jammerde Floortje: „Nou kan ik weer helemaal opnieuw beginnen." Pim lag te schateren.

„Als je niet oppast, roep ik je zo weer."

„Maar ik ben geen hond." En met een fiere blik kamde ze haar haren en verdween uit de kamer. Het was al laat, zag ze. Haastig maakte ze het ontbijt klaar op de keukentafel en ze waren nog maar nauwelijks met alles gereed of de wagen van Floors vader stopte voor hun deur. Floor schakelde nog even het espressoapparaat in en vloog dan naar de voordeur. Ze omhelsde vader en moeder en zelfs Lien kreeg een zoen. „Gut kind, wat doe je aanminnig," was het antwoord van haar zuster. „Ze is aanminnig," kwam Pim. „Jij kent mijn vrouw niet." Beschermend sloeg hij even een arm om haar heen. Lien durfde niets meer te zeggen. Pim hing de jassen op en moeder stapte als een controlerende kalkoense hen het eerst de woonkamer in. „'t Is hier niet erg warm," constateerde ze. Pim draaide aan de thermostaat. „Nou wordt het bloedheet," voorspelde hij.

„En wat heb je nou gedaan? Een kat in huis?" Vol afgrijzen keek haar moeder Floor aan.

„Ja mam, we wilden zo graag een eigen dier in huis. Het is óns huis hoor, vergeet dat niet!"

Vader gaf moeder een waarschuwende blik en ze deed er verder het zwijgen toe. Vader toverde een grote witte cyclaam te voorschijn. „Hier kind, voor je eerste Kerstmis in je eigen huis." Floor bedankte alleen vader met een hartelijke zoen. Ze voelde wel, dat hij dit gebaar had doorgedreven. Toen iedereen zat met koffie en kerstkrans, zei vader: „Ik vind het hier gezellig Floor; je hebt je best gedaan." Floortje straalde en Pim had medelijden met haar. Had ze in haar jonge leven zo weinig waardering ontvangen van haar ouders? Hij riep de poes, die gehoorzaam op schoot sprong. Ze bekeken het huis, gaven alledrie adviezen en Floor was dankbaar, toen ze haar kerstdiner veilig op tafel had staan. Ze wist dat moeder altijd vroeg naar huis wilde, dus de kwelling zou niet lang meer duren. Vader prees de kip en het dessert en hij zei, dat hij nooit gedacht had dat Floor zich zo goed van automonteur tot huisvrouw zou ontwikkelen. Floortje glimlachte. „Ach, dat huisvrouw-spelen zit bijna bij iedere vrouw ingebouwd en je moet wel erg achterlijk zijn als je het niet gauw aanleert. Nee, het is niet mijn eindpunt vader." Ze keken allemaal vragend. „Ik bedoel," verklaarde Floortje, „dat elke vrouw zodra ze zover is dat de kinderen naar school gaan en eigenlijk al eerder, weer werk moet zoeken. Al is het maar werk dat je ook thuis kunt doen. Het is toch antiek dat de man alleen de kost verdient? Mocht het me ooit lukken om behoorlijk te verdienen, dan neem ik een werkster en dan ga ik nog meer verdienen." Pim zweeg en tuurde naar het plafond. Maar zijn schoonmoeder viel uit: „Dat draait altijd uit op verwaarlozing van de kinderen."

„O nee," zei Floor beslist. „Daar zorg ik wel voor en bovendien: waar praten we over? Voorlopig is er nog niets aan de hand en ben ik een braaf thuis zittende huisvrouw."

Het kerstmaal werd alle eer aangedaan, maar Floor was blij toen alles geconsumeerd was. En inderdaad, terwijl de keuken en de tafel nog vol gebruikte borden, kopjes en bestek stonden, stond moeder op en zei: „Je weet, dat ik niet graag laat thuiskom. Floor, je hebt je best gedaan en ik hoop dat jullie nu gauw weer eens bij ons komen." Vader en Lien waren gehoorzaam opgestaan, er werden koele kusjes gewisseld en nog vóór de voordeur goed in het slot zat, stond Floor al met een groot schort in de keuken. Met een verbeten gezicht stortte ze zich op de vaat. Pim droeg zwijgend de rest van de tafel aan. Toen hij zich bij haar voegde en een theedoek pakte, viel Floor uit: „Jij bent het er niet mee eens, dat ik zei dat ik weer zou gaan werken, als ik eenmaal een kind door de eerste tijd zou hebben heen geholpen."

„Nee," zei Pim alleen. Ze kreeg een kleur van woede. „Maar je kunt erop rekenen dat ik niet mijn hele huwelijk lang mijn hand blijf ophouden, dat ligt me niet. Ik heb je beloofd de eerste tijd thuis te blijven en dat doe ik ook. Maar als er niet gauw een baby komt, zoek ik werk anders word ik gek. Ik ben er heus als jij thuiskomt en het zal je aan niets ontbreken."

Op een beetje ijzige toon zei Pim: „Misschien mag ik dan wel weten, wat je gaat doen?"

„Dat weet ik nog helemaal niet, daar heb ik me nog niet in verdiept, omdat ik nog steeds mijn belofte houd. Maar wie zegt dat we kinderen kunnen krijgen? Ik zit 's morgens om halfelf al met de kat op schoot als een oud mens – en daar ben ik niet voor in de wieg gelegd. Ik wil in dit leven ook iets bereiken, iets meer dan de vaat doen en de overal s wassen."

Hij gooide de theedoek over z'n schouder en trok haar naar zich toe. „Opgewonden standje, dat je bent. We maken waarachtig onze eerste echtelijke ruzie op eerste kerstdag. Ach meisje, de tijd zal het allemaal leren en ik vertrouw voorlopig op een spoedige baby, wat die dokter ook zegt. Och en als je wat thuiswerk aanneemt, dat vind ik niet zo erg."

„Die baby komt vast niet en dacht je dat ik dan altijd de hele week maar in dat kleine woonkamertje bleef zitten? De muren komen nu al op me af. Ik ben er één die eropuit moet en…" Ze sloeg haar armen om zijn hals en snikte: „Ik houd van je Pim, laten we er voorlopig niet meer over praten."

„Goed meisje, we doen gauw die stinkvaat en dan gaan we gezellig binnen zitten." De avond verliep verder in alle harmonie. Floortje stak de witte kaarsen in de donkerhouten kandelaar aan, die ze pas van haar eigen geld gekocht had en zette hem op de lage tafel. Met kleinigheden probeerde ze steeds meer haar eigen sfeer in hun woonvertrek te leggen. Inwendig wachtte ze op de dag, dat ze die ellendige stoelen zou verkopen en van haar eigen geld echt mooie meubelen zou laten binnendragen. Ze voelde wel dat het niet ineens kon, dat het moest groeien met kleinigheden zoals nu bijvoorbeeld die kandelaar. De tweede kerstdag hadden ze 's avonds enorme pret met het viertal uit het eethuisje. Die hadden drie flessen wijn meegebracht en de inhoud daarvan droeg wel bij tot de uitbundige stemming. Ze draaiden keihard de nieuwste tophits en toen het tegen twaalven werd, hoorden ze een gebons tegen de muur. „De buren!" kreet Floor, die net bezig was een mallotige dans uit te voeren met Bob de Klein. „Jongens zet dat ding zacht; ik wil geen burenruzie." Pim zette een melodieuze, zachte achtergrond cd op en ze zetten eensgezind het meubilair weer op z'n plaats. Maar de vrolijke stemming was weg. „Jullie moesten ergens in een lollige oude boerderij wonen," vond Zeger Mertens. „Echt iets voor jou Floor, dan zou je van alles

kunnen beginnen. Hier raak je je energie niet kwijt."
„Bemoei je er niet mee," antwoordde ze bits. „We zijn wat blij,
dat we dit huis op de kop getikt hebben." Het gesprek kabbelde verder wat algemener voort en om één uur was iedereen
verdwenen.
„Ik was morgenochtend wel af," zei Floor. „Het is toch morgen
zondag – dan doe ik het op m'n sloffen. Ik ben nou moe." Pim
maakte de asbakken leeg en korte tijd later doofde het licht in
de echtelijke slaapkamer. Floortje sliep in met haar blonde
hoofd op Pims schouder en de wereld bestond verder niet
meer voor haar, er waren geen problemen. Nu niet tenminste.

HOOFDSTUK 8

Oud en nieuw vierden ze samen en op nieuwjaarsdag brachten
ze een kort bezoek aan Aalsmeer om Floors familie een gelukkig nieuwjaar te wensen en de volgende morgen toog Pim
weer vroeg aan het werk. Floortje kleedde zich na het ontbijt
vlug aan en overzag haar huis. Ze was eigenlijk blij dat het allemaal een beetje op een 'slagveld' leek. Ze had vandaag tenminste behoorlijk wat te doen. Ze gaf de woonkamer een
grondige beurt, verzorgde de planten, lapte de ramen, die
blauw zagen van de rook; de keuken werd gedweild kortom
het hele huis werd grondig schoongemaakt. De dagen rijgen
zich monotoon aaneen. Pim kwam wel met verhalen over de
garage en dan leefde Floortje op, maar de dagen kwamen
steeds moeilijker om. Het was intussen drie februari geworden
en Floor was vroeg klaar met haar huishoudelijke bezigheden.
Ze gaf Knoopje nog wat melk, trok dan haar witte bontjasje
aan, want het was nog gemeen koud en stapte met een grote
boodschappentas in de Twingo. Ze zette 'm midden in de stad
op een parkeerplaats neer en ging uitgebreid boodschappen
doen. Ze bezocht eerst een grote supermarkt voor de noodza-
kelijke dingen, maar algauw dwaalde ze door kleine smalle
straatjes, waar soms ineens de meest typische winkeltjes
opdoemden. Ze bleef staan voor een heel smal raam. Dit was
eigenlijk een heel ouderwets woonhuisje, maar er was toch
een soort etalage gemaakt en de eigenaar had er talloze bak-

ken en flessen neergezet die vol zaten met een tomeloze variëteit aan kraaltjes en kralen. Floor bleef geboeid staan kijken. Ze had nooit geweten dat er zulke prachtige tinten en vormen in kralen waren. Onwillekeurig maakten haar handen een beweging. Ze zag het voor zich: een brede armband van die heel kleine gele doorzichtige kraaltjes – die moest je rijgen op elastiek bedacht ze en dan wat goedkope dunne kettingen kopen en er een bijpassende hanger aan maken met behulp van ragdun ijzerdraad. Ze stond zeker een kwartier voor de etalage toen er een kleine blonde man in de deur kwam staan. Hij keek haar eens aan, zei dan vrolijk: „Is de keus zo moeilijk?" Floortje keek verward op. „Sorry," zei ze, „ik sta een plan te maken."

„In verband met mijn kralen?" Ze knikte. „Ik zou dan zeggen, komt u even binnen. Het is buiten niet bepaald warm." Aarzelend stapte ze de ouderwetse stoep op en even later sloeg ze haar hand voor haar mond. „Wat enig is het hier," zei ze zacht. Ze zag de donker gebeitste houten vloer, twee oude rieten stoeltjes en verder een toonbank met stopflessen kralen. Aan de wanden ook planken vol met kralen, allemaal verschillend. Hij bood haar een stoel aan en ging zelf in de andere zitten. Hij hield haar een pakje sigaretten voor en zei: „Mijn naam is Mischa van der Velde; ik ben een gesjeesde student, die het niet meer zag zitten en nu handel ik in kraaltjes en het loopt lekker." Floor rookte haar sigaret en keek naar de tengere blonde man in zijn versleten spijkerpak. Een grote witte kater kwam uit het duistere achterkamertje en sprong op zijn knie. „Ik heet Floortje," zei ze zacht. „Ik ben getrouwd en gedoemd het huishouden te doen, maar ik wil wat anders en toen ik die kralen zag, wist ik het ineens. Mijn man heeft niet graag dat ik buitenshuis ga werken, maar dit kan ik thuis doen... sieraden maken en waarom zou ik het niet kunnen?" Het laatste kwam er een beetje uitdagend uit. Hij lachte en vroeg: „Heeft u haast? Anders maak ik gauw even een kop koffie." Floortje keek in de lichte ogen en zei: „Mag ik dan de poes even vasthouden?"

„Met plezier." En zo zat ze daar in dat achterafstraatje van Haarlem in het kleine kralenboetiekje met de witte kater op schoot. In verbluffend korte tijd kwam hij terug met een wat roestig theeblad waarop twee kopjes goed ruikende koffie. „Dat doet u gauw," zei ze en ze zette de poes neer. „Ach, vrij- gezellen worden wel handig," lachte hij. „Maar laten we het over die sieraden hebben... heeft u enige handigheid in dat vak?" Floortje glimlachte.

„Niet bepaald, ik heb tot mijn huwelijk in december altijd gewerkt als monteur in een garage."

„Wat, heb jij auto's gerepareerd?" In zijn verbouwereerdheid begon hij maar 'jij' en 'jou' te zeggen en Floor vond dat de gewoonste zaak van de wereld. „Ja," zei ze, „en ik deed het nog goed ook, maar mijn man, die in hetzelfde vak zit, wil geen vrouw meer in een smerige overal... hij wil eigenlijk helemaal niet, dat ik geld verdien. Maar ik vlieg thuis tegen de muren op... ik heb zo'n modern doorzon-huis in een rijtje, ik heb nog geen kinderen en ik ben 's morgens vroeg al klaar. Ik moet toch iets doen? En bovendien ben ik gewend zelf geld te ver- dienen en dat dan naar mijn eigen smaak te besteden. O, Pim is een reuze vent hoor," zei ze er snel achteraan, „maar ja, hij is nog een beetje ouderwets op dit punt. En toen ik die kralen zag, bedacht ik dat ik hiermee een eerste mogelijkheid kon scheppen, om zelf wat te verdienen en dan toch het nette huis- vrouwtje thuis te zijn."

„Goed gevonden," knikte hij. „Maar zou het je lukken?"

„Mijn handen staan nergens verkeerd voor," zei Floor zorge- loos. „En ik heb fantasie. Ik moet alleen wat dun elastiek en ijzerdraad hebben en een tangetje." Hij stond meteen op. „Dat heb ik ook allemaal, zelfs voorbeelden om iets te maken." Ze stak afwerend haar hand op. „Nee geen clichévoorbeelden. Ik wil zelf mijn ontwerpen maken en als het lukt, kom ik het laten kijken. Dan ga ik ze verkopen; dat gaat altijd."

„Jij ziet nergens moeilijkheden," bedacht Mischa en hij nam het figuurtje en het mooie kopje met het lange goudblonde haar nog eens in zich op. „De koffie was zalig, maar nu ga ik kralen uitzoeken," zei Floor gedecideerd. Ze stond op en in de schoenendoos, die hij klaargezet had, werden de kralen gestort die ze aanwees: grote rode, kleine gele, paarse, een regenboog van kleuren. Ze kocht het bewuste elastiek en ijzer- draad. Ergens achter uit de winkel vandaan toverde hij een klein tangetje. „Dat krijg je cadeau." Floor kreeg een kleur.

„Dat is aardig van je. Mischa." Hij pakte de doos zowaar in een net papiertje en Floor betaalde de bijna belachelijk lage rekening. Hij deed de deur voor haar open en zei toen: „Zet dit dóór, Floortje, laat die doos niet in een kast staan." Ze knikte en haar bruine ogen straalden. „Zodra ik iets behoorlijks klaar heb, kom ik het laten kijken enne… bedankt voor de koffie." Ze wuifden naar elkaar en Floor stapte dan flink door in de richting van de parkeerplaats. Toen ze wegreed, betrapte ze zich erop dat ze zich ineens heel erg gelukkig voelde. Dat deprimerende gevoel, dat ze gekregen had door alleen maar huishoudelijk werk te doen en dan maar krantje lezen, beetje puzzelen en wachten tot Pim thuiskwam, was van haar afgevallen. Ze ging iets nieuws beginnen en ze besloot er niets van tegen Pim te zeggen. Als ze wat verkocht had, was het vroeg genoeg. Ze wenste niet met mislukte pogingen geplaagd te worden. Op de terugweg kocht ze nog zes verzilverde lange dunnen kettinkjes. Ze keek nog eens in haar tas. Voor het avondeten had ze ook alles en daarnaast nog wat extra lekkers voor morgen op het brood voor Pim. Ze reed op haar gemak, zonder zich te haasten, naar huis en laadde alles uit. Ze haalde het kleedje van de houten keukentafel en zette daar de doos met kralen en de andere bijbehorende zaken op neer. Ze ging niet in de woonkamer zitten prutsen. In de eerste plaats keek de hele buurt dwars door de vitrages heen en verder vond ze het prettiger in een neutrale omgeving als de keuken te zitten. Dan kreeg je meer het gevoel van een werkplaats. Het was al over twaalven en ze smeerde eerst aan de aanrecht twee boterhammen en maakte een kop thee. Knoopje kreeg ook een kleine traktatie; toen alles op was, zette ze de vuile boel in elkaar en ging aan het keukentafeltje zitten. De radio stond op een gezellig laag pitje. Peinzend sorteerde Floor grote en kleine kraaltjes en met vaste hand begon ze aan een hanger. Ze maakte hem in de vorm van een langwerpige driehoek. Er kwam een rand van kleine goudgele kraaltjes aan de buitenkant en een hart van één grote goudkleurige kraal. Ze was blij dat ze op het laatste moment bij de dunne kettinkjes nog een goudkleurige genomen had, want toen ze van ijzerdraad zorgvuldig een klein stevig oog aan de punt van de driehoek had gemaakt, reeg ze deze ketting erdoorheen. Ze keek op de klok… ze was er bijna twee uur mee bezig geweest. Ze had zelf een zwart truitje aan en ze deed 'm om en ging in de gang voor de spiegel staan. Ze keek verrukt, het ding deed het! Ze zocht in haar linnenkast naar een klein rond doosje, deed er een watje in en legde het sieraadje erop. Toen borg ze alles zorgvuldig weg. Floor besloot elke dag iets te maken en dan zou ze de volgende week weer naar Mischa gaan om zijn oordeel te vragen. Toen Pim thuiskwam vond hij een opgewekte vrouw en een gezellig gedekte tafel. Er was nu geen wrevel tussen hen, geen humeurige Floortje en ze waren verliefder dan ooit. Toen Floor de volgende morgen wakker werd, ging ze ineens rechtop zitten en schudde Pim wakker. Hij deed een slaperig oog open. „Wat is er lieverd?"

„Waarom ben jij eigenlijk nooit naar de dokter gegaan om te informeren naar onze kans op een baby?"

„O Floor, wat een problemen zo vroeg," kreunde hij. „Je hebt het in december al gezegd!" Hij werd nu goed wakker. „Ik vind het een beetje gek om na zo'n kort huwelijk al te informeren en wat hij tegen jou gezegd heeft, geloof ik niet. We zijn allebei gelukkig gezond en ik meen eerlijk dat het beter is om nog eens een paar maanden rustig af te wachten."

Floor voelde zich kwaad worden. „En mij aan huis kluisteren omdat het elke maand kan gebeuren en ik dan dus geen baan kan zoeken. Zo'n vrouwtje thuis is veel veiliger en gezelliger!" En toen zat Pim recht overeind: „Dat is gemeen Floor," zijn stem klonk hees. „Dacht jij echt dat ik een eventuele zwangerschap van jou als een soort ketting aan huis beschouwde? Ik geef toe dat ik hoop op een kind van ons samen en ik ben expres niet naar die dokter gegaan, omdat ik het te vroeg daarvoor vind."

„Als je dan maar weet dat ik bezig ben met het zoeken van thuiswerk," snauwde Floor. „En als het zeker is, dat we geen vader en moeder kunnen worden, ga ik absoluut buiten de deur werken. Dacht jij dat het zo leuk is om de hele dag in dit benauwde straatje te hokken? En ik kan moeilijk de hele dag op straat gaan lopen." Ze begon zachtjes te huilen. Hij sloeg een arm om haar heen.

„Het is toch goed lieverd, dat je thuiswerk zoekt; ik ben toch geen potentaat! En aan dit huis moet je nog even wennen en we zullen er ook niet ons hele leven wonen." Floortje huilde nog harder en dan waren zijn armen helemaal om haar heen en hij troostte haar. Alleen begreep hij niet goed waarom hij haar moest troosten. Hij bedacht dat het natuurlijk een hele overgang voor haar was geweest van de bedrijvige garage naar het stille kleine huis.

„Is het nou weer goed Floortje? Kijk me 'es aan!" Ze veegde de slierten blond haar uit haar ogen en alles was weer goed. Op het laatst moesten ze zich beiden haasten om Pim op tijd op zijn werk te laten komen. Ze stond hem in haar roze nachtpon voor het raam na te wuiven, toen hij wegreed. Ze slaakte een diepe zucht. Hij snapte het toch niet, maar ze hield van hem. Ze ontbeet en ging zich wassen en aankleden. Die dag wist Floortje een voor haar gevoel wondermooie brede armband te maken. Ze had er uren aan gewerkt en het was nu over vieren, terwijl ze voldaan naar haar werkstuk keek. Het drong nu pas tot haar door, dat ze niet geluncht had, niets had gedronken en dat ze nog van alles voor het avondeten in huis moest halen. Haastig borg ze haar spullen weg, dronk snel een kop thee en stapte dan in de Twingo om naar de dichtst bijzijnde supermarkt te rijden. Vandaag maar uit de diepvries eten, besloot ze. En ze pakte ook nog twee diepgevroren puddinkjes mee. Dat waren tenslotte artikelen voor werkende vrouwen. Het vlees was gauw genoeg gebakken en die paar aardappels waren ook gauw klaar. Ze reed snel naar huis en begon aan het klaarmaken van de maaltijd. Ze had vandaag de stofzuiger niet aangeraakt en de stofdoek sliep nog in zijn mandje. Ze keek eens rond in de woonkamer. Je zag er gewoon niets van. Het bed was opgemaakt en verder had ze het vandaag wel geloofd. Je kon tenslotte ook werk zoeken. Pim trof haar weer opgeruimd aan en hij at met smaak. Toen alles weggewerkt was, vroeg hij: „Ben je al bezig met thuiswerk Floortje?"

„Bezig wel, maar ik weet niet of het lukt... of ik het kan verkopen."

Zijn gezicht was één groot vraagteken. „Wacht maar, ik zal je laten zien wat ik gemaakt heb," zei ze op vastberaden toon. Ze holde naar boven en kwam met de schoenendoos voorzichtig naar beneden. Ze legde de hanger en de armband voor hem op tafel en keek hem toen vol verwachting aan. Vol aandacht boog hij zich over de sieraden, zei dan glimlachend: „Maar Floortje, het zijn grappige knutseldingetjes, maar je gelooft toch niet serieus dat je dat verkopen kunt?" Floortje voelde zich vreemd kalm worden. „Ja dat geloof ik wel en als ik er nog een paar gemaakt heb, ga ik ze proberen te verkopen en dan merk ik het dus gauw genoeg." Hij trok haar op schoot en fluisterde in het dichte lange haar: „Gekke Floor, je bent lief en ik vind het knap gedaan enne... eten we morgen zuurkool? Ik had vandaag al zo'n stille hoop..." Hij kon haar ogen niet zien toen ze haar gezicht tegen zijn schouder wegborg en fluisterde: „Jij krijgt morgen zuurkool, dat beloof ik." En de avond verliep geruisloos met koffie en tv.

HOOFDSTUK 9

Een week later had Floortje tien sieraden klaar. Het was een mistige ochtend en het weerbericht had sneeuw voorspeld. Maar Floor trok haar witte jas aan, stopte haar zorgvuldig verpakte sieraden in een tas en trok de huisdeur achter zich dicht. De Twingo startte gelukkig meteen en ze reed weer naar de parkeerplaats dicht bij Mischa's winkeltje. Het malle belletje aan de deur rinkelde toen ze binnenstapte en Mischa, die druk bezig was op het kleine toonbankje met het sorteren van kralen, sprong haast overeind. „Floortje!"
Enthousiast sloeg hij even z'n armen om haar heen. „Ik had niet gedacht je zo gauw weer te zien. Is het gelukt?"
„Dat moet jij maar zeggen," antwoordde ze zacht. Voorzichtig haalde ze de sieraden te voorschijn: vier hangers, twee armbanden en vier broches. Zijn gezicht was vol aandacht en hij keek lang. Dan zei hij: „Ik zeg je de eerlijke waarheid Floor, daar moet je tegen kunnen." Ze knikte dapper. „Die armbanden en broches kun je vergeten; ze zijn wel aardig, maar niemand koopt ze omdat ze direct kapotgaan en ze zijn ook een beetje kinderachtig. Maar die hangers, dat is het. Die zijn beeldschoon en ze zitten goed in elkaar. Ik ken een boetiekhouder die ze zo koopt. Wat moet je ervoor hebben Floortje? Dan regel ik dat wel met die man – ik verdien er heus niks aan, want jij koopt je kralen bij mij."

Floortje voelde zich een beetje beverig en ging zitten. „Vind je die hangers werkelijk goed?"

„Absoluut, daar moet je mee doorgaan en ik kan ook nog wel aan mooiere kettinkjes voor de hangers komen."

„Ik weet niet wat zoiets moet kosten," zei Floor zacht. Hij noemde haar een bedrag en Floortje maakte een schoolmeisjesachtig gebaar van 'kom nou'? „Ja eerlijk Floor en dan legt die vent er nog een behoorlijke winst op. Ik zal je wel vertellen waar je ze straks in de etalage kunt zien liggen. Bepaal je tot hangers en die armbanden en broches moet je gewoon weer uit elkaar halen – die zijn niet goed." Hij liep naar zijn geldla en telde het geld voor de hangers voor Floor uit. „Het is veel te veel," zei ze, „ik ben er zo gauw mee klaar!" Hij lachte. „Het is niet zozeer de tijd die je eraan geeft, maar het ontwerp, de smaak die je hebt. En nogmaals: ze zitten ook goed in elkaar. Steek dat geld nou bij je en ga over een dag of drie eens kijken hier om de hoek bij die grote boetiek. Dan liggen ze vast in de etalage." Bedrijvig liep hij naar iets, dat een soort keukentje moest zijn, want even later kwam hij terug met twee kopjes koffie. „Hier kind, drink dat nou op. Dan komen je zenuwen tot bedaren." Hij hief zijn kopje: „Op je toekomst!" Floortje kon er niets aan doen, maar ze zette haar kopje neer en barstte in tranen uit. Mischa zei niets, stak een sigaret op en wachtte. Toen ze eindelijk haar zakdoek wegstak, vroeg hij: „Wat zit je dwars Floortje?"

„Ik had nooit moeten trouwen," zei ze. „Houd je dan niet van je man?"

„Ja, dat doe ik wel, maar ik voel me gevangen. Ik moet in dat ellendige doorzon huis zitten en die lelijke meubels schoonmaken – ze waren zo voordelig en daarom moest ik ze aanvaarden en als ik over werk buiten de deur praat, wordt ie kwaad. Hij wil dat we een kind krijgen, dat wil ik ook. Maar het komt niet en ik kan geen leven lang niks doen en…" Met een kort gebaar legde hij haar het zwijgen op. „Zeg niet te veel Floortje. Vergeet niet dat je zelf toestemde in dat gesmade huis en dat je die lelijke meubelen aanpakte. Waarom maakte je toen niet meteen een gezonde rel? Je houdt van die man, zeg je, maar dat betekent niet, dat je zijn slavin bent. En voorzover je dat al geworden bent, ben je nu bezig je te ontworstelen." Ze knikte. „Hij weet dat ik dit werk doe en hij vindt het mallotig en hij denkt dat ik er niets mee bereik. Maar thuiswerk is toegestaan en... ik ga sparen en dan wil ik telkens een nieuw stuk meubilair kopen, dat ik mooi vind en dan zet ik zo'n rotstoel op zolder."

„Stuk revolutie," lachte hij. „Toch krijg je je zin wel. Je man moet alleen beseffen hoe je eigenlijk precies in elkaar zit. Hij is het type dat denkt: 'Och de schat moet alleen even wennen'; er zijn een hoop schatten bij wie dat opgaat, maar bij jou nooit. Hij zal het wel leren, als je tenminste van hem blijft houden. Pieker niet te veel en doe dit werk, wat je kunt, met liefde. Doe je best erop. Oplossingen voor de rest komen vanzelf."

„Meen je dat?" Haar donkere ogen keken hem dringend aan. Heel even maar waren zijn handen op haar schouders, een seconde beroerde zijn mond de hare. „Kom Floortje, dan zal ik je een stel dunnen kettingen laten zien, die je gebruiken kunt." Hij draaide zich om en begon te zoeken.

„Mischa," Floors stem klonk weemoedig bijna, „meende jij die zoen?" Hij keek haar niet aan toen hij zei: „Ik ben geen man die zoiets terloops doet. Praat er maar niet meer over. Waarom ben ik jou niet eerder tegengekomen?" Het was stil in het winkeltje en Mischa viste eindelijk een klein doosje achter een stapel grotere vandaan en zette het op de toonbank. Op dat moment rinkelde het winkelbelletje en stapte er een oudere dame binnen. Mischa groette beleefd, haalde een aantal bijzonder mooi bewerkte fijne kettingen te voorschijn, wikkelde ze in een dun papiertje en gaf het pakje aan Floor. „Hier Floortje, dan kun je voorlopig voort. Kom je me de volgende zending nog brengen?" Ze hoorde het verlangen in zijn stem.

„Ja, dat is goed," hoorde ze zichzelf zo zakelijk mogelijk zeggen, „maar hoeveel zijn die kettingen?"

„Ik schrijf het wel op," zei hij snel en gaf haar een knipoog. „Dat komt volgende week wel in orde; maak wel dat je zo snel mogelijk een behoorlijke hoeveelheid klaar hebt."

Ze knikte, even nog keek ze in de lichte ogen van de wonderlijke man Mischa, dan ging hij haar voor, opende de deur en hij zei alleen: „Tot ziens Floortje." De glimlach op haar gezicht was haar antwoord. Floor was deze keer blij toen ze thuiskwam, want het begon behoorlijk te sneeuwen. De lucht was zo grauw, dat ze een enkele schemerlamp aandeed. Ze had een bos vroege narcissen meegebracht en zette ze in een witte vaas op de lage tafel. Ze had nieuwe witte kaarsen voor de houten kandelaar gekocht en ze vond dat haar 'home' weer een beetje meer sfeer had gekregen. En terwijl ze vlijtig de stofzuiger door het huis joeg en de tegels in de keuken lapte, had ze een wonderlijk blij gevoel. Mischa... Mischa hield van haar en Mischa was een heel bijzonder mens. Zoiets was toch wonderbaarlijk dat zo'n man je gelukkig en rustig kon maken. Maar ze hield toch van Pim... ja... ze wilde alleen zo graag, dat hij iets weg had van Mischa. Dan lachte ze om zichzelf, stoeide met de poes en zette de radio keihard. Ze schilde vast de aardappelen voor de avond en maakte een grote pan stamppot van zuurkool klaar. Zo, daar had ze vandaag geen omkijken meer naar. Tot slot zette ze een grote pot thee, maakte wat crackers klaar en ging dan aan het werk. Toen Pim die avond thuiskwam, trof hij weer een volmaakt gedekte tafel, terwijl de etensgeuren hem tegemoetkwamen. Floortje verwelkomde hem als altijd, maar ze maakte zich gauwer dan anders uit zijn omhelzing los. Pim merkte het niet en at met smaak z'n zuurkool terwijl hij Floor een breedsprakige uiteenzetting gaf over een totaal verwaarloosde Ford Ka. Floor zei op tijd 'ja' en 'nee', maar haar gedachten zwierven uit naar Mischa. Zou hij nou van dat kleine winkeltje kunnen leven? Ze dacht weer aan de lichte, weemoedige ogen – hij zou best kunstschilder kunnen zijn... „Hé Floor, waar zit je met je gedachten?" hoorde ze Pim ineens zeggen. Een beetje verward keek ze hem aan. „Sorry Pim, ik dacht aan m'n nieuwe werk. Ik heb vandaag vier hangers verkocht aan een boetiek."

„Allemachtig," zei Pim, „en wat kreeg je daar nu voor schat?" Ze noemde het bedrag. „Meen je dat?"

„Ik zweer het; die armbanden vonden ze niks en die broches ook niet, maar ze willen meer hangers."

„Nou meisje, daar ben ik blij om. Je hebt je eerste thuiswerk en je besteedt je geld waaraan je het zelf wilt uitgeven." Floortje straalde. „Ben je echt ook een beetje blij?"

„Waarachtig wel. Ik vind het fijn dat je dit kunt en dat het je voldoening geeft." En terwijl Floortje naar de keuken liep om de tafel af te ruimen, ging het door haar heen: 'Ja, je bent tevreden als het kind maar niet opstandig wordt en als het braaf thuiszit'. Toen ze laat die avond in zijn armen lag, had ze spijt van die gedachte, maar zelfs de gedachte viel niet meer ongedaan te maken.

Floortje werkte stug door. Ze wilde niet zo gauw weer naar Mischa gaan, het zou lijken of ze niet alleen om het werk kwam en er gingen ruim veertien dagen overheen vóór ze twaalf werkelijk heel mooie hangers klaar had. Ze kwam tot die ontdekking op de vroege morgen van de tweede maart. Pim was al vroeg weggegaan voor een speciale reparatie en daarom was ze zelf vroeger klaar met het huishouden. Buiten scheen de zon en ze kreeg een gevoel van voorjaar, want de voorzichtig gepote bollen toonden grote stukken groen en de hemel had dat ondefinieerbare waas dat alleen in de lente aanwezig is. Ze had de afgelopen weken nogal veel aanloop gehad van oude vriendinnen en vader en moeder waren ook weer eens geweest. Maar na bezoek was Floor altijd een beetje van slag af en ging er steeds een dag overheen, vóór ze werkelijk weer aan haar 'thuiswerk' kon beginnen. Het ging ook steeds moeizamer, vond ze. Alle huizen in hun rijtje en er tegenover waren bewoond en nu ze meer de ramen open had, hoorde ze overal het gekakel van huisvrouwen, die elkaar zo nodig het een en ander moesten vertellen. Hier en daar huilde een baby; kleine jongens vochten voor haar deur en keken naar binnen. Laatst had er één tegen haar geroepen: „Mijn moeder is de keuken aan het dweilen en jij rijgt kraaltjes!" Ze had een blinde woede gevoeld, maar ze begreep tegelijkertijd dat een kind van vier jaar het ook allemaal niet begrijpen kon en steeds sterker werd het verlangen in Floor om buiten te wonen, een oud boerderijtje te hebben met een lapje grond. Zelf bloemen telen en wat groente net als vader, kippen houden en een schaap. Ze zat vaak te dagdromen en dan zag ze het allemaal voor zich. Ze stond op, pakte haar hangers in en maakte haar gezicht zorgvuldig op. Ze besloot zich niet te verkleden – ze ging zoals ze was. In haar oude spijkerbroek en in de ruimvallende donkerblauwe wollen trui.

Ze voelde de buurvrouwen kijken toen ze de deur achter zich dichttrok. Maar Floor keek niet op of om. Het oude winkelbelletje had nog dezelfde klank en Floor stapte een beetje aarzelend binnen. Er was gelukkig niemand en ze wachtte op Mischa's voetstappen, die vrijwel meteen te horen waren. „Floortje!" Er klonk zo'n vreugde in zijn stem, dat ze zich bijna verlegen voelde. „Ik dacht… dat je niet meer kwam, dat je me een rotvent vond." Haar bruine ogen keken hem eerlijk aan. „Nee Mischa, dat vind ik je niet. Ik wilde alleen een behoorlijke voorraad hangers maken en…"

„En wat?"

„Ik heb nagedacht over ons beiden."

Zijn handen waren op haar schouders en hij dwong haar in een rieten stoeltje. Met een vlugge beweging schoof hij het katoenen gordijn voor de winkeldeur en deed de knip erop. „Maar dan verkoop je niets?" zei Floortje ontzet. „Er zijn weleens belangrijker dingen dan verkopen én bovendien moet ik het beslist niet alleen van de kraaltjes hebben. Ik schilder tegenwoordig ook en ik ben van plan volgende maand een kleine tentoonstelling te houden." Hij pakte een gedrukte uitnodiging van een stapeltje op de toonbank. „Hier, jij komt toch ook?" Ze knikte bevestigend. „Natuurlijk kom ik Mischa." En zonder dat ze het beiden tevoren een moment beseften, lagen ze in elkaars armen. Hij kuste het blonde haar, de lange wimpers en haar mond en Floortje beantwoordde zijn omhelzing. Ze stonden daar minutenlang in hun omhelzing, tot Floortje zich voorzichtig van hem losmaakte. Ze had tranen in haar ogen. Ze zei: „Is het verkeerd van een man te houden? Ik vind van niet!"

De lichte ogen waren in de hare: „Maar van welke man houd jij het meest? Van die ene, die je voor de wet mag omhelzen of van mij." Ze keken elkaar lang aan en Floortje zei: „Van jou, maar ik zie alleen geen mogelijkheden voor ons beiden. Ik ben nog maar zo kort getrouwd en Pim rekent op mij."

„Ik verlang ook niets," zei hij schor. „Het maakt me gelukkig dat een vrouw als jij van me houdt en ik had me voorgenomen nooit meer een vrouw aan te raken, maar jij Floortje, jij had het moeten zijn, misschien…" Maar ze legde haar hand op zijn mond. „Niet verder uitspreken. Alles gaat immers zoals het gaan moet?" Even keerde hij zich af en Floortje zag hoe hij trachtte zijn zelfbeheersing terug te vinden. Met afgewend hoofd zei hij: „Even koffie halen." Floortje haalde de witte kater aan en ze bedacht dat ze Pim eigenlijk niet trouw was. Maar ze voelde geen deernis met hem, eerder met Mischa. Want voor zichzelf wist ze dat ze Pim nooit in de steek zou laten; hij had haar niets misdaan en hij hield van haar. Dat mocht zij niet kapotmaken. Mischa kwam binnen met twee kopjes en zette ze voorzichtig neer. Floor zag dat hij zichzelf weer meester was. Ze pakte een sigaret van hem aan en even glimlachten ze tegen elkaar. Floortje zei zacht: „Wat er nu tussen ons is, kan niemand ter wereld ons afpakken."

„Zul jij dat ook nooit vergeten, liefste," fluisterde hij bijna. „Nooit en al ben ik nog zo ver weg. Ik zal je altijd een teken sturen en jij weet wat dat betekent." Hij glimlachte. „Wat een geluk dat er nog romantiek bestaat." Floortje stalde nu haar hangers uit en hij bekeek ze aandachtig. „Fantastisch; ik breng ze straks meteen naar die vent om de hoek. Hij heeft je andere hangers nog dezelfde week verkocht. En hij zat al te zaniken om een nieuwe voorraad." Hij telde het geld voor haar uit, maar haar hand lag even op de zijne. „Mischa, je geeft te veel, ik weet het."

„Nee Floortje, ik geef jou de prijs die hij aan jou direct zou geven. Ik verdien geen cent aan je… dat zou immoreel zijn. Jij koopt mijn kraaltjes en die betaal je toch gewoon, nou dat is voldoende!"

„Maar je geeft me ook die mooie kettingen…"

„Ik zal je weleens wat geven. Is dat verkeerd Floortje? Mag een man soms iets geven aan de vrouw van wie hij houdt?"

„Maar je moet niet van me houden." Ze zei het krampachtig.

„Je moet een vrouw zoeken die vrij is en die bij je past." De lichte ogen keken haar bijna streng aan. „Floortje, laat het aan mij over. Laat mij gelukkig zijn met mijn ideaal, pak het me niet af."

„Ik zal het je nooit afpakken, ook al zou je me nooit meer zien." Hij stond op en rommelde achter de toonbank in een la. Hij kwam terug met een klein wit doosje, dat al aan het vergelen was. „Een hele tijd geleden scharrelde ik eens wat rond bij een antiquair en toen vond ik deze ring. Het was toen volmaakt zinloos om 'm te kopen, maar ik vond 'm zo mooi en ik dacht: 'die behoort aan de vrouw, die eens, van mij zal zijn'. En al verkeren we in een onmogelijke positie: jij blijft een leven lang die vrouw voor mij. Zou je die ring willen dragen? Je kunt tegen Pim zeggen, dat je 'm van je geld gekocht hebt. Of vind je dat gemeen?" Ze schudde van 'nee' en door een waas van tranen zag ze hoe hij een ring van antiek bewerkt zilver aan haar linkerringvinger schoof.

„Ik zal hem nooit meer afdoen," zei Floortje. „Dat is het mooiste dankwoord dat je me kunt geven," zei hij. Ze stond snel op. „Ik moet weg Mischa, want al heb ik maar een tweemanshuishouden: boodschappen zijn er altijd te halen. Geef me nog wat goudkleurige kraaltjes, je weet wel, die heel fijne. Ik betaal ze wel, daar sta ik op." Zwijgend gaf hij haar het benodigde en ze gaf hem het geld. Zonder te kijken schoof hij het in de geldla. „Ga je heus al weg?" Ze knikte en dan sloeg ze in opperste verrukking zelf haar armen om hem heen en ze fluisterde: „Hoe mijn leven ook loopt... ik heb jou ontmoet en we weten wat we voor elkaar betekenen. Mischa... ik zal er altijd zijn." Nu was hij het, die haar armen losmaakte. „Je komt toch echt terug Floortje?"

„Dat weet je," zei Floor en ze drukte haar lippen op de ring. Met één beweging schoof hij het gordijn van de winkeldeur open, met z'n voet verwijderde hij de onderste knip. Even nog waren haar ogen in de lichte, allesziende ogen. „Tot gauw," zei Floortje en ze slipte de winkel uit. Ze liep de stad in en ze dacht alleen maar aan de omhelzing van Mischa en ze voelde zich boordevol geluk. Ze liep een winkel binnen, waar ze alleen rieten meubelen verkochten en ze kocht een malle, witte zitkuip met een hel oranje kussen erin. Toen de verkoper vroeg waar hij 'm moest bezorgen, keek ze hem verbaasd aan. „Bezorgen? O ja, nee dat hoeft niet, mijn wagentje staat hier bijna recht tegenover. Wilt u 'm er even inzetten?" De man liep braaf achter Floor aan naar de Twingo en even later reed ze trots weg. Ze zou vandaag niet aan haar sieraden werken, maar ze zou tonen dat ze ook iets van de fijne keuken afwist. Ze kocht allerlei heerlijkheden en thuis begon ze meteen aan de voorbereidingen van het maal. Af en toe liep ze de woonkamer in om naar de zonnige stoel te kijken, dan wierp ze weer een blik op de antieke ring en ze betrapte zich erop dat ze op een gegeven moment hardop zei: „Floor, je deugt niet. Je hebt een man van wie je houdt en met wie je getrouwd bent en nu denk je alleen aan een ander, bijna een vreemde." Ze nam zich voor zo kort mogelijke bezoekjes bij Mischa te brengen. Het kon immers niet anders, want ze hield toch van Pim? Op een gegeven moment nam ze zich voor niet meer over de huidige situatie te piekeren, het gaf niks en ze hielp er niemand mee. Haar lippen beroerden de ring. Toen Pim vrolijk fluitend thuiskwam, vond hij zoals gewoonlijk de tafel gedekt, maar zijn blik viel direct op het nieuwe stoeltje. Hij trok haar aan haar trui naar zich toe. „Wat heb je nou weer voor mals gedaan, liefje?" Floor voelde zich kwaad worden.

„Dit liefje heeft vanmorgen geld gebeurd voor haar werk en ze heeft een stoeltje gekocht dat ze zelf zo verschrikkelijk leuk vindt." Hij keek haar aan alsof hij haar voor het eerst zag.

„Vind je onze meubelen niet mooi Floortje?" Floor voelde dat ze een kleur kreeg en zei dan zacht: „Je hebt me niets gevraagd en we moesten het toen bij die voordelige kennis van je kopen."

„Vind je ze lelijk?" Hij hield aan. Ze keek hem nu vol aan. „Ik ben vol idealen met je getrouwd, Pim en ik heb een huis-in-een-rij, een doorzonhuis, graag geaccepteerd en ik heb me bij de meubelen neergelegd en bij de stijve donkere gordijnen en ik heb jou beloofd geen werk buiten de deur aan te nemen. Ja, dat heb ik allemaal gedaan… maar dat betekent niet, dat een mens niet verandert. Ik woon hier nu met jou een hele winter lang en ik zie elke dag dat duffe rijtje huizen aan de overkant en ik hoor de buren de wc doortrekken en ik mag een heel klein beetje thuiswerk doen. Ik ben deze winter veranderd. Ik wil vechten voor een ideaal. Misschien komt dat omdat ik geen kind krijg, ik weet het niet."

„Wat is jouw ideaal, Floortje?" Tot haar grote verwondering klonk zijn stem bijna teder. Even zag ze in gedachten de lichte ogen van Mischa en ze kneep haar nagels in haar handen. Dan gooide ze eruit, terwijl ze zich van hem losrukte: „Ik wil leven en niet opgehokt zitten. Ik wil een kleine boerderij met een stuk grond en bloemen gaan kweken net als mijn vader en er ook geld mee verdienen en ik wil dieren om m'n huis. Ik wil hier weg!" Ze veegde een stille traan weg met haar mouw. „Ik wil niet langer het kind in het poppenhuisje zijn, dat zoet gehouden wordt met kraaltjes rijgen, nee dat wil ik niet!"

„Houd je helemaal niet van dit huis? We zijn er toch gelukkig?"
Zijn stem klonk verbijsterd. Hij zweeg en liep naar het raam.
Hij staarde naar buiten. Floor trachtte zo gewoon mogelijk te
zeggen: „Ik breng het eten binnen Pim."
En daar zaten ze aan de gesmade tafel met het eten waarvoor
Floortje zich zo had uitgesloofd. Beiden proefden amper wat
ze in hun mond stopten. Toen Floortje de tafel af wilde ruimen,
zei Pim strak: „Ik moet vanavond nog even naar de garage, er
is een wagen die morgenochtend vroeg gehaald wordt."
Meteen was hij weg. Even besloop Floortje de gedachte om
Mischa te bellen, hem alles te vertellen. Maar ze besloot het
niet te doen, het had geen zin. Ze ging vroeg naar bed en ze
sliep al toen Pim thuiskwam. Hij deed zo zacht mogelijk en
maakte haast geen licht. Floortje bewoog en werd een beetje
wakker, maar haar ogen bleven dicht. Hij stond lang naast haar
bed en fluisterde dan: „Toch houd ik zo van je Floortje." En
toen hij de volgende morgen na een kille zoen verdwenen was,
wist Floor niet meer of hij die woorden echt gezegd had.

HOOFDSTUK 10

Het was al eind april eer de lente echt goed doorzette en het
weer behaaglijk werd. Floortje maakte nog steeds hangers en
één keer in de veertien dagen, soms in de drie weken ontmoette ze Mischa. Altijd weer was er even dat wonder tussen
hen. Ze was er juist de vorige dag geweest en ze had een groot
boeket hyacinten van hem gekregen. Ze hadden elkaar
omhelsd en toen ze het oude deurtje uit wilde gaan, had hij
haar tegengehouden en gezegd: „Wacht heel even" en vanuit
het duistere keukentje was hij met een idioot groot boeket
witte en roze hyacinten komen aanzetten. Hij had alleen maar
gezegd: „De afgelopen week heb ik elke dag een verse bos
bloemen voor je gekocht, in de hoop dat je kwam en vanmorgen vroeg heb ik deze gehaald. Zet ze in je huis en denk aan me
Floortje." Ze had alleen maar kunnen knikken en was met haar
armen vol geurende bloemen verdwenen. En nu stond haar
huis inderdaad vol. Van haar verdiende geld had ze een oude
tinnen vaas gekocht, waar ze de meeste hyacinten in had

gezet. Het stond meesterlijk op tafel. Ze hoefde vandaag niet te koken, want Pim had vanmorgen gezegd, dat ze uit eten gingen. Hij was niet zo kil als de laatste weken van huis gegaan. En toen Floortje hem in z'n wagen zag stappen en ze hem nawuifde, had ze eigenlijk medelijden met hem. Maar waarom hij vanavond uit eten wilde? Het zou de eerste keer in hun huwelijk zijn. Ze keek op haar horloge. Het was al over vieren en Pim had gezegd dat ze uiterlijk vijf uur klaar moest staan. Ze trok een lichtbeige broek en een bijpassende bloes aan, strikte een zachtroze sjaaltje om haar hals, zodat het als een bloem uit de lage halsopening kwam, maakte zich op en kamde haar haren.

Ze bekeek haar nagellak en besloot dat die er nog wel mee door kon. Tegelijkertijd viel haar blik op de ring van Mischa. Pim had een poos terug gezegd, dat ze die zeker van haar eigen geld gekocht had. Ze had alleen maar geknikt en hij had verder niet gevraagd. Ze werd opeens afgeleid door een luid geclaxonneer. Haastig greep ze haar tasje en ze liep meteen naar buiten. Pim zag er vlot uit met het crèmekleurige overhemd, waarvan hij het bovenste knoopje natuurlijk open had. „Dag Floortje," zei hij toen ze instapte en hij kuste haar. „Gaat het vandaag weer een beetje meisje?" Onwillekeurig glimlachte ze. „Eens zal ze wel wennen Pim," zei ze een beetje berustend. Pim liet de wagen snel optrekken. „Waar gaan we eigenlijk heen?" vroeg Floortje toen ze ontdekte dat ze de stad uitreden. „Kleine meisjes moeten niet vragen," plaagde hij en zijn ene hand zocht de hare. Ze trok niet terug. Het was of de lichte ogen van Mischa, haar vanuit een onbereikbare verte zagen. 'Waarom heb ik jou niet eerder ontmoet', had hij eens gezegd. Ze schudde de gedachten aan hem van zich af en keek hoe Pim reed. „Ik snap er niks van," zei ze. „We kunnen toch overal wat eten. We hoeven toch niet zo ver te rijden?"

„Ja we moeten echt nog wat verder," zei hij. Floortje zag borden met 'Hilversum' erop en 'Nieuw Loosdrecht' en eindelijk zag ze 'Breukelerveen'. Pim begon langzamer te rijden, keek af en toe zoekend opzij. „Hier is nergens een restaurant," zei Floor. „We gaan straks pas eten, even iets zakelijks nog," zei hij onderwijl speurend naar de rechterkant van de weg en dan ineens remde hij. Ze stonden stil voor een lage kleine witgekalkte boerderij, die vrij eenzaam op een grote lap grond stond. Er hingen geen gordijntjes voor de kleine ramen. „Wat betekent dit?" vroeg Floor. Hij keerde zich naar haar toe. „Floortje, we waren een beetje van elkaar weggedwaald. Jij aardt niet in een rijtjeshuis en jij wilt werk. En als ik niet zorg, dat jij leeft zoals je graag leven wilt, dan raak ik je kwijt, dat voel ik. En ik wil jou nooit kwijt Floortje. Ik kan deze boerderij kopen met de grond en er staan erachter ook nog twee behoorlijke kassen op. Met een hypotheek kan ik het betalen, zeg jij maar of jij hier wat wilt beginnen?" Ze had zijn hand gepakt en keek hem in stomme verwondering aan: „Maar je werk in Haarlem dan, jij kunt toch niet zo'n eind op en neer rijden? Of wil jij me hier 'stallen' en zelf alleen de weekends komen?" Pim barstte in lachen uit. „Ja, zo ben ik nog al. Nee kind, ik kan hier in de buurt in een vrij grote garage een goede baan krijgen, waar ik meer verdien dan nu. Die garage ligt vlak bij Hilversum, maar dat is hier ook dichtbij. Maar jij moet nu uitstappen en kijken en dan eerlijk zeggen of je hier met mij wilt leven en... dan niet zoals de laatste maanden." Ze knikte. Er stonden tranen in haar ogen.

Ze stapten uit en liepen over een smal bruggetje met witte leuningen. Floor bleef kijken. Wat een heerlijkheid... allemaal land en in de verte schitterde het water van een van de Loosdrechtse plassen. Vlak bij de boerderij liepen een paar schapen. Pim woon: „'Die lievelingen moet ik erbij nemen', heeft de eigenaar gezegd." Floor knielde met haar lichte broek in het drassige weiland en aaide een onwillig schaap. „Het is hier geweldig!" zei ze. Pim opende met een sleutel de achterdeur. „Kijk maar rond, Floortje. Dit keer moet jij beslissen en jij moet het voor een bescheiden bedrag bewoonbaar maken. Ik zal weleens zeggen of ik iets mooi of lelijk vind, maar jij hebt de verantwoording."

Ze waren in een kleine boerenkeuken gekomen. Floor zag dat de aanrecht nog goed was; de vloer bestond uit rode plavuizen, die nog helemaal gaaf waren. „Zo'n vloer is meesterlijk," zei ze enthousiast. Ze deed de deur open naar de woonkamer. Een vrij grote vierkante ruimte met aan drie kanten ramen, die door latjes in kleine ruiten verdeeld waren. „Daar moeten natuurlijk grote ramen in komen met nieuwe kozijnen," vond

Pim vakkundig. „Maar dat zal wat kosten."

„Dat moeten we niet doen," zei Floor fel. „Vergeet niet dat je hier buiten woont en de volle wind opvangt, dan zijn zulke ruitjes veel beter en ik vind het ook gezellig." Ze streek over een vuile vensterbank. „Het hout is goed." Ze keek omhoog naar de balken zoldering. „Fantastisch, die bruine balken, en kijk eens Pim... nog een echte stookplaats met oude tegeltjes. Daar kunnen we een plattebuiskachel voor kopen. Ja, geen echte oude, maar die namaakkachels zien er precies zo uit – je stookt ze alleen met olie. En in de keuken kunnen we een klein oliekacheltje zetten, daar is ook plaats voor, heb ik gezien."

„Niet bepaald centrale verwarming," merkte Pim op. „Ik haat centrale verwarming, het is allemaal zo steriel en droog." In de hoek van de woonkamer leidde een trap naar de bovenverdieping. In de plaats van een leuning was er een dik oud vet touw, maar Floor vond het prachtig.

Boven ontdekten ze een vrij grote slaapkamer met twee steekraampjes waardoor ze in de verte het water zag glanzen. „Dat geeft niks," zei ze, „in onze rijke dagen kunnen we daar altijd een groter raam in laten maken. Voorlopig kan het zó wel. Dan maak ik er van die grappige boerenbontgordijntjes voor." Het tweede kamertje was aanzienlijk kleiner en bezat maar één raampje. „Het logeerkamertje," zei Floor gedecideerd, „en daar is het goed genoeg voor."

Pim draaide haar naar zich toe. „Is het voor jou uitgesloten dat wij ooit een kind zullen hebben?" Floor veegde een traan weg, boos bijna. „Ja," zei ze, „die dokter vond de kans toen zo klein, dat ik er niet op reken. Het is fout te rekenen op dingen, die waarschijnlijk toch niet gebeuren. Maar... als jij graag een echt gezin wilt... wel, dan zal ik jou nooit vasthouden."

Hij nam het weerstrevende Floortje in zijn armen. „Dom stuk vrouw," zei hij teder. „Ik houd van jou en als we geen kinderen krijgen is het jammer... hoewel, niet alle spruiten ontpoppen zich als lieftallige kinderen. Dit is iets dat ik gewoon accepteer. Jij maakt wel dat het leven hier niet saai wordt." Ze trok zich zacht los. „O nee, we hebben al schapen en ik wil een koppel ganzen en ik ga kippen houden en anjers kweken en groente. Ik ben toch blij dat ik indertijd bij mijn vader wel goed opgelet heb. En dan hebben we ons eigen Knoopje en we nemen een jonge hond en ik schilder een naam op het huis en…" Floor ratelde door. Tot slot zei ze: „En 's winters maak ik weer sieraden, die kan ik altijd opsturen, want tegenwoordig bestellen ze ze gewoon. Ik hoef er niet mee te leuren." Hij trok haar mee naar het keukentje en dwong haar hem aan te kijken: „Er was iemand de laatste maanden… op wie je verliefd was Floor." Ze knikte bevestigend. „Maar… ik heb je nooit echt bedrogen," verweerde ze zich. Hij glimlachte een beetje wee-moedig. „Wat is 'echt bedriegen' Floor? Een gedachte kan al bedrog zijn. Ik weet best dat jij niet het type bent dat gauw, wat men noemt 'te ver' gaat, maar je was verliefd. Wil je van me weg Floor?" Ze sloeg haar armen om zijn hals en haar behuilde ogen keken hem aan. „Als ik dat echt gewild had, was ik al weg geweest," haar stem klonk hees. „Maar ik wil jou nooit loslaten; jij hoort toch bij mij? Ik denk nog weleens aan die ander, maar hij weet, heeft aldoor geweten dat ik bij jou blijf en niet 'omdat het zo hoort', want dat is uit de tijd. Maar hij begreep mijn moeilijkheden. Hij heeft net zo'n natuur als ik. Kun je dat begrijpen Pim?"

„Dat had ik al begrepen. Blijf je hem ontmoeten?" Floor zweeg even. Haar gedachten wervelden door haar hoofd. „Hij zorgt ervoor dat mijn hangers verkocht worden in een grote boetiek in het centrum van Haarlem. De bestellingen lopen via hem. Hij voelt zich ongelukkig… ik wil eerlijk tegen je zijn Pim. Ik zul hom nog weleens een keer ontmoeten, maar je hoeft niet bang te zijn. Het zijn maar vluchtige ontmoetingen en ze wor-den steeds vluchtiger. Ik zou mezelf laf vinden als ik ineens wegbleef omdat jij me m'n ideaal geeft in de vorm van deze boerderij." Hij knikte. „Houd je van mij meer of van hem?" vroeg hij en hij keek haar nu niet aan. „Dat kun je niet verge-lijken Pim," zei ze langzaam. „Bij jou hoor ik, ook voor m'n gevoel en Mischa is een deel van mijn zigeunerachtige natuur, een klein deel. En als ik hem ontmoet, praat ik zo graag met hem. Dat kan ik gewoon niet uitleggen, maar het is zo. Als hij wilde zou hij mij ook een huisje buiten kunnen geven, maar dat is het niet… ik hoor bij jou. Wil je het alsjeblieft begrijpen Pim?" Hij sloeg zijn armen om haar heen. „Ik zal niet zeggen: 'het gaat wel over', voor mijn part zie je die man af en toe, maar je bent dus helemaal mijn vrouw, die ook met haar hart bij me hoort?" Ze zag de doorzichtige ogen, die ze zo liefhad, maar ze zei: „Ik hoor bij jou met heel mijn hart Pim. Ik zal nooit weggaan." Ze omhelsden elkaar zoals ze in geen tijd gedaan hadden en Pim besefte zonder dat hij het zei, dat hij toch een soort mededinger had. Maar hij was niet bang voor hem. Floortje was trouw. „Kopen we dit geval Floor? Zal ik die baan aannemen?"

„Ontzettend graag, ik ben zo blij."

„Dan draai ik de tent nu weer op slot. Jij gaat morgen maar je voorbereidende maatregelen nemen. Ik zal je zeggen hoeveel geld je kunt besteden en van je eigen geld weet ik niets af. Je verkoopt maar van onze meubelen, wat je haat. Je hebt vrij spel." Stijf gearmd liepen ze het smalle bruggetje over naar de auto. Onderweg stopte Pim bij een makelaarskantoor. „Ik ben direct terug." Toen hij weer instapte, zei hij: „Het is voor elkaar. De sleutel mag ik meteen houden." En met een plechtig gebaar vouwde hij het ding in haar handen. „De sleutel van ons geluk Floortje." Ze knikte heftig en borg 'm weg in haar tasje. En daarna was ze ijverig bezig de modder van haar lange broek te verwijderen.

„Laten we alsjeblieft niet in een erg keurige tent gaan eten," zei Floor smekend. „Ik had m'n nieuwe lichte broek aangetrokken, maar een oude spijkerbroek was beter geweest." Hij haalde z'n grote zakdoek uit z'n zak. „Gewoon droog afwrijven, zie je straks niks meer van en het wordt toch al donker!"

„Mannenwijsheid," zei Floor. „Binnen brandt doorgaans licht."

„Ach, iedereen kijkt naar je mooie gezichtje en je glanzende haren. De knieën van je broek interesseren niemand."

„Is dit als een compliment bedoeld?" vroeg Floor. „Inderdaad dame, niet anders." Op het laatst zaten ze samen luid te lachen. Pim reed ineens door naar Hilversum, wees haar de garage, waar hij zou gaan werken en zocht dan een klein intiem restaurant op. „Zie je wel," zei hij toen ze uitstapten. „Gedempt licht, niemand ziet er iets van." Hij legde zijn arm om Floors schouders. „Nou gaan we samen wat vieren Floortje." Ze keken elkaar aan en Floor besefte sterker dan ooit, dat haar leven naast deze man zou verdergaan. Ze verdrong elke andere gedachte en ze genoten van een feestelijk maaltje dat nog verrijkt werd met het door Pim bestelde flesje wijn. Toen de

koffie gedronken was, zei Floor: „Ik heb in geen jaren zo lekker gegeten."
„We moesten het wat vaker doen," bedacht Pim. „Nee," schoot Floor overeind. „Voorlopig zeker niet; we hebben al ons geld nodig om onze boerderij bewoonbaar te maken. Om te beginnen ga ik morgen naar vader en vraag raad voor die twee kleine kassen. Misschien gaat hij wel mee kijken, je weet nooit." Het was al laat toen ze hun straatje inreden. Floor gaf de poes nog melk en verdween toen naar boven. Pim sloot de deuren en volgde. Floor lag die nacht lang wakker, de arm van Pim was vast om haar heen. Het was een heldere nacht, door het maanlicht kon ze alles onderscheiden in de slaapkamer. Ze keek naar het lange krullende haar van de man die haar echtgenoot was; ze zag de lange donkere wimpers. Voorzichtig streek ze over zijn gezicht en in zijn slaap mompelde hij: „Ik houd van je Floortje." Floortje staarde weer naar het gordijn en heel langzaam rolde er een traan over haar gezicht.

HOOFDSTUK 11

Floors vader toonde zich sportief, toen hij van haar plannen hoorde. Die volgende morgen reden ze samen in de Twingo naar de boerderij. Op het huis lette hij pas later. Eerst stapte hij naar de twee kleine kassen. Hij inspecteerde het glas en toen de grond. Eindelijk zei hij tegen Floor, die, gekleed in een oude spijkerbroek en een nonchalante bloes, stond toe te kijken: „Die kassen zijn nog in goede staat, maar je moet nieuwe grond hebben en als je anjers wilt kweken, moet de samenstelling heel goed uitgekiend worden." Floor schrok zichtbaar. „Dat wordt duur, hè vader?" Hij glimlachte. „Ach, ik vind het leuk dat ik een dochter heb, die toch een beetje in mijn voetsporen komt. Ik zorg dat die kassen in orde gemaakt worden met grond en al en ik zal je de eerste anjers voor één kas geven. Daarmee kun je dan verdergaan. De andere kas moet je voor groente nemen. Je hoeft met al dit spul niet naar een veiling. Je krijgt wel een vergunning om een bord op je brug te zetten, waarop staat, 'verse anjers en verse groente te koop'. Je zult eens zien, dat vliegt hier weg en zeker in de toeristentijd." Floor dacht: 'Nou zou ik 'm best een zoen willen geven maar dat doen we in onze familie niet zo gauw'. En daarom zei ze: „Ik vind het fantastisch vader." Hij knikte.

„Dat zit wel goed en laat me nou die boerderij maar eens kijken." Hij klopte op balken en vensterbanken en zei: „Het huis is niet groot, maar het zit nog wel goed in elkaar. Begin jij morgen maar met schoonmaken, dan stuur ik je wel een goeie schilder.

Het is een betrouwbare vent en je zegt 'm maar welke kleuren je in huis wilt hebben. Daar praten we verder niet over. Zorg dat je morgenochtend om tien uur hier bent, dan is die schilder er ook en jij begint meteen aan het schoonmaken." Zijn stem had weer de oude bevelende klank en Floor zei dankbaar: „Ik zal er zijn vader." Ze reden terug naar Aalsmeer, waar moeder de koffie inschonk. Vader vertelde van Floors nieuwe behuizing. Maar moeder haalde haar schouders op: „Ik moet nog zien, dat het wat wordt. Wie gaat zich nou in zo'n negorij opbergen? En je hebt zo'n mooi modern huisje." Floor reageerde niet. Dat had geen enkele zin. Ze was blij, toen ze naar Haarlem terugreed. Ze besloot eerst bij Mischa aan te gaan, want hij had er recht op te weten wat haar plannen waren. Toen ze het winkeltje binnenstapte, was er niemand. Even later verscheen Mischa; zijn gezicht straalde toen hij haar zag en hij wilde haar meteen omhelzen, maar Floor weerhield hem. „Niet doen Mischa, anders gaat het steeds meer verdriet doen. Ik ga verhuizen naar Breukelerveen. Ik krijg een boerderijtje en twee kassen. Ik wil bloemen en groente kweken... ik mag weg uit m'n rijtjeshuis." Hun ogen ontmoetten elkaar. „Dus je man heeft het begrepen, dat je het nodig had." Ze knikte en ze deed moeite om niet te huilen. Heel zacht legde hij een arm om haar middel. „Niet huilen Floortje. Je leven gaat pas beginnen en wie zegt je dat je met mij gelukkig was geworden?" Ze borg haar hoofd tegen zijn schouder. „Zeg dat niet," zei ze en haar stem klonk schor van de ingehouden tranen. „Zeg dat nooit meer, laat alles onuitgesproken, het is beter." Hij dwong haar om hem aan te kijken. „Ja," zei hij dan, „het is beter om het niet uit te spreken." Hij zette haar zo voorzichtig in een rieten stoeltje of ze breekbaar was. „Ik ga koffie halen; niet weglopen, Floortje." Zwijgend zaten ze een kleine poos bij elkaar. Dan zei hij: „Je hebt nog een order voor twintig hangers... dit werk doe je nu zeker niet meer?"

„Wat dacht je," kwam Floor fel. „Natuurlijk wel. Alleen de eerste tijd heb ik het bar druk met het huisje schoonmaken en inrichten en met de kassen. Maar elk vrij moment ga ik met dit werk door. Ikke... kan alleen niet zo vaak meer hier komen."

„Dat begrijp ik. Wil je hiermee zeggen dat je nooit meer komt Floortje? Zeg het dan eerlijk."

Ze keek hem recht in de lichte ogen: „Al kom ik in het vervolg minder vaak, ik zal blijven komen, altijd."

„En als je nou toch nog eens een baby krijgt?" Ze lachte spottend. „Dat gebeurt toch niet, maar als het zo zou zijn, kom ik... behalve als jij het niet meer wilt... of niet meer kunt." Zijn handen sloten zich even om het opgeheven gezichtje: „Floortje, blijf altijd komen, ik reken op je belofte en ga nou weg. Ik ben ook maar een man." Bijna beschaamd stond ze op en ze liep naar de deur. Ze keken elkaar nog even aan en hij zei alleen: „Jouw ogen in de mijne is een kus." Ze knikte stom en struikelde bijna het stoepje af. Toen ze eenmaalweer in haar wagentje zat, was het of een beetje lood van haar hart was gevallen. Mischa begreep het en toch bleef hij van haar houden. Het was in deze tijd voor de meeste mensen sentimentele flauwekul – dat besefte ze heel goed. Maar het deed er niet toe, voor hen beiden was het een klein geluk, dat niemand kon afnemen. Floor kocht de ingrediënten voor het avondmaal en stopte dan bij een kleine antiquair. Ze wist dat daar al bijna een jaar een laag oud kastje stond met drie laden en verweerd koperbeslag. Het had een diepbruine kleur, waarschijnlijk van generaties die er was op hadden gesmeerd. Maar het kastje ontroerde. Ze wist de prijs en ze kocht het. De man wilde het dezelfde middag nog brengen omdat ze de volgende dag niet thuis zou zijn. Maar Floortje zei: „Zet het maar in mijn Twingo, die kan veel bergen." Thuis sleepte ze met moeite het kastje het huis binnen.

Ze zette het maar in de gang, want in de woonkamer zou het gewoon vloeken.

Ze bracht de dag verder door met gauw bed opmaken, eten koken en ze maakte de hanger af, die ze voor een deel al klaar had. Het werd half juni toen Pim en Floor voor het laatst de deur van hun doorzonhuis dichttrokken. Het was een laaiend warme dag met een strakblauwe hemel. Floor had in een bliksemtempo het nieuwe huis schoongemaakt. In de woonkamer waren de witgekalkte muren opnieuw gewit, evenals in de keuken. In de woonkamer had ze als vaste vloerbedekking alleen maar grove naturelkleurige kokosmat genomen. In een hoek bij een raam lag een kleine oude pers en daarop stond een beetje wrakke, oude ronde, tafel met het wollen tafelkleed, dat ze al bezat. Voor de kleine raampjes had ze groene boerenbontgordijntjes laten maken, die overdag gewoon opengeschoven waren zonder vitrage. Omdat ze niet veel geld kon uitgeven had ze een witte rieten bank opgesnord met nog twee bijpassende gemakkelijke stoelen. Als laag tafeltje had ze een mal gewrocht ding, gemaakt van een oude spoorbiels. Daarop haar geliefde kandelaar. De stoelen rond de tafel waren Oudhollandse met hoge ruggen en biezen zittingen. Er lagen hier en daar felgekleurde grote kussens op de grond, zodat je overal kon neervallen. In de vensterbanken bloeiden rode geraniums. Ze had op enkele plaatsen een klimplant opgehangen en de ranken langs de witte muren geleid. Er hing één schilderijtje, zonder lijst. Floor had gezegd dat ze dat goedkoop op de kop had getikt, maar ze had het van Mischa gekregen voor haar nieuwe huis. Het was wondermooi van kleur en als je het wist, zag je een doorkijk van het oude winkeltje. Het antieke kastje was als theemeubeltje ingericht, een kuipblad was erop gezet en Floor had kopjes en een theepot gekocht van het bekende groene Goudse aardewerk. De oude spullen stonden veilig in een kast. Die kon ze altijd nog gebruiken. De inrichting van de slaapkamer was net zo als in Haarlem. Floor had niet alles willen afbreken. Aan de nieuwe bewoners van hun oude huis hadden ze vrijwel alle meubelen verkocht en de vloerbedekking plus de gordijnen. Pim zette nog één grote koffer in zijn wagen en twee luchtbedden en twee slaapzakken werden achterin gedeponeerd. Op het laatst hadden ze in het oude huis bijna moeten kamperen. Hij had gezegd dat hij niets van het nieuwe interieur wilde zien voor hij er met Floortje introk. „Maar als je er nou niks aan vindt?" had ze gevraagd. 'Dan draag ik dat als een man," was het antwoord geweest en Floor besefte dat hij zijn woord zou houden. Terwijl ze wegreden voelde ze zich toch nerveus als ze dacht aan Pims reactie straks. Hij vond dat ze

voor de nieuwe inboedel maar idioot weinig geld had uitgege-
ven. Floor had de vorige avond Knoopje nog weggebracht naar
zijn nieuwe home. Die stakker zat nu opgesloten in de oude
schuur. Maar ze had hem een grote kattenbak gegeven en veel
melk en kattenbrokjes. Hij moest de eerste dagen toch binnen-
gehouden worden om aan zijn nieuwe huis te wennen. Op een
afgerasterd stuk grond liepen twee schapen en een koppel ganzen had vrij spel om het huis te bewaken. Floor bedacht onder
het rijden dat ze voldoende levensmiddelen in huis had; de ijskast was vol. Pims geliefde televisie had ze op een onopvallen-
de plaats, laag op de grond, gezet. Vanuit een luie stoel had hij
er prima zicht op. De plattebuiskachel, die op olie werkte was
er ook gekomen en stond grappig in de wit rieten zithoek. En
de kassen! Haar hart sprong op als ze eraan dacht. Vader had ze
fantastisch in orde laten maken. Op het ogenblik waren ze
beide vol met alle kleuren anjers, die nog in de knop zaten.
Vader had haar aangeraden om pas in de winter één kas voor
groente in orde te laten maken omdat de mensen in de buurt
dan niet makkelijk aan verse groente kwamen. Ze zou van het
najaar een kleine stookinstallatie voor beide kassen krijgen en
als het goed ging – had vader gezegd – moest ze met haar eerst
verdiende geld een nieuwe kas erbij laten zetten. Er was
immers grond genoeg? Ze besloot vandaag en morgen eerst
alleen van haar huis te gaan genieten en dan kwam het bord
aan de brug met: 'verse anjers te koop'. Hoe dichter ze bij hun
nieuwe huis kwamen, hoe nerveuzer Floor werd. Eindelijk zag
ze in de verte de helwitte muren van het pas opgeverfde boerderijtje. „Het huis lijkt witter dan eerst," merkte Pim op. „Ik zeg
niks," zei Floor en ze vlocht haar vingers in elkaar. Pim zette de
wagen op de parkeerplaats die in de berm was uitgespaard.
Haar eigen Twingo stond een stuk verder. Ze stapten uit; Pim
torste de zware koffer en liep achter Floor het bruggetje op.
„Verdraaid Floor," hij liet de koffer zakken en leunde even op
haar schouder. „Waar heb je het geld vandaan gehaald om het
huis te laten opschilderen?"
„Cadeau van vader," zei Floor, „hij vindt het zo leuk dat ik nu
ook bloemen ga kweken en daarom werd hij zo goedgeefs."
Voor het huis stond een rij jonge berken, die Floor zelf gepoot
had. Ze liepen over het grindpad om het huis heen en kwamen

bij hun enige deur, die keurig groen gelakt was. Floor had het enig gevonden, dat ze een boven- en een onderdeur had. Ze stak de sleutel in het slot. Hij wilde haar laten voorgaan, maar Floortje bleef vóór de deur staan. Ze staarde naar de grond, zei dan: „Pim, wil je alsjeblieft eerst alleen binnen kijken en kom me dan eerlijk zeggen wat je van het geheel vindt. Als je iets echt niet mooi vindt, zal ik het veranderen. Dan komen we wel op iets, wat we allebei kunnen verdragen. Ik wil jou niet een interieur opleggen waarin jij je niet thuis voelt."

„Goed, meisje." Hij zette de koffer naast haar voeten en liep naar binnen.

Floor bedacht dat hij nog niet eens wist, dat een handige loodgieter en een handige timmerman een kleine hoek van de grote slaapkamer hadden afgetimmerd en voorzien van een zalige douche. In het keukentje hing de boiler, dus overal had ze warm en koud water. Ze luisterde aandachtig. Hij bleef lang in de woonkamer, maar eindelijk hoorde ze hem de pas gebeitste trap naar boven opgaan. Ze keek haar keukentje in. Het was er gezellig, zelfs het kleine oliekacheltje had er een plaats gevonden en in een hoek was een minikapstok gemaakt, want ze had ontdekt dat eigenlijk nergens een gang was. Alleen boven was een kleine overloop. Het leek haar een eeuw duren, maar toen hoorde ze dan Pims voeten naar beneden komen. Hij liep vlugger dan ze gedacht had. Met een paar stappen was hij bij haar en

sloot haar in zijn armen. „Floortje, het is geweldig. Ik geef toe dat ik geen smaak heb, maar dat ik wel zie, dat dit veel gaver en gezelliger is dan ons eerste interieur."

„Meen je het echt?" vroeg ze ongelovig. „Ik zweer het," zei hij ernstig. „Het is hier ongelooflijk gezellig."

„Ik ga wat drinkbaars maken," zei Floor. Ze wees op de witgeschilderde bank, die achter het huis stond. „Buiten of binnen koffie?"

„Binnen," zei hij gedecideerd. „Hoe komt het zo heerlijk koel binnen, we hebben toch geen zonneschermen?" Ze lachte wijs. „Kleine raampjes en voor het huis staan die berken en hier achter neemt die rij oude wilgen de felle zon weg." Pim liet z'n lange lijf in een luie stoel zakken. „Het is hier goed Floortje; we beginnen opnieuw." Terwijl ze koffiezette, dacht ze na over zijn woorden. „Bestond er een 'opnieuw' in een huwelijk? Mischa zou er toch altijd zijn, ook al zou ze hem nooit meer zien en dat laatste was niet eens het geval. Floor voelde wel, dat er een nieuw begin was tussen Pim en haarzelf, maar dat nieuwe had haar milder gemaakt, liever, en ze wist dat Mischa dat bewerkstelligd had. Pim zou dat nooit kunnen beseffen en het hoefde ook niet, besloot ze haar gedachtegang. „Kom," zei Pim nadat hij z'n kopje voor de tweede keer had leeggedronken. „Vanmiddag kijk ik weleens naar je kassen; ik spoed me nu eerst even naar m'n nieuwe baas. Ik hoef vandaag nog niet echt te beginnen, maar ik vind het fatsoenlijk om te melden dat ik gearriveerd ben." Toen hij weg was, verloste Floor Knoopje uit de schuur en nam hem mee naar de kamer. De poes toonde geen enkele neiging om ervandoor te gaan. Hij strekte zich behaaglijk uit op de bank en sliep. Floor sloot alleen de onderdeur van haar huis en liep dan naar de anjerkassen. Voldaan liep ze tussen de geurige knoppen. Overmorgen zou ze zeker kunnen verkopen. Dat kwam mooi uit, want massa's vrouwen kochten op vrijdag een bloemetje. Ze werkte een uurtje in de kassen en liep dan naar de keuken en boende grondig haar handen onder de kraan. Opeens hoorde ze: „Ook goeiemiddag buurvrouw." Ze keek op en zag een bejaarde man staan; aan zijn overal en klompen te zien, een boer. Ze stak spontaan haar hand uit en stelde zich voor. „Ja, ik ben Kruyt van de boerderij daarginds," wees hij „Ik heb een jonge hond over. Ik had een nest van vijf stuks, geen ras maar wel goed waaks. Maar niemand wil die ene, die over is, hebben want ze vinden z'n kleur niet mooi, hij is een beetje grauw uitgevallen. Wilt u hem hebben?"

„Is het een reu?" vroeg Floor zakelijk. „Dat is ie, maar hij heeft één oor dat rechtop staat en één dat naar beneden hangt... ik zeg het maar meteen."

„Wat moet ie kosten?" vroeg Floor weer. „Voor twintig euro mag u 'm hebben, hij loopt mij maar in de weg."

„Heeft u'm al bij u?" Hij wees op een oude ronde mand, die achter hem stond. Floor viste haar portemonnee op en reikte hem een biljet van twintig euro. „Geef de hond maar," zei ze. En ze stapte naar buiten en knielde bij de mand neer. Ze hoorde zacht janken en nog vóór de boer het touw, dat om de mand heen zat, verwijderd had, was het Floor al gelukt. Ze wurmde het deksel open en zag een schuwe kleine grijsharige hond liggen. Zijn ogen keken haar bang aan. Ze tilde het bibberende dier op en zei tegen de man: „Bedankt dat u gekomen bent, want ik wilde toch een hond kopen. En ik vind hem mooi." Hij tikte aan z'n pet. „Als u melk nodig hebt, kunt u altijd bij me terecht."

„Komt in orde," zei Floor en ze sloot de onderdeur weer.

Ze ging met het bibberende harige hoopje op een keukenkruk zitten. „Wat moet dat nou ventje?" zei ze zacht. „Je hebt vast een rotleven gehad, maar nou wordt alles goed."

Ze streelde zijn kop en het bevende lijfje. Ze kreeg een lik in haar gezicht en ze knuffelde hem even. „Kom maar Tommy," zei ze en ze zette hem op de grond. Het kleine hondje sprong tegen haar op. Ze gaf hem een bord met bruinbrood met water en melk en dat ging er zo grif in, dat ze zich afvroeg of Tommy ooit wel genoeg eten had gehad. Hij liep enthousiast met haar mee naar de kamer en Floor keek belangstellend toe hoe Knoopje reageerde.

De poes opende eerst één geel oog, toen twee. Tommy blafte tegen hem, maar met een soort superieure minachting werden de kattenogen weer gesloten. Tommy was hem te min.

Floor keek op het grappige oude hangkokje, dat ze pas op de kop getikt had en dat nu aan de witte muur hing. Bijna half-twee… als een haas ging ze voor de lunch zorgen, want Pim zou vandaag nog wel thuis komen eten. Die middag maakte ze in een snel tempo drie hangers klaar. Jammer dat ze nog geen vaste telefoon had – een mobieltje wilde ze niet – anders had ze Mischa even kunnen bellen, maar ze bedacht dat ze dat toch niet zou doen. Ook als volgende week de telefoon er wel zou staan. Het avondmaal was maar eenvoudig, want met die warmte werd er toch niet veel gegeten. Ze bakte wat aardappeltjes, maakte sla klaar en er was yoghurt voor dessert. 's Avonds liepen ze samen over hun land terwijl Tommy, alsof hij nooit anders gedaan had, achter hen aanliep. Pim had gelukkig hart voor dieren, bedacht Floor. Toen hij de hond voor het eerst zag, had hij hartelijk gelachen. „Echt een hond voor jou Floortje, had hij geplaagd. 'Zo'n exemplaar, dat niemand wil hebben omdat één oor hangt en omdat ie een vale kleur heeft." Maar hij had het kleine hondje opgepakt en 'm op z'n knieën gezet. Toen ze van hun rondgang terugkwamen en nog een ogenblik op de witte bank zaten, zei hij: „Ja, je hebt echt gelijk Floor. Ik vind het hier ook een goed leven." Ze keek hem een beetje bezorgd aan. „Het is nu prachtig weer, maar het gaat ook stormen en gieten," zei ze verlegen. „Dat maakt mij niet uit," zei hij, „het is hier rustig en als we willen, zitten we zo met de wagen in Hilversum. Nee, ik hoef echt niet zo noodzakelijk het doortrekken van de wc van mijn buren te horen." Ze lachten beiden en Floor had toch alle hoop dat hun leven samen goed zou worden.

HOOFDSTUK 12

Het werd een prachtige zomer met maar weinig regendagen. Floor had twee bordjes op haar brug gezet. Eén met: 'verse anjers te koop' en één met: 'verse eieren'. Ze had sedert enkele weken een groot kippenhok met een behoorlijk aantal goed leggende kippen. Ze had het zo druk dat ze het minder begaafde zestienjarige dochtertje van boer Kruyt voor halve dagen in dienst had genomen. Financieel kon het en ze wilde zich niet over de kop werken. Maartje Kruyt was weliswaar minderbegaafd, maar niemand kon zeggen dat het geen buitengewoon lief kind was. Ze hielp met de verkoop van de bloemen en eieren, want Floor had in de gaten dat ze goed met geld om kon gaan en af en toe lapte Maartje de ramen en dweilde de plavuizen van de keukenvloer en boende het toilet schoon dat achter de keuken tegen het huis was aangebouwd. De deur ervan zat in de keuken en Floor had er een groot hart opgetekend. Maartje vond het heerlijk bij haar, want Floor had het idee, dat moeder Kruyt niet zo bijzonder aardig tegen dit nakomertje was. Eerst na twee maanden had Floor de bij haar bestelde hangers gereed en op een druilerige ochtend zei ze tegen Maartje: „Jij let op de brug en je kijkt maar wat er schoongemaakt moet worden. Ik ben de hele morgen weg, want ik moet boodschappen doen." Ze had zich netjes verkleed, een lichte blauwe lange broek en een bloesje erop in dezelfde tint. Haar gezicht keurig opgemaakt. Het was nog een hele rit naar Haarlem, maar haar horloge wees dat het nog vóór negenen was. Bij halfelf stapte ze het bekende winkeltje binnen. Mischa stond een klant te helpen. Floor zag dat hij verrast en blij naar haar opkeek. Ze legde achter de klant een vinger tegen haar lippen en ging zitten. Toen de vrouw eindelijk verdwenen was, liep hij snel op haar toe: „Floortje, wat ben ik gelukkig dat ik je zie en..." Hij pakte haar hand. „Je draagt mijn ring nog."

„Die ring blijft daar ook, dat weet je," zei Floor stil. Hij bleef haar hand vasthouden. „Ik zou je zo graag kussen," zei hij zacht. Haar ogen verdronken in de lichte ogen en ze zei: „Jij weet ook wat mijn hart wil, maar jij weet dat ik van mijn leven geen warboel kan maken. Ik ben dankbaar voor mijn boerderijtje en mijn beesten en bloemen en ik blijf graag sieraden maken. Een mens mag blijkbaar niet te veel van het leven verwachten. Ik heb al zo'n massa dingen waaraan een ander nooit toekomt."

„Is Pim daar ook gelukkig?" Ze knikte. „Hij heeft gevoeld dat er een ander was, die mij beter begreep, maar hij heeft er niet veel van gezegd.

Alleen was er de vraag of hij en ik opnieuw konden beginnen. Ik heb dat maar zo gelaten... een mens kan immers nooit opnieuw beginnen. Je bent verweven met alles wat je beleeft en waar je gevoel aan vastzit."

„Kleine dappere Floortje," zei hij teder en streek even over het zachte blonde haar. „Ik zal het je niet moeilijk maken. Laat de hangers eens zien!"

Ze stalde ze voorzichtig uit op de toonbank. Hij keek er peinzend naar. „Ze zijn mooier dan de andere," zei hij. „Ga er vooral mee door Floortje."

„Dat doe ik alleen al om jou af en toe te zien," zei Floortje en ze keek hem niet aan. „Je bent lief en uniek. Je wilt ons beiden trouw zijn, elk op een andere manier. En hoewel ik er alles voor over zou hebben om je in mijn armen te nemen, doe ik het niet. Ik weet dat dat deel van je leven aan je man hoort omdat jij dat wilt, toch heb ik het idee dat ik het beste deel van je bezit. Ik ben een gekke vent. Wie neemt er in deze tijd nog genoegen met een platonische liefde?" Floortje zei niets, zocht nieuwe kralen uit en kreeg de opdracht van de boetiek voor vijftig hangers en voor het eerst werd er ook om kralen corsages gevraagd. „Dat is een leuke opdracht," zei ze enthousiast. „Heb jij nog wat speciaal draad voor mij?" Toen ze alles ingepakt had en elk zijn deel betaald had, greep Floortje haar tas. Mischa keek haar alleen maar aan en ze liep zelf om de toonbank heen, sloeg haar armen om zijn hals en kuste hem. „Dank je Mischa dat je bestaat." En meteen liep ze de deur uit. Op straat had ze zich snel weer onder controle. Een man een zoen geven was nou niet zo erg en zeker niet als je absoluut geen verdere plannen met die man had. Als Mischa eens de ware vrouw gevonden had, zou ook die zoen verdwijnen. Diep in haar hart wist ze dat hij die vrouw niet gauw zou vinden. Floor liep even langs de grote boetiek en zag dat er nog maar twee hangers van haar in de etalage hingen.

Opgewekt deed ze haar verdere inkopen en reed dan naar huis. Al van verre zag ze dat Maartje op de brug aan het verkopen was. Ze zette de Twingo in de berm, pakte haar boodschappentas en stapte uit. Binnen borg ze eerst haar eigen geld op, stalde de etenswaren op de keukentafel uit. Het materiaal voor de sieraden ging in een aparte la van het oude kastje. Floor liep naar boven om zich in haar vertrouwde spijkerbroek te steken waarop ze een katoenen truitje met korte mouwtjes aantrok. Ze at met Maartje een paar boterhammen in de keuken en stuurde het meisje toen naar huis. Het was flink gaan regenen en Floor legde een oude moltondeken over de ronde tafel en begon aan haar sieraden. Ze had het meeste zin om aan die corsages te beginnen. Ze genoot van de mooie kleuren van de kralen en ze bedacht nieuwe vormen en vermeed in elk opzicht het imiteren van een bloemmotief. Ze werkte gespannen door tot halfvijf. Toen ging ze nog even door de kassen, controleerde de schapen en de kippen, gaf Tommy en Knoopje eten en begon toen aan hun eigen warme maal. Gelukkig had Maartje al aardappelen geschild en de andijvie gewassen en gesneden.

De tafel werd gedekt, het gehakt moest alleen nog opgewarmd. Floor streek een sliert lang blond haar uit haar gezicht. Ze voelde zich moe en een stille angst beving haar. Stel je voor dat ze dit kleine gedoe niet aankon? Dat het te veel was? Maar dat was waanzin; ze was jong en gezond, ze móest dit aankunnen. Ze draaide het gas laag, liet de groente op de pan met aardappelen stomen en viel toen neer op een krukje. Ze borg een ogenblik haar gezicht in de handen. Nou had ze alles, wat ze zo graag gewild had en nou voelde ze zich moe! Pim vond zijn

Floortje ongewoon stil toen hij thuiskwam. „Moeilijkheden lieverd?"

„Nee," zei Floortje, maar haar stem had een matte klank, „Ik ben naar Haarlem geweest om werk af te leveren en ik heb een mooie opdracht meegekregen," zei ze. „En toen heb je ook die man nog even gezien," zijn stem klonk mild. Ze keek hem snel aan. „Ja, daar lieg ik niet om. Maar hij weet van ons nieuwe begin en hij begrijpt het allemaal volkomen. Ik had ook in geen maanden werk afgeleverd en ik ben nog helemaal niet weg geweest." Hij legde zijn hand troostend op de hare. „Ik wantrouw je niet, meisje en ik weet hoe hard je hier werkt en ik zie elke dag je ogen stralen. Ik ben beslist niet zo bekrompen dat ik het erg vind dat je die man nog weleens ziet. Maar er is toch iets met je." Floortje legde haar gezicht op het schone tafellaken en huilde. Hij trok haar mee naar de rieten bank en nam haar op schoot. „Vertel het nou maar, het is heus beter."

„Het is niks... ik ben alleen de laatste tijd zo verschrikkelijk moe en ik. voel me vaak niet lekker, geen trek in eten en nou ben ik zo bang dat ik dit hier niet aan zal kunnen en ik wil het allemaal zo graag." „Malle Floortje," zei hij liefkozend. „Jij ziet er goed uit, dus er kan niets met je aan de hand zijn. Vergeet niet dat je deze maanden als een paard gewerkt hebt en dat het een hele overgang is na je zogenaamde 'nietsdoen' in ons rijtjeshuis. Iedereen zou daar een terugslag van krijgen."

Ze huilde niet meer, leunde vreemd stil tegen zijn schouder. „Luister es Floortje. Morgenochtend ga jij even naar die ouwe dokter die verderop de weg woont. Je vertelt de man eerlijk je klachten en dan krijg je een tonicum of zoiets en vanavond doe je niets meer. Die vaat doet Maartje morgenochtend. Ik breng je lekker naar bed." Floor voelde zich te duf om zich tegen zijn plan te verzetten. Ze hoorde hem beneden de tafel afruimen. Hij floot Tommy en een ogenblik later klonken er bekende tv-geluiden. Ze las een poosje en viel toen vast in slaap. De volgende morgen voelde ze zich weer als een hoentje en tegen Pim zei ze: „Ik ga vast niet naar die ouwe zeur vanmorgen. Ik voel me weer prima."

„En reken maar dat je gaat, anders krijgen we een hele gewone ruzie," dreigde Pim. „Daar komt Maartje al aan. Je rijdt met mij mee en terug mag je lekker wandelen." Floortje voelde zijn onverzettelijkheid en gaf toe. „Maartje, doe jij vast de vaat en zuig de kamers. Ik rijd even met mijn man mee, over een uurtje ben ik wel terug."

„Best mevrouw, het komt allemaal voor elkaar," zei het kleine meisje en ze drukte Knoopje aan haar hart. Pim bleef in de auto wachten tot hij Floor achter de deur van de dokter had zien verdwijnen. Dan reed hij weg. Floor steunde bijna toen ze de volle wachtkamer zag. Ze had gelukkig een boek meegenomen en ging zitten lezen. Ze was er zo in verdiept geraakt, dat ze schrok toen een zachte hand haar op de schouder tikte. Ze keek in het gezicht van de oude dokter. „Wel jongedame, heb je de zoemer niet gehoord? Je bent m'n laatste klant, maar je blijft maar zitten." „Ik heb het echt niet gehoord," verontschuldigde Floor zich. „Neemt u mij niet kwalijk."

„Helemaal niet kind, maar ik keek voor alle zekerheid nog even in de wachtkamer en tóen vond ik jou nog hier. Kom maar gauw mee." Toen ze tegenover de oude dokter zat, begon hij haar te vragen wie ze was en waar ze woonde. „Wel verdraaid," zei hij. „Ik hoor netjes 'U' en 'mevrouw' tegen je te zeggen, maar ik doe het gewoon niet. Zulke kleine meisjes horen nog niet eens getrouwd te zijn. Floor lachte. „Maar ik ben toch al een hele poos meerderjarig dokter," zei ze. Hij vroeg haar het hemd van 't lijf over haar boerderij en al haar bezigheden. Maar eindelijk kwam de vraag: „En wat komt zo'n mooie jonge gezonde vrouw hier doen?" Floor lachte even. „Ik weet niet of ik zo gezond ben. Ik voel me de laatste tijd zo gek moe en af en toe heb ik helemaal geen trek in eten. Vanmorgen ging het weer best, maar mijn man stond erop dat ik naar u toeging. Ik ben alleen maar gegaan omdat ik soms bang ben dat ik al het werk dat ik zo graag doe, niet kan volhouden en dat zou toch voor iemand van mijn leeftijd belachelijk zijn."

„Dat zou het," bevestigde de oude man, „maar je bent kerngezond, dat zie ik. Maar ik zie meer... loop jij maar even naar mijn behandelkamer, de deur is daar, dan vind je mijn assistente." Op gezag van de assistente trok Floor wat kledingstukken uit en de dokter beluisterde en betastte haar. Hij glimlachte toen hij rechtop ging staan. „Kleed je maar gauw aan en volg me dan maar weer." Floor schoot in haar kleren en was in een zucht van tijd weer op haar stoel. „Heb ik iets dokter?" Haar stem klonk nu wat angstig. „Je bent zo gezond als een vis, maar ik begrijp iets niet. Je bent toch al een aardig poosje getrouwd. Heb je nooit eens aan het krijgen van een kind gedacht of hebben jullie dat bewust niet gewild?" Floor kleurde. „We wilden het juist zo graag en omdat ik maar niet in verwachting raakte, ben ik in Haarlem naar de dokter geweest en die heeft me verteld dat het vrijwel uitgesloten was dat ik ooit een kind zou krijgen. Daarom ook heb ik me deze boerderij met alles wat erbij hoort op m'n hals gehaald. Ik kan niet niks doen."

„Wat zul jij het druk krijgen," spotte de oude heer. „Je kunt er namelijk op rekenen dat je over een maand of zeven een baby in je armen houdt. Er bestaat geen twijfel aan en daarom voel je je nou weleens moe of niet lekker. Dat gaat wel weer over, werk jij maar gewoon door, rust 's middags een uurtje en verder hoef je alleen maar blij te zijn." Floor was nu vuurrood geworden.

„Maar dat kan toch niet? Die dokter zei…"

„Ja kind, ik ken die dokter niet en vergissen is menselijk. Maar alles is prima, je bent goed gebouwd en je gaat echt een prima kind krijgen. Kom over een maand maar weer eens terug voor controle." Hij stond op en gaf haar een hand.

„Van harte, kind." Een totaal verbouwereerde Floor stond even later buiten. Het was weer warm geworden en nou moest ze dat hele eind teruglopen. Snertstreek van Pim… Ineens hoorde ze de bekende claxon. „Dacht jij echt dat ik je dat stuk zou laten lopen? Nee liefje, mijn baas weet dat ik je even thuisbreng." Ze stapte gauw in. Vóór hij wegreed, vroeg hij: „Was alles goed, Floortje van me?" Ze knikte. „Ja, ik ben gezond. Ik…" En tot Pims grote verbouwereerdheid barstte Floor in tranen uit. „Maar meisje, wat is er? Je bent gezond," zei die man. Ze keek hem met natte ogen aan. „Je wordt vader over zeven maanden," zei ze dan haperend. „Wat vertel je me nou?" Zijn armen waren om haar heen. „Is het echt waar Floor en die dokter in Haarlem…?"

„Wel, die had ongelijk." Hij hield haar dicht tegen zich aan.

„Ik ben er zo gelukkig mee Floor en jij, zie je er niet tegenop nu je al dat werk hebt?"

Ze ging rechtop zitten en haar ogen begonnen te stralen, „Ik zie nergens meer tegenop. Ik weet waarom ik me af en toe beroerd voel en de beloning is het waarachtig wel waard." Die middag toen Maartje weg was, belde Floor Mischa op. „Ik moet je wat vragen," zei ze en haar stem klonk hees. „Zeg het maar Floortje." Hij toonde zich niet verbaasd over het feit dat ze belde, hoewel ze het anders nooit deed. „Vind je het onder alle omstandigheden prettig als ikzelf het werk kom brengen of..."

„Stop maar Floortje. Ik weet het al en mijn antwoord is 'ja'. Ook onder deze omstandigheden zal ik ontzettend blij zijn je te zien. Ik weet dat je het heerlijk vindt om een kind te hebben en daarom vind ik het ook. Het is ontzettend lief, dat je erover belde."

„Maar hoe raadde je dan wat er aan de hand is?" Floors stem klonk zo verbaasd, dat Mischa lachte. „Dat moet je maar niet vragen, dat zal intuïtie zijn. Zul je goed op jezelf passen Floortje?" „Ja dat doe ik echt en ik ben al aan de corsages begonnen."

„Je bent lief," zei hij en meteen verbrak hij de verbinding. Het leek wel of Floor zich nu pas onbezorgd gelukkig met alles kon voelen. In geen maanden had ze een cd gedraaid, maar nu had ze daar ineens behoefte aan.

HOOFDSTUK 13

Pas in oktober reed ze met Pim naar Aalsmeer. Het was een kille mistige zondagmorgen en Pim reed met vol licht en zei alsmaar: „We zijn eigenlijk gek om met dit weer te gaan."

Floor lachte vrolijk. „Je vindt het veel te leuk om het te gaan vertellen." Hij grijnsde, maar liet zich niet verleiden om opzij te kijken. Het was precies elf uur toen ze voor de deur van Floors ouderlijke woning stopten. Pim hielp haar omzichtig uit de auto.

Floor lachte. „Ik ben niet zo erg breekbaar en ons kind zit veilig opgeborgen."

Moeder deed de deur open en zei: „Hadden jullie niet even kunnen bellen? We staan op het punt om weg te gaan."

„Tja," zei Floor, „dat hadden we kunnen doen, maar we wilden jullie verrassen." Vader kwam ook aangelopen en zei: „We kunnen best een uurtje later gaan, dat geeft niks." Moeder ging meteen koffiezetten en vader informeerde naar de kassen. Floortje begon opgewonden te vertellen, maar Pim zei ineens: „Floor, je ouders moeten algauw weg, zullen we vertellen, waarom we dit keer gekomen zijn?" Floortje werd stil, zette haar kopje neer en zei met neergeslagen ogen: „Vertel jij het maar Pim." Hij ging meteen op de leuning van haar stoel zitten en sloeg in een beschermend gebaar zijn arm om haar schouders. Hij keek zijn schoonouders vrolijk aan en zei: „In maart worden jullie opa en oma." Het leek even of er een bom ingeslagen was, dan stond vader spontaan op, trok zijn dochter overeind en kuste haar op beide wangen. „Daar ben ik erg blij om kind en ik zal je vooral de komende maanden veel met de kassen helpen."

Floor kreeg tranen in haar ogen. Vader deed nooit zo dierbaar; ze moest er gewoon aan wennen. Moeder had alleen een kleur gekregen en zei alleen: „Het werd wel tijd."

Na deze kille woorden sprong Pim op, pakte Floor bij de hand en zei: „Kom kind, we hebben nog meer op ons programma." In een paar tellen stonden ze wéér buiten in de mist en reden weg. „We gaan meteen naar huis... die rotmist," mompelde hij. Floor zei nog: „Hoe vond je de reactie van moeder?"

„Net zoals jij die vindt, maar ik ben erg blij dat je vader zoveel menselijker wordt. Je zult zien als onze zoon eenmaal geboren is, zit ie elke dag bij ons om te kijken of hij op zijn grootvader gaat lijken." Floor glimlachte. „Jij bent er erg van overtuigd dat het een jongen wordt." De mist werd dikker en beiden keken gespannen op de weg. Floor slaakte een zucht van verlichting toen ze voor hun huisje stopten. „Ik ga niet meer weg met zo'n mist," zei ze, „we hebben nou de verantwoording voor het kind ook."

Hij kuste haar oor en zei „Volmaakt met je eens Floortje." Ze liepen naar hun huis en binnen deden ze gezellig de schemerlampen aan. Tommy verwelkomde hen uitbundig en tot hun grote verbazing zagen ze, dat Knoopje in de mand van Tommy was gekropen en dat het stel wonderbaarlijk goed met elkaar was. „Ga jij nou een beetje rusten Floor. Er valt niks te doen." Floortje aarzelde. „Vind je het niet ongezellig?"

„Nee lieverd, we hebben een gezellig thuis en ik zit hier met onze hond en onze poes en ik denk aan ons kind, ik zet de radio zacht aan en ik zet straks thee, als jij uit bed komt." Floor sloeg haar armen om hem heen. „Je zult er toch nooit aan twijfelen dat jij de vader van ons kind bent? Ik... ik ben niet iemand die zo gauw met een ander te ver gaat. Zweer je me dat je me gelooft?" Hij drukte haar tegen zich aan. „Kleine Floortje, als het anders was geweest, zou ik dat aan jou gemerkt hebben. Jij bent altijd open en eerlijk. Ik vertrouw jou en de man met wie jij je moeilijkheden op een gegeven moment beter kon uitpraten en die je weleens een zoen gegeven zult hebben." Floortje knikte en verdween naar boven. Toen ze in bed lag, besefte ze wel dat ze toch niet helemaal eerlijk was geweest. Goed, ze hadden elkaar alleen maar gekust, maar er zou toch een band tussen hen beiden blijven, al zou ze hem zelfs nooit meer zien. Maar dat was toch iets dat Pim niet zou begrijpen. Hij zou het weglachen als ze het vertelde. Het was maar beter zo. De maanden vergleden en Floortjes figuur werd steeds zwaarder. In haar ene kas gedijden de kroppen sla en nog wat andere groenten, die het deden bij de verwarming die haar vader had laten aanleggen. Er ging geen week voorbij of hij kwam even aanwippen. De ene keer bracht hij alvast een rammelaar mee en dan weer een paar wollen sokjes. Moeder liet zich weinig zien en Floor begreep het. Lien, die immers moeders lieveling was, was nog steeds zonder vriend en ze wilde Lien sparen door bij Floor niet zo vaak te komen.

Op een van de eerste dagen van december had Floor pas haar laatste opdracht van Mischa klaar en ze besloot vroeg weg te rijden, want ze reed nu langzamer en voorzichtiger dan eerst. Haar hart klopte sneller toen ze de bekende buurt, waar Mischa woonde, naderde.

Een beetje hijgend deed ze eindelijk de winkeldeur open. Gelukkig was er niemand.

Mischa kwam snel aanlopen. „Floortje! Ik heb de hele ochtend al gedacht dat je vandaag zou komen." Hij keek naar haar figuur. „Ga gauw zitten, dan haal ik de bekende koffie." Floortje spreidde intussen de hangers en corsages netjes op de toonbank uit, ging dan weer zitten. Terwijl ze langzaam de koffie opdronken, zeiden ze niet veel. Hij vroeg of ze zich goed voelde. „Prima," zei Floor en ze lachte. „Ben ik al lelijk, Mischa?"

„Mooier dan ooit," zei hij zacht. „Maar je moet niet meer komen, het is te vermoeiend. Ik stuur je de opdrachten en de kraaltjes die je wilt hebben."

„Maar... na de geboorte van het kind kom ik zelf weer," zei ze fel. „Nee Floortje, doe het niet, doe het mij niet aan, jezelf niet en je man niet. Wij weten van elkaar iets kostbaars, maar er zou een dag kunnen komen, dat we spijt van iets zouden krijgen. Als je in moeilijkheden zit of er is echt iets ernstigs, dan ben ik er altijd voor jou en je mag me altijd bellen. Maar kom niet meer. Je weet niet wat het me kost om je dit te zeggen. Jij wilt te veel Floortje, jij reikt naar de zon. Vergeet dan niet dat niemand de zon kan raken. Begrijp je me, liefste?" Ze staarde voor zich uit. Ze had aldoor geweten dat dit moment zou komen. Ze zou immers liegen als ze zei dat ze niet van Pim hield, maar Mischa zou er altijd zijn, omdat ze hem als een deel van zichzelf voelde. Ze stond een beetje moeilijk op.

„Ja, ik reik naar de zon, maar ik doe het graag; je zult er altijd zijn, diep in mijzelf. Bel jij mij ook eens op?" zei ze er dan snel achteraan en er waren tranen in de donkere ogen.

Teder veegde hij ze weg en zei: „Ik zal je af en toe eens bellen, dat beloof ik. Hier is een pakje met een voorraad van alle kralen en een nieuwe opdracht. Het geld van wat daar ligt, zal ik je per giro overmaken. Maak dat pakje open als je alleen bent, want er is nog een persoonlijk briefje voor jou bij. Maar ga dan nu, lieveling alsjeblieft." Ze liep langzaam naar de deur; hij hield haar nog even tegen. „Dag liefste Floortje." Zijn armen waren om haar heen, zijn mond op de hare en Floortje keek in de lichte ogen, die altijd alles van haar zagen.

Moeizaam zei ze: „Dag lieveling, tóch reik ik naar de zon, want al zie ik je niet meer, je bent er in mijn ziel, elke dag en elke nacht." Ze liep het trapje voorzichtig af en ze keek niet meer om toen ze het straatje uitliep. Er was geen verdriet in haar hart. Mischa had gelijk, maar hij zou toch altijd een deel van haar zijn en zijn ring bleef aan haar vinger.

Toen Floortje thuiskwam, was Maartje al verdwenen en ze was er blij om. Ze deed haar jas uit en ging met het bruine pakje aan tafel zitten. Er kwamen talloze glazen potjes met een geweldige verscheidenheid aan kraaltjes en kralen uit. Er was ijzerdraad, er waren fantastisch mooi bewerkte smalle kettingen en onderin zat een envelop. 'Aan Floortje', stond erop. Ze scheurde 'm open en vouwde het stukje briefpapier open. Er stond: Floortje, als ik ooit nog eens zover kom, dat ik gedichten ga publiceren, dan komt dit kreupele vers voorin te staan. Ik zal het openlijk opdragen aan jou:

De meeuw
Klaar en helderwit
stijg je ten hemel.
Mijn ziel in je ogen
en in je gespreide vleugels.
Breng mijn liefde over,
Geef mij jouw vrijheid...
Misschien zal ik haar eens weer ontmoeten
Op weg naar de verte.

Peinzend vouwde ze het papier dicht en stopte het in haar tas. 'Lieve dwalende zoekende Mischa' dacht ze? Nooit zou hij een dichtbundel uitgeven zomin als er ooit iets van zijn expositie was terechtgekomen. Hij was een dromer; hij kon veel, maar het hoefde niet zo erg voor hem. Ze had 'm er des te liever om. Ze zette de potjes met kralen op het oude kastje, het stond nog grappig ook. Ze haalde haar tas verder leeg en bekeek haar aankopen: luiers, heel kleine truitjes en hemdjes. Ze borg alles zorgvuldig weg en ging voor het eten zorgen.
De laatste maanden van haar zwangerschap kropen om. Ze voelde zich goed, maar ze kon het niet uitstaan dat ze niet vlug uit de weg kon. Vaders hulp bij de kassen was geweldig en het kleine Maartje kwam nu hele dagen. Floor had de kleine slaapkamer boven heel eenvoudig ingericht. De vloer gewoon gebeitst, de muren wit geverfd. Hier en daar hing een komisch dier, dat ze van vilt gemaakt had: een malle grote poes, een giraffe met aandoenlijke ogen en twee heel mooie schapen. Er stond een kleine geel gelakte commode en dan was er de wieg: een wonder van donker gevlochten riet en witte strak gespannen nylon. De twee lange neerhangende gordijntjes, die het felle licht van de babyoogjes moesten wegnemen, had Floor niet helemaal wit gelaten. Ze had ze beide bijna helemaal geborduurd met allerlei vrolijke kleuren zijde. Het waren lief-

lijke patroontjes geworden zonder enige bepaalde voorstelling. Pim was er zo enthousiast over geweest, dat hij haar onmiddellijk had voorgesteld zich als wiegenborduurster te vestigen. Ze hadden er beiden hartelijk om gelachen, maar Floor was toch trots op haar wiegengordijntjes. Januari zette met strenge vorst in. Floor liep af en aan naar de kassen, bang dat haar kostbare bloemen en groenten zouden bevriezen. Het was de ochtend van de derde januari dat de vader van Maartje, die nu een speciaal oog op de kippen hield, de keuken binnenstapte. Floor stond net aardappelen te schillen. De boer deed gelijk de deur achter zich dicht. „Goeiemorgen," zei hij. „De zomer komt er nog niet in."

„Nee, maar hier is het lekker. Heb je wat bijzonders of kom je op de koffie af?" Ze keek niet op.

„Hier dit. Die zal ik maar even koud maken." Verschrikt keek Floor op en ze zag dat hij een grote bontgekleurde kip uit het hok gehaald had en mee naar binnen genomen. „Wat is er met Saartje? Is ze niet goed? Dan moet ze naar de dierenarts." De boer, die 'm onder z'n arm had als een tas, zei lachend: „Welnee mens, maar hij is te oud. Hij legt niet meer; ze hebben je een ouwe kip in je handen gestopt. „Het is gewoon een ouwe, die tussen dat stelletje jonge geduwd is. Mij hadden ze het niet geflikt. Ik had het zo gezien. Ik zal 'm dan maar meenemen, dan weet u ervan."

„Ben je helemaal?" schoot Floor uit haar slof. Ze veegde haar handen aan haar schortje af. „Geef Saartje maar hier." Ze pakte de dikke schuwe kip aan en aaide over z'n veren. Het is toch al erg genoeg, dat je regelmatig je kippen moet 'opruimen' zoals het zo netjes heet. Maar Saartje is nog maar zo kort bij me, die blijft."

„M'n lieve mens, ze gaan 'm kapot pikken in het hok, dat doen kippen."

„Dat weet ik, maar ik neem Saartje in huis en ik maak 'r wel zindelijk ook."

„Meen je dat nou?" zei de oudere man meewarig. Ze lachte hem toe. „Ik meen het en ze went zo. Wil je nog koffie?"

„Anders graag, maar moeder de vrouw rekent op me."

„Tot kijk dan maar weer," zei Floor en ze keek toe hoe hij de achterdeur weer opende, in z'n klompen schoof en wegschuifelde. Maartje was er inmiddels bij gekomen.

Floor zei: „Je vindt het als rechtgeaard kind van je vader natuurlijk ook gek, maar Saartje, die te oud is om eieren te leggen, neem ik gewoon in huis als huisdier." Maartje aaide over de veren. „Ze heeft ook wel lieve ogen," zei ze, „maar waar laat u haar?"

„In de mand bij Tommy en Knoopje." Ze liepen de kamer in en Floor ging moeizaam zitten naast de mand waarin de beide andere dieren lagen te slapen. Ze zette de kip, die zacht kakelde in het warme mandje. „Zo, nou gaan we kijken of ze mekaar mogen." De kip bleef wat angstig zitten, maar ze vond kennelijk de warmte die van de kachel uitstraalde wel behaaglijk. Knoopje opende één oog, toen twee... ging dan rechtop zitten. Hij blies even, maar de kip reageerde niet, dan draaide de kat zich met een verachtelijk gebaar om en sliep weer verder. „Die doet niks," zei Floor, „nou Tommy nog." Tommy hoorde zijn naam roepen en was al overeind. Hij stond net op het punt uit de mand te stappen toen hij stomverbaasd op zijn staart ging zitten en naar de bonte veren en de helle kraalogen keek. Hij boog zich over naar Saartje, gaf een lik over haar kop en ging dan gerustgesteld weer liggen. Saartje vouwde haar pootjes dubbel en dook tegen de warme dieren aan, ze knipoogde even en sliep dan ook. „Hoe is het mogelijk?" riep Maartje uit. Floor zei zacht: „Met liefde kun je veel bereiken, ook bij dieren." Sinds die dag, liep Floor alsmaar heen en weer om Saartje op gezette tijden buiten te poten en het leek echt of ze het snapte, want Floor vond maar één keer iets ongerechtigst. Als Saartje weer naar binnen wilde fladderde ze buiten op de vensterbank, tikte met haar snavel tegen het raam en Floor liet haar dan meteen binnen. Soms stapte ze verwaand door de kamer, maar als ze op een stoel wilde gaan zitten, werd ze er meteen afgezet en zo werd Saartje een keurig huisdier.

Deze dagen, nu vader de kassen in de gaten hield en Maartje met haar vader de kippen verzorgde en de verkoop op een laag pitje stond, wierp Floor zich met alle ijver op haar sieraden. Regelmatig verzond ze een pakje naar Mischa en even regelmatig kreeg ze nieuwe opdrachten, materiaal en haar geld. Mischa schreef nooit meer een persoonlijk woord bij zijn pakjes en girobetalingen. En de telefoon pakte hij niet om Floor te bellen. En Floortje wist dat het goed was. Pim was liever voor haar dan ooit. Ze voelde zich bijna gelukkig en ze wist dat ze niet de natuur had om zich volmaakt gelukkig te voelen. Zij zou altijd een vraagteken of een wens in haar ziel houden. Maar Floor bedacht dat echt gelukkige tevreden mensen misschien wel stomvervelend waren.

HOOFDSTUK 14

Op de avond van de vijfde maart, toen Floor juist eten op tafel had gezet, pakte ze ineens Pims hand. Met haar andere hand steunde ze haar zij. „Wat is er liefje?" Hij zag dat er zweetdruppeltjes op haar voorhoofd stonden. „Moeten we gaan Floortje?" Ze knikte alleen. Pim rende naar boven, pakte het koffertje dat al weken klaarstond en hielp Floor voorzichtig in haar jas. „Kun je naar de auto lopen?" Ze knikte, klemde haar tanden op elkaar, glimlachte dan een beetje beverig. Pim hielp haar in de auto, legde een plaid over haar benen en startte de wagen. Hilversum, waar de kraamkliniek was, was gelukkig vlakbij. Maar toen ze aankwamen, had Floor het gevoel dat ze op en neer naar Parijs gereden hadden. „Blijf zitten, dan waarschuw ik even," zei Pim snel met een blik op haar gezicht. In een ogenblik kwamen twee verpleegsters naar buiten hollen met een rolstoel. Floor werd vakkundig uit de wagen in de stoel getild. Alles ging zo snel dat Floor achteraf zei, dat ze geen tijd had gehad om pijn te voelen. Ze lag nog geen tien minuten in de verloskamer en de dokter was nog niet eens gearriveerd, toen de baby al geboren werd. Een mooie zoon met een kuif blond haar en nog stijf dichtgeknepen ogen. Pim, die Floortjes hand vasthield, keek samen met haar naar het wassen van hun eerste kindje. Op dat moment kwam de oude dokter binnen. Floortje lachte luid. „Mijn zoon is veel sneller dan u," zei ze. Hij keek onthutst. „Ik ben meteen weggegaan toen ik het telefoontje kreeg. Heb je thuis lang gewacht?"

„Nee," knikte Floortje. „Toen ik pijn voelde, heb ik het direct tegen Pim gezegd." De dokter liep naar de baby en onderzocht hem nauwkeurig. Dan keerde hij terug naar Floors bed. „Dat heb je 'm geleverd en in een recordtempo. De meeste jonge vrouwen doen wel een dagje over hun eersteling." Floortje grinnikte. „Ik heb een hekel aan teuten." Eindelijk lag ze op haar kamer met de baby in een keurige witte wieg naast haar. Pim had nog een uur mogen blijven, maar werd toen onverbiddelijk weggestuurd tot de volgende middag. Een jonge zuster liep nog wat op te ruimen en Floor vroeg zacht: „Zuster, mag ik 'm niet nog even bij me hebben enne... even alleen?" De verpleegster begreep het. Ze pakte het kleintje uit de wieg en schoof het in Floors arm. Ze stond al bij de deur: „Denk eraan, vijf minuten en niet langer." Floortje knikte. Dan was ze alleen met haar eerste kind, de kleine Dirk. Ze had erop gestaan dat haar vader vernoemd zou worden. Met haar vrije hand streek ze over het zachte kleine gezichtje. „Dirkje," fluisterde ze heel zacht, „ik hoop dat je later mijn aard krijgt, dat je me zult begrijpen." Kleine vingertjes klemden zich om haar vinger. Het was als een antwoord.

Lenis Saris

Schimmetje

Als ze zich voorzichtig omdraaide in haar bed, zodat ze haar zusje niet wakker maakte, kon Marretje juist de verlichte wijzerplaat van de kerktoren zien die ver boven de huizen uitstak. Wat liep die grote wijzer hard, veel harder dan het kleintje! Geen wonder als je ook zulke lange benen had! Of nee, eigenlijk was het maar één lang been.

Marretje gaapte. Als je lange benen had, kon je natuurlijk harder lopen, dacht ze slaperig. Vader haalde je ook altijd in als je wegliep omdat je wist dat er klappen zouden vallen. Vader sloeg dikwijls en het was beter zoveel mogelijk uit de buurt te blijven. Als je maar naar een aquarium keek, werd hij al boos. O, die afschuwelijke bakken met vissen. De hele kamer was eigenlijk een groot aquarium, overal waar je keek stonden die dingen.

Marretje sliep in, onbewust van het feit dat de zorgelijke gedachten van haar moeder zich eveneens bezighielden met de liefhebberij van haar man. De huiskamer was kaal, op het armoedige af en in tegenstelling daarmee waren aan de vier wanden de rijke aquaria met hun wonderbaarlijk mooie inhoud; een kleine verzonken sprookjeswereld. Een liefhebberij echter, die een allesverslindend monster bleek te zijn, een bezetenheid waaraan ieder vrije minuut werd besteed, waardoor vrouw en kinderen werden verwaarloosd.

Meestal ging er ook nog een gedeelte van het toch al niet royale huishoudgeld op aan een paar bijzondere vissen die hij beslist moest hebben. Je kon natuurlijk weigeren maar dan had je helemaal geen leven meer. Ze kon geen vissen meer zien. Ze haatte de geruisloos voortbewegende wezens die alle geluk en levensblijheid uit het gezin wegzogen.

De volgende morgen moest Marretje voor ze naar school ging, voer voor de vissen halen, want anders zou de handelaar weleens uitverkocht kunnen zijn, had haar vader gezegd. Ze zat, tot groot vermaak van de klasgenootjes te spelen met de griezelige, levenloos lijkende kluit, tot de onderwijzeres opmerkzaam geworden door het onrustige gedoe van de kinderschaar, met twee grote passen opeens vlak voor het kind stond.

„Schei uit met dat geknoei, Marretje. Het is hier geen aquarium!" gebood ze alleen maar, in aanmerking nemende dat Marretje een van de gewilligste en beste leerlingen was.

De felle woede die als een bliksemstraal door de heldere ogen van het kind flitste, kwam dan ook volkomen onverwacht.

„Dat is gemeen van u!" riep ze schril en op dat ogenblik leek ze allesbehalve het gedweeë, magere meisje dat met een muisachtige snelheid weg kon glippen.

Dat vlugge, geruisloze bewegen en het spitse, witte gezichtje hadden haar de bijnaam 'Schimmetje' bezorgd. Maar dit woedende kind had niets van een schim. Ze bonkte met haar hoofd op de bank en snikte met gierende uithalen. De kinderen zaten stil en verschrikt te kijken en, na een korte aarzeling, liet de onderwijzeres het kind rustig uithuilen. Na schooltijd liet ze Marretje echter blijven en met haar hand op de schouder van het kind vroeg ze overredend: „Waar was je nou opeens zo boos om, Marretje?"

Marretje wist plotseling dat alles goed was en dat de juffrouw van wie ze zoveel hield, het niet gezegd had om haar te plagen. De juffrouw wist immers niets van al die vissen thuis!

„Houd je niet van vissen?" vroeg de onderwijzeres voorzichtig.

„Vroeger vond ik ze wel mooi, maar nu… Vissen… bah!" zei Marretje en ze snoof verachtelijk. „Ze zijn vies en glibberig. We hebben thuis vissen… nou en of… we hebben niets anders dan vissen en vader ziet niet anders dan die stomme vissen!"

Ze keken elkaar aan en in de ogen van de jonge vrouw daagde het begrip. Dat was het begin van de vriendschap tussen Marretje en haar onderwijzeres die er door de verhalen van het kind achterkwam hoe het gezin tekortkwam onder die allesverslindende liefhebberij van de vader. Het leergierige, intelligente meisje zou dolgraag doorgeleerd hebben en haar moeder zou het haar graag gegund hebben, doch de vader weigerde botweg. Marretje leerde naaien, maar de onderwijzeres liet haar niet los en bleef haar helpen. Zo vergaarde Marretje in haar vrije tijd algemene ontwikkeling en een vrij aardige talenkennis. Bovendien was ze dol op lezen en ze trok er profijt van. Marretje had wilskracht en ze bereikte wat ze zich als doel had gesteld: vooruitkomen en zich aan de bijnaam 'Schimmetje' ontworstelen.

Aan haar vrij trieste jeugd dacht het volwassen Marretje, terwijl ze met liefdevolle aandacht bezig was het blauwe kleed van de prinsessenpop te draperen. Als kind boeide haar al het spel van de wrakke rinkelbellende poppenkast op de hoek van de singel. Uren had ze daar staan kijken, totaal verloren voor haar omgeving. De liefde voor het poppenspel uit haar prille jeugd had haar nooit meer losgelaten. Meer en meer trok haar hart naar die kleine wondere wereld, waar ze haar dromen kon uitleven. Sinds enkele maanden assisteerde ze Frits Romer, de jonge eigenaar van een prachtig poppenspel dat steeds meer bekendheid verwierf. Marretje had ook fantasie en talent en besteedde iedere vrije minuut aan haar eigen poppen die ze maakte van papier-maché en kleedde in rijke, dikwijls bizarre gewaden. Ze deed het eigenlijk alleen om haar rijke fantasie uit te kunnen leven, want ze wist dat Frits deze poppen nooit zou willen gebruiken. Op het peil van zijn prachtige uit perenhout gesneden poppen stonden ze zeker niet, maar ze hield nu eenmaal van dit werk. In de ruime kamer die ze gehuurd had bij mevrouw Witte, zaten de poppen op een plank boven de boekenkast en niemand mocht eraan komen. Kleine Goofje Witte stond dicht bij haar te kijken. Deze kamer was de enige plek in huis waar hij zich veilig voelde voor de ongeduldige stem en de harde handen van zijn altijd haastige moeder. Ze meende het niet kwaad, maar ze moest hard werken en kamers verhuren om de drie jonge kinderen die hun vader vroeg hadden moeten missen, te kunnen onderhouden. Marretje vond in het schuwe, gevoelige Goofje iets van het vroegere Schimmetje terug. Ze had medelijden met het kind, hield het vaak bij zich en nam het mee als ze naar buiten trok.

Op het ogenblik dat Marretje de prinsessenpop aan het kleden was, waren haar gedachten ver verwijderd van Goofje die tevergeefs om aandacht bedelde.

Marretje dacht aan Frits, met wie ze werkte en die veel belangstelling voor haar toonde. Het leven had zo goed en eenvoudig geleken tot ze nog niet zo lang geleden meneer Aernout van Wijngaarde had leren kennen omdat ze met haar fiets bijna onder zijn auto geslipt was. De jonge meester in de rechten voelde zich spontaan tot het blonde Marretje aangetrokken en telkens zocht hij weer haar gezelschap. Maar toen hij haar vroeg met hem te trouwen, weigerde Marretje beslist. Ze leefden in een zo verschillend milieu en bovendien stamden ze ieder uit een zo volkomen andere wereld, dat volgens Marretje, hun leven samen nooit harmonisch zou kunnen worden. Aernout paste eenvoudigweg niet bij haar en ze had niets zo hard nodig dan de eenvoud, de trouw en standvastigheid die Frits haar zo gulweg bood. Zo was het goed, had ze na een korte maar felle strijd geweten. De verliefdheid van Aernout was een sprookje, een kleurige zeepbel, meer niet hield ze zich telkens weer voor als de twijfel haar hart wilde binnensluipen.

„Tante Marretje," zei Goofje dringend. „Wanneer gaan we nou weer eens wandelen?"

„Nu niet, Goof, ik heb heus geen tijd," zei ze, korter dan de bedoeling was.

„Jij hebt nooit meer tijd," beschuldigde Goofje verontwaardigd. „Jij kijkt alleen nog naar de Minstreel, naar de danseres Toto, naar Saffie en… en… naar Bamboela…"

Hij moest stoppen om adem te halen en Marretje schoot opeens helder in de lach, omdat hij de poppen zo vlot bij de naam noemde die zij voor hen verzonnen had. Goof vatte het lachen echter als een belediging op. Ze lachte hem uit, net als die poppen met hun akelige grijnskoppen! Met een woedend gebaar schoot zijn hand uit, zodat de prachtige prinsessenpop in haar koningsblauw gewaad door de kamer zeilde en in dwaas verwrongen houding bij het venster bleef liggen.

Het incident met Goofje stemde Marretje verdrietig en die avond was ze onrustig, zodat Frits een paar maal ongeduldig tegen haar uitviel. Hij verlangde de uiterste concentratie van zijn assistente en daarin had hij gelijk dacht ze berouwvol.

In de pauze stond ze in de wandelgang van het theater waar ze met hun poppen optraden onverwacht tegenover Aernout van Wijngaarde en hij was zo blij met de ontmoeting alsof ze hem niet twee weken geleden definitief gezegd had dat ze niet met hem wilde trouwen.

„Dag Marretje!" Het klonk liefkozend en haar beide handen verdwenen in de zijne. „Vraag nou niet waarom ik hier ben. De voorstelling is tenslotte voor alle mensen die er zin in hebben en ik moest je weer eens zien. Ik kan nog steeds niet geloven dat je het meende toen je me wegzond, want je ogen spraken een heel andere taal. Ja, ik weet wel dat Frits zo trouw en zo goed is, maar waarom wil je niet inzien dat ik dat ook wel zou kunnen zijn… voor jou? Was het nodig om je zo hals over kop met Frits te verloven?"

Marretje hief met een uitdagend gebaar haar blonde hoofd op.

„Ik heb Frits nog geen besluit meegedeeld, maar wat zou jij zeggen als ik van gedachten veranderde en onverwacht 'ja' tegen je zei?" Het bleef even stil, toen liet Aernout haar handen met een drukje los.

„Ik geloof niet dat ik blij zou zijn, Mar," zei hij eenvoudig. „Je moet niet roekeloos 'ja' zeggen, maar je moet vol vertrouwen je leven in mijn handen durven geven en weten dat het zo goed is."

Marretje stond onbeweeglijk, haar ogen vast in de zijne. Op dat ogenblik had er zelfs een wonder kunnen gebeuren, maar Frits' ongeduldige stem verscheurde de ragfijne draad die juist tussen de beide jonge mensen geweven was. Haastig nam Marretje afscheid en draafde Frits na.

„Er was telefoon voor je," deelde Frits haar kortaf mee. „Er schijnt brand op je kamer te zijn geweest. Ik heb gezegd dat je zo gauw mogelijk zou komen. We moeten eerst de voorstelling afmaken."

Automatisch deed Marretje haar werk. Ze begreep niet hoe er brand had kunnen uitbreken in een kamer waar alleen een elektrische kachel en een dito kookplaatje gebruikt werden en waar nooit gerookt werd. Na de voorstelling moest Frits de kostbare poppen inpakken, zodat Marretje alleen wegging. De ravage in haar kamer was nog groter dan ze verwacht had. Van het meubilair was weinig over en van haar poppen vond ze niets meer terug.

Ze begreep niet waarom mevrouw Witte zo'n vijandige houding aannam en overigens had ze het gevoel dat ze iedereen in de weg liep. Iemand van de politie vroeg haar of ze even mee wilde gaan naar het hoofdbureau en het gesprek dat daar plaatsvond, was niet zo prettig. Langzamerhand begon het tot Marretjes vermoeide brein door te dringen dat men de brand verdacht vond en dat zij gewantrouwd werd, omdat ze vrij hoog verzekerd was. Frits arriveerde juist aan het hoofdbureau toen ze na het verhoor doelloos op de stoep stond te kijken omdat ze niet wist waarheen ze gaan moest.

„Zeg maar niets, ik weet er alles van," zei hij nerveus. „Mevrouw Witte vertelde het me en je kunt daar natuurlijk niet overnachten. Ik zal je naar een hotel brengen en dan praten we morgen verder."

Het afscheid was koel en haastig. Frits was met zijn gedachten kennelijk niet bij Marretjes moeilijkheden. De volgende morgen kwam hij echter zo vroeg dat ze nauwelijks klaar was met ontbijten.

„Kijk eens, Mar, ik geloof natuurlijk niet dat jij iets van die brand weet," zei hij aarzelend. „Ik mag je graag, dat weet je, maar ik geloof dat het beter is als je zoveel mogelijk zwijgt over je relatie met mij. Het begint nu juist zo goed te gaan met het poppentheater en een schandaal zou alles weer verknoeien."

Marretje bleef hem lang aankijken, alsof ze hem voor de eerste keer zag. Toen stond ze op en liep naar de deur die ze uitnodigend openzette. Haar stem klonk heel rustig, maar onverbiddelijk.

„Ik begrijp het, Frits. Je naam zal niet genoemd worden, maar ik hoop jou nooit meer te zien. Vaarwel, Frits."

Zwijgend liep hij langs haar heen de kamer uit. Waarschijnlijk voelde hij duidelijk genoeg dat zijn houding verre van fraai was, maar de blijdschap omdat hij zonder scène en met een onbevlekte naam kon ontsnappen, bleef toch het belangrijkste.

Marretje, met een hoofd vol chaotische gedachten, besloot dat ze toch niet de hele dag op haar kamer kon blijven zitten en dat het noodzakelijk was eens te gaan onderzoeken wat er van haar bezittingen was overgebleven. Eenmaal in de vertrouwde buurt ontzonk haar de moed en vermoeid viel ze neer op een bank in het kleine plantsoen. Als ze tenminste maar begreep hoe die geheimzinnige brand ontstaan was!

„Tante Marretje!" fluisterde een stem dicht bij haar oor en daar stond Goofje, zijn donkere ogen abnormaal groot in zijn witte gezichtje. „Ga je nou in de gevangenis? Komen... komen... kinderen die brand maken ook in de gevangenis?"

„Góóf!" zei Marretje, terwijl ze hem naar zich toetrok. „Heb jij het gedaan? Heb jij de brand aangestoken?"

De wereld rondom hen leek ademloos te wachten, terwijl de jonge vrouw en de kleine jongen elkaar aan bleven kijken.

„Ik wist niet hoe erg het zou zijn," snikte Goofje opeens en hij verborg zijn gezicht tegen haar schouder. „Ik wou alleen die akelige poppen weg hebben en ze waren te groot om in de vuilnisbak te stoppen! Het vuur werd opeens zo vreselijk groot en ik werd zo bang. Moeder was niet thuis en ik ben hard weggelopen. Op de hoek van de straat keek ik om en toen zag ik moeder naar binnen gaan. Ze merkte dat er brand was, de brandweer kwam en... en... o, tante Marretje, ik ben zo vreselijk bang geweest!"

Marretje vroeg niet eens waarom hij het gedaan had. Dat ene simpele zinnetje over de poppen had haar alles verteld. Eerst had ze Goofje gul de aandacht en de liefde geschonken die hij zo hard nodig had, als een bloem de warmte van de zon. Het aanhankelijke kind was gelukkiger geweest dan ooit tevoren. Hij had haar vertrouwd en daarna had ze zijn liefde beschaamd. Marretje zat heel stil en dacht aan haar prille jeugd, waarin de vissen van haar vader zo'n overheersende rol hadden gespeeld. Ze dacht ook aan die ene keer, toen ze in machteloos verdriet een van de dure visglazen moedwillig lek gestoten had.

Met datzelfde gevoel bezield had Goof de poppen willen vernietigen, maar de vernielende kracht van het vuur was hem ver boven het hoofd gegroeid. Het zou haar met haar poppen precies zo zijn gegaan als haar vader met zijn vissen, maar Goofje had haar voorgoed wakker geschud. Aan alles wat er gebeurd was, had ze dus zeker schuld, dat viel niet te ontkennen.

„Wees maar niet bang, Goof," zei ze innig. „Ik begrijp wel dat het niet je bedoeling was om brand te stichten. Heus, ik maak het wel in orde. Jij gaat nu rustig naar huis en je mag er niet meer over tobben, hoor."

Schoorvoetend liep de jongen weg. Ze keek peinzend het jongensfiguurtje na. Toen stond ze met een zucht op om terug te gaan naar haar hotel. Misschien werd ze wel opgewacht door de politie om wegens brandstichting gearresteerd te worden, dacht ze somber, maar ze wist tegelijk dat ze alles op zich zou nemen, omdat ze zich schuldig voelde en Goofje in ieder geval beschermen moest.

In de conversatiezaal van het hotel wachtte inderdaad iemand op haar, maar het was meneer Aernout van Wijngaarde in plaats van de verwachte politieambtenaar.

„Aernout, wat doe jij hier?" vroeg ze verschrikt.

„Ik ging naar je huis omdat ik je wilde spreken nadat ons gesprek gisteravond zo plotseling werd afgebroken en daar hoorde ik van mevrouw Witte wat er gebeurd is. Dacht je soms dat ik die waanzinnige geschiedenis geloof?" vroeg hij kortaf. „Ik kom hier om van jou te horen hoe alles zich werkelijk heeft toegedragen zodat ik kan trachten je uit de narigheid te helpen."

„Maar ik heb werkelijk schuld, Aernout!" Ze keek smekend naar hem op. „Als ik ervoor boeten moet, zal ik het aanvaarden. O, ik ben je zo dankbaar dat je me niet in de steek hebt gelaten, Aernout! Ik dacht dat ik mensenkennis bezat. Frits was zo trouw en… en… ik durfde jou niet te geloven, maar Frits heeft me vanmorgen verteld dat hij liever niets te doen wil hebben met een meisje dat weleens wegens brandstichting veroordeeld zou kunnen worden."

„Al werd je morgen aan de dag veroordeeld, dan liet ik je nog niet los," zei Aernout ongeduldig. „Maar het is onzin, Mar! Ik weet zeker dat jij er niets mee te maken hebt."

„O, Aernout, lieve jongen!" Marretje snikte en lachte tegelijk. „Je mag nou wel weten dat ik van je houd en dat ik dat vanaf het begin gedaan heb… Maar nu is het te laat. Ik ben vreselijk dom geweest!"

Aernout stond haar nadenkend aan te kijken.

„Maak je niet ongerust, Marretje," zei hij ten slotte kalm. „Ik had graag dat je hier op me bleef wachten tot ik terugkom."

Voor ze toestemmend kon knikken was hij al verdwenen en wat zich in de volgende uren allemaal afspeelde, kwam Marretje later precies te weten. Ze zat de hele middag doelloos in de geheel verlaten kleine zaal met een boek waarin ze niet las. Het wachten was zo zenuwslopend, dat ze ten slotte begon te verlangen naar de politieman die haar zou komen arresteren.

De klok sloeg juist zes uur toen Aernout haastig binnen kwam lopen.

„Luister goed naar me, Marretje. Je bent van iedere verdenking gezuiverd," zei hij teder terwijl hij zijn handen op haar schouders legde. „Ik ben regelrecht naar je kamer teruggegaan omdat ik nog eens met mevrouw Witte wilde praten. Deze keer was dat kleine joch in de kamer en ik begreep opeens wie jij in bescherming nam. Ik hoefde maar één blik op dat kindergezicht te slaan om te weten dat hij inwendig verging van narigheid om wat hij jou heeft aangedaan. Je had hem wel gerustgesteld maar hij was toch doodsbang en zag je alsmaar achter de poorten van de gevangenis verdwijnen. Je kunt je misschien wel voorstellen hoe groot de opluchting voor hem was, toen hij de hele geschiedenis aan mij kon vertellen, ook van die poppen die de oorzaak waren van de ellende."

„O, Aernout, wat afschuwelijk!" Marretje snikte met de handen voor het gezicht. „Dat arme kereltje! Wat gaat er nou met hem gebeuren? Je gaat hem toch niet verraden… Ik… ik zou nooit meer gelukkig kunnen zijn!"

Aernout lachte zacht en trok haar handen voorzichtig weg van haar gezicht.

„Meisjelief, met Goofje gebeurt er niets," zei hij troostend. „Het is een aardig joch, zonder een spoor van misdadige aanleg. Hij heeft genoeg narigheid gehad om voortaan van lucifers af te blijven. Goofje en ik zijn samen naar commissaris Ten Haef geweest. Gelukkig heeft die beste man zelf drie ondeugende, kleine stroppen van zoons en bovendien is hij een ware pedagoog. De reprimande die Goofje heeft gehad, was gewoonweg een meesterstukje. Na afloop snikte Goofje van berouw en hij is ervan overtuigd, dat hij de vrije woensdagmiddagen die hij voorlopig met een straftaak op het politiebureau moet doorbrengen, eerlijk verdiend heeft. Zo zie je, Marretje, dat er in deze geschiedenis verschillende mensen zijn die een stevige les hebben gehad. Je hoeft er zelfs niet bang voor te zijn dat Goofje thuis al teveel ongenoegen zal krijgen, want ik ben er zelfs in geslaagd zijn moeder enig begrip voor de situatie bij te brengen. Ze heeft er spijt van dat ze jou beschuldigd heeft."

Opeens vertelde Marretje hem alles over haar jeugd en de vissen die een nachtmerrie voor de hele familie waren geworden. Ze vertelde ook van de bijnaam die ze met taaie volharding overwonnen had, over de in haar vrije tijd verworven kennis en de liefde voor het poppenspel die catastrofaal was geworden.

„Daarom moest ik Goofje berschermen toen ik alles begreep," besloot ze ernstig. „Ik weet nu voorgoed dat de liefde voor de mensen altijd het voornaamste moet blijven."

Marretje keek vragend op naar Aernouts ernstig gezicht en opeens begreep ze waarop hij wachtte. Spontaan zei ze: „Aernout, ik houd van je en ik zeg 'ja' op de vraag die je me al eens gesteld hebt. Ik zeg 'ja' omdat ik mijn leven vol vertrouwen in jouw handen wil leggen."

„Ik dank je voor die woorden... Schimmetje!" fluisterde Aernout, zich buigend naar het smalle meisjesgezicht. „Mag ik je, als we alleen zijn weleens zo noemen... Schimmetje?"

Met een zucht van intens geluk hief Marretje haar gezicht naar hem op.

Schimmetje... de echo uit het verleden, de naam waarvan ze niet gehouden had maar die nu de weerklank was van liefde die haar leven rijk zou maken.

Mien van 't Sant

Geen kinderen

„Rutger! Zit je nu nog hier? Je weet toch dat we afgesproken hebben klokke acht bij de schouwburg te zijn? Het is nota bene al halfacht."

Geprikkeld kijkt hij op. „Waarover heb je het eigenlijk? Je weet immers dat ik nog werken moet? Dit moet er vanavond door! Mijn baas rekent er beslist op dat hij het dossier morgen in zijn bezit heeft."

Eva stampt driftig met de hak van haar schoen op de grond. „O, dat constante werken van je! Als je dan zo goed wist dat het klaar moest zijn, „was er dan eerder aan begonnen."

Rutger wil wat terugzeggen, maar bedenkt zich. Het zal alleen maar weer in de zoveelste kibbelpartij eindigen en hem beletten straks zijn hoofd goed bij zijn werk te houden. Daarom is er slechts een licht schouderophalen en een hoofd dat zich opnieuw over het dossier voor zich buigt.

Het irriteert Eva mateloos. Boos valt ze uit: „Je bedoelt dat je niet meegaat!? Dat het je onverschillig laat mij een gek figuur te laten slaan door in mijn eentje te komen aanzetten? Nee! Dat vertik ik! Ik neem net zo lief Bob van Meersen mee."

Stilte! Zelfs de naam Bob van Meersen – een naam die niet bepaald een goede klank heeft – is niet in staat Rutger aan het praten te krijgen.

Met een ruk draait Eva zich om, haar ene hand al naar de hoorn van het toestel reikend. „Hoor je me, Rutger?" vraagt ze nog nadrukkelijker. „Ik ga Bob opbellen. Ze mogen van hem zeggen wat ze willen: manieren tegenover een dame heeft hij!"

Rutgers stem klinkt vlak, als hij zegt: „Oké, Bob zal je inderdaad niet in de steek laten."

„Je bedoelt?" Dan met een schamper lachje: „Insinueren kun je! Pas maar op, dat het straks geen droeve werkelijkheid wordt. Jij zou iemand tot het uiterste drijven."

Opnieuw een schouderophalen.

Het ontgaat Eva geenszins. Resoluut draait ze het gewraakte nummer. „Hallo! Ja, met Eva. Geen afspraakje voor vanavond? Of? Ja, galant ben je! Overigens oerdegelijk! Op bezoek bij de Van Rossums? Daarna, vraag je? Linea recta naar huis, zoals het een hard werkende huisvrouw betaamt. Tot over tien minuten dan! Wat? Allicht! Rutger heeft het zelf geanimeerd. So long dan!"

Als Eva op haar hoge hakjes weg geklikklakt is, blijft Rutger in dezelfde houding zitten. Het lijkt wel of de vermoeide trek tussen zijn ogen zich nog duidelijker aftekent. De zoveelste scène om niets! Of: om alles! Maar waarom is ze ook zo onredelijk? Zijzelf ís het immers, die hem altijd opnieuw aanzet tot het accepteren van nog meer baantjes? Alleen maar om al de daverende plannen waarvan haar hoofd vol zit, te verwezenlijken. Waar zal het einde zijn? Waren het slechts grillen? Die kon je in een jonge vrouw die het leven te ruw had geslagen, nog tolereren. Bij Eva lijkt het of alles volgens een van te voren uitgestippeld plan verloopt. Veranderen zal het ook niet meer. Als hij alles zo zeker wist! Deze kamer was het sprekend bewijs ervan. Nog geen drie maanden geleden was die als werkkamer voor hen beiden ingericht. Voor hem was de donkere hoek. „Omdat je er vrijwel alleen 's avonds zult zitten," had ze haar opzet gemotiveerd. Haar bureau, opvallend modern, stond tegenover het ouderwetse van hem, aan de zonkant bij de openslaande deuren. Het hare was keurig opgeruimd en wat erop stond verantwoord! Het zijne was één chaos! En toch wist hij er alles lekker vlug te vinden.

Zijn blik valt op de advertentie van een bekend effectenbureau. Gevraagd: een kracht voor secuur werk in de avonduren. Thuiswerk! Eva had de vraag rood omlijnd. „Net iets voor jou, Rutger! Als je je baas als referentie opgeeft!"

Toen hij weinig respons had gegeven – het zou het opofferen van zijn tot nog toe veilig gestelde vrijdagavond betekenen – had ze zich met haar overrompelende charme op zijn knie genesteld. „Je doet het, Rutger? Het zal ons een stuk dichter bij ons nieuwe wagentje brengen." Nijdig zoekt hij pen en papier. Dan dat nu maar eerst! Eva zou er stellig opnieuw over beginnen. Tenslotte bleef de gerede kans dat hij er niet voor in aanmerking zou komen!

Als hij zijn bureaula opentrekt valt zijn oog direct op het portret van Ellie. Ellie! Acht jaar zou ze nu zijn geworden. Hoe zou ze er nu uitgezien hebben? Zou haar stemmetje nog zo zangerig gevleid hebben? „Pappie? Hou je heus veel van Ellie? Meer dan van mijn pop?" kon ze zeggen. Zijn ogen dwalen de kamer rond. Waarom had Eva dit doorgezet? Juist deze kamer, waarin de aanwezigheid van hun kind bij tijden haast nog voelbaar was, tot niets dan een nuchter werkvertrek ingericht! Waar nu Eva's bureautje prijkte, had de commode gestaan. Het toneel van zoveel liefs, zoveel goeds ook in hun huwelijk! Hun huwelijk! Moest het nu kapot!? Of lag het al niet in scherven? Eva, die geen rust meer vond! Die of stug aan het werk was, of steeds meer pretjes najoeg! Ze was geestig; ze kon stralen en koketteren met ieder die er gevoelig voor was! De laatste weken met die Bob van Meersen. Een nietsnut met een massa geld!

Geld! Was het niet altijd al zo geweest, dat het veel mensen verlaagde tot wezens zonder ruggengraat? Dat het een huwelijk uiteenrafelde en de poëzie eruit wegtrapte? Dat het je zelfs je vrouw wilde ontfutselen, omdat het zoveel mogelijkheden bood? Of zoals het bij jezelf was: dat het je verlaagde tot een armzalige loonslaaf, die geen illusies of wensen meer koesterde. Werken, eten, slapen in een monotone volgorde, dag in dag uit! Maar de zondagen dan? Och, je hoofd was zo duf, dat het je moeite kostte niet af en toe in te dutten. Meestal wachtten je ook dan weer de vele verplichtingen waarvoor in een druk bezette week geen tijd overbleef. „Zo gezellig: eens samen ergens heen gaan waar je je zinnen kan verzetten!" Eva's uitspraak! Nijdig gooit hij de la dicht. Hij lijkt wel gek zich zo van streek te maken. Negen uur al. Meer dan een uur verknoeid! Hij moet zijn secretaresse toch maar bellen om te vragen of ze hem door het omvangrijke dossier heen wil helpen. Eva vond ook dit overbodig. Het bracht weer extra kosten met zich mee. „Als je nog even geduld hebt," had ze beweerd, „ben ik zover, dat ik je kan bijstaan."

Eva en Ada van Dalen! Was er een groter tegenstelling denkbaar? Eva, een vrouw met raffinement! Een uitspraak van die Bob van Meersen. Ada van Dalen? Een begijntje? Nee! Aan dat begrip verbind je graag iets lieflijks, iets ingetogens ook. Iets dat ontroert door zijn weerloosheid en ongereptheid.

Wat was ze dan wel? Een stille in den lande, die…? Och! Wat kon het hem ook schelen. Voor haar werk was ze in ieder geval prima. Als hij opschoot kon hij binnen een kwartier tenminste van deze eigenschap profiteren.

Als hij de hoorn op de haak legt, valt zijn oog opnieuw op de rommel op zijn bureau. Toch maar opruimen! De ander zal straks geen plekje vrij hebben voor haar papieren. Even vertoeft zijn blik nog bij de zonnige ogen van zijn kind, die hem vanaf de foto tegenlachen.

Zo vindt Ada van Dalen hem even later ook, als ze op haar schoenen met rubberzolen de kamer binnenglijdt. Verward kijkt hij op; hij schuift vlug zijn stoel achteruit om haar uit haar jas te helpen.

„De buitendeur stond aan," voorkomt ze zijn vraag. „Heeft u zoveel werk? Dan maar vlug aan de slag. Om elf uur moet ik beslist thuis zijn. Moeder rekent erop."

Als ze naar haar ballpoint zoekt, schuift Rutger vlug het kiekje onder het dossier. Ada's gezicht verraadt in niets dat ze het heeft opgemerkt. Ze is immers de goed afgerichte secretaresse, die horen, zien en zwijgen kan. „Deze staten moet ik zeker invullen?" is haar zakelijke vraag.

„Graag!" Een korte aarzeling; dan zegt hij vlug: „Ik haal iets te drinken. Frisdrank, of liever wat pittigers? Een glas vermout?"

„Het liefst het laatste. Ik krijg het thuis niet vaak."

Als hij met het blaadje in zijn hand terugkomt, zit Ada rustig te schrijven. Rustig? Uiterlijk wel althans! Maar wat hebben de twee onschuldige kinderogen op die foto in nog geen minuut bewerkt? Hebben ze wat wakker geroepen? Twee jaren zijn teruggerold. Zomaar. Bij de deur had Fred gestaan, de knop al in de hand. „Ada! Ik vraag het je voor het laatst. Je moeder, of ik? Aan jou de keus!" Ze komt van heel ver terug, als ze haar chef hoort zuchten. Ze ziet meteen wat eraan schort. Iets met de kurk van de fles. „Wacht maar," zegt ze. „Dat doe ik wel."

Hij geeft geen antwoord, maar zo plotseling komt er iets over hem van: ik vertik het, me vanavond opnieuw dood te zwoegen, dat hij er zelf verbaasd van staat. Wat heeft hij? O, hij weet het best. Hij wil alleen maar praten over zijn gestrand huwelijk. Over hoe het nog te redden zal zijn. Maar zeer duidelijk is er ook het andere: het willen weten of het leven van zijn gesloten, weinig emotionele secretaresse wel zonder ups en downs is verlopen. Of het altijd maar voortgekabbeld is, amper iets van eb of vloed afwetend.

Als ze het glas vermout bij hem neerzet, drinkt hij het in één teug leeg. Dan kijkt hij haar onderzoekend aan en het is of onder zijn kijken een lichte gloed in haar hals omhoogtrekt. „Prosit," zegt hij gewild luchtig. „Op de goede afloop van ons werk."

Het maakt haar onzeker. Dit is een meneer Schouten die ze niet kent. Maar met vrouwelijke intuïtie voelt ze ook dat hij onder deze quasi luchtige houding iets verborgen houdt. Zonder dat ze zich het waarom realiseert, grist ze het kinderportretje vanonder het dossier. „Is dit uw dochtertje? De baas heeft me eens verteld dat u een meisje verloren heeft."

„Het was ons enig kind! Ze was vijf, toen ze stierf aan hersenvliesontsteking. In drie dagen was ze weg."

Opeens is het beangstigend stil in de kamer. Slechts het gestroomlijnde klokje op Eva's bureau tikt nijdig de minuten weg. Ada ziet het nerveuze trekken van zijn mondhoeken. Evenmin ontgaat het haar hoe zijn handen zich met zo'n kracht tot een vuist ballen, dat de knokkels wit wegtrekken. Die hand? Houdt die ook een lijden verborgen? Jaren geleden was er een andere geweest. De deurknop had in machteloos verzet gesteund. Onbewust glijdt haar hand over de zijne. „Wat vreselijk," zegt ze zacht. „Nu begrijp ik waarom u in het werk gevlucht bent. De beste remedie voor verdriet dat niet meer goed te maken is."

Het eindigt in een snik. Als hij naar haar opkijkt, treft hij zo'n ontredderde blik in haar ogen aan, dat het hem zijn laatste restje zelfbeheersing ontneemt. „Jij dus ook!" zegt hij heftig. „Jij hebt het leed ook gekend?" En haar naar zich toe trekkend houdt hij haar hoofd tegen zijn borst gevangen.

Ze kijkt naar hem op. Een snelle kus! Dan staat ze op en strijkt over haar voorhoofd. „Sorry," zegt ze met een stem die voor haar gevoel van heel ver komt. „Ik geloof dat we allebei ons verstand een beetje kwijt zijn. De vermout." Als hij als verstard in zijn stoel blijft zitten, zegt ze wat onzeker: „Zal ik nu maar gaan? Van werken zal toch niets meer komen."

Met een enkele pas is hij bij haar. „Nee!" zegt hij heftig. „Je blijft! Ada, we moeten dit uitpraten; eerlijk."

Verward kijkt ze door haar tranen heen naar hem op. Dan zegt ze wat onzeker: „Een pure vergissing. Ik bedoel: het was niet, omdat ik van u houd of zo."

„Het was de herinnering aan de andere," vult hij haar zin aan. De blik in haar ogen vertelt hem dat hij in de roos heeft geschoten. „Ja, zoiets was het wel."

„Ada," dringt hij aan, „je moet me vertellen wat er geweest is, dat ook jouw leven... misschien dat je er jezelf en mij mee helpen kunt."

„Nee," zegt ze zacht, maar overtuigd.

Was hij zo straks niet haast tot dezelfde conclusie gekomen? Maar meteen is er ook het verzet tegen dit al te makkelijk aanvaarden van wat onafwendbaar lijkt. „Nee," zegt hij fel. „Als je zelf echt anders wilt! Als je tracht het kwaad bij jezelf te zoeken." Geboeid kijkt ze naar hem op. Ze ontdekt een ander facet in de figuur van haar chef. „Misschien geldt dat voor u? Voor mij in ieder geval nooit meer."

„Kun je... wil je het mij vertellen?"

Ze aarzelt; dan zegt ze vlak: „Och, waarom ook niet? Veel valt er trouwens niet te zeggen. Ik had een vriend, al jaren geleden. Voor u bij ons op kantoor was al. We zouden gaan trouwen. Tot hem onverwachts een prachtbaan in Amerika werd aangeboden met een dienstverband van drie jaar. Moeder wilde dat ik met trouwen zou wachten. Fred hield voet bij stuk. Wat moest ik doen? Vader was nog geen jaar dood. Moeder was altijd ontzien en daardoor gewend haar zin door te drijven. Als ik weg was, zou ze geheel alleen staan. Naarmate ik ouder word en dagelijks alleen met haar ben, begrijp ik het beter. Zoals ze mij geheel voor zich opeist! Zoals ze dat ook vader heeft gedaan! Al het persoonlijke in hem was kapotgemaakt. Zo is ze nu bezig dat ook in mij te doen."

Rutger kan zich helemaal inleven. Haast ongeduldig vraagt hij: „Wil je daarom ook altijd zo op tijd naar huis?"

Ze knikt. „Dat is slechts een onderdeel van al het andere. Ik weet al haast niet beter meer."

„En hoe is het met die ander, die Fred?"

Een schier onmerkbaar optrekken van haar schouders. Dan zegt ze, en het klinkt te luchtig om als waarheid over te komen: Nooit meer heb ik iets van hem gehoord; hij is getrouwd, denk ik. Het was geen type om alleen te blijven."

Als Rutger Schouten haar met een vreemde, verwonderde trek op zijn gezicht blijft aankijken, zegt ze, opstaand: „Het spijt me, dat ik deze avond voor u verprutst heb. Begrijp wel dat er voor mij geen weg terug was."

„Voor jou niet alleen. Ik zie die voor mij evenmin." En als ze niet op zijn woorden ingaat: „Ada, wil je me vergeven?"

„Allicht. We waren allebei wat uit het lood geslagen. Vanaf morgen ben ik weer juffrouw Van Dalen voor u."

„Ja?" Het klinkt wat aarzelend. „Kan het niet zonder meer Ada blijven? Alleen maar, omdat we elkaar in het vervolg als lotgenoten kunnen beschouwen?"

Rustig staan haar ogen, als ze zegt: „Zonder meer, ja! Dan graag, meneer Schouten." En, zich bij de deur nog even omdraaiend, over haar schouder heen: „Alleen: onder één voorwaarde! Dat u eerlijk aan uw vrouw opbiecht wat zopas voorgevallen is."

„Dat beloof ik," zegt hij grif, „mijn hand erop!"

Als ze weg is, loopt Rutger snel terug naar zijn bureau. Even nog weifelt hij; dan legt hij het onafgemaakte werk met een resoluut gebaar in de la en draait de sleutel ervan om. Slechts een gedachte beheerst hem nog: slapen! Niet meer hoeven denken nu!

Aan het ontbijt zit Rutger alleen. Eva moet uitslapen, wil ze straks haar gedachten bij haar werk kunnen houden. Maar aan de lunch is ze present, stralend en verzorgd of er geen vermoeiende nacht is geweest. „Ben je gisteravond nog gereedgekomen?" informeert ze. „Is die brief op die advertentie ook weg nu?"

„De brief is niet weg!" Het klinkt zo nadrukkelijk, dat het haar wel moet opvallen.

„Niet weg?" vraagt ze desondanks…

„Nee, en hij gaat niet weg ook." En op haar verbaasd opkijken: „Eva, ik heb je een bekentenis te doen." Waarheidsgetrouw, op het zakelijke af, vertelt hij wat de vorige avond is voorgevallen, Ada zoveel mogelijk de hand boven het hoofd houdend… Op Eva heeft juist dat laatste een negatieve uitwerking. Driftig schuift ze haar stoel achteruit en fel staan haar ogen, als ze sneert: „Zo'n slang! Zo'n stiekeme! Nu zie je eens! Ja, ik vind ook dat je haar vooral in bescherming moet nemen."

„Eva, maak geen onnodige scène alsjeblieft. Ik beken volmondig dat ik fout was. Ik heb er spijt genoeg van." En als haar ogen nog steeds dat niets vergevende vasthouden, zegt hij kort: „Als je mij niet gelooft, vraag het haar dan zelf."

„Dat zal ik doen, ja! Als ze gedacht had er zo makkelijk af te komen!"

„Dat heeft ze niet. Ik moest van haarzelf beloven je op de hoogte te stellen."

„Oh là!, là! Betrapt door een ander soms?"

„Eva!" De blik in zijn ogen doet niet onder voor de hare. Dit is laster; besef je dat wel?"

Iets waarschuwt haar, dat ze te ver is gegaan. Ineens is er de gedachte aan vannacht: Bob van Meersen! Die gesmeekt had… nee niet aan denken nu! Opnieuw voelt ze de dwaze zucht om te striemen. Zo, dat het gezicht tegenover haar zijn zelfverzekerdheid zal verliezen. Daarom zegt ze nu iets, waarvan zijzelf niet begrijpt waarom ze het doet. „Jammer dat ik het niet geweten heb! Dan had ik mijn kans bij Bob ook niet onbenut gelaten. Ik liet het nota bene uit piëteit tegenover jou." De pijl heeft doel getroffen. Ze heeft midden in de roos geschoten! Het is of de figuur van Rutger ineenschrompelt, of met één slag alle hoop uit hem is weggeranseld.

Vreemd! Het brengt haar allerminst de verwachte triomf. Wel de herinnering aan die andere keer, toen ze haar man in haast dezelfde houding gevonden had. In een wit ziekenhuisbed! Er was toen een alle hoop ontnemende uitspraak van de dokter! Een doodvonnis feitelijk. Dan ziet ze – of het ineens heel veraf gebeurt – hoe hij in een gewoontegebaar zijn vingerdoekje oprolt en op de deur toeloopt. Een slag van de buitendeur! Autobanden die over het grind knerpen! Dan niets meer!

Om drie uur laat Eva een stemmige Ada van Dalen binnen. „Gaat u zitten!" zegt ze stroef, zelf allerminst op haar gemak. Ze had zich veiliger geweten tegenover een zenuwachtige secretaresse, die bevreesd zou zijn voor de stellig niet uitblijvende verwijten. Tegenover deze houding weet ze zich slecht gewapend. Ada gunt haar niet lang de tijd tot een verdere overdenking. „Ik kom u mijn excuus aanbieden voor wat er gisteravond gebeurd is. Ik ben blij, dat u erin toegestemd heeft mij te ontvangen. Ik vond dat ik u van mijn kant een verklaring schuldig was."

„En die is?" Eva hoort zelf hoe weinig tegemoetkomend haar stem klinkt.

„Het was in feite slechts een samenloop van omstandigheden. Bij toeval kreeg ik de foto van uw gestorven dochtertje in handen. In mij kwam daarmee alles naar boven wat mijn eigen leven... Enfin, dat is geen excuus. Wilt u mijn verontschuldiging aanvaarden? Ik," aarzelt ze even, „zou graag willen dat u uw man eveneens kon vergeven. Er bestaat totaal niets tussen hem en mij."

Steeds onzekerder voelt Eva zich worden. Iets ongekends overvalt haar. Een ander – niet zijzelf – heeft ongemerkt de leiding van het gesprek genomen. Gek! Ze zou in woede willen uitbarsten, haar met verwijten willen striemen. Ze had er tenslotte het recht toe. Iets weerhoudt haar. Het weten dat de ander de waarheid spreekt. Dat het inderdaad een noodlottige samenloop van omstandigheden is geweest! Maar ook – en nu ze eenmaal komen, laten de gedachten zich niet meer verdringen – het andere. Dat zij het geweest is, die het in haar huwelijk zover heeft laten komen. Door haar doordrijven! Door haar zucht naar welstand. Naar nog meer geld! Ik moet er verder over nadenken, is het enige dat zich vanuit de chaos in haar hoofd vastzet. Daarom zegt ze kort: „Ik aanvaard uw verontschuldiging. Ik ben ervan overtuigd, dat dit mijn man geen tweede keer zal overkomen." En nog wat hooghartiger, als om haar gezicht te redden: „Wat hem betreft: dat is overigens een kwestie tussen hem en mij."

Ada voelt de wenk. „Dank u," zegt ze opstaand. „Ik ben blij dat u de zaak als uit de wereld zijnd wilt beschouwen. Dag, mevrouw Schouten, ik vind het wel. Blijft u maar binnen."

Eindelijk alleen. Of: juist niet alleen!? Van alle kanten stormen de gedachten op Eva af en striemt het zelfverwijt, zoals zijzelf zo straks haar man had weten te striemen. Wat had ze van haar huwelijk gemaakt? Geld, altijd maar geld! Niet voor hem had ze geleefd, al had ze zich met de gedachte in slaap gesust, dat ook hij zijn deel kreeg van datgene wat het ruimere inkomen mogelijk maakte: het toilet boven, die dure buitenlandse reis, de tuin die ze door een tuinarchitect had laten aanleggen. Rutger had er nog een grapje over gemaakt. „Nu kan ik mijn klompen wel opstoken. Ik durf aan dit pronkstuk zelf niet meer te prutsen." Een grapje? Nee, dat was het niet geweest! Het was slechts bittere humor geweest. Had ze dan alles verkeerd aangepakt na de dood van hun enig kind? De kennissen hadden haar unaniem geprezen, dat ze niet bij de pakken was gaan neerzitten. Ze had Rutger met zijn werk geholpen en wilde dat in de naaste toekomst nog meer doen. Waarvoor was anders deze werkkamer? „Omdat ik anders oma en opa nog bij ons zie intrekken," had ze zich verweerd, toen Rutger er zich tegen had verzet. Het was een leugen geweest. Het was wel het andere; dat wat ze niet had willen aanvaarden. Een vluchten voor het onherstelbare leed! Voor de leegte in haar leven. Daarom wilde ze uitgaan, pretjes en werklui over de vloer, die je aandacht opeisten! Daarna was er het werken naast Rutger. Niet in de eerste plaats om zijn taak te verlichten, maar meer om het verdriet de baas te blijven. En nu? Ze had verloren. Op alle fronten. Rutger had het gekund. Die had weten te aanvaarden, al was het verdriet in hem zeker zo groot geweest. Ook het andere had hij aanvaard. Haar streven! Het opgeven van zijn weinige liefhebberijen en het bijna opofferen van zijn laatste vrije avond.

Zoals Eva altijd een weloverwogen oordeel over anderen gehad heeft, zo legt ze nu ook haar eigen leven op de weegschaal. Ze vergelijkt Rutgers opofferende liefde met haar egoïsme en zijn toegevendheid met haar doordrijven van wat ze doorzetten wilde.

Ineens is er helder de herinnering aan de afgelopen nacht. Ze had op de rand van de afgrond gestaan! „Ga even mee naar mijn kamer voor een drankje! Die man van je zit toch in zijn werk begraven. Je hebt geen kinderen die je opeisen," had hij gezegd. Een tasje dat ze had opengeknipt om er een piepklein zakdoekje uit te halen. Een kinderfoto, die in haar schoot gegleden was!

„Geen kinderen die je opeisen." De kleur trekt in haar wangen omhoog. Dat kiekje heeft me gered. Nog net voor ik...

De tafel is vrolijk gedekt, als Rutger om halfzes thuiskomt. Hij heeft er geen oog voor. Op weg van kantoor naar huis heeft hij erover gepeinsd en getobd hoe het thuiskomen zou zijn en hoe het nu verder zou gaan. Wat had hij nog te verwachten? Stellig geen Eva uit de eerste jaren van hun huwelijk. Een Eva die hem stralend had opgewacht, vol verhalen over hun kleine schat. Maar: droomt hij nu? Het is wel die Eva! Al zegt ze dan niet veel, de warmte in haar ogen en het gebaar waarmee ze hem mee-troont naar de makkelijke stoel bij de haard, roepen het beeld bedrieglijk echt in hem op. Als hij, nog overrompeld door wat hij niet verklaren kan, is neergevallen, vraagt ze: „Heb je al erge honger, of...? Ik wou zo graag wat met je praten."
Als hij zo gauw niets weet te zeggen, gaat ze verder: „Rutger? Het is alleen maar, dat ik jou vergiffenis wil vragen voor gister-avond."
„Jij mij?" Werkelijk verbaasd veert hij overeind.
„Ja," zegt ze nadrukkelijk. „Het is immers mijn schuld. Als ik niet zo doorgedreven had, zo..."
Een stevige hand voor haar mond; een arm die haar op zijn knie trekt; een stem die hees, maar ongekend gelukkig zegt: „Wil je direct ophouden mijn vrouw te bekladden? De vrouw van Rut-ger Schouten!"
Ze weet niet of ze lachen of huilen moet. Wat doet het er nog toe? Er is alleen een geluksgevoel, dat helemaal bezit van haar neemt. Rutger, die haar zijn zakdoek voorhoudt, vraagt zacht: „Wat is er gebeurd vanmiddag? Het lijkt wel een godswonder."
„Dat is het ook," zegt ze overtuigd. „In het vervolg zullen we met Zijn hulp weer samengaan."
„Eva?"
„Stil," zegt ze, haast met iets bezwerends. „Ik heb nog meer te zeggen, Rutger. Je moet maar gauw voor een stel bijbaantjes be-danken. Dan komt er weer tijd voor je liefhebberijen. Je broer is weg van dat bureau van mij. Het zal net in zijn poppenhuis pas-sen. Geef het hem maar voor zijn twaalfenhalf jarig huwelijk."
„En jij dan?" vraagt hij, nog steeds overrompeld. „Ik? Ik ben pas

achtentwintig, Rutger. Jij amper dertig. Zou je een vader van ruim dertig erg oud vinden?"

„Eva; je bedoelt?"

Ze knikt. „Ik weet nu dat ik ook daarin fout ben geweest. Nooit zullen we onze Ellie vergeten. Maar daarnaast zal er genoeg liefde voor een ander kind overblijven. Niet, Rutger?"

„O, stellig!" Dan drukt hij haar tegen zich aan. „Ons leven kan weer goed worden, vrouwke! Zelfs beter dan het ooit is geweest. Omdat het gelouterd is en omdat we het samen weer durven aanvaarden."